Massimo Osanna

Pompei. Il tempo ritrovato

Le nuove scoperte

Rizzoli

Pubblicato per

Rizzoli

da Mondadori Libri S.p.A.

ISBN 978-88-17-14313-4

Prima edizione: novembre 2019
Seconda edizione: febbraio 2020

Realizzazione editoriale: The Bookmakers Studio Editoriale

INTRODUZIONE

> [...] però si balla, si pranza fuori, le donne inventano per la loro pelle l'"Ambrina". Le feste colmano quelli che forse saranno, se i Tedeschi continueranno ad avanzare, gli ultimi giorni della nostra Pompei. E sarà questo a salvarla dalla frivolezza. Fate che la lava di qualche Vesuvio tedesco [...] le sorprenda durante la loro toletta e ne eterni il gesto interrompendolo; ed ecco che un giorno i ragazzi potranno istruirsi guardando sui libri di testo illustrati la signora Molé, mentre stava per darsi un ultimo strato di belletto prima d'andare a pranzo da una cognata, o Sosthène de Guermantes, mentre finiva di dipingersi le sopracciglia finte; tutta materia questa, di lezioni per i futuri Brichot [...]».
> (Marcel Proust, *Alla ricerca del tempo perduto*. 7. *Il tempo ritrovato*, trad. it. di G. Caproni, Torino 1958, pp. 131-132).

In *Il tempo ritrovato,* il barone di Charlus, rivolgendosi al narratore della *Recherche* proustiana, evoca insistentemente il Vesuvio e la sua catastrofica eruzione. Una premonizione (quasi sperata) di quello che la guerra potrebbe provocare a Parigi: trasformare la città minacciata dall'avanzata tedesca nel 1916 in una Pompei contemporanea e azzerarne l'eterna frivolezza. Frivoli e sfrenati quei giorni parigini della prima guerra mondiale per chi è in città, lontano dal fronte: in attesa della catastrofe il bel mondo vive «gli ultimi giorni della nostra Pompei». Parigi come luogo di peccato non può che richiamare il cliché pompeiano, radicatosi nelle coscienze europee a partire dal celebre *The Last Days of Pompeii* di Bulwer-Lytton, il best seller del 1834 che inaugura la fortuna letteraria e cinematografica di Pompei come metafora del mondo[1].

L'excursus pompeiano continua a lungo, in un incalzare di possibili parallelismi, dalle dinamiche della distruzione (quella perpetrata dalla natura per Pompei e dagli uomini per Parigi) alle decorazioni del bordello in cui il narratore capita «per caso»; fino alle sotterranee vite parallele delle vittime pompeiane, rifugiatesi nei criptoportici e nelle stanze ipogee delle case, e degli amanti clandestini alle prese con l'illecito erotismo dei bassifondi parigini. In quei giorni del 1916 a Parigi, la storia ripropone una «Pompei a puntate», che potrebbe tramandare documenti straordinari per il futuro:

> Quali documenti, per la storia futura, quando gas asfissianti analoghi a quelli emessi dal Vesuvio e crolli come quelli che seppellirono Pompei, avranno conservate intatte le ultime imprudenti che ancora non hanno fatto filar via verso Bayonne i loro quadri e le loro statue. Del resto, da un anno a questa parte, *non c'è già ogni sera una Pompei a puntate*, quando la gente scappa in cantina [...] per nasconder con sé quanto ha di più prezioso, come i sacerdoti di Ercolano sorpresi dalla morte mentre portavano in salvo i sacri vasi? È sempre l'attaccamento all'oggetto a provocare la morte di chi lo possiede[2].

Parigi come una «Pompei a puntate»! È stato scritto che «Pompei è metafora e monito perenne»[3]: come per il barone di Charlus, per il quale il 79 d.C. rivive nei giorni dell'avanzata tedesca nella guerra del 1914-1918, così per noi uomini contemporanei la fatidica eruzione, con tutto quello che ha significato per la conservazione e il riaffiorare dell'antico, continua a ispirare riflessioni ed emozioni. In questa evocazione del tempo che è insita in Pompei, elemento dominante, onnipresente, è il Vesuvio, lo «sterminator Vesevo», com'è chiamato da Leopardi ne *La Ginestra*. La montagna che incombe su Pompei, ieri come oggi, introduce nella storia della città antica, che diventa storia universale, e accompagna nel percorso di ritrovamento del passato. In tutte le rievocazioni di Pompei, in tutti i resoconti di viaggio, il Vesuvio non può che essere protagonista, come in un celebre – breve quanto fulminante – resoconto di Jean Cocteau, in una lettera a sua madre, dopo un viaggio a Pompei in compagnia di Picasso:

> *Ma chérie, Nous sommes de nouveau à Rome après voyage Naples, d'où Pompéi en auto [...] Le Vésuve fabrique tous les nuages du monde. La mer est bleu marine. Il pousse des jacinthes sur les trottoirs. Pompéi ne m'a pas étonné. J'ai été droit à ma maison. J'avais attendu mille ans sans oser revenir voir ses pauvres décombres. Je t'embrasse. Jean*[4].

L'incombente montagna che accoglie da lontano il visitatore introduce nella storia e indica il tragitto di riappropriazione del (proprio) passato: «Il Vesuvio fabbrica tutte le nuvole del mondo, il mare è blu scuro. Scaglia giacinti sui marciapiedi». Oggi scaglia giacinti sui marciapiedi, ieri cenere e lapilli. Ma grazie alla presenza ancestrale del Vesuvio, l'incontro con Pompei può diventare un ritorno alle proprie origini. Le rovine non stupiscono il poeta che, nel monologo epistolare con la madre, fa dell'incontro con la città sepolta dall'eruzione una «riscoperta», un (eterno) ritorno: «sono arrivato dritto alla mia casa. Avevo atteso mille anni senza osare tornare a vedere le sue povere rovine».

Per ognuno Pompei e il suo vulcano possono evocare o ispirare qualcosa che è già nel proprio animo, possono far affiorare emozioni e tensioni dell'intimo relazionarsi con la vita e le sue costanti: per il Marchese de Sade «i dintorni di Napoli sono i più belli del mondo. La distruzione e il caos del vulcano spingono le nostre anime a imitare la mano criminale della natura»[5]; per Madame de Staël: «l'atmosfera vulcanica che si respira in quei luoghi deve produrre la ferocia quando le passioni sono eccitate… il fenomeno del Vesuvio causa una vera palpitazione di cuore»[6]. Ferocia, palpitazioni, estasi e financo crimini, tutto questo può suscitare quell'incredibile connubio di natura e storia generato dal vulcano.

In queste impressioni così diverse e allo stesso tempo simili, perché dettate dall'emozione che suscita l'incontro con la città e la natura che la inquadra (o meglio ingloba), declinata in plurime varianti, cogliamo un aspetto costante del rapporto tra la città vesuviana e noi: quel coacervo di inestricabili sensazioni ed emozioni che l'incontro con la natura intrisa di storia suscita in ognuno.

Estraneità e prossimità, un continuo tramutarsi delle sensazioni tra i poli opposti di lontananza e vicinanza: questo è stato e continua a essere il senso dell'incontro con Pompei. Estraneità che ci viene dall'istintivo volgere lo sguardo dal suo destino di morte e distruzione, o dall'illusione che la lontananza del tempo ci abbia resi migliori, più evoluti e civili; prossimità per quell'occasione straordinaria che ci offre permettendoci di entrare nella materia viva della sua quotidianità.

L'incontro con Pompei consente di scavalcare i secoli, offre l'illusione di un'interruzione del fluire del tempo con le sue declinazioni storiche. Le straordinarie tracce del quotidiano che la città ha riconsegnato e continuamente restituisce, in un movimento continuo di sottrazione alla terra di manufatti e dati, danno l'occasione unica – direi istintiva – di confrontare quella quotidianità con le nostre attività, con le azioni del *nostro* quotidiano, del *nostro* contemporaneo.

Valga tra tutte la testimonianza di Mrs. Ashton J. Yates, il cui resoconto di viaggio scegliamo tra gli innumerevoli che si susseguono tra XIX e XX secolo:

> Benché a Pompei il tè fosse sconosciuto, la frutta non lo era di certo; infatti, in una vetrina, si può osservare un dolce rinvenuto da quelle parti, fatto di noci e altri frutti simili, prugne secche o susine, fichi e uva sultanina [...] A questo proposito, non devo dimenticare di prendere nota di un servizio completo di utensili per tagliare la pasta, simili a quelli di cui i pasticcieri dei nostri giorni si servono per la preparazione dei dolci ornamentali [...] Al centro di una stanza abbiamo visto un tavolo ricoperto di vetro, sui cui erano in mostra collane, spille, braccialetti, orecchini eccetera, fatti di pietre variopinte e oro finemente lavorato,

> tutti dall'aspetto assolutamente moderno [...] ci siamo recati dal nostro gioielliere per vedere a che punto siano i gioielli che gli abbiamo commissionato in stretta conformità con i modelli antichi da noi esaminati[7].

Dallo *street food* ai gioielli, al gusto per i giardini, per quella natura che penetra nelle case, per quegli spazi domestici che Goethe coglieva come insignificanti e Le Corbusier, di ritorno da Atene, percepiva invece come modello «mediterraneo» da imitare[8], e ancora le fontane sulle strade, i sistemi fognari ecc., tutto avvicina Pompei al nostro tempo in modo impressionante: la città morta si fa d'improvviso viva e contemporanea. E a ancora, per riflettere sulla «prossimità», si pensi all'impressionante attualità dei graffiti che nell'antica Pompei venivano incisi sui muri in maniera talmente pervasiva, o degli oggetti, soprattutto di alcuni manufatti così «contemporanei».

Un tema fondamentale nel nostro incontro con Pompei è infatti quello della «materialità» degli oggetti[9]. L'onnipresenza degli oggetti nella nostra civiltà contemporanea richiama immediatamente la rilevanza dei manufatti che la civiltà pompeiana ha riconsegnato al presente, sottraendoli (in parte) alle cesure e alle trasformazioni incessanti del tempo. Gli oggetti si fanno memoria, potente evocazione del passato di ognuno di noi, come sono testimonianza delle vite spezzate dall'eruzione: sono stati manipolati, usati, rotti e gettati da chi sarebbe stato ucciso dal vulcano, da chi, riuscito a fuggire, non ha lasciato altre testimonianze di sé.

Questo aspetto del fluire della vita quotidiana interrotto dall'eruzione, e di cui lasciano testimonianza gli oggetti sopravvissuti agli uomini, è una delle esperienze che da sempre ha maggiormente affascinato chi con Pompei si è confrontato. Del resto, che cosa c'è di più affascinante e al tempo stesso inquietante di vedere, contare, riflettere sulle «cose» che le vittime portavano con sé nella fuga disperata, dalle semplici chiavi di casa (nell'illusione di poterci ritornare), alle monete, ai portafortuna, o su quelle preziose che avevano nascosto prima della fatidica ora[10]. Oggetti come relitti del naufragio del passato che affascinano per la loro remota appartenenza alle vite di chi ci ha preceduto nel tempo, con le quali tessono un network di relazioni. Gli oggetti, di ieri come di oggi, diventano fondamentali nella loro duratura materialità, perché raccontano biografie di un'umanità che non lascia spesso altre tracce nella storia, come nelle toccanti parole di Winfried Georg Sebald: «Altrettanto fuori dal tempo, come quell'attimo salvifico, sospeso nell'eternità e che continua ad aver luogo qui e ora, erano tutti i ninnoli, gli attrezzi e i souvenir arenatisi nel bazar di Terezín, i quali, per una serie di circostanze imperscrutabili, erano sopravvissuti ai loro antichi proprietari e scampati al processo della distruzione...»[11].

Pompei dalla doppia vita, dalle molte vite. Qual è quella attuale, la nostra Pompei contemporanea? È sempre difficile definire la città vesuviana in maniera univoca, perché come ogni città viva Pompei è un sistema di relazioni, un fluire incessante di cambiamenti, un laboratorio di sperimentazioni e di emozioni. La città degli scavi e dei restauri si è sempre, nella sua storia post-eruzione, intrecciata con la Pompei immaginaria, quella che rivive nell'immaginifica creatività di scrittori, pittori, scultori, architetti. Scienziati e artisti che hanno permesso – e consentono ancora oggi – a ciascuno di noi di fare esperienza della propria Pompei. Ognuno con la propria presenza, le proprie emozioni, conoscenze, curiosità, percezioni, sensazioni[12].

Il libro che avete tra le mani racconta la «mia» Pompei. La città che è riemersa in questi ultimi anni dal fango di scandali (veri o presunti) e crolli (più o meno enfatizzati dalla stampa), grazie al lavoro infaticabile di un team interdisciplinare di professionisti e addetti ai lavori che ho avuto l'onore di coordinare. È un testo che mantiene un impianto scientifico, pur essendo pensato per un pubblico di lettori ampio, non solo per specialisti: per tutto il pubblico che si confronta con la città antica, che la ama, che si lascia incuriosire dalle sue plurime vite. Il lettore troverà diverse immagini a corredare l'esposizione, e numerose tavole fuori testo, indicate con la sigla FT, laddove si è ritenuto necessario garantire alle fotografie la migliore delle rese.

Attraverso le ultime scoperte di questa nuova stagione – in cui la tutela è stata sempre accompagnata da ricerca e la ricerca sempre dalla comunicazione – si racconta la città con la sua lunga vita (dal VII secolo a.C. al I secolo d.C.), con i suoi santuari, i suoi spazi urbani, il fervore di attività che contraddistingue ogni città mediterranea, la sua quotidianità. Se ne presentano per la prima volta diffusamente le grandi scoperte degli ultimi anni, dal mosaico di Orione alla Leda col cigno, a tutto il nuovo quartiere emerso dagli scavi della Regio V. E poi ancora, nella nutrita appendice, la sua vita che riprende nel Secolo dei Lumi con l'inizio delle ricerche ufficiali, fino a oggi, al tempo del Grande Progetto Pompei.

Un libro scientifico, in cui però non sono riuscito a evitare l'emergere della passione e dello sguardo tutto personale con cui ho vissuto e ho operato a Pompei in questi ultimi cinque anni.

Pompei, 11 ottobre 2019

LA LUNGA VITA DI POMPEI: I SANTUARI E LA CITTÀ

capitolo 1

Della Pompei più antica, quella fondata verso la fine del VII secolo a.C. e che nel VI secolo è già una vera e propria città, non si conoscono le case e le tombe, mentre ormai si cominciano a porre le basi per avere precisa contezza del primitivo impianto urbano[1] (Fig. 1). Ignoti restano – all'interno della griglia di strade che in questi anni si sta sistematicamente ricostruendo – i luoghi ove si svolgeva la vita quotidiana, gli spazi dei vivi hanno lasciato testimonianza solo in qualche muro, qualche piano pavimentale individuato in profondità, sotto i livelli delle città più recenti, quella che gli archeologi chiamano «sannitica» (IV-II secolo a.C.), o quella romana (I secolo a.C. – I secolo d.C.). Sconosciuti sono anche gli spazi dei morti, le tombe più antiche sepolte a vari metri di profondità già all'epoca dell'eruzione[2].

In compenso sono noti i santuari, gli spazi dedicati alla divinità, quelli dove normalmente si concentravano gli sforzi della collettività per creare strutture monumentali degne degli dèi e della città di cui, si sperava, erano numi tutelari. Le aree sacre sono generalmente gli

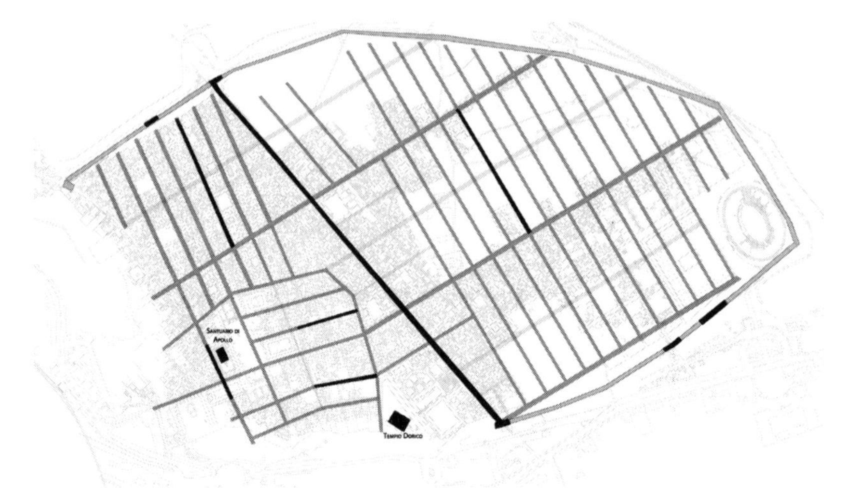

Fig. 1 Pompei arcaica, schema ipotetico della divisione urbana. In colore più scuro le direttrici viarie documentate da rinvenimenti archeologici.

spazi più noti dei centri urbani arcaici: luoghi dove il fluire ininterrotto del tempo, lo scorrere delle stagioni, era ritmato dalle feste e dalle celebrazioni che si svolgevano nella cornice monumentale delle architetture religiose. Norme non scritte, le regole del rito, definivano i codici di queste cerimonie, che scandite nel tempo e di volta in volta rinnovate, costruivano uno spazio e un tempo condiviso dalla comunità, in cui i cittadini si riconoscevano come gruppo. I santuari sono infatti anche uno strumento per integrare le diverse componenti, sociali quanto etniche, della città. Diventano così, con il passare degli anni, luoghi della memoria, dove preservare il ricordo di un'appartenenza comune e rendere più saldi i legami del corpo civico. Per noi che, a distanza di secoli, ripensiamo le storie degli antichi, diventano straordinari archivi storici: la terra è uno «schedario» impareggiabile, dove si conservano documenti e tracce del passato, frammenti di storie, biografie, costumi, culture sepolte nel susseguirsi inarrestabile dei secoli[3].

La trasformazione dei più antichi villaggi sparsi, disseminati nella valle del Sarno, verso un insediamento di tipo urbano è documentata a Pompei già a partire dalla prima metà del VI secolo a.C., proprio dall'apparire di testimonianze relative a luoghi sacri. Il santuario nasce e si struttura con la città, di questa viene a incarnare l'identità, l'essenza. Insieme agli spazi per gli dèi è la presenza di un circuito difensivo – posto fin dal VI secolo a.C. a chiudere i sessantaquattro ettari che circondano l'area urbana distrutta dall'eruzione – a mostrare la formazione avvenuta della città. In assenza dello spazio pubblico, ancora non individuato, ma che si sospetta posto in coincidenza della piazza del Foro della città romana, sono proprio le mura e i santuari la cifra dello statuto urbano acquisito da Pompei in quest'epoca[4] (Fig. 2).

Nella città vesuviana, come nella maggior parte dell'Italia antica, i dati per la conoscenza dei santuari provengono essenzialmente dallo scavo archeologico[5]. Non ci sono testi letterari che ce ne parlano; le iscrizioni più antiche, poche al di fuori del santuario di Fondo Iozzino su cui porteremo l'attenzione nel prossimo capitolo, non ci dicono granché del rito, delle credenze, delle cerimonie. Risalire da un contesto archeologico, fatto di stratigrafie e suppellettili, alle azioni che lo hanno determinato è esercizio assai difficile, soprattutto se quello che va decodificato è un rituale, scandito da norme e regole, che variano di caso in caso e possono anche non lasciare tracce materiali[6]. Difficile ricostruire una pratica che, affidata a gesti, movimenti, passi di danza, invocazioni, preghiere, canti, non è stata fissata nel ricordo collettivo tramite parole scritte. Se non vengono codificate nella scrittura, sulla pietra o su materiali durevoli, come «leggi sacre», le performance sono destinate a dissolversi presto nell'abisso del tempo, per sempre perdute alla memoria. Gli oggetti, d'altro canto, il più delle volte sono destinati a rimanere muti, se non si elaborano specifici processi ermeneutici per restituire loro voce e parola.

Il lavoro dell'archeologo consiste proprio in questo: cercare di collazionare ogni frammento, ogni indizio, ogni documento, in modo da ricomporli in un sistema, in modo da ricostruire, detto nelle parole più semplici, una storia. In modo da ricostruire le tante storie delle donne

Fig. 2 Lo scavo delle mura nel settore sud-est della città (qui in una foto d'archivio degli anni '30 del XX secolo) ha consentito di individuare un primo tracciato, costituito da blocchi di pappamonte e lava tenera, pertinente alla fase più antica (VI secolo a.C.) (Archivio PAP, *Parco Archeologico Pompei).*

e degli uomini che ci hanno preceduti in un determinato luogo, dove ora interroghiamo le profondità della terra alla ricerca di risposte[7].

In un santuario una fossa con oggetti votivi, la struttura in pietra di un altare, la disposizione di basi per statue lungo un percorso permettono di ricomporre aspetti della società che li ha realizzati, nonché effettivi momenti di vita degli attori antichi che qui si sono recati e hanno preso parte alle cerimonie. Il compito dell'archeologo sta nel decrittare, attraverso gli oggetti, le architetture, le tracce lasciate da eventi e azioni, quegli episodi astratti dalla quotidianità che avevano luogo nell'atmosfera sacra del santuario, dove un dio è presente e l'agire è scandito da norme; dove il tempo fluisce secondo altri parametri rispetto al mondo degli uomini.

Anche a Pompei occorre dunque affidarsi alla terra, scavare oltre i lapilli, al di sotto dei piani di calpestio del 79 d.C., per interpellare il sottosuolo e il suo racconto della storia più antica della città; per cercare indizi e recuperare documenti sepolti e dimenticati, per risvegliare la memoria perduta, per ritrovare il tempo di tanto tempo fa. Bisogna però fare i conti quasi sempre con i limiti che luoghi celebri come il nostro impongono alle ricerche di oggi: i santuari di Pompei, come i grandi santuari delle città famose, dall'acropoli di Atene a Olimpia a Roma, sono stati oggetto di imponenti e ripetuti scavi nel passato, in epoche in cui – il più delle volte – la cura per i contesti era del tutto tralasciata a favore del recupero di manufatti da esporre o esibire (o studiare in maniera erudita) e di edifici di impatto monumentale. Se si considera quanto incessantemente sia stato sondato il terreno a Pompei, soprattutto nei luoghi sacri, che di solito sono prodighi di begli oggetti, doni preziosi offerti alla divinità da chi prendeva parte al rito, si potrebbe essere del tutto scettici sulla possibilità di individuare attraverso i documenti rinvenuti le articolazioni di performance e rituali in cui doveva essere scandita la religiosità in un santuario[8].

Nonostante le difficoltà evidenti, con la ripresa in questi ultimi anni degli scavi nei santuari pompeiani – spazi sacri in gran parte compromessi da indagini archeologiche non documentate e spesso mal condotte – le sorprese non sono mancate, e avremo modo di vederlo nel dettaglio nel corso di questo libro. Le novità che permettono di gettar luce su questi culti sono numerose, segno di quanto sia fondamentale proseguire le ricerche anche in aree già estesamente indagate in passato, purché condotte con metodi adeguati e soprattutto sfruttando tutte le tecnologie che il nostro mondo contemporaneo mette a disposizione[9].

Tuttavia, anche agli occhi dei primi scavatori dei santuari pompeiani, che sterravano alla ricerca di oggetti senza grande attenzione ai contesti, doveva essere ben chiara l'importanza e la peculiarità di quanto si veniva portando alla luce. Se la precoce scoperta del tempio di Iside, individuato già nel 1764, aveva messo l'Europa dei Lumi in diretto contatto con la religiosità egizia, l'imponente mole del tempio del Foro Triangolare, portato alla luce nel 1767, faceva conoscere agli scavatori un monumento che richiamava le architetture in pietra di Paestum, rimandando così alla storia più antica di Pompei. Questa finestra aperta all'improvviso sul più remoto passato portò alle prime speculazioni sulle origini della città, mentre il confronto con il sacro continuava, grazie al procedere degli scavi nel corso dell'Ottocento, con le scoperte del tempio di Giove nel Foro e di quello di Apollo, anch'esso presto riconosciuto come culto assai antico. Le scoperte all'epoca generarono un dibattito scientifico più o meno avveduto circa la titolarità dei templi, portarono al confronto con le testimonianze letterarie ed epigrafiche, e a considerare le immagini di culto e il repertorio decorativo come chiavi per stabilire funzione e divinità dei santuari[10].

La comprensione delle fasi più antiche della città, del suo sviluppo storico passa infatti ancora oggi in buona parte attraverso la conoscenza di questi santuari. Nella decrittazione dei momenti di apogeo e declino dei santuari di Apollo e di Atena (e di quello di Fondo Iozzino), si possono leggere oggi le fortune alterne della città vesuviana, lo sviluppo impressionante di età arcaica (VI secolo a.C.); il declino altrettanto impressionante del V secolo a.C.; la ripresa lenta ma costante a partire dal IV secolo a.C., fino all'apogeo del II secolo a.C.; le cesure e le continuità connesse alla fondazione della colonia romana nel I secolo a.C.; i danni del terremoto del 62 d.C. e infine il tragico epilogo del 79 d.C.

Alcuni santuari conserveranno per sempre il loro spazio, altri se ne aggiungeranno nel corso della storia della città, altri ancora verranno abbandonati; tutti si trasformeranno nel tempo quanto ad articolazione degli spazi, tanto nelle architetture quanto nelle decorazioni, adeguando l'aspetto materiale del culto alle rinnovate esigenze della comunità nelle sue diverse fasi storiche, alle mode che nascono e tramontano.

I santuari pompeiani dunque sopravvivono a lungo, o forse conoscono rinnovata frequentazione in piena continuità topografica, anche laddove il territorio è protagonista di esperienze insediative diverse; o assiste all'avvicendamento di nuove genti nel popolamento e nella frequentazione. È il caso proprio dei santuari di Apollo e Atena, che attraversano tutta la vicenda insediativa pompeiana dal VI secolo a.C. all'eruzione del 79 d.C.

Ma come si interroga il terreno di uno spazio sacro? Quali sono le informazioni che se ne possono trarre?

Nell'analisi delle forme cultuali delle varie genti del passato – come d'altro canto del nostro mondo contemporaneo – si sta portando negli anni più recenti una nuova attenzione alla «materialità» della religione[11]. Lo studio delle forme del sacro indirizza ora il discorso soprattutto sugli oggetti – un aspetto senza dubbio cruciale per lo sguardo dell'archeologo – attraverso i quali le religioni si affermano come universi simbolici capaci di condizionare e contribuire a elaborare il rapporto tra comunità e territorio[12]. Il tema della memoria e della localizzazione fisica della memoria (il suo «quadro materiale», ossia i luoghi dove questa si materializza attraverso un monumento, un oggetto, una roccia) è diventato un tema di studio cruciale: il ricordo, la memoria collettiva, infatti, risultano spesso impregnati di «senso religioso», concretizzandosi (e dunque preservandosi) in particolare nel momento festivo, nel rituale. Il rito, nella regolarità del suo ricorrere, rende sempre attuale un passato «fondante» per il gruppo, il quale viene richiamato costantemente per cementare identità e senso di appartenenza della comunità.

Dunque, interrogando gli oggetti, portando l'attenzione sul quadro materiale, si può risalire a molti aspetti delle società antiche, si può rispondere a molte domande che ci facciamo sulla loro vita, sulla loro rappresentazione del mondo[13].

Per quanto riguarda il nostro caso, i delicati equilibri arcaici del golfo di Napoli, la recessione del V secolo a.C. e le fasi iniziali del processo di conquista delle città campane nel IV secolo a.C., nonché le caratteristiche della società italica con le sue aperture al Mediterraneo in un nuovo orizzonte di *koinè* fino ai processi di romanizzazione tra III e I secolo a.C., tutto questo incide sull'articolazione del sacro, sul suo aspetto e la sua fruizione, in un dialogo costante fra tradizione e rinnovamento che stiamo per vedere all'opera.

Primo punto, di decisiva rilevanza, è capire chi sono gli dèi a cui ci si rivolge. Quali sono, insomma, le divinità dei pompeiani? E soprattutto, quali genti le avevano portate in città?

Gli dèi noti dalle iscrizioni (*Apa* nel santuario di Fondo Iozzino, *Minerva* nel santuario del Foro Triangolare, *Apollo* nel santuario presso il Foro, ecc.) e dalle aree sacre sono prettamente pompeiani, nonostante abbiano nomi greci o etruschi o manifestino derivazione dal mondo greco – quindi etrusco e italico oppure orientale (come Iside, che qui giungerà nel II secolo a.C.). Ancora oggi si discute circa la provenienza di tali divinità in una Campania popolata di diverse genti e gruppi etnici[14], ma quale che sia l'origine, una volta impiantatisi qui con la nascita della città, questi dèi sono diventati pompeiani, andandosi a plasmare secondo le esigenze della nuova comunità. All'inizio non doveva trattarsi di un pantheon strutturato portato in blocco dalle prime genti che fondarono la città. Giunti con nomi etruschi o greci, a seconda di chi li ha introdotti, gli dèi di Pompei si sono in ogni caso ben presto radicati in loco, grazie all'azione, in qualche modo strutturante, degli spazi per loro ritagliati all'interno dell'insediamento[15].

Come senza dubbio ibrida è la frequentazione della nuova città da parte di genti diverse, come ibride sono le sue divinità, altrettanto articolate si mostrano le maestranze coinvolte nella monumentalizzazione dei santuari. Una folta schiera di artigiani con tutto il loro complesso di conoscenze e competenze tecniche, organizzati dalle capacità dell'architetto e dalla volontà del committente, è attiva a Pompei per dare forma ai luoghi in cui troveranno sede le nuove divinità, portate dai «colonizzatori» o mutuate dal territorio dove l'insediamento si definisce. Si costruiscono così presto i primi templi, le case degli dèi: Pompei si dota di architetture monumentali già nel pieno VI secolo a.C., in sintonia con le esperienze che venivano maturando nelle avanzatissime, coeve città greche dei territori limitrofi, da Cuma a Poseidonia, e, come avveniva contemporaneamente nei grandi centri dell'Italia centrale, da Tarquinia a Roma.

Partendo dall'alto, quello che impressionava di più di questi edifici, oltre al generale aspetto monumentale, era il tetto: in quest'epoca le energie collettive si concentrano nella creazione di edifici con coperture possenti, di terracotta decorata a rilievo e dipinta (Fig. 3). Una struttura che richiede maestranze esperte e architetti d'ingegno. Per quanto riguarda le tradizioni artigianali, Pompei va letta nel suo contesto mediterraneo, come uno spazio in cui il sapere non si trasmette in maniera lineare, in cui le maestranze appaiono mobili e variegate per competenze: i cantieri sono luoghi in cui si sperimentano nuove forme, si ibridano stilemi e apparati decorativi.

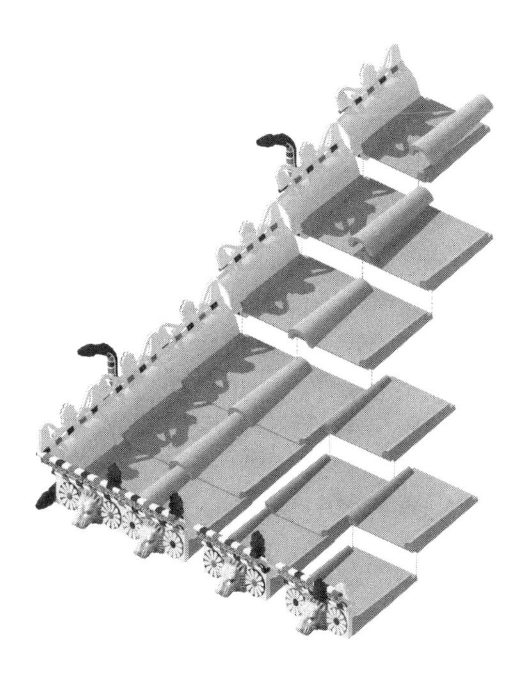

Fig. 3 L'elaborazione grafica 3D consente di avere una ricostruzione verosimile dell'antico tetto del tempio di Atena (VI secolo a.C.). Le strutture templari di età arcaica sono dotate di coperture monumentali, realizzate con tegole e coppi di terracotta e concluse da sime e gronde riccamente decorate con una vivace policromia (Elab. F. Giannella).

Diventa difficile in un mondo in cui si mescolano esperienze e culture dare etichette etniche a monumenti e produzioni: greco, etrusco, indigeno. La provenienza dei singoli gruppi di artigiani, insomma, non significa la realizzazione di un prodotto etnicamente definibile come greco, etrusco o epicorio[16]. La città e i gruppi di cui si compone la sua classe dirigente attingono nei diversi momenti storici a un universo di conoscenze e partendo da esso plasmano il proprio linguaggio, più o meno aderente a tradizioni già disponibili. Non era tanto importante riferirsi a una determinata tradizione artigianale, quanto impressionare, commissionando ad esempio un tetto capace di stupire chi arriva in città, che dia l'impressione di una comunità potente e florida.

Il problema dell'origine di Pompei è di complessa risoluzione, e ci torneremo a breve. Un ruolo fondamentale è stato da tempo riconosciuto agli Etruschi[17]: Pompei, più che essere un centro osco, dunque gestito da genti locali (come Nola o Nocera), con la partecipazione e lo stimolo di famiglie etrusche, è da considerare vera e propria fondazione etrusca. Ciò la inserisce con un ruolo determinante nello scacchiere composito che è il golfo del Cratere (come era chiamato in antico il golfo napoletano) prima della fondazione di Napoli. Qui comunità cittadine si definiscono all'insegna di una valenza integrativa, in un quadro di accordi, trattati, rotte commerciali. Questo delicato equilibrio, come sappiamo[18], sarà spezzato dagli eventi che condurranno alla seconda battaglia di Cuma, forse esito e non presupposto della fondazione di Neapolis[19]. La nascita di una città di così rilevante peso si inserisce in un orizzonte in cui le identità politiche individuali assumono un nuovo ruolo e il vecchio equilibrio, anche culturale, viene progressivamente spazzato via.

I santuari in questo quadro hanno da sempre giocato un ruolo di punta, spazi destinati all'integrazione e al confronto, e luoghi dove si sperimentano ed elaborano linguaggi artigianali comuni, dove l'interazione con gli dèi è innanzitutto interazione tra uomini, che qui si incontrano, competono, si accordano.

Atena e Apollo

I due principali luoghi di culto pompeiani si dispongono all'interno dello spazio fortificato, entrambi in posizione strategica: quello di Apollo presso uno degli accessi alla città (Porta Marina) e probabilmente già alla più antica piazza pubblica (lo spazio che sarà occupato dal Foro della colonia romana) e il santuario di Atena sulla collina del Foro Triangolare, uno sperone roccioso da dove si dominava la valle del Sarno e il mare.

I due templi si pongono dunque simmetricamente, alle estremità dello spazio dove un tempo veniva collocato l'insediamento più antico, che oggi forse possiamo identificare in una sorta di acropoli pubblico-sacrale circondata dal resto della città già scandita attraverso assi ortogonali.

Come dicevamo, delle fasi più antiche ci parlano essenzialmente le terrecotte architettoniche e i pochi oggetti votivi sopravvissuti al trascorrere del tempo.

Per quanto riguarda la decorazione del tempio di Apollo, le terrecotte architettoniche rinvenute in passato, da datare intorno alla metà del VI secolo a.C., sembrano restare in uso a lungo: non ci sono infatti, al momento, tracce di fasi successive[20] (Fig. 4). I materiali rimandano a maestranze provenienti da Cuma, che qui realizzano un tetto ad antefisse e sime rampanti, di grande effetto scenico, cui si possono accostare pochi elementi in tufo e lava sopravvissuti dell'alzato del tempio. Difficile immaginare dunque l'edificio nel VI secolo a.C., che doveva ripetere comunque la maniera dorica documentata a Cuma[21]. Il riconoscimento delle maestranze al lavoro non ci aiuta da solo a definire le matrici culturali e cultuali del santuario: chi frequentava il santuario, in quali momenti, all'interno di quali occasioni festive? Le offerte votive testimoniano la presenza di vasi importati dalla Grecia o prodotti in loco, crateri per mescolare vino e acqua e coppe[22], buccheri, bronzi, tra cui diverse armi (Figg. 5a-b). La presenza di iscrizioni in etrusco, lette oggi alla luce dell'impressionante mole epigrafica del santuario di Fondo Iozzino (vedi capitolo suc-

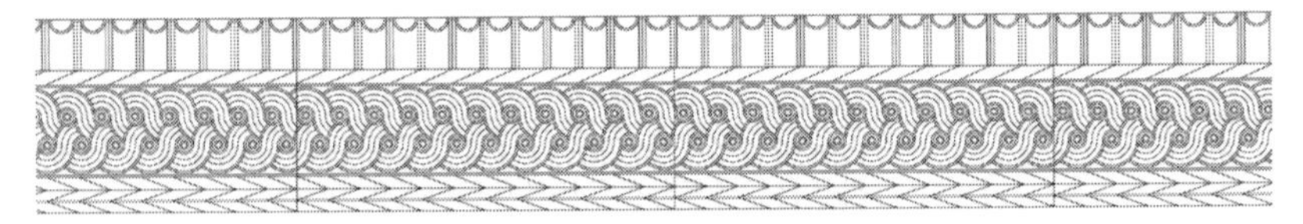

Fig. 4 Ricostruzione grafica della decorazione architettonica del tempio di Apollo. Le terrecotte adornavano il tempio nella sua fase di metà VI secolo a.C. Le maestranze artefici di tali partiture decorative provenivano da Cuma, dove sono state ritrovate analoghe terrecotte (Elab. F. Giannella).

cessivo), restituisce anche qui un ruolo preponderante alla presenza etrusca[23].

La divinità è Apollo, un dio vicino a quello venerato nel grande santuario di Delfi, con il quale gli Etruschi avevano stretti rapporti. Non va tuttavia dimenticato che Apollo è anche la grande divinità dell'acropoli di Cuma: si tratta sempre di influenze poliedriche che la «città» rielabora al suo interno, in base alle proprie necessità, «creando» una personalità divina che meglio si confà alle esigenze della propria collettività[24].

Al tempio di Apollo, posto presso la piazza, fa da contraltare il santuario di Atena, impiantato sul costone meridionale a dominare la piana e il mare[25] (Figg. 6-7 FT). A una prima fase, che conosce già la presenza di un edificio in pietra cui si possono attribuire pochi frammenti di terrecotte architettoniche, databili entro la metà del VI secolo a.C., segue la monumentalizzazione tardo arcaica, nell'avanzato VI secolo a.C., quando l'edificio viene decorato da un nuovo tetto[26] (Fig. 8 FT). Il nome della dea cui attribuire il tempio compare in un testo di età sannitica[27] e per immagini, insieme a Eracle, nella decorazione architettonica di fine IV secolo a.C. Per la fase arcaica, in assenza di iscrizioni, gli indizi per una dedica alla dea provengono da frammenti di sculture fittili, tra cui alcune statue di modulo maggiore del vero[28]: è documentato un gruppo comprendente una figura maschile, cui appartengono frammenti di un potente modellato e parte di una capigliatura a grandi perle (di un tipo coerente con altre attestazioni della coroplastica campana documentata per esempio a

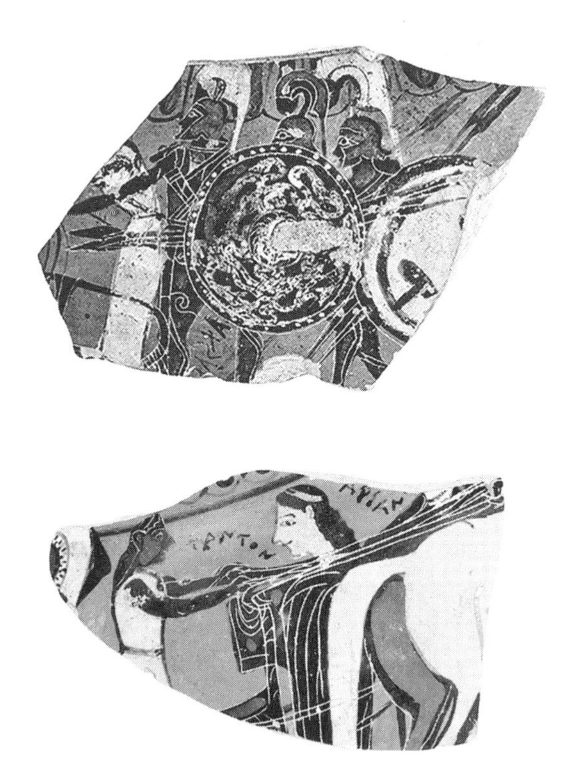

Fig. 5a-b Il ritrovamento di vasi di produzione greca (in questo caso fabbricati a Corinto) è frequente nei santuari etruschi e italici. I frammenti di crateri (vasi per mescolare acqua e vino) sono stati ritrovati fra le offerte votive del santuario di Apollo.

Cuma), e altri da cui è possibile ricostruire una figura armata di un grande scudo dipinto (Fig. 9 FT). Lo scudo, appoggiato al suolo, sembra infatti aderire a una veste, un motivo ricorrente nell'iconografia di Atena nel corso della successiva fase ellenistica.

Queste sculture in terracotta possono essere attribuite al secondo tetto del tempio, quello di fine VI secolo a.C., e potrebbero essere state collocate, come acroteri (elementi decorativi del tetto), sulla sommità della copertura dell'edificio[29]. Se così fosse, la coppia potrebbe essere legata a una sima rampante (le cornici in terracotta che fungevano da gronda), che trasforma la base decorata a squame in un corpo di serpente dalle tante teste, forse un'idra rivolta verso l'eroe e la dea, dunque a rappresentare una delle fatiche di Eracle (Fig. 10 FT). Ma potrebbe trattarsi anche di statue di culto, se si considera il successo dell'iconografia che viene a essere rivitalizzata nella Pompei sannitica nel IV-III secolo a.C., e ritorna infatti nelle piccole terrecotte votive rinvenute in vari templi di Atena, posti sull'asse che da Pompei si spinge lungo la via che conduceva a Sorrento. Se così fosse, il tempio pompeiano, con il suo ricco decoro di immagini mitiche, sarebbe il primo tassello di un percorso che unisce luoghi di culto simili, quasi una via sacra: all'Atena pompeiana rispondeva a termine strada il santuario della dea a Punta della Campanella.

E in questa logica territoriale, fatta di comunità etnicamente diverse, parlare di stili architettonici non è impresa semplice. Indubbiamente il rivestimento tardo arcaico del tempio pompeiano nasce dall'incontro di due maniere, la monumentalità delle esperienze della grecità occidentale, quella di Poseidonia, e lo stile campano testimoniato in area dalle maestranze cumane[30]. Lo dimostra la serie di lastre di rivestimento con *anthemia* (elementi vegetali stilizzati) di una tipologia caratteristica dell'orizzonte campano, associata, però, alla sima a leoni, diffusa in ambito greco occidentale e acheo, con cornice a foglie.

Anche se scarsi sono i materiali più antichi, la posizione eminente, la presenza di un tempio monumentale in pietra, l'alta antichità ne fanno un polo sacrale di rilievo che sarà integrato con l'area di Apollo, in un dialogo che ci è possibile leggere con maggiore chiarezza, come vedremo, soprattutto nelle età successive.

Se questo è il quadro che si può ricavare riflettendo con uno sguardo rinnovato su quanto venuto alla luce dai vecchi scavi, le recentissime ricerche permettono di aggiungere nuovi rilevanti dati, soprattutto sulla topografia dell'area e sulla trasformazione del paesaggio sacrale nel corso dei secoli, in relazione allo sviluppo del contesto urbano. L'area sacra, come si è visto, viene fondata nel corso del VI secolo a.C. sulla sommità di uno sperone dell'altura lavica, su cui insiste la città di Pompei, e in particolare presso l'estremità che si protende verso sud-est a dominare la valle del fiume Sarno. Come le ricerche più recenti hanno dimostrato, il pianoro lavico su cui si impianta la città presenta una conformazione molto articolata, sviluppandosi con una naturale pendenza da nord verso sud e parallelamente con una serie di pendenze da est verso ovest. L'intera superficie occupata presenta inoltre a più riprese significativi salti di quota, avvallamenti e zone a rilievo; tra tutte, la cesura più considerevole è costituita da un profondo canalone ricalcato dall'andamento di via Stabiana, il grande asse nord-sud che bipartisce l'impianto urbano già dall'età arcaica[31]. Altrettanto articolato doveva essere lo sperone su cui sorge il santuario di Atena: grazie ai nuovi scavi risulta ora evidente che il tempio si innalzava su un lembo di tale sperone assai scosceso sia verso sud che verso est, dove si affacciava su una profonda depressione che dominava l'area in cui si sarebbero impiantati i teatri e in cui si sviluppa il settore urbano occupato dalla Regio I (Fig. 11). Il promontorio si connotava dunque come una sella stretta e lunga, che ospitava sulla sua propaggine più avanzata il monumentale Tempio Dorico, in una posizione eminente e di grande visibilità per chi si avvicinava dal mare a Pompei.

Questa posizione fa sì che la struttura fosse particolarmente esposta al ruscellamento delle acque meteoriche di superficie: si rese così necessario dotare lo spazio sacro di una serie di accorgimenti volti al drenaggio posizionati di lato, alle spalle del tempio. Questa la funzione

Fig. 11 Veduta aerea del Foro Triangolare e del Quartiere dei Teatri, lungo la direttrice di via Stabiana. L'area presenta una peculiare conformazione geologica, per cui il santuario di Atena si trova su di uno sperone roccioso, in pendenza verso sud, dove si apre una depressione naturale che venne successivamente sfruttata per la realizzazione dei teatri (Archivio PAP).

delle profonde trincee, sistemate sul fondo con un apprestamento di ciottoli fluviali a delimitare l'area sul lato nord-occidentale, ossia verso il settore urbano posto a una quota più elevata (Fig. 12). Sul lato est il santuario risultava invece naturalmente delimitato dal ripido pendio della rupe, dal profilo irregolare molto accidentato, verosimilmente scandito in terrazze naturali in parte regolarizzate, poste a quota diversa e forse accessibili. Qui a una quota più bassa rispetto al piano del tempio, alle sue spalle, dove il declivio precipitava in maniera drammatica, si aprivano insenature e anfratti rocciosi, che dovevano essere utilizzati a scopo rituale. Due cavità comunicanti sono state riportate alla luce nel 2017, in parte crollate ma ancora perfettamente visibili: quella più occidentale, meglio preservata, conservava ancora il sistema di accesso, che avveniva attraverso un'apertura ricavata nella parete lavica percorsa da alcuni gradini sagomati direttamente nella roccia (Fig.

13). Questo paesaggio sacrale, definitosi in età arcaica, sembra rimanere sostanzialmente immutato anche nella nuova fase di rioccupazione, che come si è visto avviene nel corso del IV secolo. Solo verso la metà del II secolo a.C., infatti, le cavità risultano riempite di materiale votivo e architettonico proveniente da edifici smantellati e quindi, come casseforti della memoria, sigillate per sempre, o almeno fino a noi.

La chiusura delle grotte coincide con un'epoca di grandi trasformazioni, non solo nel Foro Triangolare, ma in tutta Pompei. È questa l'epoca della costruzione di grandi edifici pubblici, come il Teatro Grande[32]. La nuova struttura viene del resto a condizionare e a trasformare definitivamente tutto questo settore strategico dell'area urbana. Nel santuario di Atena e nelle zone immediatamente

Fig. 12 Durante le recenti campagne di scavo condotte nell'area occidentale del santuario di Atena sono state individuate alcune canalette di drenaggio dell'acqua, caratterizzate da un fondo di ciottoli, utili a contrastare i fenomeni di ruscellamento a cui l'area era soggetta. La chiusura delle fosse è stata accompagnata dal sacrificio di un cavallo, le cui ossa sono state rinvenute sul fondo.

Fig. 13 Nella campagna di scavo del 2017 sono state individuate due cavità naturali che caratterizzavano il lato sud del santuario. Tali anfratti erano utilizzati a scopo rituale, come ci testimoniano i resti di alcuni gradini sagomati nella roccia, che consentivano la discesa all'interno delle grotticelle. I vani furono defunzionalizzati e obliterati intorno alla metà del II secolo a.C., quando furono riempiti di materiali edilizi e votivi.

limitrofe si assiste dunque a un cambiamento sostanziale nell'assetto architettonico e complessivamente nel paesaggio sacro, che viene a perdere quello spiccato aspetto «naturale» che aveva avuto sin dalle origini.

Ma questa è una storia diversa, quella della città che rinasce dopo la crisi del V secolo a.C. a opera di nuove genti, i Sanniti, protagonisti di rinnovati fenomeni di mobilità e migrazione: dalle aree montuose del Centro Italia si spostano progressivamente verso le coste, tanto quella adriatica che quella tirrenica (ma accanto a fenomeni migratori vanno tenuto in conto anche la compresenza di genti locali che hanno contribuito a dar vita al nuovo centro urbano)[33].

Le aree sacre nella prima età italica

Elemento cardine del sistema insediativo, i due santuari pompeiani restano in vita anche nella Pompei ellenistica tra IV e I secolo a.C., e poi nella città romana.

Nel periodo sannitico, diversamente dall'epoca arcaica, che li deve aver visto attivi anche come luoghi di scambio «internazionale», posti sotto l'egida del sacro, i santuari dovevano funzionare come aree di culto «locali», frequentati dalla popolazione indigena, che in essi doveva riconoscere un forte segno di appartenenza comunitaria. È assai interessante constatare che, nonostante la cesura che occupa buona parte del V secolo – evidente anche nella frequentazione dei templi, che non hanno restituito materiali di quest'epoca –, la memoria della sacralità dei luoghi permane viva[34]. Le aree sacre di Pompei conoscono una ristrutturazione a partire dall'inoltrato IV secolo a.C., nel segno, dunque, della continuità topografica.

Quando la nuova comunità interviene qui a colmare i vuoti che la crisi del V secolo aveva provocato nel popolamento della zona[35], la rinascita della città avviene ancora una volta sotto l'egida delle due divinità, Apollo e Atena, i cui spazi sacri cominciano a essere nuovamente frequentati.

Il tempio di Atena viene ristrutturato: la documentazione architettonica testimonia un significativo intervento e rinnovamento almeno delle coperture e forse degli alzati. Che il santuario del Foro Triangolare sia dedicato ad Atena diventa ora ben percepibile grazie a una documentazione che si fa sempre più ricca (Fig. 14). Il materiale votivo e le decorazioni architettoniche di epoca sannitica propongono ripetutamente l'immagine della dea, cui si associa Ercole. La coppia divina è rappresentata nelle antefisse che decorano (al tempo stesso nascondendo la terminazione dei coppi) le estremità degli spioventi del tetto del grande tempio, ora rinnovato: una testa di Atena con

Fig. 14 Nella campagna di scavo del 2019 è venuta alla luce una antefissa di epoca sannitica (fine IV-inizio III secolo a.C.), in perfetto stato di conservazione, deposta al di sopra di una fossa contenente materiale di scarto e votivo. Per questa fase storica siamo in grado di ricostruire una copertura del tetto in cui l'antefissa con testa di Atena si alterna a quella con testa di Eracle. L'iconografia di Atena con elmo frigio è ampiamente diffusa in tutto il territorio campano, caratterizzandosi come elemento distintivo di un'identità campana.

elmo si alterna paratatticamente a quella dell'eroe con la pelle leonina sul capo. Un tipo ben noto in Campania, a Capua, Cuma, Pithecusa, quindi Pompei, Stabia, Punta della Campanella a Sorrento, Fratte[36]. La testimonianza pompeiana permette di ricostruire la veste decorativa composta da sime rampanti con tralci e teste di Atena, lastre con *anthemia* e sfingi, antefisse e tegole di gronda[37]. A Cuma il sistema sembra introdotto assai presto, in un periodo prossimo alla conquista campana.

Ma l'iconografia ha origini antiche, ricorrendo, come noto, nella grande Roma dei Tarquini, nonché a Capua, ove una divinità femminile ha come compagno un giovane imberbe con la *leonté* (copricapo leonino), Eracle, in rivestimenti architettonici fittili tardo arcaici. E probabilmente, come si è visto, doveva essere presente anche nella fase più antica del tempio pompeiano. L'associazione ritorna, poi diffusamente, nella Campania del IV secolo, a cominciare da Cuma e via via nei luoghi del golfo di Napoli, dove si ripropone un'iconografia di Atena troiana, cara alla propaganda di Roma, la nuova protagonista della geopolitica della penisola italica. È un repertorio che sembra quasi marcare una nuova identità, la diversità delle nuove generazioni italiche in contrasto con gli assetti precedenti. Da questi inizi deriva il sistema che si afferma nella penisola sorrentina, motivo per il quale riteniamo molto più avvincente l'ipotesi che in esso legge un'identità campana, in alcuni casi contrapposta al linguaggio di potere romano.

La dea compare anche su una metopa in tufo, una rara testimonianza della scultura di ambito italico in campo architettonico, parte di una serie di cui null'altro sappiamo (Fig. 15). La metopa ci restituisce la dea armata insieme ad altre figure, una narrazione che si riconduce al mito greco del supplizio di Issione[38]. L'immagine, con il riferimento a una storia di oltraggio e superamento del comportamento corretto, rimanda alle pratiche di iniziazione dei giovani al giusto matrimonio, rivelandoci finalmente uno degli aspetti del culto della dea nella rete sociale dei *sacra* pompeiana[39].

La dea armata, con lo scudo poggiato al suolo presso la gamba sinistra, la mano protesa in un gesto di offerta a sorreggere la patera (la

Fig. 15 Metopa in tufo con rappresentazione del mito greco del supplizio di Issione. Il re dei Lapiti, uccise il suocero in casa propria, violando le regole sacre dell'ospitalità. Nonostante il perdono ottenuto da Zeus, tentò di usare violenza a Era. Per punizione venne legato a una ruota e condannato a girare in eterno nella volta celeste. Il mito, che punisce un personaggio incapace di sottostare alle regole del vivere civile, funge da monito per i giovani che, nel santuario, si apprestavano ad affrontare i riti di passaggio all'età adulta (Archivio PAP*).*

coppa usata nei sacrifici rituali), è rappresentata anche nelle statuette restituite da una serie di santuari attivi in quest'epoca e in questo territorio[40]. Si tratta dell'iconografia di Atena che ritorna lungo la via che, dal distretto nocerino, passando per Pompei e Stabia, superando le dorsali calcaree della penisola sorrentina per S. Francesco e i valichi di Alberi, raggiungeva il piano e quindi completava la sua corsa presso l'*Athenaion* a Punta della Campanella, dove troviamo un'ulteriore testimonianza di un tetto simile a quello pompeiano.

Se tuttavia il tempio viene rinnovato, il paesaggio circostante rimane ancora immutato, fortemente caratterizzato dal naturale declivio roccioso. Solo intorno alla metà del II secolo a.C. si assiste a una trasformazione complessiva che rivoluziona spazi e culti connessi. E, come si diceva, il fervore edilizio non si verifica solo nel santuario di Atena, ma in tutta la città.

Con il secolo d'oro di Pompei, il II a.C., due nuove aree sacre vengono fondate a breve distanza, nel quartiere del Foro Triangolare: il santuario di Iside e il tempio di Esculapio[41]. In un nuovo programma coordinato, viene intensamente rinnovato l'insieme monumentale dell'area: con il santuario di Apollo, che assume ora la forma di un tempio su podio circondato da una corte porticata[42] (Fig. 16); con il grande tempio del Foro, prima di Giove poi della triade capitolina[43]; con la ridefinizione della stessa piazza, parzialmente bordata da colonne e con una monumentale tribuna porticata, e forse terrazzata, sul fianco occidentale, lungo il profilo del santuario di Apollo, in sostituzione del precedente sistema di *tabernae*.

In sintonia con questo impressionante rinnovamento urbano lo spazio sacro ad Atena viene ora notevolmente ampliato verso est, in

Fig. 16 Il tempio di Apollo così come tutta l'area del Foro subisce una profonda trasformazione nel II secolo a.C. L'area del santuario è circondata da una nuova corte porticata, mentre il tempio venne ricostruito su alto podio.

direzione del teatro, realizzando un'enorme colmata che cancella grotte e relativo costone naturale, la cui mole viene frazionata nel peso e contenuta dalla realizzazione di due diverse opere con funzioni sostruttive: a una quota più alta, una lunga cisterna orientata nord-sud, e a un livello inferiore dalla cavea del Teatro Grande (Fig. 17). Qui, come nel santuario di Apollo, un elemento fondamentale è quello delle riserve d'acqua: entrambi gli spazi sacri vengono a essere caratterizzati dalla presenza di grandi cisterne[44] (Fig. 18).

Nel caso del Foro Triangolare, si innerva nel sottosuolo una serie di lunghe e strette cisterne a galleria, con volte a botte. Si realizza così una cospicua riserva d'acqua, da usare nei riti, certo, ma anche a disposizione per le esigenze della città. I santuari, in quanto spa-

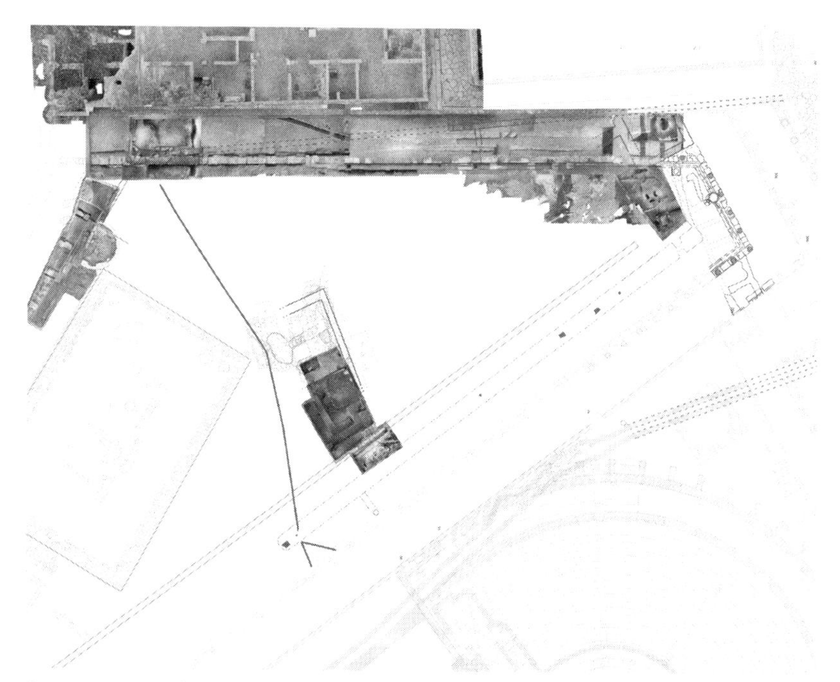

Fig. 17 La nuova fase di vita del santuario di Atena cancella parte delle strutture in uso nel periodo antecedente e vede la realizzazione di un ampio sistema di cisterne, esplorato e rilevato per buona parte della sua estensione nel corso delle nuove indagini (Archivio PAP).

Fig. 18 Vista dall'interno di una delle cisterne a corridoio e volta a botte, realizzate in connessione con la ristrutturazione del Foro Triangolare nel II secolo a.C. L'impianto, rinvenuto in ottimo stato di conservazione, è ancora rivestito da malta idraulica (Foto F. Giletti).

zi pubblici, si dotano quindi di apprestamenti di valenza collettiva: sono di fatto luoghi a servizio della comunità.

È rilevante sottolineare, a questo punto della nostra lunga trattazione, che nei diversi strati riversati nell'ampia colmata, oltre a un numero considerevole di materiali di risulta interpretabili come scarti di cantiere, è stata rinvenuta anche un'alta e alquanto significativa concentrazione di frammenti di decorazione architettonica fittile e di parti di coperture riconducibili al cosiddetto «tetto sannitico» del grande tempio[45]. In questa fase il rinnovato spazio risulta essere delimitato a sud, dov'era l'originario salto di quota del fronte meridionale, da un nuovo muro di cinta; a nord invece si impiantano strutture funzionali alla frequentazione dello spazio sacro, con un sistema di vani quadrangolari, uno dei quali è stato completamente esplorato, subito a sud dei propilei d'ingresso. Al suo interno si apriva significativamente la vera di un pozzo ellissoidale, connesso a sua volta tramite un cunicolo sotterraneo al sistema di cisterne del lato orientale (Fig. 19). A ovest invece il santuario era delimitato da un muro in opera incerta, realizzato in conci di materiale lavico, orientato nord-sud, che si raccordava all'estremità meridionale con il coevo muro di cinta e all'estremità settentrionale all'angolo nord-ovest dei propilei. Qui un'apertura in asse con il vicino vicolo della Regina Carolina costituiva un ingresso secondario al santuario. Dal lato opposto, a delimitare uno spazio che, non servando più alcuna memoria del variegato paesaggio arcaico, ora diventa trapezoidale, era verosimilmente il muro ancora oggi esistente, costituito dalla medesima tecnica costruttiva in opera incerta di conci di materiale lavico della struttura occidentale. Questo muro è solitamente interpretato come delimitazione di uno *xystus*, una pista da corsa, spazio per attività atletiche, che doveva definirsi in stretta correlazione col santuario[46].

In connessione con l'ampliamento del sagrato, grazie alle potenti

Fig. 19 Veduta del pozzo che immette nella cisterna rinvenuta nell'area nord-occidentale del Foro Triangolare. L'esplorazione della cavità è avvenuta mettendo in sicurezza quanto portato alla luce, permettendo così di ricostruire una pagina inedita della Pompei sotterranea.

colmate, nasce in questo stesso lasso di tempo un piccolo edificio sacro, alle spalle del grande Tempio Dorico (Fig. 20). Nel corso delle nuove ricerche ne sono state esplorate le trincee di fondazione, completamente spogliate dei blocchi che la costituivano. Grazie alle tracce in negativo lasciate dai muri, smontati sistematicamente per riutilizzarne il prezioso materiale, si può ricostruire la presenza al centro del piazzale di un tempietto rettangolare orientato a est, dunque diversamente dal tempio che si affacciava a sud per rivolgere la sua fronte verso la piana e il porto. Il nuovo tempietto viene impiantato sul luogo dove prima si aprivano le due grotte cancellate con la costruzione del nuovo edificio. Non è escluso che ne abbia ereditato

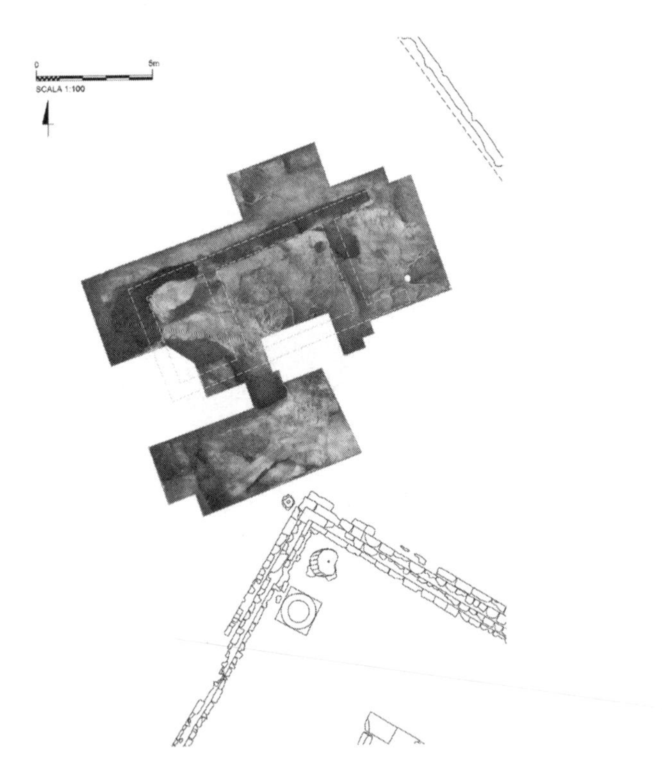

Fig. 20 Lo scavo ha messo in luce al centro del piazzale del Foro Triangolare, presso l'angolo nord-orientale del tempio arcaico, le trincee di fondazione di un piccolo edificio sacro, impiantato dove, nella fase precedente, si trovavano le grotticelle. Forse connesso al culto delle ninfe, se si considera il legame che queste figure hanno sempre avuto con i culti in grotta (Archivio PAP).

anche le funzioni cultuali: magari vi si poteva venerare Ercole o un eroe di cui non si è serbata memoria, ma non è escluso che fossero qui immaginate le Ninfe, se si considera – come diremo più avanti – l'importanza che rivestono nel santuario materiali potenzialmente riferibili a queste divinità[47].

Per il santuario di Apollo, invece, mancano elementi per valutarne la storia nel primo periodo ellenistico. Il santuario arcaico, secondo la vulgata, sarebbe sopravvissuto fino al tardo Ellenismo, quando, nel corso del II a.C., la risistemazione del Foro ne avrebbe finalmente determinato una ridefinizione monumentale: si realizza un recinto porticato che ha il doppio compito di inserire il tempio nel nuovo ordine urbano e di riqualificarne il ruolo gerarchico in rapporto a una città che si avvia a trasformare il mondo dei suoi dèi (Fig. 21 FT).

Nuovi dati arrivano ora dai più recenti scavi: la presenza di materiali architettonici arcaici in associazione con materiali votivi di primo Ellenismo, infatti, potrebbe testimoniare l'avvenuto smontaggio dei tetti arcaici in un momento antecedente il santuario tardo ellenistico[48]. A questa fase di primo Ellenismo potrebbe ricondursi qualche frammento architettonico lapideo riutilizzato nelle fondazioni del tempio successivo, e le nuove testimonianze di muri emerse dalle più recenti indagini lasciano percepire un assetto monumentale fino a ieri sconosciuto, almeno del II secolo a.C. È in ogni caso al momento impossibile riconoscere nel dettaglio le modalità di utilizzo dello spazio o eventuali ulteriori interventi, a causa della costruzione del nuovo apparato monumentale.

Anche l'area prossima alla piazza pubblica conosce una monumentalizzazione del sacro, purtroppo dall'incerto profilo. A questa fase possiamo attribuire le prime testimonianze di un basamento, forse un altare, cui si potrebbe associare un tempio da considerare il predecessore del futuro *Capitolium*[49].

Se scarsi a oggi sono i materiali architettonici per ricostruire le fasi edilizie del tempio di Apollo, le offerte votive documentano la vitalità del santuario anche nel primo periodo ellenistico.

Il regime delle offerte: i manufatti, tracce di manifestazioni rituali

Passando a considerare i manufatti in contesto[50], è opportuno operare una distinzione funzionale tra oggetti introdotti per essere offerti alla divinità e quelli afferenti allo strumentario liturgico, utilizzati per la preparazione delle cerimonie o all'interno delle performance rituali. Sono consapevole, ovviamente, che il confine tra le categorie è labile e sfumato, e che spesso le due sfere si sovrappongono: uno stesso oggetto utilizzato per il rituale poteva essere in seguito dedicato alla divinità. Il manufatto viene ad assumere, dunque, un determinato significato in base all'uso che se ne fa nei vari contesti in cui è introdotto (da quello più generale, il santuario e i suoi spazi, a quello specifico del punto preciso in cui è stato deposto).

Tra i manufatti maggiormente attestati ci sono senza dubbio le terrecotte figurate, testimonianza di rituali reiterati, perpetrati nel santuario da parte di singoli o di gruppi. Ugualmente cospicua è la presenza di ceramica miniaturistica e di *thymiateria* (brucia profumi). A fronte di simili offerte votive realizzate in argilla, quasi insignificanti numericamente risultano i doni «preziosi»: gli oggetti in metallo sono infatti limitatamente attestati. In questi santuari, il quadro che emerge risulta decisamente omogeneo, e questa omogeneità è percepibile tanto nel ricorrere delle stesse classi di materiali, quanto nel ripetersi tra le terrecotte degli stessi tipi iconografici. A tale uniformità concorre senza dubbio la patina di omogeneità conferita dalla *koinè* ellenistica in cui i santuari «sanniti» sono precocemente inseriti: le iconografie attestate dalla coroplastica sono greche (in quanto magno-greche sono le matrici da cui si producono le terrecotte figurate dedicate nei luoghi di culto), così come greche sono le forme dei vasi usati per la libagione o il banchetto (Fig. 22).

Ma, al di là degli effetti della globalizzazione ellenistica, senza dubbio un ruolo importante nella definizione di tale percepibile omogeneità hanno giocato le pratiche rituali, le quali dovevano essere simili nei vari contesti. Ciò non significa trovarsi ovunque di fronte a una stessa divinità venerata o a forme cultuali interamente sovrapponibili, ma rimanda piuttosto a una funzione simile dei vari santuari rispetto alla comunità che li aveva creati e li frequentava.

Va sottolineato, come ribadito da Enzo Lippolis per l'ambiente greco, che questi doni non vanno intesi come offerte «povere», appannaggio di classi subalterne, né come dediche modeste che ripropongono genericamente immagini in formato ridotto della statua di culto. Il loro uso all'interno del santuario, o meglio le occorrenze della dedica – quell'aspetto della frequentazione sacra più impalpabile, in quanto scandito da immagini, odori, suoni e fatto di emozioni collettive –, non va confinato nell'ambito delle manifestazioni private e occasionali[51]. La dedica di oggetti preziosi, o comunque di grande impatto artigianale e artistico, potrebbe essere testimonianza di pratiche perpetrate da singoli o da gruppi familiari facenti capo alle élite, comunque non necessariamente inserite nel contesto di rituali

Fig. 22 Uno degli elementi ricorrenti nei doni ai santuari sono le piccole statuette in terracotta offerte alla divinità in occasione di cerimonie collettive che prevedevano la partecipazione di fanciulle e giovinetti. L'iconografia standardizzata e ampiamente attestata in santuari greci e italici è greca e rimanda al mondo femminile (Archivio PAP).

scanditi in maniera codificata a livello normativo. Le numerose terrecotte ovunque documentate paiono essere traccia invece di rituali svolti collettivamente, di azioni praticate in forma corale da gruppi individuati per genere e/o classe di età.

Come adeguatamente segnalato per il mondo greco, si tratta di oggetti pregnanti per il rito, connessi alla partecipazione del fedele, in quanto ne sottolineano ruolo e *status* nell'ambito della cerimonia. Più che di iniziativa privata, le terrecotte andrebbero lette dunque come spia di rituali collettivi che prevedevano la manipolazione del manufatto e la loro successiva deposizione in luoghi peculiari dello spazio sacro.

Un esempio significativo in questo senso viene dal materiale votivo riconducibile al tempio di Apollo nella sua fase tardo ellenistica (Figg. 23-24). Scavi promossi negli anni Ottanta nell'area antistante e lungo il marciapiede che borda il lato orientale del santuario, funzionali alla posa di un impianto elettrico, hanno portato a importanti scoperte. Sotto i piani di calpestio del portico occidentale del Foro sono state rinvenute strutture pertinenti a botteghe e impianti artigianali (tra l'altro volti alla produzione di profumi), nonché scarichi di materiale destinato a scopi liturgici e votivi: ceramiche, statuette, brucia profumi (*thymiateria*), alternati a scarti e tracce di produzioni. Botteghe che evidentemente producevano lo strumentario necessario alla vita rituale dell'area sacra, come attesta anche l'associazione con vasi contenenti i colori per la finitura cromatica delle terrecotte votive.

Il quadro che emerge ci permette ora di recuperare il regime delle offerte del vicino santuario: *thymiateria* di un tipo particolare, unguentari – tra cui esemplari di grandissimo formato –, vasi a vernice nera. E, inoltre, moltissima coroplastica: dischi fittili, tori, maschere teatrali, nani musicanti, bamboline, fanciulle elegantemente abbigliate (tanagrine), fanciulli. Spicca per contenuto e attestazioni un gruppo di Eroti ed Ermafroditi: l'annullamento delle differenze di genere, esplicito nei secondi, è alluso anche tra i primi, nelle forme addolcite, nelle ricche acconciature che li distinguono nettamente

Fig. 23 Una piccola selezione di maschere teatrali realizzate in terracotta sovradipinta, provenienti dagli scarichi di materiale individuati al di sotto del portico occidentale del Foro. I materiali provenivano dalle botteghe che caratterizzavano questo settore prima della sua risistemazione in età ellenistica, ed erano specializzate nella produzione e vendita di materiale a uso votivo e liturgico.

Fig. 24 Alcune statuette fittili di Eroti sono state ritrovate tra i materiali votivi negli scarichi individuati nei pressi del santuario di Apollo. La presenza di questi votivi è da mettere in connessione con le cerimonie sacre ospitate tra santuario e Foro. Gli Eroti non sono altro che la trasfigurazione dei giovani che si preparavano all'ingresso nella comunità civica, prendendo parte, con cori e danze, alle celebrazioni in onore del loro dio protettore.

dalla produzione coroplastica dell'epoca, rendendoli documenti peculiari, destinati probabilmente a un rito specifico.

L'assortimento dei materiali sembrerebbe un caso tipico di assenza di logica in un deposito votivo, un caotico coacervo di materiali incomprensibili, senza riferimento diretto a uno specifico culto. L'immagine di Apollo risulta assente, i riferimenti ad altri universi divini sono numerosi, tutto sembrerebbe genericamente sincretistico. Ma per capire questo contesto insolito bisogna collezionare tutto il sistema di materiali restituiti dal santuario. Tra le opere scultoree spicca una coppia di sculture in marmo che decorava il santuario nell'ultima sua fase di vita, raffigurante una Venere e un Ermafrodito[52] (Fig. 25). La loro estraneità al culto di Apollo aveva fatto supporre – si era nel XIX secolo – che il santuario fosse dedicato a Venere, la dea richiamata nel nome ufficiale della colonia. Oppure che le statue fossero state depositate nei portici dopo il terremoto del 62 d.C., trasportate dal tempio di Venere, una volta che questo era stato correttamente identificato con lo spazio monumentale poco distante, nei pressi di Porta Marina, sul lato opposto della strada. L'analisi dei tipi coroplastici dalle fosse spiega finalmente la *ratio* di questo arredo scultoreo: la presenza degli Ermafroditi anche in questo contesto giustifica il ruolo delle due sculture come parte integrante della definizione dello spazio del santuario, allusive evidentemente ad aspetti specifici del culto.

In effetti l'intero contesto di materiali votivi trova una spiegazio-

Fig. 25 Nel tempio di Apollo nella sua ultima fase di vita, era presente una coppia di sculture in marmo, con Venere ed Ermafrodito. La presenza di Ermafroditi è attestata anche tra i materiali votivi, ed è da associare, come per gli Eroti e le maschere teatrali, alle celebrazioni dei Ludi Apollinares (Archivio PAP*).*

ne alla luce del rito, ricostruendo le modalità di frequentazione del santuario: al dio Apollo, qui venerato con Artemide[53], erano tributati gli onori di una festa di cui il materiale votivo ci racconta con enfasi. E in esso dobbiamo cercare la celebrazione in sé più che l'immagine della divinità: una festa che a Pompei ha un nome e una monumentale didascalia: i *Ludi Apollinares* che Aulo Clodio, personaggio della città augustea, organizza nel Foro per ben due volte, come ricorda un'iscrizione[54].

> *A. Clodius, A. f., Men Flaccus, IIvir i. d. ter, quinq., trib. mil. a populo. Primo duumviratu Apollinarib. in Foro pompam, tauros, taurocentas, succursores, pontarios paria III pugiles catervarios et pictas ludos omnibus acruamatis pantomimisque omnibus et Pylade et HS NCCIDD in publicum [...]*

> Aulo Clodio, figlio di Aulo, della tribù Menenia, duoviro per tre volte, quinquennale, tribuno militare per voto popolare. In occasione del primo duovirato nel corso dei Ludi Apollinari ha organizzato nel Foro una processione, giochi di tori, tauromachie, tre coppie di gladiatori combattenti su piattaforma, gruppi di pugili e combattenti, giochi con ogni intrattenimento musicale e pantomime e con la partecipazione di Pilade; inoltre distribuzioni pubbliche di denaro per diecimila sesterzi [...]

Sebbene tra iscrizione e materiali votivi vi sia uno iato cronologico, le terrecotte di fine II a.C. costituiscono il commento visivo più adatto per i ludi organizzati da Aulo Clodio: le maschere di tori con infule alludono agli animali sacrificati forse dopo aver combattuto; le maschere teatrali ricordano le rappresentazioni di mimi e di spettacoli nel Foro; gli Ermafroditi e gli Eroti l'integrazione dei fanciulli per il tramite della festa – forse con la partecipazione a cori –; le stoviglie da mensa i pasti rituali.

È Livio a parlarci ancora di questa festa istituita a Roma in occasione delle guerre puniche, ricordando i banchetti organizzati dalle *matronae*; sappiamo inoltre che nel corso del tempo essa si arricchì di spettacoli teatrali e gladiatori[55]. Anche Cuma, la cui acropoli era dominata dal tempio di Apollo, ha restituito significativamente tracce di *Ludi Apollinares*[56].

Riepilogando, il regime delle offerte rimanda a modelli elaborati per il mondo ellenico, e la cosa non deve meravigliarci, in virtù dell'osmosi esistente tra gli ambienti greci della costa e quelli italici, in particolare in siti costieri come Pompei, da tempo inseriti in una rete di traffici e contatti su larga scala. Tale osmosi tra IV e III secolo a.C. doveva essere così forte da investire vari aspetti pregnanti della cultura, generando di frequente forme cultuali miste o ibride. Interessante poi è seguirne gli esiti fino alla prima età romana, come nel caso cumano, per tanti aspetti legato all'Apollo pompeiano sin da età arcaica.

Protagoniste di tale fenomeno devono essere state quelle classi di contadini/proprietari che erano venute alla ribalta a partire dall'inizio del IV secolo a.C. Questi da un lato possono aver mutuato modelli recepiti nei contesti greci, dall'altro possono aver fatto propri comportamenti già tipici delle élite al potere nelle generazioni precedenti, le quali con la cultura greca avevano avuto un rapporto diretto quanto selettivo. Un rapporto comunque capace di scelte funzionali alle proprie esigenze di autorappresentazione e di allestimento cerimoniale.

Iconografia e culto

Un aspetto importante da considerare, strettamente correlato al problema dell'uso dell'immagine, è quello della possibilità di recuperare attraverso l'oggetto in terracotta la personalità divina cui il manufatto era dedicato. È possibile attribuire un significato precipuo alle iconografie?

Nonostante la complessità dei fenomeni legati alla frequentazione di un luogo sacro, si è verificato spesso che la laconicità di messaggio insita nell'oggetto «terracotta» abbia spinto a cercare delle costanti, delle possibilità di decodificare alcuni tipi o alcuni attributi in favore di un'identificazione della divinità titolare, portando a una rigida equazione del tipo iconografico/divinità. Dall'indistinzione di tipi ricorrenti sono state così estrapolate alcune immagini cui è stato attribuito un valore ermeneutico pregnante, dimenticando che è nell'azione cultuale che l'uso delle statuette si carica di significato, rispondendo a specifiche funzioni[57].

A lungo la mancanza di studi sui contesti di rinvenimento – laddove gli interessi si concentravano essenzialmente sulla forma e lo stile – ha fatto sì che le terrecotte venissero studiate e interpretate nell'ambito di studi tipologici. L'assenza di conoscenza del contesto inficiava però la possibilità di identificarne funzioni e significati: questo ha portato a un abuso della documentazione archeologica, come hanno mostrato soprattutto ricerche portate avanti in Grecia[58]. Quando ci si rivolge con attenzione ai contesti, eccoci di fronte a un'impressionante interscambiabilità delle terrecotte, solitamente presenti con la stessa variabilità tipologica in ambienti pertinenti a divinità diverse. Questo da un lato può richiamare un aspetto della divinità: l'ampiezza della sfera di azione farebbe sì che la personalità di un dio possa in parte sovrapporsi a quella di un altro; dall'altro invece sembra piuttosto rimandare all'omogeneità sociale o di genere, o ancora di classe di età, di coloro che erano coinvolti nel processo rituale.

I soggetti della coroplastica vanno dunque letti all'interno dei singoli contesti, senza attribuire loro significati iconografici assoluti: la distribuzione dei tipi nei santuari mostra bene come l'uso di matrici – oggetti di per sé mobili – porti a produrre immagini il più delle volte assai «generiche» e adatte a differenti culti. La distribuzione degli stessi tipi in luoghi sacri diversi diventa possibile da un lato perché ricorrono iconografie standardizzate (figura femminile seduta velata, figura stante recante un'offerta o uno strumento per il sacrificio, ecc.; figura assisa con bambino), dall'altro perché mancano o sono multifunzionali gli attributi.

Pertanto è più che lecito chiedersi se pratiche rituali comuni – documentate dalle tracce lasciate dai manufatti – adombrino aspetti cultuali comuni, ovvero condivisi dalle singole comunità che frequentavano i vari santuari.

Un caso emblematico, che ci interessa per comprendere le offerte rinvenute nel Foro Triangolare, è costituito dalla rappresentazione della figura femminile in forma di busto con *polos*, un tipo ampiamente diffuso nel mondo greco e italico (Fig. 26). Si tratta di un'iconografia che è stata in passato tradizionalmente identificata con l'immagine di Demetra o Persefone, colta nell'atto dell'*anodos*, ossia dell'emergere dagli inferi verso il mondo visibile[59]. Di frequente, proprio in base alla presenza di questa peculiare offerta votiva, è stata attribuita a Demetra tutta una serie di culti di Magna Grecia e Sicilia, che verosimilmente con le divinità eleusine nulla hanno a che fare. Un esempio tra tutti: il caso della stipe di Sant'Aniello a Napoli, ricchissima di busti femminili, che ha portato a speculare sulla titolarità a Demetra del santuario dell'acropoli napoletana[60]. Il busto, come di recente sottolineato per la Sicilia[61], è invece un richiamo alla conclusione della *parthenia*, ossia allo status della donna quale *nymphe*, quando questa viene associata nel nome e nelle sue condizioni biologiche alle Ninfe: la donna è equiparata alle Ninfe nel periodo della sua biografia, che va dalla acquisizione della maturità sessuale, alle nozze e alla nascita del primo figlio. Le Ninfe sono dunque pluralità divine legate all'inserimento normativo della fanciulla nella società degli adulti e dei cittadini; assistono la donna nel momento in cui questa diventa *nymphe*, grazie al sopraggiunto sviluppo biologico[62]. Una profilassi delle fanciulle, accompagnate nel passaggio fondamentale del loro ciclo biologico e sociale, che accomuna strettamente Ninfe e Cariti, altre dee legate al mondo di Afrodite, alle quali nei casi accertati si dedicavano proprio busti femminili. Divinità che identificando la donna nel suo essere «sposa» diventano allo stesso tempo personificazione della «grazia», del «fascino» e della «bellezza», ma anche del «piacere».

Dunque, se le Ninfe sono per antonomasia le divinità che pro-

Fig. 26 Terrecotte votive di età ellenistica, rappresentanti busti femminili con polos. L'iconografia si riferisce alle offerenti, nel momento in cui stanno per divenire nymphe, *ovvero quando abbandonano la fanciullezza per diventare spose ed entrare a far parte del costrutto sociale della città (Archivio* PAP*).*

teggono le donne nello status che le contraddistingue in quel dato periodo della loro biografia esistenziale (un periodo più lungo di quanto il termine «sposa», traducendo *nymphe*, lasci intendere in italiano), sono varie le divinità che a queste si possono associare o che possono anche sostituirle in questo compito simbolico, e in primis proprio Afrodite e Kore. Anche in questo caso, la terracotta non identifica la divinità ma piuttosto lo stato della dedicante, e la stessa dedica, pertanto, può essere di volta in volta offerta a una divinità diversa, a seconda di quale sia quella preposta nella comunità alla protezione delle «spose»: le sole Ninfe, Afrodite associata alle Ninfe, Kore-Persefone e persino la vergine Atena, che in più di un caso può essere affiancata da personalità divine nel compito di accompagnare la fine della *parthenia* (fanciullezza) delle donne convolate a nozze. Ecco, con ogni probabilità è questo il caso del nostro santuario, dove la presenza della dea, come abbiamo visto, è documentata a più livelli, dal dato epigrafico alle iconografie arcaiche fino alla presenza del noto tipo dell'Atena con berretto frigio. Proprio la presenza nel santuario di busti, associata a un ricchissimo assortimento di tipi coroplastici al femminile – ove spiccano le figure recanti oggetti tipici della *charis*, la grazia che si addice a chi convola a nozze – sottolinea il ruolo della divinità (o di una delle divinità) come protettrice della crescita umana, o meglio di nume preposto a guidare le fanciulle nel normativo compimento dei passaggi di *status*, sovrintendendo così all'ampliamento e alla sopravvivenza stessa della comunità[63].

Dunque nel Foro Triangolare di Pompei, dove il culto attivo già in età arcaica è senza dubbio prestato ad Atena, molto probabilmente associata a Eracle, il ricorrere di numerosi busti in terracotta nel regime delle offerte di IV e III secolo viene ad attribuire alla dea qui venerata la funzione di profilassi delle fanciulle, nel momento di passaggio tra la *parthenia* e lo stato di «spose»[64]. Eppure accanto alle fanciulle è certamente da annoverare la partecipazione al culto di fanciulli, posti forse sotto l'egida di Eracle, come dimostra la vicinanza di spazi per la *paideia*, la formazione ginnica (e intellettuale) – si pensi al vicino disporsi della palestra sannitica. In considerazione di questi aspetti di profilassi della giovinezza demandate al santuario, non è un caso che uno degli altari posti sulla fronte del grande tempio arcaico sia un altare tripartito: potrebbe trattarsi di una struttura destinata ai sacrifici alle Ninfe, quelle divinità al plurale spesso venerate in triplice articolazione. Se così fosse, questi esseri divini affiancherebbero Atena, specificandone un ruolo particolare: dea delle transizioni biologiche/biografiche, divinità dei riti di passaggio. La presenza significativa dell'acqua nel santuario (si pensi alle cisterne) potrebbe richiamare il legame che si instaura con l'elemento liquido grazie alle Ninfe. Non bisogna dimenticare al riguardo la presenza, davanti al grande tempio, di una struttura singolare dall'aspetto di tempietto circolare, un *monopteros*, dove il cerchio di colonne inquadra la vera di un profondo pozzo. Si tratta di una forma architettonica, quella circolare, che ben si addice a divinità ctonie e che potrebbe rimandare a una delle virtù delle Ninfe, quella oracolare[65] (Fig. 27).

Nel santuario avrebbero quindi luogo rituali finalizzati al raggiungimento di una tappa fondamentale della vita di fanciulli e fanciulle, dove l'acqua, elemento purificatorio per eccellenza, deve aver svolto un ruolo precipuo. Non è un caso che anche sul lato opposto del santuario, presso il propilo d'ingresso, ci fosse un altro pozzo, collegato alle cisterne che attraversano lo spazio sacro, intorno al quale è stata rinvenuta la maggior parte di busti in terracotta: un segno che richiama direttamente, come abbiamo visto, lo stato di *nymphe* acquisito dalla donna che si prepara alle nozze.

Atena a Pompei incarna nella sua personalità divina aspetti univoci di profilassi rivolta a una determinata classe di età. In questo senso, abbiamo cercato di dimostrare, è la comunità, in base alla sua vicenda storica, che individua in una specifica divinità la personalità più idonea a rappresentare e proteggere aspetti legati alla rigenerazione del corpo civico, attraverso il normativo passaggio della fanciulla a sposa. Non è certo un caso che queste manifestazioni nascano a ri-

Fig. 27 Sul margine meridionale del promontorio che ospita il santuario di Atena è un pozzo monumentalizzato da un cerchio di colonne. L'acqua, elemento fondamentale nei santuari per le sue valenze purificatorie ma anche pratiche, è strettamente connessa ai riti che si celebravano nello spazio sacro. In quanto elemento che connetteva la superficie terrestre con il mondo sotterraneo era legato al culto di divinità ctonie e oracolari, quali le Ninfe.

dosso di città greche, a Pompei in evidente relazione con Napoli. I gruppi italici che vanno strutturando normativamente i propri corpi civici, e i rituali che ne assicurano stabilità e sopravvivenza mutuano dalle città greche gli strumenti più idonei alla messinscena cerimoniale, all'interno di quell'osmosi permanente che ha caratterizzato la storia dei contatti tra culture diverse.

L'epilogo di questa lunga storia sacra è – come per tutta Pompei – legato alla tragica eruzione del 79 d.C. Negli ultimi decenni di vita della città, il santuario doveva essere ancora in corso di ricostruzione. Le nuove ricerche hanno permesso di attribuire a questo periodo finale le architetture in cui ancora oggi si imbatte il visitatore. Si può ricostruire infatti un'ulteriore fase edilizia che interessò su larga scala l'area del Foro Triangolare, interpretabile forse come conseguenza del drammatico evento sismico del 62 d.C. (Fig. 28). Risale a questo momento la realizzazione del portico occidentale che chiude la piazza a ovest, dandole la caratteristica forma trapezoidale, da cui deriva il nome moderno del Foro[66]. Per la realizzazione del nuovo portico vengono demolite le strutture e i piani di frequentazione delle fasi precedenti, troppo alte in quota rispetto ai livelli previsti dal nuovo progetto (Fig. 29). La realizzazione del braccio occidentale del portico porta infatti alla cancellazione degli ambienti quadrangolari settentrionali e del muro di delimitazione ovest del II secolo a.C., sostituito nella sua funzione perimetrale (anche se con orientamento lievemente divergente rispetto al precedente) dal muro di fondo della *porticus*. Intervento che a sua volta comporta anche la revisione del tratto terminale del vicolo della Regina Carolina e del segmento stradale di congiunzione tra questo e via del Tempio di Iside. Per la realizzazione del nuovo porticato si riadopereranno le membrature architettoniche delle precedenti strutture: solo così si può spiegare l'anomalia di un edificio che, stanti i risultati degli scavi stratigrafici nelle sue fondazioni e sotto i suoi piani di calpestio, non può essere datato a prima della metà del I secolo d.C., pur utilizzando un ordine dorico del tutto simile a quello degli edifici di II secolo a.C.

Al centro della piazza, insieme alle nuove costruzioni post-sismiche

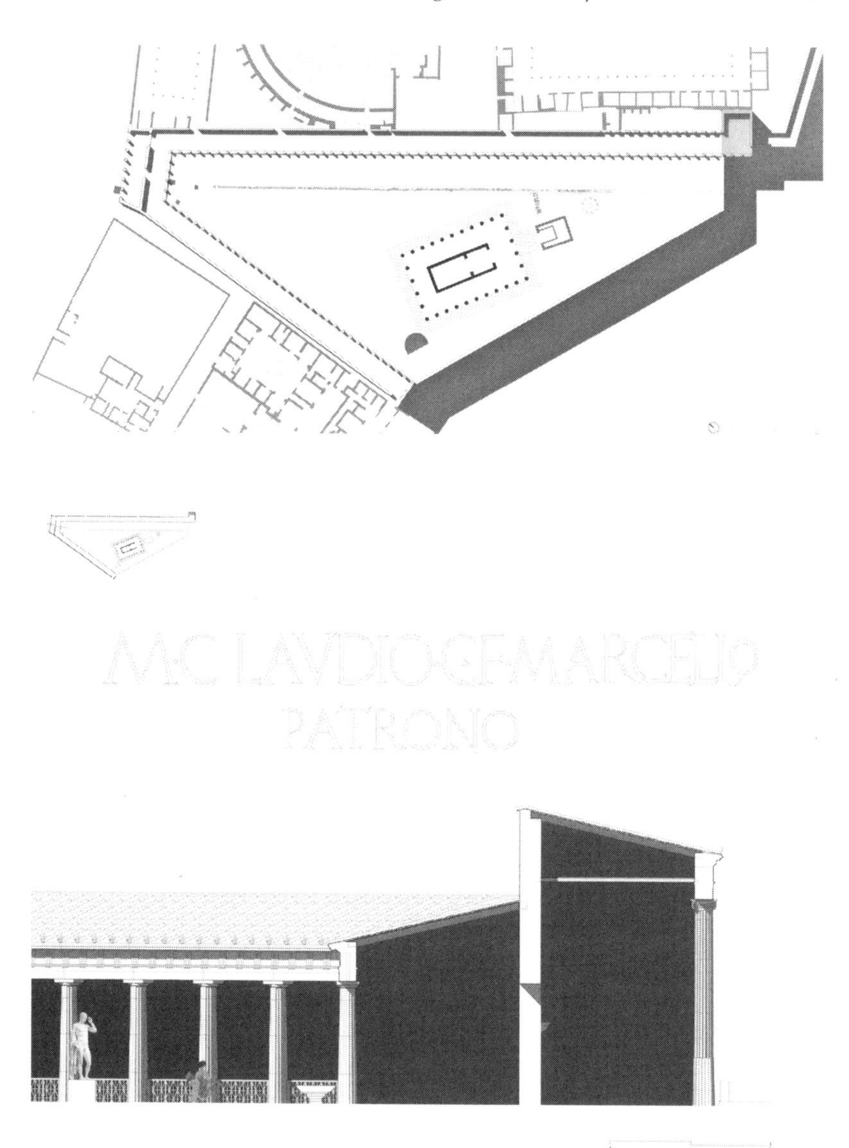

Fig. 28 L'area del santuario era definita, a nord e a sud, da due pozzi. Quello meridionale resta in vita fino all'eruzione; l'altro fu invece defunzionalizzato, nonostante fosse in connessione con tutto il sistema di cisterne sotterranee, al momento della ristrutturazione del portico, avvenuta dopo il terremoto del 62 d.C. La ricostruzione grafica si riferisce al tratto nord-occidentale del portico: davanti all'ingresso oltre al labrum per l'acqua lustrale era una base di statua con dedica a Marcello, nipote dell'imperatore Augusto (Elab. M. Livadiotti, G. Rocco).

Fig. 29 Il portico perimetrale che delimita lo spazio sacro presenta colonne doriche che sostengono un architrave con triglifi e metope. Per lungo tempo lo stile e l'ordine architettonico avevano aperto un dibattito sulla data di costruzione del portico, tradizionalmente datato in età ellenistica. I recenti scavi consentono di datarne l'edificazione a dopo il terremoto del 62 d.C., avvenuta riutilizzando elementi architettonici più antichi.

si smantella l'edificio centrale, probabilmente danneggiato, il quale viene defunzionalizzato attraverso una serie di azioni rituali che hanno lasciato traccia in fossette riempite con materiali organici (pinoli, ecc.) associati a materiali ceramici e in un caso a uno strigile in bronzo (simbolo per eccellenza dell'atletismo antico) (Fig. 30). Le piccole fosse diventano così ai nostri occhi la memoria di un momento rituale destinato a segnare la fine di una storia sacra, fine che al tempo stesso dovrebbe permettere al culto di continuare secondo altre forme[67].

Una ripresa normativa che forse non avverrà mai: l'eruzione sigillerà per sempre quello spazio di ferventi lavori (come un po' ovunque a Pompei), immortalando il fermo immagine del perenne work in progress che abbiamo qui cercato di raccontare. Non si finirà mai, quindi, di ridare dignità architettonica a un santuario la cui lunghissima vita è iscritta nelle tante tracce lasciate sul terreno da persone che qui operavano per il sacro, a tutti i livelli. Dai sacerdoti, agli operai, dalle centinaia di fanciulli e fanciulle che qui si sono recati generazione dopo generazione a segnare una tappa fondamentale della propria crescita e della propria biografia.

Fig. 30 Lo strigile è stato ritrovato in una fossetta, insieme a materiali organici, realizzata in connessione con riti di defunzionalizzazione del piccolo edificio sacro che si era impiantato sulle grotticelle. Lo strigile è uno strumento, solitamente bronzeo, utilizzato per detergere il corpo dopo l'attività sportiva. L'oggetto votivo deposto rimanda al legame delle divinità venerate nel santuario con le attività ginniche e agonistiche (Foto F. Giletti).

VASI PARLANTI, ALLE ORIGINI DI POMPEI E DEI POMPEIANI

capitolo 2

La voce della ceramica

«*Mi mamarces tetanas*» («io [sono] di Mamarce Tetana»): parlano in prima persona alcuni vasi nei santuari più antichi del Mediterraneo (VIII-V secolo a.C.)[1]. Così in un altro luogo sacro, questa volta a poche centinaia di metri dalle mura meridionali di Pompei, chiamato Fondo Iozzino dal proprietario del terreno in cui è venuto alla luce nel 1960 (Figg. 1-2). Su una piccola collinetta (venti metri sul livello del mare) affacciata sulla valle del fiume Sarno, il santuario, un semplice recinto rettangolare delimitato da un muro di blocchi di pappamonte, il tufo locale, racchiudeva all'interno uno spazio a cielo aperto con altari e ampie aree destinate ai sacrifici e ai doni offerti alla divinità. Un'architettura immersa in un paesaggio rurale, suburbano, faggeti e querceti rappresentati dall'alta presenza di frammenti di carboni pertinenti a queste specie arboree, lungo la strada che dalla città si dirigeva al porto.

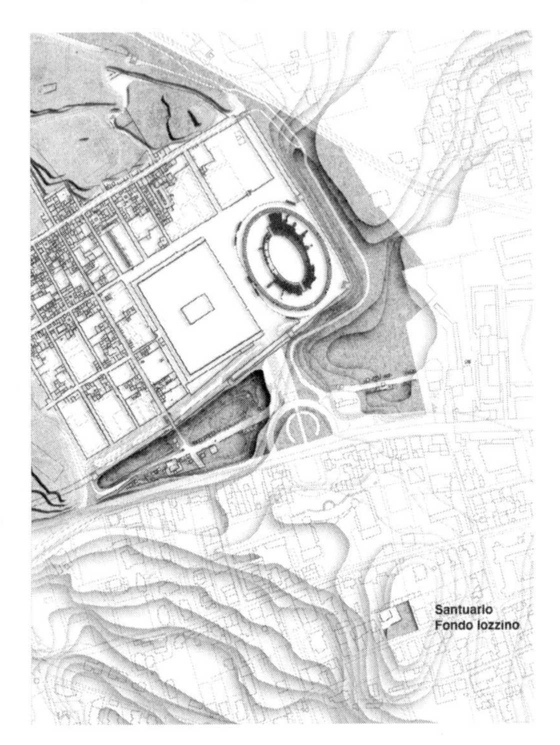

Fig. 1 La pianta, con rappresentazione delle linee di quota altimetriche, permette di cogliere la posizione strategica del santuario extraurbano di Fondo Iozzino, ubicato su un piccolo rilievo non lontano dal mare. Oggi tale peculiare collocazione non è più percepibile a causa dell'urbanizzazione novecentesca dell'area (Elab. Luisa Ferro).

Fig. 2 Vista dall'alto del settore sud-est della città antica e della città moderna di Pompei, nel cui tessuto urbano si trovano inglobati i resti dell'area sacra.

Ricerche iniziate casualmente, durante gli interventi per realizzare una palazzina della moderna Pompei, poi riprese nel 1990, per contrastare scavi clandestini, e infine, sistematicamente, dal 2014 a oggi hanno portato alla luce uno dei luoghi più emblematici per comprendere le prime fasi di vita di Pompei, e non solo (Fig. 3)[2].

In questo santuario, dalla fine del VII secolo a.C., genti della comunità pompeiana (insieme probabilmente a chi approdava sulle coste campane per scambiare merci) si sono recate periodicamente per offrire oggetti e alimenti a una divinità. Su un raffinato *kantharos*, un calice con alte anse a nastro utilizzato per bere vino, una mano esperta nella lingua etrusca dà la parola a un oggetto per noi inanimato, una ceramica in bucchero, la tipica produzione etrusca di vasi dalla superficie nera e lucida (realizzati grazie a una sapiente manifattura in forni dall'atmosfera priva di ossigeno che conferisce la peculiare colorazione)[3] (Figg. 4-5).

Fig. 3 Negli scavi del 1960 che portarono alla luce il santuario di Fondo Iozzino si rinvennero tre statue di terracotta di divinità femminili, oggi esposte nell'Antiquarium di Pompei (Archivio PAP).

Fig. 4 Vasi in bucchero deposti nel santuario di Fondo Iozzino. Si tratta di una produzione ceramica di tradizione etrusca il cui colore scuro è ottenuto grazie alla cottura in forni con tecnica riducente, ovvero priva di ossigeno (Archivio PAP*).*

Fig. 5 Disegno di un kantharos, una tipica forma per bere vino della produzione in bucchero. Il pezzo fa parte dei cosiddetti «vasi parlanti», recanti iscrizioni incise dopo la cottura (Elab. C. Pellegrino).

Il vaso parlante sembra possedere un valore magico nel momento in cui incarna la voce del protagonista dell'azione rituale: io sono di Mamarce Tetana. Il nome ci offre elementi di una biografia, indicandoci da dove proviene la famiglia: Mamarce, un nome proprio che ricorre in due altre iscrizioni a Fondo Iozzino, è uno dei prenomi più diffusi nell'antica Etruria, tra alto Lazio e Umbria. Attestazioni del nome ricorrono a Veio, Cerveteri, Tarquinia, Vulci e soprattutto Orvieto (l'antica Volsinii). Prima della scoperta delle iscrizioni pompeiane era già ben documentato in Campania, dove è arrivato insieme a migranti dall'Etruria[4]. Il gentilizio (nome di famiglia) Tetana, da un originario prenome ricavato dal termine parentale teta («nonno materno») in etrusco, è invece privo di riscontro in Campania, rimandando nuovamente all'Etruria propria, dove è attestato come prenome a Veio; in Etruria settentrionale è inoltre, analogamente al caso pompeiano, documentato in formule onomastiche come gentilizio[5]. Siamo davanti a uno di quei nomi di famiglia elaborati nel momento in cui il capostipite era entrato a far parte del corpo civico[6]: per creare la formula onomastica doppia, necessaria per un cittadino, il personaggio trasformava il nome proprio portato da non-cittadino in gentilizio, scegliendo un nuovo prenome. Nel nostro caso il gentilizio Tetana deve essersi originato dal nome proprio di un avo del nostro personaggio, che una volta diventato cittadino (forse proprio nel nuovo corpo urbano di Pompei) aveva creato, dal suo, il nome ereditario di famiglia.

Proviamo a conoscerlo meglio. Mamarce Tetanas dunque è un personaggio integrato nella comunità pompeiana, e possiamo supporre, con un po' di immaginazione, che sia discendente da un avo di origine non libera, che potrebbe aver acquisito il pieno diritto di cittadinanza (con l'adozione del gentilizio ereditario) al momento del trasferimento a Pompei, integrandosi nel nuovo corpo civico. La mobilità, all'epoca come oggi (e l'attualità dovrebbe avercelo insegnato), dà spesso occasione ad ascese sociali.

L'oggetto dedicato da Mamarce nel santuario pompeiano è in grado di comunicare chi fosse, o meglio come fosse, il suo proprietario, e dare dunque stesso informazioni su se stesso. Attraverso l'iscrizione, il protagonista dell'azione non solo asserisce con forza il diritto di proprietà sull'oggetto, ma al contempo lascia un pegno della sua presenza nel santuario, a futura memoria. È come se l'«io» dell'iscrizione espropri il possessore del proprio «sé» e lo riduca a una voce che parla per l'oggetto: il testo scritto, inciso perché sia solennemente declamato nel corso dell'azione rituale (e in seguito letto da chi frequenta il santuario), non parla da sé come se fosse animato, secondo una primitiva concezione *animista*, ma mostra semplicemente ciò che il suo autore ha voluto tramandare. L'oggetto in quanto tale rimane muto: è la sequenza di segni fonetici incisi sulla superficie a produrre il discorso in chi legge e al contempo declama; in ambito rituale, infatti, si pronuncia ad alta voce, non esiste un dialogo interiore con il dio. Il lettore diventa lo strumento (vocale) essenziale che permette al testo di comunicare, testimoniando il diritto di proprietà del personaggio evocato sulla coppa nonché sul suo contenuto, un liquido presente all'inizio del rito, ma che ad azione compiuta è destinato a scomparire[7].

Mamarce è solo uno dei molti personaggi che si recano nel santuario pompeiano tra la metà e la fine del VI secolo a.C. per dedicare simili oggetti parlanti. Un altro *kantharos* reca una scritta sul bordo interno del piede, incisa come sempre dopo la cottura (Figg. 6-7). Il vaso parla per un altro personaggio; in questo caso il nome del dedicante è posposto alla formula di possesso: «di Leθes Velχsna io [sono]». Se la formula cambia, il risultato è lo stesso: il vaso, affermando di essere di Leθes Velχsna, attraverso la voce che declama durante il rito parla al dio, ma anche agli uomini che assistono alla cerimonia o che in seguito leggeranno la scritta. Le comunicazioni con il divino hanno spesso carattere duale, si rivolgono oltre che alla divinità anche al resto dei fedeli, e grazie a queste funzioni interpersonali diventano socialmente e religiosamente rilevanti[8].

Chi è il personaggio che ha dedicato alla divinità il contenuto del vaso, deponendolo poi nel luogo stesso dell'azione rituale? Chi è Leθe Velχsna che nel compiere il gesto cerimoniale ha voluto che il vaso – grazie all'iscrizione incisa – serbasse insieme al suo nome imperitura memoria di quel momento rilevante di «comunicazione» col divino? Il prenome Leθe, documentato a Fondo Iozzino con una seconda attestazione (mi leθ [- - -]), non è altrimenti noto in Campania, ma è invece – non ci sorprende – attestato proprio in Etruria nel V secolo a.C., dove l'elemento onomastico è stato di solito associato alla componente servile, subalterna, tanto nel suo utilizzo come prenome quanto nella trasformazione in gentilizio[9]. Anche il nome di famiglia Velχsna è tipicamente etrusco, ricorrendo a Tarquinia (graffito su una parete della Tomba Cardarelli), Veio (inciso su un cofanetto

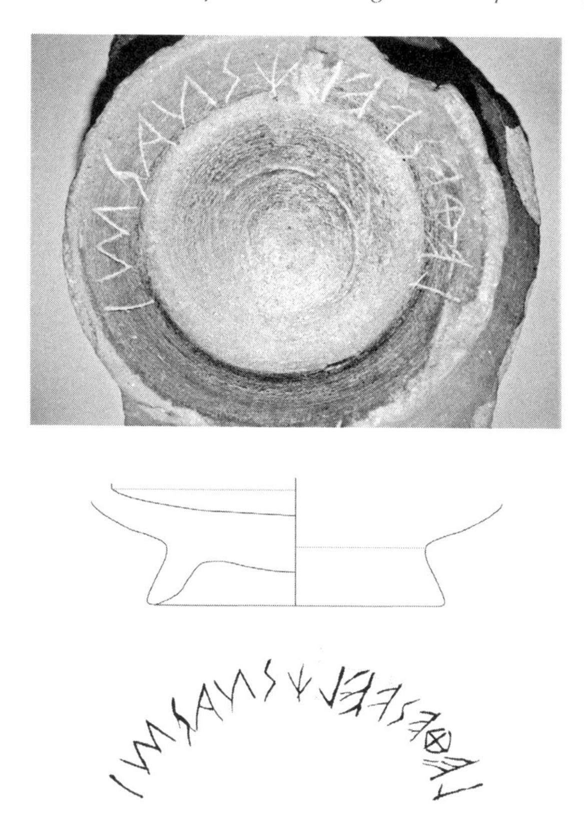

Fig. 6 Le iscrizioni incise sull'oggetto votivo potevano essere declamate nel corso dell'azione rituale o lette da chi frequentava il santuario. Le informazioni riportate diventano quindi un veicolo di informazioni riguardo a coloro che le dedicarono e ai modi in cui il rito veniva celebrato (Archivio PAP).

Fig. 7 «di Leθes Velχsna io [sono]». Questa è la formula che troviamo incisa sul piede di uno dei vasi offerti nel santuario. Il prenome Leθes, noto solo in Etruria, è legato a personaggi di origine servile, cosa che ricorre con una certa frequenza tra i materiali ritrovati. I membri delle classi più umili, spostandosi in un territorio diverso e di recente fondazione, cercavano probabilmente un riscatto e una nuova prospettiva di ascesa sociale (Elab. C. Pellegrino).

dedicato a Minerva nel santuario di Portonaccio) e poi nell'Etruria interna, a Perugia e Chiusi[10]. Leθe Velχsna potrebbe essere un altro personaggio la cui ascesa sociale (o meglio quella della sua famiglia) coincide con l'integrazione nella comunità pompeiana. Se così fosse, Pompei sarebbe un interessante luogo di riscatto sociale per più per-

Fig. 8 L'iscrizione in questo caso presenta una formula ricorrente nei doni votivi: «io sono la coppa di Manile, nessuno mi prenda». L'offerta, una volta collocata nel santuario, diventava sacra; l'eventuale furto o spostamento poteva essere punito, alle volte anche scagliando delle vere e proprie maledizioni sui trasgressori (Archivio PAP*).*

sone: le migrazioni, la mobilità da un luogo all'altro possono essere state anche qui una sorta di «ascensore» sociale.

Un'altra iscrizione affida al tempo un messaggio più complesso, questa volta inciso sulla sommità esterna della vasca di una coppa (Fig. 8): «*mi maniles θavhana ei minipi ca[pi---]*». Il nome del personaggio, espresso solo col gentilizio (Manile), è qui affiancato dall'appellativo del vaso (*θavhana*, cioè *thafna* = coppa), cui segue un «divieto di appropriazione», una formula ricorrente nei santuari: qui gli oggetti, dedicati alla divinità, acquistano un'aura sacra e un tabù ne impedisce il riutilizzo. Chi ha inciso lo scritto vuole dunque affermare: «Io sono la coppa di Manile, nessuno mi prenda». Attraverso l'iscrizione, il protagonista dell'azione non solo ribadisce con forza il suo diritto di proprietà sull'oggetto – che si manifesta permanentemente e indipendentemente dalla sua effettiva presenza nello spazio sacro –, assicurandone la memoria, ma assume ulteriori precauzioni circa il futuro destino del manufatto[11]. Accompagnato esplicitamente o no da una maledizione, il divieto sancisce la sacralità dell'oggetto parlante e al contempo rimarca la situazione speciale in cui viene usato: un momento rilevante di comunicazione col dio.

Di tali iscrizioni su vasi rinvenute nei nuovi scavi di Fondo Iozzino se ne contano decine, per la precisione circa settanta, che vanno ad aggiungersi alle quindici etrusche già note in passato a Pompei (la città vesuviana, grazie alle ultime scoperte, conquista così un primato, diventando il luogo che ha restituito il numero maggiore di iscrizioni etrusche fuori dall'Etruria). A queste va poi affiancato un numero all'incirca doppio di contrassegni, alfabetici (in particolare *a* e *χ*, ossia gli estremi della sequenza alfabetica) e non (croce, con o senza terminazione delle aste, a tridente, asterisco, alberello, stella a cinque punte), posti frequentemente sul fondo esterno del vaso. Tali contrassegni, con il loro carattere simbolico e allusivo, spesso per noi imperscrutabile, dovevano essere intesi a «marchiare» il recipiente in quanto sacro: riservati come sono a ceramiche dalla forte valenza rituale, costituiscono un ulteriore canale di comunicazione col divino[12].

I protagonisti del culto

L'archeologo si trova quindi di fronte agli stessi interrogativi dell'osservatore più comune: che informazioni ci danno queste numerosissime iscrizioni sulle persone che le hanno promosse? Che cosa spinge i nostri personaggi verso questo santuario, non lontano dal porto fluviale di Pompei? Prima di provare a rispondere, segnaliamo che le scritte possono essere state graffite da altri rispetto ai protagonisti dell'offerta, anzi, a giudicare dall'uniformità di molte di loro, ciò è molto probabile: altre mani, quelle di addetti del santuario, specialisti nella tecnica scrittoria, possono aver sopperito alla mancata alfabetizzazione dei frequentatori. I personaggi coinvolti nell'azione rituale declamano forse un testo scritto sotto dettatura da altri? Quale che sia il soggetto che ha inciso i fonemi sul corpo ceramico, la funzione del testo non cambia, come non cambiano le informazioni che possiamo recuperare sui personaggi evocati dalle «firme» sui vasi.

La maggior parte degli oggetti votivi e liturgici, per la lingua e la scrittura utilizzate e per la forma, rimanda senza dubbio a genti etrusche. È difficile ovviamente stabilire solo attraverso la lingua o la materialità degli oggetti – o più in generale, attraverso tratti culturali esibiti – l'etnicità di un gruppo. In quest'epoca la Campania, lo abbiamo già visto, è terra di culture ibride, ove lingue e alfabeti si mescolano, come si mescolano costumi e tradizioni artigianali. Una intensa mobilità di uomini e di oggetti tesse una rete ampia che attraversa il Mediterraneo con le sue città e i suoi porti. Gruppi di provenienza ed «etnia» diversa sono in costante contatto, grazie ai fenomeni di migrazione e colonizzazione che interessano l'Italia meridionale già a partire dall'VIII secolo a.C. Si muovono e migrano genti dal mare Egeo, si stanziano a Ischia, fondano Cuma e numerosi insediamenti lungo le coste dell'Italia meridionale e della Sicilia. Ma anche all'interno della penisola italica i trasferimenti di genti da un capo all'altro del territorio si manifestano già dall'inizio del I millennio a.C., come nel caso, appunto, degli Etruschi giunti in Campania[13].

L'«etruschità» di Pompei, un tema oggetto di discussioni accademiche ed erudite già dall'Ottocento, che è stata poi sostanzialmente negata dalla ricerca contemporanea[14], riemerge con insistenza dalle iscrizioni rinvenute nel santuario di Fondo Iozzino. I nomi di famiglia sono infatti tutti etruschi, come dimostrano la ricorrenza tipica in quell'ambiente dei gentilizi che terminano in *–na* e l'ampia distribuzione degli stessi tra Lazio e Umbria meridionale. Ma significativamente etruschi sono anche i prenomi, elementi «deboli» della formula onomastica, che ci informa ancora di più sul contesto culturale in cui si cala la loro scelta: *Laris*, *Larice*, *Leθes*, *Mamarce* e *Venel* sono anch'essi nomi tipici dell'area centro-italica, attestati in città come Cerveteri, Tarquinia, Veio, Orvieto.

Il ricorrere a Pompei di un numero cospicuo di formule onomastiche complete, con prenome e gentilizio, documenta la frequentazione del santuario – almeno per quanto riguarda i fedeli che hanno lasciato il proprio nome a futura memoria – da parte di maschi adulti, che rivendicano l'appartenenza alla comunità pompeiana e dunque il possesso della terra, con il conseguente diritto di trasmetterla in eredità. Il *pater familias* perpetua così la sua personalità giuridica nei suoi eredi.

La formula onomastica doppia, comprensiva di un gentilizio ereditabile, è un riferimento esplicito al diritto di proprietà familiare[15].

Nella maggioranza dei casi, più che di mercanti sembra dunque trattarsi di membri del ceto cittadino, appartenenti a famiglie che possiedono la terra e giocano un ruolo rilevante nella costituzione della società urbana di una nuova città, fondata da poco presso le foci del fiume Sarno, non lungi dalle pendici del Vesuvio.

L'omogeneità del dossier e, di contro, l'assenza di pratiche scrittorie riferibili alle altre componenti demografiche della Campania arcaica, greche o italiche (come la lingua documentata nella vicina Nocera), rimandano a una evoluta comunità etrusca che qui si ritrova per venerare le proprie divinità[16]. Una città di popolamento etrusco, quindi, ma non solo: la variegata composizione del golfo di Napoli di età arcaica che già abbiamo rilevato ci insegna che non bisogna immaginare comunità chiuse, impermeabili alle connessioni con le altre componenti in gioco nel territorio. Le società del tempo vivono quotidianamente fenomeni di mobilità che riguardano uomini, oggetti, saperi, e tante sono le forme culturali ibride che fanno pensare a compagini sociali locali aperte alla pluralità di culture. Forme ibride che trovano espressione sia nelle iscrizioni che nelle forme architettoniche e nel patrimonio mitografico[17]. Non è dunque improbabile che, accanto a membri che risiedono stabilmente nella città di Pompei, ci siano nel santuario anche «stranieri», cittadini di altre comunità del territorio, e anche altri «Etruschi» dell'Italia centrale, giunti qui presso il porto alle foci del Sarno per attività di scambio e commercio o per consolidare alleanze e rapporti di ospitalità. Alcuni stranieri potrebbero ad esempio celarsi dietro gentilizi «celebri», documentati nel dossier di Fondo Iozzino, riferibili a famiglie famose e potenti dell'Etruria. Interessante al riguardo l'iscrizione incisa all'interno di una coppa in bucchero, alla sommità della vasca: «*mi spuriia*[- - -]», ossia «io sono di Spuriana»; un individuo che qui si qualifica solo con il gentilizio, evidentemente per celebrare la potente famiglia di appartenenza. Se mancano in Campania altre attestazioni del gentilizio, l'iscrizione riporta alla mente i potentissimi *Spuriana* di Tarquinia, che tanta parte hanno avuto nella storia del comparto tirrenico dell'Italia di età arcaica[18] (Fig. 9).

Questi personaggi «non residenti» che si muovono tra Centro Italia e Campania dovevano condividere con i pompeiani un senso di appartenenza e di affinità, una sensazione consolidata dal parlare e scrivere la stessa lingua e dal partecipare a medesimi rituali, destinati alle stesse divinità della loro patria. Una serie di tratti culturali comuni (come i calici in bucchero prodotti localmente ma del tutto simili a quelli d'Etruria, o gli oggetti di importazione esibiti nell'offerta, analoghi a quelli adoperati nei santuari della propria città) permettevano a pompeiani e stranieri di Etruria di sentirsi membri dello stesso raggruppamento etnico, oltre che dello stesso rango.

Il rito: come funzionava?

Adesso che sappiamo, a grandi linee, chi sono i protagonisti dei nostri rituali, proviamo a porci le legittime domande per capire come

Fig. 9 «Mi Spuriia [...]». L'iscrizione, frammentaria, ricorda il nome di una nota famiglia di origine tarquiniese, gli Spuriana. Alcune delle offerte sono forse da attribuire a viaggiatori che si fermavano nel santuario, in occasione di viaggi legati alle attività commerciali (Archivio PAP*).*

questi realizzavano, di fatto, l'azione cerimoniale. A cosa servono i vasi portati nel santuario da Mamarce e Leθe, da un membro della famiglia Manile o Spuriana? Come è stato usato l'oggetto dopo che la formula è stata graffita e declamata? Che tipo di rituale è stato ripetuto periodicamente nel recinto sacro? Come era attivata sul piano pratico la comunicazione con quegli «attori speciali sovrumani» che erano le divinità[19]?

Difficile risalire a un rito senza avervi assistito, ricostruire quel significativo processo di elaborazione sensoriale che doveva coinvolgere vista, tatto e olfatto: vicende emotive per noi non più recuperabili. I dati archeologici possono però aiutarci a immaginare almeno alcuni segmenti dell'azione rituale, soprattutto se torniamo a interrogare oggi quegli antichi manufatti tramite le nuove tecnologie: le scienze dure ci consentono di riscrivere la storia dei gesti e la biografia degli oggetti. Per comprendere il rito vanno dunque raccolte tutte le tracce, visibili e invisibili, che l'archeologia restituisce a chi indaga con attenzione e passione il terreno.

La forma del recipiente, un vaso per bere, la frequente associazione con brocche per versare liquidi, la posizione di rinvenimento, il verso delle iscrizioni, spesso leggibile solo se il vaso è capovolto, permettono di immaginare quello che i nostri personaggi facevano all'interno del santuario, dopo esservi giunti a portare i propri desideri, e ovviamente le loro richieste alla divinità (Figg. 10-11). Il rito richiedeva, con ogni verosimiglianza, che dal *kantharos* venisse versato un liquido per terra o su focolari accesi per la cerimonia, destinandolo a una divinità infera, immaginata di casa nel sottosuolo. Il contatto è assicurato dalla messa in scena di una serie di azioni (gesti, movimenti, parole ecc.), tra cui un ruolo fondamentale ha l'offerta di liquidi nel corso di libagioni per la divinità. Dopo la bevanda, anche il recipiente – con l'iscrizione posta a perpetrare la memoria del rapporto col divino ormai instaurato – viene offerto e deposto per terra, a volte insieme alla brocca che conteneva il vino versato nella coppa e da questa per terra o sull'altare[20]. Una scansione di gesti che doveva ripetersi secondo un preciso codice, il cui normativo svolgimento assicura l'ingresso in una dimensione di possibile ed efficace contatto con il dio o la dea. Solo così le richieste di intervento degli dèi negli affari di tutti i giorni degli uomini hanno una buona possibilità di essere esaudite[21].

Fig. 10 Vista da nord del recinto esterno del santuario di Fondo Iozzino. In questo settore gli scavi condotti fra il 2014 e il 2017 hanno permesso di individuare una cospicua mole di oggetti votivi di età arcaica (Archivio PAP).

Fig. 11 Su alcuni dei vasi rinvenuti è stato possibile effettuare delle analisi cromatografiche, per recuperare informazioni riguardo alle offerte e ai rituali che si svolgevano nel santuario: i vasi venivano ricoperti da una patina impermeabile, che li rendeva adatti al consumo di vino (solitamente aromatizzato e arricchito da varie essenze) offerto in libagioni alla divinità.

L'identificazione del liquido ci è oggi possibile, e con certezza, partendo dai residui individuati nei contenitori, analizzati dai chimici attraverso la cromatografia[22]. Le indagini hanno rivelato l'ampio utilizzo di derivati dell'uva in diversi contenitori; si tratta soprattutto di vino rosso ma non mancano tracce di uva bianca. Se nel complesso si deve trattare di vino, non si possono escludere in alcuni casi altri prodotti, come bevande non fermentate, a base comunque di succo di uva, miscelato con erbe aromatiche, in modo da realizzare infusi particolari, adatti evidentemente ad alcuni momenti del rituale. Le analisi forniscono altri dati interessanti: i vasi prima di essere usati erano impermeabilizzati, come documenta la costante presenza rilevata all'interno del contenitore di grassi animali, sia di ruminanti che di non ruminanti. La presenza di olio vegetale in un calice di bucchero dell'inizio del VI secolo a.C., contenente succo di uva nera, potrebbe rimandare invece a un trattamento della superficie del vaso per renderne l'aspetto più brillante.

Il vino rosso nei recipienti, accuratamente preparati per l'uso, era consumato e offerto dopo essere stato miscelato con resine (ad esempio di conifera) o altre essenze vegetali, destinate ad aromatizzarlo, com'era consuetudine anche nel mondo greco. Un recipiente per versare (*olpe*) e una capiente olla (vaso da mensa per contenere) presentano anche contenuti definibili come «medicinali»: si tratta in particolare di un'erba della famiglia delle *Asteracee*, probabilmente l'Euphorbia ricordata dalle fonti antiche[23], un vegetale utilizzato per le sue proprietà antibatteriche, antivirali, antinfiammatorie e antitumorali, ma anche un possibile allucinogeno, tant'è che la tradizione le attribuiva proprietà magiche e non a caso la collegava alle pratiche della maga Circe! L'olla pompeiana doveva essere dunque il contenitore principale di questo particolare infuso poi redistribuito attraverso *olpai* nelle coppe e dunque usato per le libagioni: la comunicazione con gli dèi si carica di senso attraverso gli ingredienti usati per preparare la bevanda, e, verrebbe da pensare, attraverso gli «effetti» più che inebrianti della bevanda stessa.

Per quanto riguarda infine l'atto rituale in sé, l'elevata concentrazione dei residui permette di ricostruire altri aspetti della comunicazione col divino: se nel caso delle brocche, queste potrebbero essere state deposte ancora parzialmente piene di contenuto, la concentrazione in alcune coppe testimonia che sono state utilizzate più volte. Si tratta evidentemente di vasi da banchetto effettivamente e a lungo impiegati dal dedicante, prima di essere consegnati al dio e deposti nel suo santuario, ultima destinazione di un oggetto dalla lunga biografia. Se così fosse, ancora più pregnante risulterebbe l'epigrafe incisa sul vaso ad affermare categoricamente il senso di possesso: «Io sono [la coppa] di Mamarce Tetana!».

Non sorprende che dalle migliaia di reperti affiorati dagli scarichi di materiale sacro emerga il largo consumo del vino all'interno del santuario[24] (Fig. 12). Il vino, prodotto di lusso, che sia ottenuto localmente o importato da terre lontane, viene qui «sprecato» sottraendolo al consumo umano per indirizzarlo alla controparte divina: elemento di contatto dunque tra uomo e dio, ingrediente fondamentale per la comunicazione tra dimensioni diverse. Una bevanda ampiamente utilizzata nei banchetti domestici, per le cerimonie più diffuse della socialità antica acquisiva una importanza fondamentale nel rito, grazie all'azione, al gesto che sottolineava la distanza dal quotidiano: versato per terra, o su focolari accesi per la cerimonia (come possibile ricostruire dalla presenza di carboni rinvenuti un po' ovunque nel santuario), accompagnato da fumigazioni di incenso, il binomio fondamentale nella religiosità italica per denotare una attività come sacra[25], il vino permetteva di comunicare con gli dèi. Al contempo dimostrava a chi assisteva al rito l'appartenenza a una fascia privilegiata dei personaggi impegnati nell'azione rituale, che potevano disporre di vino pregiato «servito» in raffinati recipienti in bucchero (anch'essi «sacrificati» per la divinità), alcuni in grado addirittura di «parlare» grazie a quei fonemi incisi che traslitteravano la lingua etrusca[26].

Se funzionali alle pratiche cerimoniali sono soprattutto i contenitori etruschi di bucchero, non sono questi gli unici vasi a essere introdotti nel santuario: ceramiche importate dalla Grecia, da Atene o Corinto, permettono di indirizzare al dio bei doni con i loro conte-

Fig. 12 Durante la prima campagna di scavo nell'area del recinto esterno del santuario, è apparsa da subito evidente l'eccezionalità del sito. Nonostante infatti l'area fosse rimasta a lungo a vista, sotto pochi centimetri di terra iniziarono a emergere centinaia di frammenti, in ottimo stato di conservazione, documento incredibile dell'importanza e della lunga frequentazione dell'area sacra.

nuti, tra cui unguenti e oli profumati – il profumo si addice alla divinità[27] (Fig. 13). Insieme ai vasi da mensa lo scavo ha portato alla luce moltissimi altri oggetti. Ci sono armi, uno scudo in bronzo, spade, numerose lance (Fig. 14): chi frequenta il santuario è orgoglioso di mostrare lo status di guerriero assunto nella società della nuova città che si sta strutturando, nonché l'appartenenza a una élite ristretta di privilegiati[28].

Ci sono inoltre oggetti personali, ornamenti del corpo e delle vesti, anelli in argento o bronzo, amuleti orientali: manufatti posseduti e usati in momenti topici della vita sociale, che si caricano dunque di una propria biografia prima e dopo l'offerta, una biografia in parte condivisa – fino alla deposizione – con quella del proprietario[29].

Come accade nelle relazioni interpersonali, pure nella comunicazione con il dio l'offerta di un dono più o meno prezioso (armi, ceramiche esotiche, utensili di ornamento personale, a seconda dell'occasione) si carica di significato, grazie anche alla materialità

Fig. 13 Vasi da profumo importati dalla Grecia: a sinistra una lekythos di produzione attica, a destra un aryballos di produzione corinzia (Archivio PAP*).*

dell'oggetto, che assicura una durevole presenza dell'atto comunicativo, laddove altri segmenti del rito (bruciare incenso, preparare e offrire cibi, ecc.) non potevano e non dovevano essere permanenti.

La quantità enorme di materiale rinvenuto, oltre a mostrare l'importanza del luogo sacro, impiantato fuori le mura cittadine in direzione del mare e dello scalo fluviale, dimostra la grande partecipazione di fedeli: nell'atto di depositare l'oggetto, il bel vaso ateniese figurato (Fig. 15 FT) o il pregevole anello etrusco con castone decorato – come nel caso dello straordinario anello in argento e sigillo in pietra dura raffigurante il mito greco dell'eroico suicidio di Aiace –, il donatore lascia una parte di sé, tanto più se vi è inciso il nome o si tratta di un oggetto realmente indossato (Fig. 16 FT). Il dono rappresenta il protagonista dell'offerta non solo nel momento dell'azione, ma anche in seguito, fintanto che l'oggetto resterà visibile ai frequentatori del santuario.

Concludendo, il consumo di bevande alcoliche e la dedica di preziosi vasi da banchetto o da toletta rimandano a cerimoniali perpetrati da società ove vige forte competizione, nelle quali i rituali collettivi dovevano rispondere alle necessarie esigenze di legittimazione e consolidamento del potere[30]. La presenza di olle, brocche, *kantharoi*, coppe e ciotole ci consente di ricostruire non solo le azioni indi-

Fig. 14 Nel santuario tra le offerte spiccano numerose armi, tra cuspidi di lance in ferro. L'offerta rimanda alla frequentazione del santuario da parte di un'élite guerriera che, anche attraverso i votivi, sottolineava l'importanza del proprio ruolo nella costruzione del tessuto sociale della città (Archivio PAP*).*

viduali ma anche le pratiche collettive legate al consumo del vino, che solitamente seguono il momento dell'offerta e del sacrificio. Lo svolgimento di tali attività sociali coinvolge personaggi di rango e cittadini della comunità pompeiana, la cui identità viene a essere sottolineata proprio dall'uso rituale di determinate ceramiche, dalla peculiare, distintiva foggia. Il rinvenimento in sito di questi manufatti, nel corso di scavi sistematici, all'interno di un contesto omogeneo fatto di associazioni di materiali, permette di avanzare riflessioni meno ipotetiche sul loro uso effettivo (e sul loro valore sociale). Le cerimonie che possiamo immaginare rimandano alle esigenze di una comunità che in un luogo «speciale» si apre al contatto col dio e con gli umani, in un'ottica di celebrazione della divinità e al contempo della propria famiglia.

A partire dal VII secolo a.C. avanzato, quindi, si viene a strutturare una società articolata all'interno dell'insediamento pompeiano, dove si distinguono gruppi di personaggi di rango, che esprimono il loro status nei santuari attraverso rituali che annoverano, tra l'altro, il consumo di bevande alcoliche. Tali gruppi svolgono un ruolo importante durante tutta l'età arcaica nella strutturazione e nell'organizzazione della vita della comunità. La messa in scena di questi rituali doveva giustificare la pretesa di superiorità di coloro che li attuavano: la frequentazione dei santuari, con le relative costose offerte, il banchetto con le bevute collettive di vino dalle raffinate ceramiche in bucchero, dava la possibilità di mostrare e consolidare ruoli sociali, anche attraverso la definizione di un ristretto codice rituale (non a tutti accessibile). Il consumo della bevanda diventa così il momento principale per creare o consolidare ritualmente rapporti di amicizia e solidarietà, in una società fortemente competitiva: bere insieme significa anche creare una netta distinzione tra chi è ammesso e chi non lo è, tra chi partecipa fino a un certo momento e chi può essere escluso da determinate fasi della cerimonia, ribadendo rango e rapporti interpersonali. Siamo di fronte a pratiche rituali elitarie, destinate a cementare il gruppo anche grazie al richiamo ad alcuni valori-chiave della società, tra cui doveva spiccare l'eroismo: si pensi alla dedica di armi, simbolo tangibile di un'ideologia eroica che permette di identificare lo status elevato dell'offerente attraverso la presentazione di strumenti bellici[31].

In ultimo, un interrogativo non trascurabile: se è possibile identificare nei frequentatori del santuario personaggi di lingua e cultura etrusca, chi è a questo punto la divinità invocata, oggetto di preghiere e doni nel recinto sacro pompeiano? A giudicare da un altro gruppo di vasi che recano iscrizioni di diversa tipologia, anche la divinità venerata sembra provenire dal mondo etrusco. Su alcune coppe è incisa infatti la parola *apa*, ossia «padre» in lingua etrusca: evidentemente l'evocazione «generica» della divinità venerata nel nostro santuario in sostituzione del nome, che forse non poteva essere espressamente pronunciato, un tabù spesso attivo negli spazi sacri (Fig. 17). Un dio chiamato «padre», dunque?

In Etruria l'epiteto ricorre frequentemente per invocare un dio, sia in santuari in cui non si pronuncia il vero nome della divinità (da Volterra a Cerveteri), come nel nostro caso, sia in connessione con dèi esplicitamente evocati con il proprio nome, come nel caso di Śuri, divinità assimilata al greco Apollo, venerata nel santuario di Pyrgi, l'insediamento portuale di Cerveteri. Di particolare interesse la situazione che emerge dalla documentazione di Orvieto: in uno spazio sacro ubicato, come

Fig. 17 «Apa», Padre: questo è il nome che ricorre su un gruppo di coppe ritrovato nel santuario. La divinità non è quindi ricordata con il suo nome reale, coperto da un'aura di sacralità, ma con un attributo che potrebbe rimandare a Zeus, il padre degli dèi (Foto C. Pellegrino).

nel caso pompeiano, nell'immediato suburbio della città, al culto di età arcaica di Śuri (qualificato come *apa* in dediche su vasi) subentra in età più recente Tinia (il latino Giove, ovvero il greco Zeus), che l'epiteto Calusna connota in senso infero, proprio come a Pompei[32].

In molti santuari il nostro dio «Padre» viene invocato in coppia con una divinità femminile: nel santuario di Pyrgi era associato, ad esempio, a una dea chiamata Cavatha, qualificata come «figlia» (*seχ*); in un altro santuario di Cerveteri (loc. Vigna Parrocchiale), è invece in coppia con la dea Vei[33]. Questo potrebbe essere il caso anche del nostro santuario, a giudicare dalla documentazione più recente, di età ellenistica (II secolo a.C.), un'epoca in cui la presenza di divinità femminili è attestata dalla scoperta di belle statue in terracotta e da un'iscrizione che cita una *deiva*, dunque una dea[34]. Per quanto riguarda le divinità venerate, i dati pertinenti alla frequentazione più recente, quella di epoca sannita (IV-II secolo a.C.), quando il santuario dopo una interruzione nel V secolo a.C. torna a essere intensamente frequentato, sono molto significativi.

Sul fronte della divinità maschile interessata da questo santuario, il dibattito è aperto. Io sono molto propenso nell'identificare qui Giove Meilichio, citato in una lunga iscrizione in lingua osca del II secolo a.C. rinvenuta nei pressi di Porta di Stabia (il grande varco che si apre nelle mura meridionali di Pompei e che portava al porto e a Stabia)[35], ove si menziona un'area di culto dedicata al dio come riferimento topografico per calcolare distanze lungo la «via Pompeiana», evidentemente la strada che usciva dalla città da questa porta. Il santuario di Fondo Iozzino, che vive in età ellenistica (fine IV-I secolo a.C.) una nuova fase di fioritura, resta appannaggio di un culto ctonio rivolto a Giove Meilichio, affiancato a una dea, forse Cerere. A giudicare dalla grande quantità di vasi per bere, anche in questa fase il vino rimane al centro della prassi sacrificale.

I nuovi scavi riescono insomma a stupirci, a volte in modo eclatante (avremo modo di toccarlo con mano), a volte attraverso sottili perfezionamenti delle ipotesi a cui già due secoli di archeologia pompeiana ci avevano condotto. Le nuove scoperte di Fondo Iozzino si rivelano in questo senso di grande rilievo, e da più punti di vista: sia per la definizione della prassi cultuale, sia soprattutto per ricostruire la storia dell'insediamento più antico. Il ricco dossier di iscrizioni, di cui abbiamo preso in esempio alcuni campioni, diventa fondamentale per tentare di definire le componenti che hanno concorso alla strutturazione urbana della città vesuviana, nonché il quadro culturale – fortemente segnato da fenomeni di mobilità e migrazioni, come si è visto, – entro cui si realizza[36].

Il «mistero» delle origini di Pompei si stempera nel riverbero di un ricco «archivio» epigrafico, che ci restituisce, insieme alle parole incise, l'immagine di una città etrusca per lingua e per cultura.

STRADE, CASE, BOTTEGHE NEGLI SCAVI DELLA REGIO V

capitolo 3

Una passeggiata nel quartiere

Chi, provenendo da via Vesuvio, percorre via di Nola verso occidente, in direzione della omonima porta urbica, dopo aver superato un primo asse nord-sud (vicolo di Cecilio Giocondo), può svoltare a sinistra nella strada successiva, di cui gli scavi ottocenteschi avevano individuato soltanto l'imbocco (Fig. 1). Con le nuove ricerche, questa strada, che delimita il lato orientale dell'insula 2 della Regio V, incrociando poi il vicolo delle Nozze d'Argento – limite nord della stessa insula –, è stata completamente portata alla luce. Al nuovo asse che corre obliquo in direzione delle mura settentrionali della città è stato attribuito il nome di «vicolo dei Balconi», per la presenza di case che hanno preservato il *maenianum* (il termine latino, appunto, per «balcone») sul lato ovest dell'arteria, quello più variegato nella sua articolazione planimetrica. Da questo versante, affacciano sul vicolo diverse abitazioni, numerose botteghe

Fig. 1 Veduta aerea del settore settentrionale della città, sullo sfondo incombe il Vesuvio. In primo piano l'asse stradale di via dell'Abbondanza, seguito dall'asse parallelo di via di Nola. A destra l'area delle Regiones IX e V non ancora scavate (Fotogramma P. Corsicato).

e un *thermopolium*, i cui ingressi scandiscono il fronte irregolare della via[1] (Fig. 2).

Prima di procedere nell'esame delle straordinarie scoperte legate ai recentissimi scavi, qualche parola per inquadrare il quartiere in cui ci troviamo, la Regio V[2]. Ubicata nel quadrante nord-orientale della città, l'area era già ampiamente urbanizzata in età arcaica: scavi stratigrafici del passato, cui si aggiungono rinnovate ricerche di questi anni, hanno dimostrato l'esistenza negli strati più profondi, al di sotto delle case dell'ultima fase, di fondazioni in pappamonte (il tufo utilizzato nel VI secolo a.C.) pertinenti a edifici e limiti di insule, che permettono di ricostruire l'esistenza di un quartiere già scandito da un impianto regolare[3]. La crisi del V secolo a.C. si mostra evidente anche in quest'area, che sembra essere stata abbandonata fino al secolo successivo. La ridefinizione risulta prendere piede soprattutto nel III secolo a.C., nell'ambito di una crescita urbana che ora comincia a essere ben percepibile archeologicamente. La nuova città dei Sanniti, che qui si insediano all'inizio del IV secolo a.C., diventa tra III e II secolo a.C. un organismo maturo, arrivando a presentare un

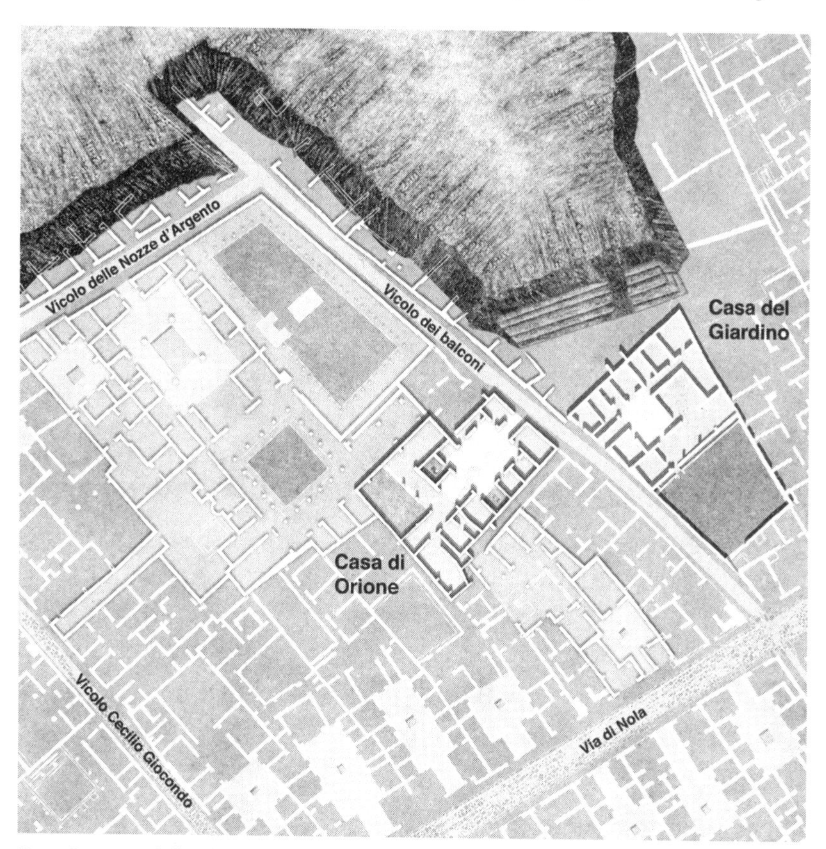

Fig. 2 La pianta dell'isolato 2 della Regio V era nota solo parzialmente. Il nuovo progetto di messa in sicurezza dei fronti di scavo ha permesso di riallacciare le fila della viabilità antica, scavando tutto il vicolo dei Balconi, e di conoscerne il tessuto urbano (Elab. Luisa Ferro).

coerente impianto che riprende almeno in parte l'antica griglia urbana. Non è un caso che anche nel settore in corso di scavo si siano intercettate in più punti strutture murarie in opera a telaio, un indizio importante per inquadrare la prima fase di molte case del quartiere almeno a partire dal III secolo a.C.[4] Tra III e II secolo a.C. ecco che il nostro quartiere acquisisce l'aspetto che vediamo ancora oggi, dopo averne liberato le strade dai lapilli[5].

Per quanto riguarda gli abitanti, grazie al rinvenimento di iscrizioni elettorali tra via di Nola e via Vesuvio, sappiamo che si chiamavano *Campanienses*, una denominazione probabilmente acquisita dal nome della porta nelle mura che si apriva allo sbocco a nord di via Vesuvio, *Porta Campana*, l'attuale Porta Vesuvio[6].

Tornando al nostro vicolo appena scavato, sul lato occidentale si aprono solo due case, essendo tutto il settore settentrionale occupato dall'ampio varco di accesso a una stalla e dal muro perimetrale di un grande giardino, entrambi pertinenti alla lussuosa *domus* che occupa tutto il quadrante nord-orientale dell'insula, la Casa delle Nozze d'Argento (V, 2, 1), che prende il nome dalla visita della coppia reale nel 1893, anno in cui Umberto e Margherita festeggiavano le nozze d'argento[7]. Si tratta della più imponente casa del quartiere, appartenuta – si pensa – all'importante famiglia degli Albucii (che ha lasciato memoria di sé nei numerosi manifesti elettorali, rinvenuti in tutte le strade adiacenti)[8].

Imboccando la via appena riemersa dai lapilli, dunque, dopo poche decine di metri, sulla sinistra, superata la prima abitazione piuttosto modesta (chiamata Casa di Adone per una pittura raffigurante l'eroe amato da Afrodite: V, 3, 21) ci si imbatte in una casa dalla solenne, antica facciata, la quale confina direttamente con l'imponente *domus* degli Albucii. Alla dimora, portata alla luce nella sua completezza solo nel dicembre 2018, è stato assegnato il nome di Casa di Orione per via dei due straordinari mosaici rinvenuti all'interno, su cui porteremo l'attenzione più avanti. L'edificio fa parte di un quartiere che prende la forma attuale nel corso del III secolo a.C., e che nel corso del II secolo a.C. è oggetto di impegnativi interventi edilizi che ne cambiano l'aspetto: a quest'epoca va attribuito anche l'impianto della solenne facciata della Casa di Orione, come della *domus* posta sul lato opposto del vicolo, cui è stato dato il nome di Casa del Giardino.

Concentriamo per un momento la nostra attenzione sulla bella casa che ha restituito gli straordinari mosaici.

Era stata già intercettata nel corso degli scavi ottocenteschi, tra il marzo 1891 e il 1893[9]. Nel corso delle ricerche di quegli anni ci si era concentrati sul quadrante sud-orientale dell'insula, dove si era portata alla luce una casa affacciata su via di Nola, denominata Casa di Giove (V, 2, 15), alla quale era stato attribuito anche il citato giardino porticato che è considerato un secondo peristilio, rispetto all'altro individuato nell'area della casa che, disposta secondo un asse sud-nord, si apriva su via di Nola, l'arteria principale di questo settore urbano.

Liberando dai lapilli la vicina Casa delle Nozze d'Argento, si erano rinvenuti il piccolo giardino colonnato e alcuni ambienti a sud di questo. In quell'occasione fu dato alla *domus*, solo parzialmente scavata, il nome di Casa di Giove, per via di un dipinto rinvenuto sulla parete nord del giardino, oggi quasi completamente cancellato dal tempo. Sulla parete dipinta spiccava la raffigurazione di un'edicola con Giove in trono accompagnato dalla sua aquila. Più che di una semplice decorazione parietale, consueta nei giardini, in questo caso si trattava di un vero e proprio luogo di culto domestico, come avevano verificato già gli scavatori ottocenteschi, grazie al rinvenimento di un altare rivestito di stucco bianco, addossato al muro[10].

Il giardino e il portico colonnato furono scavati precisamente nel 1893, alla fine di quel triennio che aveva visto portare l'attenzione sull'insula 2 della Regio V e su quelle vicine; l'intenzione manifesta era di proseguire le indagini in direzione est, dove si immaginava dovesse estendersi la parte principale della *domus*, che nell'ultima fase di vita aveva inglobato anche la dimora che si estendeva a sud fino a via di Nola[11].

Quanto rinvenuto lasciava ipotizzare la presenza sotto la coltre di materiale eruttivo di un edificio di tutto rispetto, corredato di un primo piano, come dimostravano colonnine e capitelli, pertinenti a uno di quegli eleganti vani, chiamati *cenacula*, che si affacciavano su atrio o peristilio con una facciata aperta scandita da colonne[12]. Non sappiamo perché queste intenzioni siano state disattese: come spesso è accaduto a Pompei, avvicendamenti di nuove personalità alla guida del sito o nuovi progetti intrapresi hanno portato all'interruzione dei vecchi. Dirigeva allora Pompei Giulio De Petra (1841-1925), che era stato collaboratore di Fiorelli e che succedeva nel 1893 a Michele Ruggero (1811-1900)[13]. Dal 1896 si concentrò soprattutto nell'esplorazione delle fortificazioni. Gli scavi furono indirizzati altrove, forse con l'intenzione di riprenderli di lì a breve. Ma la burrascosa fine del primo mandato del De Petra, rimosso nel 1900 dal suo ruolo per uno scandalo legato all'esportazione all'estero di tesori vesuviani, fece sì che nell'area non si ritornasse più a sondare il terreno. La zona dell'insula 2 della Regio V non ancora indagata, ingombra di materiale di risulta accumulato nel triennio di ricerche, fu abbandonata al suo destino. I terreni sarebbero ritornati ben presto alle attività agricole: colture sovrapposte a secoli di storia, condotte per tutto il Novecento, per essere precisi fino al 2014, quando furono allontanati gli ultimi coloni, che – affittuari dello Stato – ancora lavoravano in quell'area (con tutte le conseguenze prevedibili per la conservazione delle strutture sottostanti).

Delle indagini ottocentesche si ha una straordinaria documentazione fotografica che mostra quello che allora era emerso e come si conducevano in quell'epoca gli scavi[14] (Fig. 3): due albumine, realizzate da due famosi fotografi napoletani di quegli anni, i fratelli Achille e Pasquale Esposito, riprendono il cantiere da nord, con un'ampia veduta dell'area in corso di scavo, fino alla Casina dell'Aquila, un edificio ancora oggi esistente sul pianoro non scavato della Regio IX.

L'albumina restituisce un'immagine degli scavi in corso nella Casa delle Nozze d'Argento. In primo piano ci sono operai intenti allo scavo nel lapillo nell'area sud del grande giardino della *domus*. L'attività procede scavando dal basso (e non dall'alto come si fa oggi, stratigraficamente), aggredendo la coltre di lapilli verticalmente. Alle loro spalle ceste colme di lapilli e un soprastante (il responsabile del controllo); sulla destra un muro della casa, già ricostruito nella parte superiore. Come diverrà prassi consolidata nel Novecento, con la direzione di Vittorio Spinazzola e Amedeo Maiuri, già allora viene definendosi un metodo di approccio allo scavo e alle rovine che prevede il simultaneo restauro degli alzati, man mano che questi affiorano in crollo o in forte dissesto statico tra i lapilli. Poco più indietro due operai sono arrivati al piano pavimentale di uno degli ambienti di soggiorno più lussuosi della casa, il cosiddetto *oecus tetrastylus*

Fig. 3 Uno scatto del 1896 testimonia la conduzione degli scavi della Regio V, insula 2, nell'area della Casa delle Nozze d'Argento. Il numeroso personale è al lavoro nelle stanze prospicienti il grande peristilio della domus. Si vedono anche le colonne del giardino della casa di Orione già scavato e in alto a sinistra il cumulo del materiale di risulta delle indagini (da Osanna, Caracciolo, Gallo 2015, p. 283).

(una sala decorata all'interno da quattro colonne), di cui si vede distintamente la bella parete meridionale dipinta. Immediatamente a destra della stanza, scorgiamo alcune persone aggirarsi in uno spazio colonnato: siamo nella Casa di Giove, precisamente nel suo portico e nel suo giardino, appena portati alla luce. L'immagine mostra come lo spazio subito a est di quest'area già scavata fosse utilizzato come zona di scarico dei materiali di risulta: in alto a sinistra domina la scena del cantiere un enorme cumulo di detriti sul quale insiste un camminamento elicoidale a definire strette terrazze pedonali a strapiombo sugli scavi. Una schiera di fanciulli, sorvegliati da un soprastante, si affolla in rigorosa fila indiana lungo il percorso curvilineo per scaricare le ceste di lapilli sull'alto cumulo[15]. La foto, probabilmente del

1896, immortala una fase di scavo che oggi sappiamo essere stata la tappa finale: dopo lo scatto, per quanto ci è dato di sapere, fu portato a termine lo scavo dell'*oecus*, quindi l'area venne abbandonata.

Quando nel luglio 2017 sono ripresi gli scavi, grazie alla documentazione dei risultati di quelle ricerche, si era consapevoli, dunque, che nell'area a sud della Casa delle Nozze d'Argento era ancora in buona parte sepolta una dimora di un certo rilievo. Il modesto giardino non lasciava ipotizzare una realtà di grande lusso: ben diversa era l'estensione degli spazi verdi (peristilio e giardino) della casa vicina[16]. Ma la presenza dello spazio verde colonnato e il connesso *cenaculum* rimandavano comunque a un'edilizia domestica di pregio. Si pensava, insomma, di portare alla luce una delle molte case della classe media di Pompei: le scoperte hanno invece superato ogni aspettativa.

Grazie ai nuovi scavi è ora possibile ricostruire in maniera più chiara la vicenda edilizia dell'intero quartiere: la Casa di Giove individuata nel tardo Ottocento deve essere stata unita alla Casa di Orione (cui appartiene il giardino porticato sin dalle fasi più antiche) attraverso la realizzazione di uno stretto corridoio che metteva in contatto i peristili delle due dimore in un momento avanzato della vita delle due case originariamente indipendenti, con ogni probabilità dopo il terremoto del 62 d.C., quando numerosi a Pompei furono i cambiamenti di proprietà e le connesse ridefinizioni degli spazi domestici[17]. Evidentemente l'acquisto delle due proprietà da parte di un'unica persona ha portato all'unione i due complessi, aperti rispettivamente su via di Nola e vicolo dei Balconi.

Abbiamo faticato un po' per capire dove si colloca l'edificio e quali sono state le sue vicende: la Casa di Orione è nota ora nella sua interezza, a partire dall'austera fronte che si affacciava sulla via.

Osservando la facciata

Portiamoci dunque sul vicolo dei Balconi, in modo da rivolgere lo sguardo innanzitutto all'antico ingresso. Della facciata della casa si apprezza al primo sguardo l'elegante rivestimento realizzato nel cosiddetto I stile, un'imitazione in stucco di apparati murari composti di filari regolari di blocchi squadrati di marmo[18] (Fig. 4). Il modello di riferimento sono i grandi monumenti in marmo della Grecia classica, i suoi santuari, famosi in tutto il Mediterraneo. Questo tipo di decorazione ricorre anche altrove a Pompei, come ad esempio nella Casa dei Cei, risalente al II secolo a.C.[19] (Fig. 5). Doveva del resto essere più diffuso di quanto oggi appaia, se si considera che la maggior parte delle facciate, lasciate alle intemperie, ha completamente perduto l'originario rivestimento in stucco che decorava e proteggeva le murature.

Al momento dell'eruzione la facciata della Casa di Orione era in corso di rifacimento. La parte inferiore, che si voleva ridecorare, rimase incompiuta, come vedremo: la catastrofe interrompe la vita quotidiana di una città dove – a causa del terremoto del 62 d.C. e soprattutto degli eventi sismici più recenti, che avevano annunciato

Fig. 4 La facciata della Casa di Orione, emersa dai nuovi scavi, presenta un'imponente decorazione in stucco, in ottimo stato di conservazione, imitante le facciate a grandi blocchi squadrati di marmo, tipiche delle architetture pubbliche e sacre.

Fig. 5 La bella Casa dei Ceii (I, 6, 15), nel vicolo del Menandro, conserva un esempio di facciata in I stile, imitante modelli decorativi in marmo.

il risveglio del vulcano fino a poco prima dell'eruzione – le attività di ristrutturazione fervevano quasi ovunque[20].

Osservando attentamente l'alta facciata si scoprono tanti interessanti dettagli sulla vita della *domus*, relativi ai vari interventi messi in atto nel corso dei secoli di vita dell'abitazione (verosimilmente tra l'avanzato III secolo a.C. e il 79 d.C.), ai rifacimenti, ai restauri conservativi susseguitisi nel tempo e in atto ancora al momento dell'eruzione. Incessante è la vita delle case, la trasformazione dei loro spazi interni ed esterni. Cambia la composizione della famiglia, intervengono nuove esigenze, in alcuni casi nuovi proprietari, si adeguano di conseguenza gli spazi domestici, a volte anche acquisendo aree originariamente pubbliche.

Nel caso di questa abitazione, c'erano «lavori in corso» sia dentro che fuori, non limitati a quelli privati che interessavano la facciata, ma anche opere pubbliche: proprio davanti alla casa infatti la strada non era stata ancora pavimentata, i basoli si fermavano poco più a monte; si stava completando la lastricatura della via fino al raccordo con via di Nola[21] (Fig. 6).

Se ci si posiziona sul marciapiede opposto alla casa e si guarda la facciata da una certa distanza si può meglio immaginare come si presentasse al momento dell'eruzione. Si coglie agilmente lo schema decorativo che rendeva l'edificio il più significativo tra quelli affacciati su vicolo dei Balconi e si intravedono tracce della sezione superiore andata distrutta dall'onda d'urto delle correnti piroclastiche. Partendo dall'alto, si nota innanzitutto un tratto di muro decorato semplicemente da stucco bianco, nel quale si aprono – nel tratto maggiormente conservato – due strette feritoie (originariamente dovevano essercene di più), che corrispondono all'interno della casa (nella stanza 3) a una serie di buche pontaie destinate ad accogliere

Fig. 6 Il tratto di vicolo dei Balconi su cui si apriva l'ingresso della Casa di Orione, non era ancora stato dotato dei basoli pavimentali ed era dunque sterrato. I lavori fervevano qui come in tutta la città al momento dell'eruzione.

le travi lignee di sostegno del solaio del primo piano. Proseguendo all'esterno, le stesse travi dovevano reggere una tettoia sporgente sul marciapiede, che ha lasciato tracce in frammenti di tegole rinvenute nello scavo delle pomici bianche che hanno ricoperto il vicolo.

I nuovi scavi danno l'opportunità di riconoscere e documentare ogni minimo indizio lasciato sul terreno da strutture ormai scomparse, permettendo così di ricostruire quanto perduto a causa dell'eruzione. Un esempio tra i tanti che ci permette di comprendere da piccoli dettagli le microstorie di un quartiere: sul marciapiede in cocciopesto del vicolo, in corrispondenza delle tracce lasciate in alto dalla scomparsa tettoia, è stato rinvenuto un sottile strato di terra marrone, originato senza dubbio dal gocciolio di scarico delle acque piovane. Quando la tettoia era ancora al suo posto, nei giorni precedenti l'eruzione, evidentemente c'era stato un bell'acquazzone! Piccoli dettagli, che ci permettono di ricomporre il quadro di quella vita quotidiana dei pompeiani poco prima di essere travolti dalla furia del Vesuvio.

Sotto le feritoie corre una larga fascia liscia in stucco di colore giallo, imitante un lungo architrave in marmo colorato, sotto la quale si susseguono tre filari di pannelli che richiamano la tecnica costruttiva in blocchi rettangolari di marmo, sovrapposti in maniera sfalsata. Si tratta di una tecnica edilizia in voga negli edifici pubblici delle città del mondo greco, che qui viene imitata in contesto domestico[22]. La decorazione è particolarmente raffinata, nella sua semplicità compositiva e cromatica: i singoli pannelli bianchi a rilievo, incorniciati da una fascia anche bianca, risaltavano grazie a una sottile incisione sullo stucco che conserva ancora tracce dell'originario colore nero. Giallo, bianco e nero compongono così in maniera armonica la sequenza cromatica dell'esterno della casa, che, come vedremo, verrà in parte ripresa anche all'interno (Fig. 7 FT).

I filari continui di blocchi risultano interrotti in corrispondenza dell'ingresso, che viene reso più solenne con la realizzazione in stucco di due paraste (i pilastri contenuti in una parete, leggermente sporgenti) sormontate da un raffinato capitello delimitato da un breve listello e da una minuziosa decorazione a ovoli e perline. Altre due paraste ritornano a impreziosire gli angoli dell'edificio, ma con un capitello più semplice bordato da un tondino. Purtroppo il tratto di muro in corrispondenza dello stipite superiore del portale è andato distrutto, ma anche qui reperti recuperati in crollo durante lo scavo restituiscono preziosi indizi per ricostruirne l'aspetto originario. Il rinvenimento all'altezza delle *fauces* (l'ingresso della casa) di frammenti di stucco relativi a un fregio dorico con metope, triglifi e cornice a dentelli consente di ricomporre un bel portale, che al di sopra della modanatura liscia di colore giallo presentava un elegante fregio, ad accentuare ulteriormente l'imponenza della facciata. Un pregiato decoro alla greca, solitamente usato nei santuari, dava un'enfasi particolare – quasi un'austera aura sacrale – al monumentale ingresso: per chi percorreva la via, le porte d'ingresso e quanto si percepiva degli spazi interni attraverso i battenti (solitamente lasciati aperti durante il giorno) dovevano indicare lo status elevato della famiglia. Più grande e decorata è la porta, più sostanziosa appare la ricchezza della famiglia[23]. L'apparire è uno dei valori chiave della società che descriviamo: anche se non si hanno i mezzi per competere col lusso delle grandi *gentes*, ogni famiglia con un minimo di risorse tende ad abbellire e impreziosire la propria casa in modo da valorizzare innanzitutto quello che si vede dall'esterno, dalla strada: il portone con il corridoio d'ingresso, l'atrio con i suoi arredi marmorei, in fondo il giardino (anche se piccolo [...] ma tanto dalla strada non si vede!).

La facciata contiene varie tracce di trasformazioni: ai lati del portale principale si dovevano aprire infatti due accessi secondari, che immettevano direttamente nei vani orientali della casa, quelli prospicienti la strada. Ciò risulta evidente osservando i punti dove non si conserva l'intonaco di rivestimento: questi ingressi vennero tamponati da una muratura in blocchetti di lava, e poi mascherati dal rivestimento in pannelli di stucco, raccordati in continuità con quelli già esistenti posti a decoro della facciata. Pertanto, all'inizio queste stanze non dovevano essere pertinenti allo spazio interno della *domus*, ma costituivano singole unità destinate a botteghe, proprietà forse degli stessi padroni di casa, che potevano esercitarvi un'attività commerciale gestita direttamente, tramite schiavi, o darle in affitto[24].

Ecco un altro momento in cui la ricostruzione dell'archeologo ci racconta la vita di persone in carne e ossa. Si eliminano gli spazi destinati al commercio a vantaggio della casa, che acquista così due nuove stanze: evidentemente la famiglia che si allarga richiede altri vani. Una piccola finestra strombata viene aperta ora sul muro di tamponatura a nord dell'ingresso, in modo da illuminare il vano interno (5) direttamente dalla strada. Infine, le ultime tracce, dal punto di vista cronologico, di lavori in corso, da riferirsi probabilmente a quegli ultimi fatidici giorni del 79 d.C., si riconoscono nella parte inferiore del muro: la zoccolatura originale era stata qui rimossa ed era in attesa di rifacimento, e infatti lo si deduce dalla preparazione grezza. Forse si attendeva che fossero terminati i lavori pubblici di pavimentazione, in modo da poter operare sui marciapiedi (la cui cura spettava per legge ai proprietari della abitazione adiacente) e sulla facciata stessa. Sulla superficie dello strato di preparazione è ancora leggibile la sinopia (le linee incise per orientare il lavoro di chi doveva decorare il muro): grazie a queste indicazioni è oggi possibile comprendere l'intenzione dei lavoranti, ovvero proseguire con la decorazione a pannelli rettangolari, come nel registro superiore.

Sulla parete a sud delle *fauces*, sia sull'arriccio che sullo stucco, sono evidenti le tracce lasciate dalla crescita di un rampicante, mentre sulla parete a nord dell'ingresso si legge il lemma «*CELSVM*» tracciato a carboncino. Si tratta di Lucius Albucius Celsus, il quale nell'anno dell'eruzione correva per l'edilità[25]. Al medesimo personaggio va riferita un'iscrizione elettorale ben leggibile, dipinta com'è in rosso su grassello di calce steso direttamente sullo strato grezzo preparatorio. Vi si legge il nome seguito da parole abbreviate: «*CELSVM AED O.V.F.*», ossia *Celsum aed*(*ilem*) *o*(*ro*) *v*(*os*) *f*(*aciatis*). La traduzione è molto semplice, ricorrendo come una formula su decine e decine di iscrizioni elettorali rinvenute sulle pareti pompeiane: «Vi prego di votare per Celso, candidato all'edilità»[26] (Fig. 8).

Fig. 8 Accanto alla porta della casa è un manifesto elettorale in rosso con il nome di Celsum, un candidando per il ruolo di edile. La sigla dipinta sotto il nome è abbreviazione di una formula ricorrente nel tituli picti, con la quale si richiedeva il voto per il personaggio citato.

Al di sopra vi è una seconda iscrizione dipinta in rosso, evanide e a caratteri più grandi, ormai illeggibile, memoria sbiadita di altre competizioni elettorali consumatesi negli anni precedenti.

Entriamo in casa

Dopo aver esaminato nei dettagli la facciata, varcata la soglia monolitica in marmo bianco, accediamo finalmente alla Casa di Orione. L'edificio si allinea lungo un asse est-ovest a partire dall'ingresso su vicolo dei Balconi, sviluppandosi secondo il modello canonico delle case ad atrio che si impone nel II secolo a.C., mantenendo fino all'eruzione grosso modo inalterata la sua planimetria[27] (Fig. 9). Il settore

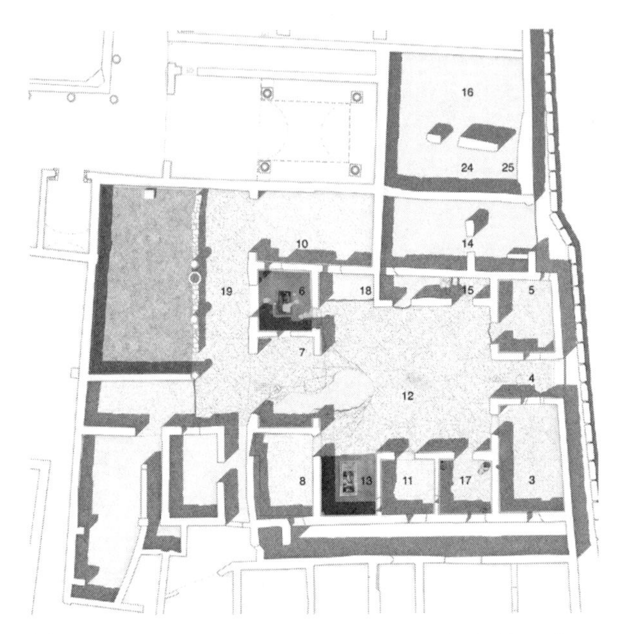

Fig. 9 Pianta della Casa di Orione, con posizionamento dei mosaici individuati. La costruzione è canonica, anche se caratterizzata dall'assenza dell'impluvium al centro dell'atrio e da alcune soluzioni peculiari nel settore settentrionale, condizionato dai muri degli ambienti adiacenti (Elab. L. Ferro).

settentrionale presenta alcune anomalie rispetto alla pianta canonica, risultando fortemente contratto rispetto al corrispondente lato sud, condizionato probabilmente dall'esistenza di una proprietà a nord già definita al momento dell'edificazione. Inoltre, altra strana anomalia è l'assenza dell'impluvio, il tipico bacino di raccolta dell'acqua piovana che entrava dall'apertura nel tetto (compluvio). Eppure tutta la pianta risponde fedelmente a quella canonica delle case con atrio che Vitruvio nel suo celebre trattato *De architectura* chiama di ordine tuscanico[28]. Ossia l'*atrium* che si riteneva originario dell'Etruria, da dove Roma lo avrebbe adottato per trasmetterlo alle colonie e ai *socii*, gli alleati (come i pompeiani), il quale era centrato sulla vasca dell'*impluvium* posta in corrispondenza del *compluvium* aperto nel tetto a quattro falde convergenti verso il centro. Il tipo tuscanico, uno dei quattro ricordati dall'architetto di età augustea (insieme al testudinato, il tetrastilo e il corinzio), aveva come caratteristica l'assenza totale di pilastri o colonne a reggere il pesante tetto, le cui quattro sezioni inclinate verso l'interno erano sorrette da due travi maestre assai spesse che ricevevano tutto il carico della carpenteria della copertura[29].

Come vedremo, si tratta dell'esito di una significativa ristrutturazione della casa, avvenuto alla fine del I secolo a.C., che deve aver portato al completo rifacimento del tetto, verosimilmente ricostruito eliminando la caratteristica apertura centrale per far entrare l'acqua. Dunque si ripristinò il tipo di atrio piuttosto antico (che sembra aver preceduto il tuscanico), chiamato da Vitruvio *testudinatum*, ossia «a tartaruga», il quale, completamente chiuso, doveva presentare i quattro versanti inclinati verso l'esterno della casa, in modo da consentire un adeguato smaltimento delle acque piovane[30] (Fig. 10).

Ma ritorniamo alle nostre *fauces*, il corridoio di accesso (vano 4: misure m 3,90 x m 1,90) che immetteva direttamente nell'atrio. Si presentava, secondo la norma, in lieve pendenza verso l'esterno, in modo sia da assicurare la fuoriuscita dell'acqua che poteva entrare in casa dal *compluvium*, sia da impedire all'acqua di penetrare da sotto la porta d'ingresso. L'inclinazione facilitava infine l'installazione e il funzionamento di una canalizzazione al di sotto del pavimento, impianto necessario per lo smaltimento dell'acqua utilizzata o del troppo pieno

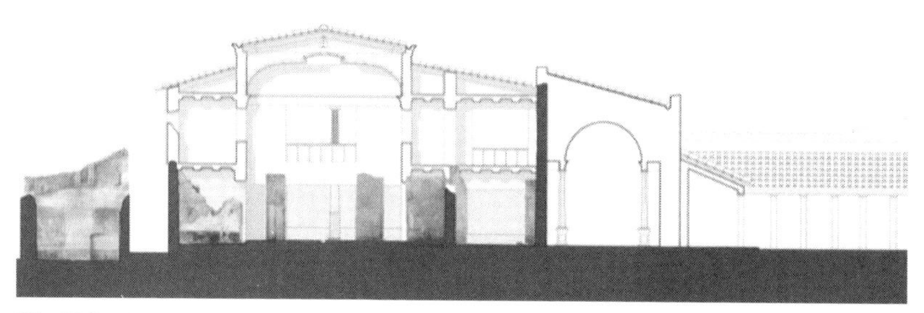

Fig. 10 La ricostruzione assonometrica consente di immaginare l'alzato della domus, caratterizzata forse da un atrio testudinato, ovvero senza impluvio e con un tetto a quattro spioventi inclinato verso l'esterno della casa. Tale tipologia di copertura, nota dal trattato De Architettura di Vitruvio, sembrerebbe di origini più antiche rispetto al tradizionale atrio tuscanico (Elab. L. Ferro).

della cisterna, solitamente posizionata nell'atrio in connessione con l'impluvio. La conduttura attraversava quindi il marciapiede per raggiungere la carreggiata stradale, dove l'acqua veniva lasciata defluire da un'apertura posta sul bordo dello stesso marciapiede.

Dalla *fauces* si accedeva nell'*atrium* rettangolare (12) e dunque alla parte «pubblica» della casa, destinata ad accogliere anche chi non rientrava nella ristretta cerchia di familiari e amici[31] (Fig. 11 FT). Si tratta di un atrio di significative dimensioni (m 8,93 x m 7,33) che funge – come di consueto – da ampio spazio di accoglienza nonché da disimpegno per la serie di stanze che su di esso affacciano. Come si è visto al momento dell'eruzione, esito delle profonde trasformazioni cui era andata incontro la dimora in età augustea (verso la fine del I secolo a. C.), il pavimento in cocciopesto viene rifatto, l'*impluvium* eliminato (evidentemente conseguenza di una ristrutturazione del tetto, che viene a essere chiuso). Unica «memoria» dell'esistenza della vasca centrale connessa al canonico atrio tuscanico rimane – là dove questa doveva essere posizionata – un profondo foro circolare chiuso da un tappo marmoreo, funzionale alla fuoriuscita dell'acqua quando si lavava il pavimento.

Adesso ci troviamo nel cuore della *domus*. Quali sono gli ambienti che si dispongono tutt'intorno allo spazio centrale? Che funzione hanno?

I vani che circondano l'atrio sono quasi tutti di estensione modesta[32]. Una caratteristica questa che ritorna solitamente nelle case più antiche, soprattutto per quanto riguarda il settore centrato sull'atrio, dove – se presente – solo il triclinio, la sala da banchetto, si apriva spazioso: una peculiarità della casa romana che aveva fatto esclamare a Wolfgang Goethe, in visita nel 1787, che le case pompeiane erano «simili più a modellini e a case di bambola che a vere case»[33].

Cominciamo dai due lati dell'ingresso dove si dispongono i vani (3 e 5) acquisiti dalla casa da originarie botteghe, i quali prendevano luce da due finestrelle strombate affacciate rispettivamente sull'*ambitus*, che separava la casa da quella vicina a sud, e su vicolo di Balconi (Fig. 12). I due locali, una volta murata la porta che si apriva sulla

Fig. 12 Ai due lati dell'ingresso sono due vani originariamente separati dal nucleo della casa, costituendo due unità indipendenti, affacciate sul vicolo dei Balconi e utilizzate come botteghe. Nella foto l'ambiente 3, visto dalle fauces, trasformato prima in cubiculum (quando era stato dotato di una volta a botte tipica delle alcove), e nella fase finale in ambiente di lavoro.

strada e aperti nuovi accessi sull'atrio, vengono trasformati in due ampie stanze. Quella a sud (3) a pianta rettangolare allungata, più spaziosa di quanto ci si aspetterebbe (m 5,42 x m 3,29), è acquisita verosimilmente per trasformarla in una camera da letto. L'identificazione come *cubiculum* (da *cubo*, ossia «distendersi») è piuttosto chiara, dato che la funzione è desumibile dalla stessa conformazione dello spazio interno: una serie di fori per travi dall'andamento arcuato sulla parete sud suggerisce la presenza di un soffitto voltato nella metà meridionale della stanza, articolazione tipica dei *cubicula*, dove lo spazio per il letto veniva impreziosito da una sorta di baldacchino in muratura realizzato grazie alla messa in opera di una falsa volta a formare una alcova[34]. La parola «camera» designa originariamente proprio la volta dell'alcova; da qui – *pars pro toto* – è passata a designare tutta la stanza! Altro indizio forte per l'identificazione dello spazio come grande stanza da letto è nella presenza, presso la parete occidentale, di un incasso, dove solitamente veniva inserito il letto. Le camere da letto sono per lo più «stanze singole», angusti vani dove si dorme da soli. Esistono comunque anche quelle a due letti, in tal caso disposti in senso ortogonale. Questo spiega il moltiplicarsi nella casa di *cubicula*. Qui la stanza si rivela particolarmente ampia, evidente retaggio dell'originaria funzione dello spazio, adibito a bottega. Le dimensioni notevoli faranno sì che nell'ultima fase verrà destinata di nuovo ad altre funzioni, un vano di servizio. La disponibilità di un vano di significative dimensioni consente così di creare l'elegante alcova, una distinzione che doveva spettare verosimilmente al *dominus*, il padrone di casa. Anche l'altra stanza, dalla decorazione più modesta, poteva essere stata destinata a *cubiculum*, nonostante manchino indizi chiari per stabilirne con certezza la funzione.

Attraversato il corridoio d'ingresso, volgendosi sulla parte destra dell'atrio, si incontra un angusto vano, corredato di due porte (15): la prima portava a una scalinata, di cui si conservano i primi due gradini in muratura (destinati all'alloggiamento di scale lignee ormai scomparse), che permetteva di raggiungere gli ambienti del primo piano; la seconda dava invece accesso al sottoscala, di solito adibito a deposito. Originariamente sulla parete settentrionale di tale sottoscala si apriva un'ulteriore porta di accesso a un ambiente (14b) che nell'ultima fase di vita dell'abitazione fu escluso dalla proprietà – come denuncia la tamponatura dell'apertura. Interessante notare come la scala viene inserita in un vano apposito, laddove in altre case si mostrava a vista su una parete dell'atrio. Questo espediente non era solo funzionale a mascherare la scala, un manufatto non proprio elegante, ma restituiva allo spazio centrale della casa quell'impianto simmetrico che era caratteristica peculiare degli atri tuscanici: le due porte del vano scala trovavano così perfetta rispondenza nelle porte posizionate sul lato opposto dell'ambiente. Una ricerca di armonia, nella riproposizione di varchi simmetricamente disposti sui due lati, ma anche la volontà di dare l'impressione che la casa fosse più grande di quello che era in realtà, disponendo di altre stanze che invece non c'erano. Non troppo diverso da quanto cercano di fare molti di noi.

Sul lato opposto rispetto al vano scala, ecco altre due stanze (17 e 11), che servivano rispettivamente da cucina (17: *culina*) e stanza da letto (11: *cubiculum*) (Fig. 13). L'identificazione con la cucina è resa possibile non solo e non tanto dalla presenza sul pavimento di vari manufatti da mensa e da dispensa (ceramica da fuoco e comune da mensa) e di anfore (una di provenienza africana, l'altra italica), quanto dal rinvenimento presso la parete est di una struttura quadrangolare che definisce un piano di cottura in laterizi. Lì, al momento dello scavo, si conservava ancora la cenere di un'ultima cottura, coperta dalla porzione superiore di un'anfora resecata alla spalla, che doveva servire da coperchio[35]. Presumibilmente, l'ultimo pasto cucinato, e forse mai consumato, dai padroni di casa.

Fig. 13 La cucina (17) e il cubiculum (11) posti sul lato meridionale, in corso di scavo. Nella cucina, oltre agli oggetti rinvenuti all'interno della stanza, anche la decorazione, il cosiddetto stile a zone, con semplici e ampie campiture monocromatiche, rimanda all'identificazione con un vano di servizio.

Per quanto riguarda l'altro vano a pianta quadrata (11: m 4,70 x m 4,70), anch'esso è corredato da una porta (come mostrano i due tipici incassi visibili lungo gli stipiti in blocchi parallelepipedi di calcare, a poco più di un metro e mezzo da terra, funzionali all'alloggio del paletto di chiusura) e da un'alta finestra strombata, che si apre sulla parete meridionale e prende luce da un ambiente aperto della vicina Casa di Adone (V, 2, 21). Le dimensioni e la posizione (nonché la porta e la finestra) rimandano a una originaria funzione di *cubiculum*, anche se al momento dell'eruzione doveva aver ormai acquisito altra destinazione. Le pareti risultano infatti contrassegnate da numerosissimi fori che, insieme a cerniere e chiodi in ferro trovati tra i lapilli, testimoniano la presenza di mensole e scaffali: era dunque con ogni probabilità una dispensa (Fig. 14). A confermarlo, anche il significativo numero di oggetti rinvenuti in posizione di caduta nei vari strati di pomici grigie e bianche. Inoltre, sul pavimento in cocciopesto erano stoccati una trentina di vasi, in particolare forme in ceramica comune (bottiglie, brocche e anforette) e da cucina (ollette e pentole). Non mancano recipienti ed elementi in bronzo e ferro, chiodini d'oggetto in legno (di cui restano poche tracce), chiodi da parete (per sostenere oggetti), una vanga, un treppiede.

Proseguendo nella visita domestica, all'estremità dell'atrio incontriamo i due ambienti simmetrici occupati dalle *alae*, sorta di esedre completamente aperte sullo spazio centrale della casa, dal quale potevano essere separate da tendaggi[36]: si tratta di spazi che avevano una funzione non del tutto definita, tant'è che in molti casi furono chiusi nel corso della vita della casa e trasformati in ambienti con una destinazione più precisa, ovvero *cubicula*. Nel nostro caso, quello sul lato settentrionale (18) si presenta fortemente contratto, a causa della mancanza di spazio su questo lato, come già segnalato descrivendo il vano scala: nell'impossibilità di costruire qui un vano secondo le proporzioni canoniche, l'area disponibile era stata tutta utilizzata per alloggiarvi un armadio di cui sono rimaste tracce nel materiale vulcanico e nel basamento in muratura[37]. Sul vano simmetrico a sud (13), delle dimensioni consuete ma decorato in maniera eccezionale,

Fig. 14 Vano 11 in fase di scavo. Tra i lapilli si individuano numerose forme ceramiche di ampia attestazione, come le bottiglie e le brocche, oltre che alcuni elementi in bronzo. In questo caso il metallo presenta delle incrostazioni di lapilli, dovute alla reazione del corpo ceramico alle alte temperature generate durante l'eruzione (Fotogramma P. Stine).

porteremo l'attenzione più avanti, presentandone il bellissimo mosaico (Fig. 15). Qui basti dire che all'epoca dell'eruzione era un vano occupato da armadi e che doveva essere usato come quello vicino, a mo' di dispensa: l'osservazione delle dinamiche d'ingresso delle pomici, insieme al rinvenimento di vasi in vetro e ceramica all'interno dei lapilli, a quota ben più alta rispetto al pavimento, lasciano ricostruire la presenza di mobili lignei posti a ingombrare lo spazio (che all'inizio dell'eruzione avevano impedito ai lapilli di riempire il vano per intero). Inoltre per terra, sulle due pareti opposte est e ovest c'era una ricca congerie di vasi da mensa e da dispensa, evidentemente qui accumulati, essendoci altrove lavori in corso (Fig. 16 FT).

Sul lato di fondo, in asse con l'ingresso, c'era, come la norma voleva, il *tablinum* (7), lo spazio di lavoro del *dominus* della casa, dove questi conservava documenti e riceveva. Una delle spiegazioni del

Fig. 15 Sul settore meridionale dell'atrio si affacciano anche un cubiculum (11) e un'ala (13), ovvero un grande spazio aperto, senza porta, collegato con l'atrio e in questo caso decorato da un importante mosaico.

nome che già davano gli antichi rimandava al vocabolo *tabula*, un riferimento alle tavolette, i documenti contenenti atti amministrativi e di diritto privato, conservate al suo interno, un vero e proprio archivio domestico. Questo non meraviglia, se si pensa che la *domus* era anche lo spazio deputato a una serie di attività rituali e amministrative, dalla celebrazione di nozze alle procedure testamentarie fino alle pratiche di adozione, assai frequenti nelle città romane[38].

Anche questo vano completamente aperto sull'atrio e affacciato con ampia apertura sul giardino poteva essere chiuso da tende o da un tramezzo ligneo, per assicurare riservatezza all'occupante. A Pompei ed Ercolano sono numerose le tracce lasciate dai telai lignei andati perduti, ai quali venivano sospesi i tendaggi che schermavano temporaneamente l'apertura del tablino sull'atrio. In un caso eccezionale, invece, si è conservato proprio il tramezzo ligneo, nella casa ercolanense che ha ricevuto il nome proprio da questo prezioso elemento di arredo: si tratta di una vera e propria porta pieghevole, alta circa la metà dell'altezza dell'apertura della stanza, la quale serba ancora i battenti sagomati con anelli e degli elementi in bronzo a forma di prora di nave destinati a sospendere le lucerne[39].

Il tablino era fiancheggiato a sud e a nord, come di consuetudine, da due ambienti di soggiorno (6 e 8): quello a destra, con ampia finestra sulla parete di fondo che dava sul giardino, doveva rivestire un ruolo peculiare nella casa, decorato com'è in maniera straordinaria (Fig. 17). Gli arredi, qui in buona parte scampati agli scavi clandestini, rimandano anche loro allo statuto speciale di questo spazio nelle dinamiche della vita domestica. Per quanto riguarda la funzione, la posizione, l'elegante decorazione e l'ampia apertura che consentiva una bella vista sul giardino, rimandano a un *cubiculum* diurno, luogo per riposare durante il giorno e godersi il relax e la natura che si

Fig. 17 Il tablino della casa si trova, come di consueto, di fronte alle fauces d'ingresso, ed è caratterizzato da un'identica decorazione in I stile: qui in primo piano la parete sud e l'ampia apertura sull'atrio. Questo spazio fungeva nell'ultima fase da elemento di raccordo fra il settore della casa centrato sull'atrio e quello posto intorno al peristilio.

osservava dalla finestra appositamente orientata[40]. Ma su questo ambiente, come sull'ala sinistra a esso collegata grazie all'iconografia dei mosaici, torneremo presto a portare l'attenzione. In questi spazi ci sono elementi per comprendere qualcosa della biografia del padrone di casa, di colui che ne ha concepito in maniera colta e complessa la decorazione.

Al vano meridionale corrispondeva verosimilmente un *oecus*, un piccolo salone per ricevere e conversare. In origine serviva anche da cerniera con il quartiere che si apriva sul giardino porticato, come mostra una porta posta in asse con l'ingresso, in seguito tamponata e trasformata in armadio[41].

Il *tablinum*, oltre a essere completamente aperto sull'atrio, comunica con il vano porticato (19) che apre sul giardino, almeno nella fase più recente di vita della casa. Probabilmente quando viene chiusa la porta del vano attiguo, si trasforma l'ampia finestra in un panoramico varco: il *tablinum*, che ormai dall'età augustea comincia a perdere la sua rilevante funzione primigenia e l'aura quasi sacrale di luogo in cui si svolgono le vicende importanti della famiglia, si viene a configurare ora come lo spazio di raccordo tra parte «pubblica» della casa e parte «privata»[42].

Quest'ultima, articolata intorno a spazi verdi colonnati, retaggio dell'architettura monumentale greca proiettata all'interno degli spazi domestici romani, diventa luogo di *otium* e ricevimento riservato ad amici e familiari. Non si tratta in questo caso di un vero e proprio peristilio, ossia del vasto cortile colonnato che le dimore più ricche, a partire dall'avanzato II secolo a.C., cominciano ad aggiungere agli spazi aperti sull'atrio. Un'importazione diretta dal mondo greco, in seguito alle guerre di conquista e ai sempre più stretti scambi commerciali che definiscono una fitta rete di rapporti e di contatti culturali[43].

Nel caso della Casa di Orione si tratta di un piccolo spazio verde con portico a L (m 8,20 x m 12,35), che delimita il giardino sui lati est con colonne in materiali diversi (sul lato lungo due colonne in tufo e una in laterizio, sul lato breve una colonna in opera vittata, ossia in mattoncini), che dovevano essere mascherati dai rivestimenti in stucco, in parte ancora conservati, dipinto come di consueto nella zoccolatura con intonaco rosso, e di bianco nei due terzi superiori. Gli spazi tra le colonne nell'ultima fase di vita della casa furono chiusi da un basso muretto che ingloba, oltre alle colonne, un pozzo in tufo, e che lasciava solo un piccolo varco per l'accesso allo spazio verde. Questo pseudo-peristilio ricorda ancora l'*hortus* (chiamato anche *heredium*) che si doveva qui estendere nella fase originaria della casa: l'orto in casa, coltivato direttamente, doveva fornire una parte significativa dei prodotti per l'alimentazione quotidiana, basata in buona parte su ortaggi e frutta[44]. Nessun paragone con il lussuoso peristilio «rodio» della vicina Casa delle Nozze d'Argento, decorato da decine di colonne che circondavano il lussureggiante giardino (*viridarium*), e sul quale si affacciavano lussuose stanze per lo svago, per ricevere, per banchettare[45]. Nessun confronto del resto si poteva istituire tra la ricchezza e dunque lo status sociale degli Albucii, che lì avevano la loro prestigiosa residenza, e la famiglia che occupò generazione dopo generazione questa casa (Fig. 18 FT): si tratta senza dubbio del ceto medio, le cui disponibilità a partire dal II secolo a.C. (grazie all'arricchimento generale della penisola italica determinato dalla conquista del Mediterraneo orientale) si erano enormemente dilatate[46]. Si pensi alla raffinatissima decorazione in I stile diffusa in buona parte degli ambienti!

Come nei quartieri del peristilio delle più eleganti case romane si aprivano, secondo la consuetudine, gli ambienti di soggiorno e di festa e le ampie stanze destinate al banchetto[47], così anche nella Casa di Orione il locale più spazioso si affacciava sul portico (e dunque sul giardino) con un'ampia apertura: la stanza più vasta della casa, dalla pianta rettangolare (10: m 6 x m 3,60), era un triclino, il luogo deputato al banchetto. Le dimensioni sono significativamente vicine al rapporto 1:2, ossia quello che Vitruvio riconosceva come particolarmente indicato per le sale da pranzo. Alcune di queste presentano arredi fissi, ossia dei letti in muratura disposti a ferro di cavallo, altre erano arredate con letti in legno, magari dalle belle decorazioni in bronzo a rilievo o in argento (come i lussuosi letti della Casa del Menandro). Spesso la posizione dei letti in materiale deperibile, ormai scomparsi, è segnata sul pavimento dallo schema del mosaico, che può presentare un emblema, un tappeto musivo collocato proprio nello spazio libero dai giacigli. Nel nostro caso anche in assenza dell'uno e dell'altro elemento la funzione è accertata, non solo per via delle dimensioni e della posizione della stanza all'interno dello spazio domestico, ma anche da quanto rinvenuto all'interno. Durante lo scavo sono infatti apparsi numerosi frammenti lignei combusti, insieme a una evidente concentrazione di materiale organico anch'esso combusto, intercettato a ridosso della parete orientale del vano (Fig. 19). Durante l'eruzione dovette verificarsi un incendio limitato a questo ambiente della casa, che causò la combustione e la successiva mineralizzazione degli elementi in materiali organici. La sagoma della

Fig. 19 Veduta del triclinio in corso di scavo. Tra i lapilli affiorano tracce di legno carbonizzato, indice della presenza dei letti per il banchetto, che dovevano essere allestiti al momento dell'eruzione, come testimonia il rinvenimento di resti delle stoffe che li ricoprivano. Sulla parete di fondo l'annerimento rimanda a un incendio che deve essere intervenuto nel corso dell'eruzione.

focatura lasciata sulla parete orientale affrescata del vano, dalla peculiare forma inclinata verso sud, unitamente a quella individuata sulla parete meridionale lasciano supporre che un primo crollo del soffitto sia avvenuto proprio in corrispondenza dell'angolo sud-orientale dell'ambiente. Crollo che, immettendo improvvisamente nuovo ossigeno, deve aver alimentato e dato nuova forza all'incendio in atto. È proprio presso quest'angolo del vano, infatti, che si trovava, sovrapposto ai materiali lignei combusti, il maggior numero di frammenti di incannucciata del tetto.

Tra i numerosi elementi lignei bruciati, spiccavano frammenti di materiale carbonizzato caratterizzati da una struttura estremamente vacuolata e spugnosa, che è stato possibile identificare come imbottitura di un materasso. Un dato straordinario è che su molti di questi frammenti di materiale organico aderivano brandelli di tessuto, evidentemente quanto restava di stoffe che ricoprivano il giaciglio[48] (Fig. 20). A diretto contatto con il pavimento, inoltre, dove si vedevano anche carboni e lacerti di incannucciata pertinenti al crollo del soffitto, si leggevano due ampie tracce carboniose regolari, che presentavano una forma a L. Le ampie macchie nere rimandavano

Fig. 20 Nell'ambiente 10, riconosciuto come triclinio aperto sul peristilio, sono stati individuati reperti organici carbonizzati, tra cui i resti di una trama di tessuto, riconducibile alle stoffe che ricoprivano probabilmente i materassi presenti.

senza ombra di dubbio alla presenza di una coppia di letti disposti con ogni probabilità lungo le pareti. Esistono anche triclini con due letti (come nel caso della struttura in muratura presente presso il ninfeo della casa di Loreio Tiburtino), ma la norma ne richiede tre, del resto il nome (greco) della stanza deriva proprio dalle tre *klinai*, i tre letti che componevano lo spazio dedicato al banchetto. Non ci deve sorprendere l'uso di un nome greco per una stanza che nel nostro immaginario (si pensi al *Satyricon* di Petronio) rimanda agli usi romani più di ogni altra[49]: il costume di mangiare distesi non rientra tra quelli originari della società romana. A Roma in tempi più antichi si mangiava seduti davanti a una tavola. Sono le guerre di conquista dell'Oriente ellenistico che portano i Romani a confrontarsi con le raffinate maniere greche: è allora che si è introdotto il banchetto che utilizzava letti per desinare distesi, e dunque si è cominciato a prevedere nella casa ambienti idonei al nuovo uso. Nella disposizione canonica dei banchettanti i letti sono disposti a Π, dunque un ferro di cavallo lungo tre lati di un quadrato, il quarto lato aperto è destinato alla circolazione dei servitori che, imbandiscono così la mensa posta al centro, tra i letti (Fig. 21). Questi ricevono ognuno tre convitati (ma ci si può limitare anche a una coppia, come ricorre nelle rappresentazioni pittoriche, soprattutto quando l'atmosfera si surriscalda e il banchetto diventa più licenzioso), i quali si dispongono secondo delle regole sociali ben precise. Guardando verso il triclinio, il letto di sinistra, il *lectus imus,* ospita il *dominus*, il padrone di casa, la sua sposa e un altro membro della famiglia, come il figlio primogenito o anche un ospite da onorare; il letto al centro, il *lectus medius*, è destinato agli ospiti insigni, quelli più importanti; il terzo, quello a destra, il *lectus summus,* era infine per gli altri ospiti, meno illustri[50].

Tornando alla nostra stanza 10, probabilmente anche questa ospitava un vero e proprio triclinio: i resti del terzo letto devono essere stati cancellati dai lavori intrapresi per il restauro della vicina casa, che hanno comportato l'asportazione della stratigrafia antica, senza alcun controllo. Dunque, se la presenza di letti rimanda inequivocabilmente alle funzioni del triclinio, tale dato è ulteriormente confermato dal rinvenimento di quel che resta dell'originaria mensa semicircolare in marmo bianco che doveva essere posizionata al centro dei tre letti.

Interior design

Se dall'articolazione degli spazi domestici si passa a considerare la loro decorazione, quanto conservatosi è di straordinario interesse. La decorazione dei vari ambienti riflette infatti la lunga storia della *domus*, serbando in alcuni casi pavimenti e rivestimenti parietali della fase più antica, in altri quelli messi in opera nei vari momenti della ristrutturazione, tra I secolo a.C. e I secolo d.C. Come abbiamo avuto modo di considerare già in relazione alla facciata, anche gli spazi

Fig. 21 Triclinio della Casa dell'Efebo: rappresenta un chiaro esempio di come attraverso la decorazione superstite sia possibile riconoscere la funzione dell'ambiente: il pavimento è decorato solo nella parte a vista, mentre è lasciato in cementizio semplice nelle zone destinate a ospitare i letti per il banchetto.

interni sono lo specchio delle continue trasformazioni nel corso dei quasi tre secoli di vita della casa (per quanto si può comprendere soprattutto dalle tecniche murarie, per essere più sicuri sulla fase di impianto sarebbe necessario scavare sotto i pavimenti).

Appena si entrava, già transitando nell'angusto vano d'ingresso, si era avvolti da un'atmosfera che oggi definiremmo *rétro*; tutto quanto visibile dalle *fauces*, le pareti dell'atrio e il tablino apparivano decorati nel cosiddetto I stile, un sistema di rivestimento parietale di grande effetto decorativo, in voga nel II secolo a.C. Decorazioni antiche già duecento anni al momento dell'eruzione erano rimaste quasi intatte in questa casa-museo[51] (Fig. 22).

Fig. 22 La decorazione dell'atrio e delle fauces è in I stile, una tecnica di rivestimento delle pareti propria dell'età ellenistica. Tipica è la tripartizione in senso verticale della parete ove spicca la zona centrale caratterizzata da ricca policromia. La parte inferiore è incompleta poiché in corso di rifacimento. Questa attività di ripristino della decorazione originale testimonia la volontà di mantenere uno stile unitario e caratteristico, negli ambienti della casa considerati «pubblici».

Nell'angusto corridoio delle *fauces*, le due pareti mostrano uno schema decorativo tripartito, come è tipico in questo ordine di rivestimenti in stucco dipinto. Partendo dall'alto, la zona superiore è liscia e monocroma, separata da quella mediana da una cornice modanata aggettante con dentelli stretti e allungati sovrastante una fascia semplice a rilievo; seguono, nella zona mediana, tre filari di pannelli policromi rettangolari a rilievo, inquadrati da una doppia cornice, la prima bianca e la seconda in sottosquadro nera. Le tre fasce a pannelli risultano sovrapposte in maniera sfalsata, in modo da dare all'osservatore l'impressione di trovarsi di fronte a un apparato monumentale in blocchi squadrati di marmo. Il filare superiore con variopinte decorazioni in stucco imitante lastre di alabastro (fiorito e ciliegino) è separato dai due sottostanti da una seconda cornice aggettante in stucco; il secondo filare mostra pannelli dipinti in rosso; il terzo in nero. In basso c'è un alto zoccolo liscio delimitato da una fascia a rilievo, priva di decorazione, perché in rifacimento al momento dell'eruzione. Anche qui si possono notare dettagli che forniscono preziose informazioni sulla vita della casa: la parete mostra una sovrapposizione di intonaco sulla preparazione ancora grezza, indice che i lavori di ristrutturazione dovevano andare a rilento, forse per le ripetute scosse che devono aver caratterizzato i mesi precedenti l'eruzione. Un *opus infinitum* dunque, laddove la parte superiore e mediana rimaneva quella realizzata nell'avanzato II secolo a.C., mentre la parte inferiore attendeva ancora un intervento definitivo, proprio come nel caso della facciata. Sappiamo che il lavoro dei pittori proseguiva dall'alto verso il basso, la parte superiore in questo caso non aveva necessitato se non di piccoli ritocchi di manutenzione, mentre la zoccolatura attendeva di essere completata insieme a quella della facciata.

Dalle *fauces*, la decorazione prosegue nell'ampio atrio rettangolare (m 8,93 x m 7,33) secondo lo stesso schema, dando un'impressione di uniformità sostanziale degli apparati decorativi, interrotta solo in corrispondenza delle porte, dove gli stipiti sono rivestiti di una fascia verticale bianca a imitazione di paraste (Fig. 23).

Fig. 23 Nell'atrio la decorazione di I stile conserva la sua uniformità decorativa e gli accessi ai singoli ambienti sono caratterizzati da fasce verticali bianche, a imitazione di lunghe paraste marmoree.

Anche qui la zona superiore liscia a unico colore neutro è separata da quella mediana da una cornice modanata aggettante con dentelli sottesa da una semplice fascia a rilievo; seguono, nella zona mediana, i consueti tre filari di pannelli policromi a rilievo, del tutto simili a quelli delle *fauces* anche nella sequenza cromatica. In basso è l'alta zoccolatura liscia che qui è stata realizzata, risultando tutta dipinta in giallo mentre, la fascia di coronamento a rilievo è bianca.

Alcuni ambienti aperti sull'atrio hanno, anch'essi, del tutto mantenuto l'originaria decorazione, mentre altri mostrano nelle pareti segni di progressivi interventi, che a volte salvano solo le parti più alte dei decori più antichi. La stanza (11) a pianta quadrata (m 4,70 x m 4,70) aperta al centro del lato meridionale, sull'atrio, manteneva ad esempio tutta la decorazione in I stile. Lo zoccolo è dipinto di giallo, come nell'atrio, a rendere cromaticamente omogeneo il passaggio dallo spazio comune centrale a quello più intimo del *cubiculum*. Il registro mediano presenta anche in questo caso i tre filari di pannelli rettangolari sfalsati; il pittore qui si è concesso una piacevole *variatio* rispetto ai valori cromatici dell'atrio: il primo dipinto in nero, il secondo con pannelli rossi, verdi e gialli alternati, il terzo a fondo bianco con l'inserimento di due lastre imitanti alabastro fiorito e ciliegino (Fig. 24 FT). Il registro superiore presenta una fascia continua bianca inquadrata in basso da una semplice cornice modanata e in alto da una cornice modanata a dentelli; al di sopra, una larga fascia priva di decorazione si raccordava con il soffitto.

Anche il tablino (11) è decorato in I stile, in maniera analoga all'atrio e alle *fauces*. Lo zoccolo, a fondo giallo, è coronato da una fascia bianca; il registro mediano presenta i soliti tre filari di pannelli

Fig. 25 Il tablino (7) è decorato in I stile, con una maggiore attenzione alla rappresentazione dei pannelli posti più in alto, imitanti lastre di alabastro: un marmo più pregiato e raro.

rettangolari sfalsati (Fig. 25): il primo, è dipinto di nero, il secondo di rosso, il terzo filare, distinto da una cornice aggettante modanata, è decorato con le marmorizzazioni più pregiate imitanti l'alabastro. Il registro superiore presenta, come negli altri esempi, un epistilio delimitato inferiormente da una cornice semplice modanata e superiormente da una cornice dentellata; al di sopra una larga fascia priva di decorazione che si raccordava con il soffitto. Sulla parete nord, all'interno di questa fascia, è appena visibile un elemento figurato dipinto di rosso e bianco, forse una prora di nave. Il rivestimento della parete meridionale al momento dell'eruzione doveva presentarsi lacunoso; il cementizio esposto con gli scavi era coperto dalla cinerite, penetrata anche in profondità negli interstizi tra un inerte e un altro. Anche qui, osservando con attenzione i dettagli, si può ricostruire come doveva presentarsi (in maniera incompiuta) la decorazione parietale. Segni di work in progress ovunque, come abbiamo visto, fuori e dentro la dimora.

Per quanto riguarda i lavori nella casa, è evidente che i proprietari, nel corso delle varie ristrutturazioni, avevano dedicato molta cura alla tutela di parte delle antiche decorazioni: si puntava a riparare, parzialmente ridecorandole, le pareti della casa, senza però stravolgere l'antica sintassi decorativa. Alcune pareti avevano una decorazione nel cosiddetto IV stile pompeiano, quello che si afferma intorno agli anni '40 del I secolo d.C.; altri avevano una decorazione in III stile, quella in voga intorno all'età di Augusto (ultimi decenni del I secolo a.C. – primi decenni del I d.C.). Ma varie pareti, anche se ridecorate secondo le mode che si affermavano di volta in volta, continuano a mantenere almeno parti del più antico apparato decorativo, come ad esempio nella stanza (5) allineata all'ingresso, dove rimane solo la parte superiore con la cornice della finestra in I stile, o nella stanza 6, il *cubiculum* diurno affacciato sul giardino (attraverso una finestra che ha lasciato nella cenere indurita l'impronta della chiusura lignea a due ante) che, nella ridecorazione del I secolo d.C., conserva l'originaria cornice in stucco a dentelli. Una situazione per molti versi analoga si recupera osservando con attenzione le pareti dell'ala (13). La prima fase decorativa dell'ambiente si presentava anche qui in I stile. Di questa originaria decorazione, in fase con il grande intervento di decorazione realizzato nell'avanzato II secolo a.C., si conservava al momento dell'eruzione solo la cornice modanata del registro superiore con la consueta decorazione a dentelli, al di sopra della quale una larga fascia priva di decorazione doveva raccordarsi al soffitto. Il rifacimento adegua le pareti alla moda della prima metà del I secolo d.C., mettendo in opera un apparato decorativo nel cosiddetto III stile finale (Fig. 26). Lo zoccolo nero è scandito da pannelli rettangolari che inquadrano foglie d'acqua. La zona mediana a dominante bianca, delimitata da una fascia rossa, si

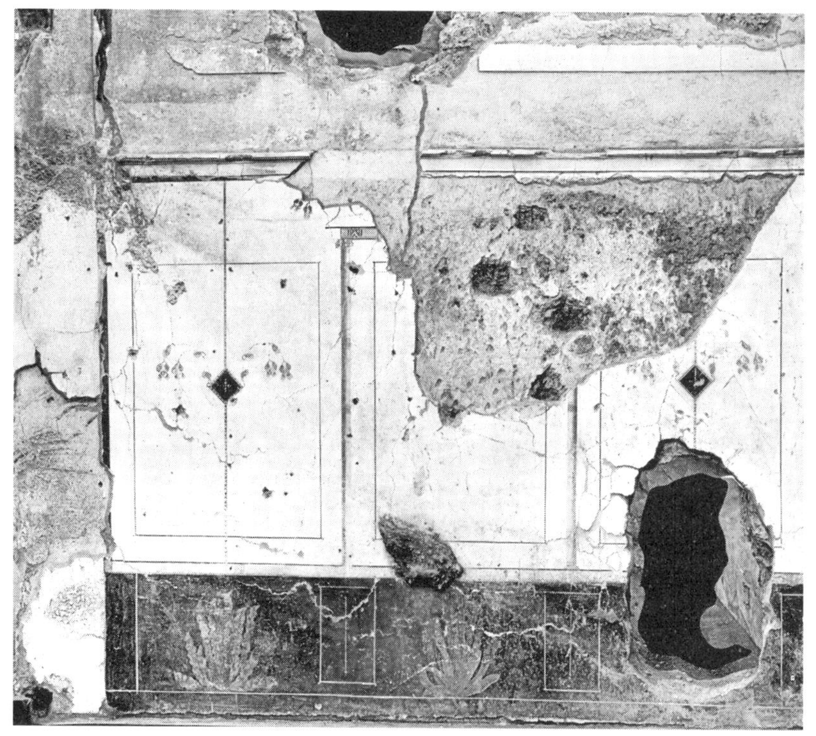

Fig. 26 L'ala (13) presentava ancora una cornice modanata di I stile nella parte superiore della parete ma il resto dell'ambiente venne ridecorato in III stile in età augustea. La tripartizione della parete in senso orizzontale e verticale è in questo caso accompagnata da un decoro sobrio ed essenziale.

presenta tripartita da pannelli rettangolari: quelli laterali decorati al centro da una linea verticale in verde con rombo centrale in rosso, da cui dipartono motivi floreali; quello centrale con edicola a colonnine, entro cui è un riquadro in rosso con ghirlanda.

A corollario di queste pagine fortemente descrittive, si rende necessaria qualche riflessione per spiegare la pervasiva presenza di decorazioni parietali afferenti all'epoca di occupazione più antica della dimora, ancor prima della trasformazione di Pompei in colonia e dunque in una città romana a tutti gli effetti, nell'80 a.C.

La conservazione dei decori del passato, con il suo evidente richiamo all'antichità, della *domus* doveva mostrare il radicamento del nucleo familiare nella Pompei originaria, e dunque la sua importanza. Un fenomeno analogo si nota in altre, ben più grandi case pompeiane, a partire da quella del Fauno, un vero e proprio palazzo urbano, progettato e decorato sul modello dei grandi palazzi del mondo ellenistico, il quale al momento dell'eruzione aveva conservato mosaici, stucchi e decorazioni realizzati molte generazioni prima (intorno all'inizio del I secolo a.C.)[52].

La scoperta di questa decorazione, lo posso affermare per il mio personale coinvolgimento, è stata particolarmente esaltante. Non certo perché esclusiva di questa *domus* e perché si tratti di una novità a Pompei: anche altre dimore offrono simili rivestimenti parietali. La peculiarità è nella pervasiva presenza in gran parte degli ambienti della decorazione antica e nel suo stato di conservazione notevole: nonostante la furia distruttiva dell'eruzione e quella altrettanto distruttiva degli scavi clandestini di età moderna, il pianterreno della casa è emerso dai lapilli in ottimo stato, e lo stesso vale anche per gli stucchi decorativi e la loro variopinta decorazione.

Per quanto riguarda la storia di questi rivestimenti va osservato che i marmi colorati sarebbero stati introdotti, limitatamente, negli interni delle case di Roma solo a partire dal I secolo a.C. e soprattutto dall'età di Cesare[53]. Le imitazioni di marmi colorati in stucco arrivano però prima, derivando da esperienze decorative già radicatesi nel Mediterraneo orientale dalla prima età ellenistica (III secolo a.C.), in connessione con le residenze delle élite al potere, i cui modelli erano i palazzi reali dall'Egitto alla Macedonia. Di queste architetture abbiamo pochi resti, tuttavia gli autori antichi ci informano dell'uso consueto di costosi rivestimenti marmorei. Particolarmente apprezzato era l'alabastro, le cui officine dovevano essere ad Alessandria, una pietra, questa, celebrata in antico come materiale pregiato e incorruttibile (Plinio, *Naturalis Historia* 36, 60).

Le sue imitazioni nelle decorazioni in I stile richiamano dunque quel mondo, il lusso delle corti faraoniche e tolemaiche[54]. Nella nostra casa, dove come vedremo i riferimenti all'ambiente egiziano non mancano, il committente sembra apprezzare particolarmente il richiamo, nella riproduzione di svariati marmi, alle pietre alabastrine d'Egitto. La decorazione in stucco mostra una certa abilità nel confezionare pannelli che imitino con coerenza i litotipi prescelti, già individuata in un bell'esempio rinvenuto a Populonia[55], dove la parete in I stile era ospitata in uno spazio santuariale. Le maestranze all'opera rivelano «un notevole bagaglio di esperienza artigianale in queste forme del rivestimento, che utilizzavano convenzioni codificate dei principali tipi di imitazioni marmoree richieste, espresse da modelli disegnativi». Come è stato sottolineato per il caso toscano, per comprendere origine e funzione di tali sontuose decorazioni abbiamo alcuni documenti particolarmente illuminanti, come il papiro greco di Zenone (P. Cair. Zen. 59, 445) – riferibile alla metà del III secolo a.C. – il quale ci presenta il *milieu* culturale e artistico occasionato dai lavori per la costruzione della città di Filadelfia nel Fayyum, nuovo centro amministrativo voluto dal sovrano Tolomeo Filadelfo. Fra i diversi artigiani greci arrivati da Alessandria troviamo menzionato il pittore Teofilo, autore di dipinti su tavola e decoratore di interni, cui il committente richiede la realizzazione di decorazioni pittoriche di alcune stanze in stile strutturale per le dimore di agiati funzionari greci, con relativo preventivo di spesa [...] nella precisione di dettaglio delle prestazioni richieste al pittore, vengono espressamente menzionate stesure in colore variegato, con ogni probabilità da intendere come superfici di finto marmo (gr. *thrànos poikìlos* = banda variopinta); mentre l'espressione gr. *phleboperimètrion* (= con vene tutto intorno) fa pensare all'imitazione dell'alabastro[56].

Anche per comprendere come lavorassero gli artigiani specializzati in questo tipo di decorazioni di interni, il papiro ci fornisce dati straordinari, laddove si puntualizza che la pittura della volta deve risultare del tutto conforme al *paràdeigma*, ossia il modello che era stato mostrato prima di cominciare i lavori. Si tratta evidentemente di campionari «con modelli grafici anche per la partizione della parete e le relative marmorizzazioni, che il committente poteva scegliere come in un moderno catalogo»[57]. Il gusto del padrone di casa orientava così gli artigiani, che lavoravano però nel solco di una tradizione acquisita e ormai standardizzata.

Pavimenti che raccontano storie

Anche osservando i pavimenti si riscontrano significative variazioni, indice della lunga vita della casa (e, come vedremo, dei suoi occupanti): i piani di calpestio delle stanze più frequentate, come l'atrio, sono stati rinnovati a più riprese, in altri casi gelosamente preservati nel loro aspetto antico.

I pavimenti delle *fauces* e dell'atrio sono antichi, ma non così antichi come le pareti: appartengono infatti a un'altra fase, quando lo spazio centrale della *domus* venne completamente ripavimentato, come dicevamo, nell'avanzato I secolo a.C. (Fig. 27). Sono in cocciopesto, ossia una miscela di malta di calce e frantumi ceramici, contenente anche millimetrici frammenti di lava, il quale veniva poi accuratamente lisciato e «rubricato», in modo da apparire rosso brillante[58].

Nel vano d'ingresso il piano è stato realizzato in pendenza verso la soglia, in modo da rendere più agevole lo smaltimento dell'acqua quando si lavavano i pavimenti. All'interno del piano in cocciopesto si nota un blocco di pietra lavica che presenta al centro una cavità. Questo elemento inglobato nel pavimento ci fa comprendere il funzionamento del sistema di chiusura della porta: dall'interno un travetto ligneo rettangolare sbarrava l'accesso una volta chiusi i due grandi battenti lignei, e veniva fissato per terra facendo perno sull'incavo, in modo da non muoversi, come già riscontrato a Pompei nella Casa dell'Efebo[59] (Fig. 28).

Il pavimento dell'atrio posto in continuità con quello del corridoio d'ingresso – e a questo del tutto simile nella composizione – è stato significativamente rialzato nel corso dei restauri che trasfor-

Fig. 27 Veduta dall'alto dell'ingresso e della pavimentazione di fauces e atrio caratterizzata da un cocciopesto dai singolari motivi decorativi.

Fig. 28 Calco di porta realizzato nella Casa dell'Efebo. Questa straordinaria testimonianza consente di comprendere come la porta, dopo essere stata chiusa da un chiavistello ligneo orizzontale, venisse ulteriormente bloccata attraverso il posizionamento di un travetto, fissato a terra in un apposito incavo di pietra.

mano la casa nel I secolo a.C. La sua quota, infatti, risulta maggiore rispetto a quella dei vani che si aprono sull'atrio e giunge in un caso a coprire, in modo grossolano, parte della pavimentazione a mosaico dell'ala sinistra (13) (Fig. 29). Il rialzamento del piano dell'atrio è testimoniato anche dal rapporto tra questo e le pareti ornate in I stile dei muri perimetrali, laddove il pavimento copre il rivestimento in stucco.

Il centro esatto della stanza, geometricamente calcolato in modo ineccepibile, è occupato da un disco in marmo bianco (diametro m

Fig. 29 Il punto di contatto tra il cementizio dell'atrio e la decorazione dell'ambiente 13 non è definito in maniera chiara; questo perché il cementizio è stato rialzato tanto da arrivare a coprire, in parte, il motivo a losanghe che fungeva da soglia di accesso all'ambiente. Una nuova soglia in legno, non conservata, doveva regolarizzare il punto di sovrapposizione tra il pavimento antico e quello più recente.

0,13), quanto si vede in superficie di un elemento di forma cilindrica, ben ancorato al pavimento, posto a chiudere un profondo buco circolare. Si tratta verosimilmente di una sorta di chiusino, aperto di rado a uso ispettivo, correlato alla misurazione e alla gestione del livello delle acque, il quale presuppone l'esistenza di una piccola cisterna ipogea in cui convogliarle.

Qualche esempio dei pavimenti di questa casa: il piano di calpestio del *cubiculum* orientale (3) è sicuramente antico (II secolo a.C.), come dimostra la quota rimasta più in basso rispetto al piano dell'atrio, anche se è stato di certo rimaneggiato nel corso delle varie ristrutturazioni[60]: per entrare nel vano si doveva superare dunque un gradino che permetteva di guadagnare la quota inferiore del piano di calpestio. Si tratta di un pavimento in cementizio di cocciopesto, con superficie decorata da tessere lapidee bianche disposte in maniera caotica. Al centro del settore meridionale, dove si apriva l'alcova e doveva essere dunque il letto, c'è un piccolo tappeto ornato di marmi (*sectilia*) policromi, evidentemente inserito in un secondo momento nel cocciopesto più antico. Lungo i bordi il pavimento reca tracce di una fascia (di circa m 0,20) dipinta in rosso.

In continuità con il pavimento dell'atrio e alla stessa quota risulta invece quello del tablino. Al momento dell'eruzione, sul pavimento, a ridosso della parete settentrionale, così come nell'ambiente 12, c'erano due piccoli cumuli costituiti da «polvere» di cocciopesto e di materiale carbonioso misto a cocciopesto non lavorato, certamente da ricollegare ai lavori di ristrutturazione documentati anche altrove nell'abitazione[61]. La pavimentazione, diffusamente lesionata e interessata nella porzione meridionale da un profondo cedimento – che ha permesso di intercettare il piano della fase più antica, probabilmente del III secolo a.C. –, è in cementizio di cocciopesto, con decorazione a mosaico in tessere bianche.

Il cedimento di parte del pavimento di atrio e tablino dovette avvenire durante la fase eruttiva della caduta di pomici (alla base della voragine c'erano pomici bianche – le prime ad accumularsi nelle prime ore dell'eruzione – miste a quelle grigie, che coprivano i resti di pavimento sprofondato, coperte a loro volta dalla cinerite): grazie a questo cedimento è stato possibile verificare l'esistenza di un vuoto sottoposto al piano di calpestio (una cisterna?) e intercettare il più antico piano pavimentale, sempre in cocciopesto[62]. Il rialzamento del piano del tablino, ascrivibile a una seconda fase di vita del vano, può facilmente essere collegato alla fase di ripavimentazione dell'atrio e delle *fauces*, intervenuta come già abbiamo indicato con ogni probabilità in età augustea.

Nel cocciopesto del tablino è inserita una singolare decorazione a mosaico di tessere bianche, che a lungo ha fatto discutere tutta l'équipe impegnata nei lavori di scavo (Fig. 30). Il disegno geometrico realizzato dalla giustapposizione di tessere nel piano pavimentale è infatti privo di confronti e a prima vista di difficile comprensione, anche se da subito si poteva escludere una funzione meramente decorativa, tesa ad abbellire il monotono e omogeneo colore rosso del pavimento. In asse con le *fau-*

Fig. 30 La pavimentazione del tablino risale all'età augustea ed è caratterizzata da un cementizio con tessere bianche che delineano un disegno inconsueto quanto interessante. Si tratterebbe infatti della riproduzione schematica di una groma, lo strumento usato per misurare e organizzare lo spazio urbano e il territorio.

ces, un filare di tessere disegna una sorta di asta verticale che incrocia alla base un allineamento orizzontale; dal lato opposto l'asta termina in una sorta di piccola rotella tangente a un altro, più grande, cerchio leggermente disassato, il quale all'interno ha una croce inscritta. Oltre la ruota è un altro schema composto da filari paralleli di tessere, disposti verticalmente a partire da una linea orizzontale. La peculiarità del disegno è ancor più accentuata dal ricorrere nella casa di un altro motivo decorativo, posto in evidente relazione con questo: nelle *fauces*, oltre l'incavo destinato al palo di chiusura della porta, in prossimità dunque dell'atrio, il pavimento è arricchito da un altro disegno geometrico realizzato nella stessa tecnica a mosaico con tessere bianche, uno schema composto da tre cerchi concentrici che incrociano quattro linee rette secanti, che richiama il motivo della rosa dei venti.

Si tratta, come è evidente, di disegni del tutto peculiari che non trovano riscontro in nessuno degli schemi decorativi finora attestati (non solo a Pompei, ma in tutta l'Italia antica). Rimandano, dunque, a una scelta precisa da attribuire al proprietario, che forse ha voluto lasciar traccia nei pavimenti delle sue propensioni [...] professionali. Il motivo documentato nel tablino sembra rimandare alla rappresentazione schematica di uno strumento di misurazione, la groma[63]. Si potrebbe trattare dell'utensile in uso nel mondo etrusco e poi romano per tracciare sul terreno allineamenti ortogonali e calcolare le superfici, fondamentale nella definizione di impianti urbani e strade. Come appare nel nostro mosaico, la groma era composta da un'asta verticale, che andava conficcata nel terreno, culminante alla sommità in una sorta di braccio. Braccio che sosteneva due aste tra loro ortogonali, le quali reggevano alle estremità quattro fili di piombo ortogonalmente accoppiati. Il nostro schema potrebbe essere stato realizzato per rappresentare in pianta, in una prospettiva ovviamente schiacciata (come se vista dall'alto), l'asta conficcata nel terreno (schematizzato nell'allineamento orizzontale) e le aste ortogonali (presentate come una croce inscritta nel cerchio, che qui alluderebbe al movimento circolare dello strumento).

Se così fosse, gli ornati geometrici posti al di sopra del cerchio, i quali disegnano allineamenti paralleli, potrebbero alludere a un impianto urbano, misurato attraverso lo strumento, una sequenza di strade che definiscono isolati di una griglia regolare.

Che il proprietario fosse un gromatico[64]?

Il primo piano, questo sconosciuto

L'assenza di impluvio nell'atrio potrebbe rimandare a una impegnativa ristrutturazione del tetto, un rifacimento, totale o parziale, avvenuto in occasione della ripavimentazione. Difficile proporre al momento un'ipotesi relativamente alla copertura della casa nelle sue varie fasi di vita.

Qui come altrove a Pompei (e a differenza di Ercolano) è spesso assai complicato proporre ricostruzioni dei tetti, in quanto le correnti piroclastiche hanno di solito distrutto tutto quanto affiorava dalle pomici cadute nelle prime diciotto ore di eruzione, che si erano depositate per un'altezza di quattro-cinque metri. I primi piani sono così di solito completamente scomparsi, e degli elevati oltre il pianterreno restano scarse tracce, recuperate per lo più dopo il crollo[65].

Una serie di indizi lasciano comunque ipotizzare che originariamente la casa presentasse un tetto compluviato (o displuviato), e quindi un atrio con impluvio: supposizione giustificata anche dalla planimetria della *domus* all'epoca della sua costruzione, del tutto in linea con i canonici impianti delle case ad atrio di fase tardo-repubblicana (II secolo a.C.), di norma caratterizzate da tetti con apertura centrale e impluvio. Altro indizio a favore dell'esistenza originaria di un impluvio è il rialzamento del piano pavimentale, che ha obliterato il precedente impianto. Grazie all'approfondimento effettuato nell'atrio, come abbiamo accennato, sono stati intercettati infatti i resti di una struttura in cementizio, presumibilmente correlata a una canalizzazione e a una cisterna ipogea, che si giustifica proprio con l'esistenza di una vasca nell'atrio atta a raccogliere acqua piovana.

Per quanto riguarda il rifacimento del tetto, ipotizzato in coincidenza con il nuovo pavimento steso su atrio, *fauces* e tablino, un indizio molto significativo proviene dal rinvenimento di una tegola il cui bollo di produzione inciso rimanda proprio all'età augustea.

Se del primo piano quasi nulla si è conservato, una serie di indizi ne lascia ricostruire con una certa attendibilità presenza ed estensione. Innanzitutto la traccia di incavi sulla sommità di vari ambienti posti intorno all'atrio (3, 5, 11, 13), che rimandano chiaramente all'alloggiamento delle travi di sostegno del solaio e del pavimento del piano superiore. In particolare nel *cubiculum* (3) posto a lato dell'ingresso, sulla parete sud, al di sopra delle tracce della falsa volta che doveva impreziosire l'alcova, è ravvisabile la traccia in negativo del solaio del primo piano, che prosegue anche sulla parete orientale.

La presenza del primo piano è del resto testimoniata dall'attacco di una scala in muratura, che doveva poi proseguire in legno, in un ambiente del lato settentrionale (15), la quale conduceva senza ombra di dubbio a vani posti su questo lato ma anche verosimilmente su quello occidentale. Un'altra scala lignea è poi ipotizzabile nel vano di servizio collocato sul retro dell'ambiente 8 (indagato nel corso degli scavi ottocenteschi), che per le sue dimensioni sembra proprio l'alloggio dei gradini per raggiungere i vani superiori. Al piano superiore rimandano inoltre i materiali rinvenuti dopo il crollo nel tablino (7), nello strato intatto di ceneri indurite: una serie di elementi architettonici, frustoli pavimentali, stucchi, carboni di travi lignee mineralizzate fanno sistema con tre basi di colonnine e un capitello di tufo (da considerare insieme ad elementi architettonici del tutto analoghi rinvenuti nel corso degli scavi ottocenteschi) riferibili sicuramente a un *cenaculum*. Sul tablino si doveva dunque elevare uno di quegli eleganti vani colonnati che si aprivano in alcune case romane a decorare la facciata o gli spazi interni, come nella splendida casa sannitica di Ercolano[66] (Fig. 31 a-b). Nel nostro caso il cenacolo doveva affacciarsi sul giardino, aprendosi nella parete retrostante della *domus*, al di sopra del tetto del portico.

Gli arredi e gli oggetti della vita quotidiana

Anche se la casa era in corso di ristrutturazione e non pienamente fruibile al momento dell'eruzione, diversi ambienti hanno restituito oggetti legati alla vita quotidiana e all'arredo domestico, anche se spesso fuori posto rispetto all'originaria collocazione – accatastati altrove proprio in occasione dei lavori in corso. Alcuni ambienti erano sostanzialmente vuoti (ad esempio la stanza 5), altri sembrano

Fig. 31 a. La parziale ricostruzione del piano superiore di questa casa su via dell'Abbondanza ci consente di recuperare l'immagine di un cenaculum. Si tratta di un elemento presente in alcuni piani superiori delle abitazioni pompeiane, caratterizzate da un colonnato che decora la facciata e al contempo fornisce una fonte di luce alla casa. Nella foto b una veduta del tetto e del cenaculum della casa sannitica di Ercolano, il miglior esempio conservatosi di tali cenacula.

destinati a temporaneo deposito, e solo due hanno restituito oggetti e arredi riferibili all'originaria funzione[67].

Un caso particolarmente interessante è quello del triclinio (10), forse l'unica stanza ancora attiva della Casa di Orione, come mostra la presenza di letti pronti all'uso, con i materassi e i coprimaterassi in posto. Nonostante il vano fosse stato particolarmente compromesso in passato da interventi di scavo (ufficiali e clandestini) e di restauro della vicina Casa delle Nozze d'Argento, nel corso delle nuove indagini ha restituito tracce dell'arredo, una ricca suppellettile che ne documenta la rilevanza all'interno degli spazi domestici.

Tra i numerosi recipienti ceramici e di vetro ormai in frammenti, si segnalano alcuni vetri giunti fino a noi integri, anche se la catastrofe che li ha investiti ha lasciato tracce tangibili nella loro materialità: sono infatti tutti deformati per esposizione al calore. Testimonianza commovente di come la materia si sia alterata una volta investita dall'alta temperatura delle correnti piroclastiche, che hanno ucciso gli umani incontrati nella loro rovinosa corsa verso Pompei e hanno dato un nuovo sembiante agli oggetti, quasi sottoposti alla stessa agonia degli uomini[68].

Oltre al vasellame c'erano nella stanza alcune monete di bronzo, forse smarrite nel corso di banchetti, o nella fuga dell'ultim'ora, rimaste per sempre dove erano cadute, ritrovate là dove erano state smarrite. Elementi di osso rimandano invece a quanto restava di manufatti lignei scomparsi, anch'essi recanti memoria del drammatico evento nelle tracce di bruciatura che ne anneriscono la superficie. Numerosi inoltre i frammenti lignei combusti, come si è visto, residui dei letti del triclinio. Un'altra traccia carboniosa, simile a quella lasciata dai letti sul piano in cocciopesto, ma di dimensioni inferiori, è stata riconosciuta lungo la parete meridionale, nei pressi dell'ingresso: ciò suggerisce anche in questo punto l'originaria presenza di un elemento di arredo, forse uno sgabello, di quelli usati per accomodare i più giovani, che non avevano ancor diritto a banchettare distesi[69].

Se i materiali rinvenuti nella casa sembrano essere stati stoccati e accatastati in alcuni ambienti per via dei lavori, questa stanza è l'unica ad aver restituito indizi di una frequentazione ancora attiva al momento della catastrofe. Evidentemente nel corso dei lavori non era più utilizzato il settore dell'atrio, dove i vani a sud erano stati destinati a deposito. Diversamente la parte del giardino, accessibile anche dal settore meridionale della casa (pertinente originariamente a un'altra abitazione), quello prospiciente via di Nola, era ancora in uso: la vita quotidiana si avvaleva così degli spazi privati, dove ancora si poteva ricevere e ospitare.

Anche la stanza 6, nonostante fosse attraversata completamente da una trincea fatta nel corso di scavi clandestini di età moderna che ne avevano perforato le pareti sud e nord, ha comunque restituito una notevole quantità di materiali di particolare qualità ed eleganza. Nello strato di pomici grigie entrato dall'atrio in un momento avanzato della prima fase dell'eruzione (la porta originariamente chiusa aveva forse impedito l'accesso delle pomici bianche) erano numerosi gli oggetti, rinvenuti in gruppi in più punti della stanza (forse perché disposti insieme all'interno di mobili di cui non resta traccia). Presso l'angolo sud-ovest sono affiorati materiali in bronzo, un anello con chiave, uno specchio, una fibbia, una pinzetta, elementi da toletta muliebre che potrebbero alludere a una frequentazione al femminile della stanza[70]; al mondo femminile del resto potrebbero rimandare anche i vasi in vetro e quelli cosiddetti a pareti sottili, rinvenuti in associazione. Ma c'è dell'altro: oltre a elementi in ferro e osso, quanto resta di arredi lignei perduti, sono anche due stadere, piccole bilance che rimandano piuttosto ad attività professionali (il peso di gioielli?). Un oggetto prezioso è stato rinvenuto invece tra le pomici depositatesi accanto alla porta, entrando a destra: si tratta di una bella pisside con coperchio in bronzo e corpo ligneo, la quale conteneva aromi (incenso?), trovata insieme a un coltello in ferro, mentre sull'altro lato della porta, appoggiato alla parete, è venuto alla luce un elegante candelabro in bronzo, dallo stelo alto e affusolato desinente in un portalucerna decorato a rilievo (Fig. 32 FT). Sul pavimento lì accanto una lucerna in ceramica, che doveva originariamente essere al suo posto in cima al candelabro[71]. Un orcio, infine, occupava l'angolo nord-occidentale dell'ambiente. Ma l'arredo non finiva qui: sistemata al centro del lato meridionale del vano spicca una preziosa base in marmo sulla quale, come suggeriscono le tracce di usura della superficie, doveva essere posizionata una statuetta, cui sicuramente apparteneva il tassello in marmo con scolpiti i piedi serrati di una figura femminile di stile arcaizzante, slittato nelle pomici poco più a est[72]. La mescolanza di pomici bianche e grigie, la disposizione caotica degli oggetti nell'angolo sud-occidentale, l'assenza del corpo della statua e del bacile di bronzo al quale riferire un'ansa recuperata isolata sempre nelle pomici suggeriscono un rimaneggiamento dello strato, avvenuto in connessione con le esplorazioni non autorizzate che hanno ovunque danneggiato la casa. Ma può anche darsi che la statua fosse in materiale deperibile, in legno ad esempio, e sia andata distrutta come la gran parte dei materiali organici.

L'ambiente, decorato da uno dei due mosaici, che costituiscono tra i rinvenimenti più importanti di questa campagna di scavi – e su cui ritorneremo in un successivo capitolo –, si presenta particolarmente enigmatico: da un lato restituisce segni di una presenza femminile, dall'altro oggetti che potrebbero riferirsi a una funzione cultuale, come potrebbero far pensare la base di statua con i piedi della Kore arcaizzante e la pisside per fumigazioni[73]. Ma non è escluso che gli oggetti dall'aura «sacrale» fossero solo decorazioni di un ambiente raffinato che doveva stimolare tutti i sensi di chi vi risiedeva per trovare riposo, dall'olfatto alla vista!

EPIGRAFI «SENZA GLORIA», MA NON «SENZA STORIA»[1]

capitolo 4

Nuovi graffiti pompeiani

A Pompei si avverte più che altrove la «prossimità» del passato al nostro contemporaneo. Chiunque si lasci trasportare dall'immaginazione, attraversando spazi pubblici e privati della città, viene sopraffatto da una sempre più invadente impressione di «prossimità» tra la città colpita dall'eruzione e il nostro presente. Tale vivida sensazione è suscitata innanzitutto dalle straordinarie tracce del quotidiano che il sito ha riconsegnato e continuamente restituisce, in un movimento incessante di sottrazione alla terra di manufatti e dati. Una quotidianità che riaffiora nella sua più semplice ritualità degli atti che si consumano nel comune vivere giornaliero. Oggetti e parole trasmesse da scritte e dipinti murari, che istintivamente siamo portati a confrontare con i nostri graffiti e con l'uso che ne facciamo; tracce di azioni e gesti che istintivamente trasponiamo con le azioni del nostro quotidiano, del nostro contemporaneo[2].

Percorrere le vie basolate della città, attraversarle da un marciapiede all'altro poggiando i piedi sulle pietre carraie; affacciarsi sulle soglie delle *domus*, traguardandone l'asse visuale fino ai piccoli giardini o ai grandi peristili; fermarsi a poggiare le mani sui banconi di bar e ristoranti (*thermopolia* e *cauponae)*, entrare negli spazi interni di *tabernae* e botteghe d'artigiani: tutto questo richiama alla mente la nostra dimestichezza con gli spazi urbani, la vitalità delle strade mediterranee (che proprio da quelle esperienze traggono origine) (Fig. 1). Da un lato l'interesse è attratto – in maniera giusta o sbagliata, ma qui poco conta – dalla possibilità di trovare un inizio, di dare un'origine alle nostre esperienze e alle nostre maniere di vivere, dall'altro affascina l'idea del confronto e di scoprire tratti di affinità con il passato che permettono di travalicare il tempo che ci separa da allora, lo iato fra ieri e oggi, atteggiamento che tradisce forse l'illusione umana di una continuità nel futuro. A Pompei siamo colti, consapevolmente

Fig. 1 Vista dall'alto la città, con il suo intrico di strade, case e botteghe, restituisce un'immagine moderna e al contempo antica e familiare; al cui confronto con la realtà attuale nessun viaggiatore si sottrae.

o inconsapevolmente, da improvvise «resurrezioni della memoria», per citare lo smarrimento di Marcel Proust cui anche il titolo di questo libro allude: al riaffiorare casuale (generato da gesti, odori, percezioni sensoriali del presente) di istantanee del quotidiano sepolte nel subconscio[3], lo sguardo sulle rovine suscita la memoria del passato, come se quel passato stesso fosse il nostro personale.

Jean Cocteau, in visita nel marzo 1917 con un gruppetto straordinario composto da Pablo Picasso e Léonide Massine, in una lettera alla madre scriverà parole indimenticabili sulla sua esperienza pompeiana[4]:

> *Ma chérie, Nous sommes de nouveau à Rome après voyage Naples, d'où Pompéi en auto [...]. Le Vésuve fabrique tous les nuages du monde. La mer est bleu marine. Il pousse des jacinthes sur les trottoirs. Pompéi ne m'a pas étonné. J'ai été droit à ma maison. J'avais attendu mille ans sans oser revenir voir ses pauvres décombres. Je t'embrasse. Jean.*

> Mia cara, siamo di nuovo a Roma dopo un viaggio a Napoli da dove abbiamo raggiunto Pompei in auto [...]. Il Vesuvio fabbrica tutte le nuvole del mondo. Il mare è blu marino. Scaglia giacinti sui marciapiedi. Pompei non mi ha sorpreso. Sono arrivato dritto a casa mia. Avevo atteso mille anni senza osare ritornare a vedere le sue povere rovine. Ti bacio, Jean.

Questo richiamo alla familiarità delle rovine, alla possibilità di riconoscerle nel subconscio della nostra memoria, un «ritorno diretto a casa propria», rimanda a quella «prossimità» del passato che a Pompei sembra improvvisamente risorgere[5].

Dallo street food ai gioielli al gusto per i giardini, passando per quella natura che penetra nelle case, per gli spazi domestici che Goethe coglieva come «insignificanti» e Le Corbusier, di ritorno da Atene, percepiva invece come modello «mediterraneo» da imitare, e ancora le fontane sulle strade, i sistemi fognari ecc., tutto avvicina Pompei a noi in maniera impressionante: da città morta si fa d'improvviso vivissima e attualissima[6]. E se alcuni aspetti possono dare l'impressione di essere ormai obsoleti, immediatamente – almeno ai visitatori che per appartenenza generazionale serbano memoria della società meridionale prima della rivoluzione tecnologico-informatico-digitale, o a chi ha sentito dire, ha letto, ha ascoltato degli usi e costumi della generazione dei nonni – vengono in mente tratti di quella civiltà «premoderna» che fu, o meglio è stata, in molte aree d'Italia, la cifra della vita quotidiana e della sociabilità fino a pochi decenni fa. Si pensi alle fattorie nel suburbio di Pompei, come la Villa Regina di Boscoreale, con i vigneti a circondarla e gli spazi interni con il torculario per pigiare l'uva, le grandi giare (dolii) per depositare il vino, le finestre e le porte cristallizzatesi nel calco in gesso: tutto così immediatamente riconoscibile, così simile alle nostre fattorie del Novecento, ai nostri paesaggi agrari[7] (Figg. 2a-b FT). O si pensi ancora alle insegne delle attività commerciali e delle botteghe, ai manifesti elettorali dipinti sui muri, come capita ancora di vedere nei nostri paesi, retaggio di un passato non troppo lontano.

Tra gli aspetti più intriganti che Pompei ci ha restituito della quotidianità del passato, sono soprattutto i graffiti a colpire la nostra attenzione, stuzzicando la nostra curiosità. Ci offrono infatti una possibilità unica di scavalcare – annullandolo – l'intervallo di tempo che ci separa dal momento in cui sono stati vergati, concedendoci di ritornare a quel *hic et nunc* in cui qualcuno con uno stilo incise un messaggio, pensato per uso solo immediato, su una parete[8]. Le scritte occasionali sui muri, le parole che hanno attraversato il tempo, sono l'aspetto che più di ogni altra cosa ci avvicina agli antichi. Negli spazi urbani e domestici, ovunque ritroviamo disegni, scarabocchi e frasi, poetiche e meno poetiche: invettive da strada, battute sarcastiche, scurrili evocazioni sessuali, citazioni letterarie, dichiarazioni d'amore. Una tale quantità di parole nei luoghi più impensabili, dall'intimità domestica ai grandi edifici pubblici, veniva incisa sui muri, in maniera talmente pervasiva, che un simpatico buontempone (o più di uno, visto che la scritta ritorna con varianti anche su altre pareti), aggiungendo anche il suo contributo su quei muri iscritti, come nelle gallerie interne dell'Anfiteatro (CIL IV 2487), aveva un giorno osservato:

Admiror te paries non c(ecidisse) qui tot scriptorum taedia sustineas

Mi meraviglio, parete, che tu non sia ancora crollata, giacché devi sopportare una tale quantità di sciocchezze da parte di quelli che ci scrivono!

E nella varia umanità che riemerge da quei messaggi in bottiglia giunti a noi dal «naufragio» di una città intera come Pompei, molti testi impressionano per quel ritorno così prossimo e familiare su temi eterni, o meglio eternamente contemporanei come l'amore, l'amicizia, la nostalgia, il rancore, la spavalderia, il sesso, declinato in tutte le sue accezioni. E poi ancora citazioni di poeti, ripetizione a memoria di versi appresi, esercizi di bravura e virtuosismi di allievi diligenti, orgogliosa manifestazione di cultura letteraria[9].

Si pensi che il primo verso del I Libro dell'Eneide ricorre ben 17 volte sulle pareti pompeiane. In un caso, un brillante vesuviano di duemila anni fa adatta il verso a celebrare i *fullones,* i tintori e conduttori di lavanderie, che con il loro potente *collegium* avevano un ruolo significativo nella vita sociale ed economica della città. Un peso che poteva anche orientare le competizioni elettorali[10]:

Fullones ululamque' cano, non 'arma virumque

Non canto l'eroe e le sue armi, ma i *fullones*

Ma sono soprattutto gli scritti amorosi a segnare insistentemente le pareti: come sottolineato dal soprintendente Amedeo Maiuri, «l'impero di Venere si coglie a Pompei dalla voce dei graffiti»[11]. E aggiunge Marcello Gigante: «Nei graffiti possiamo individuare alcuni aspetti concreti del canto del sentimento amoroso, situazioni spirituali rappresentate con nativa e sincera generosità. I versi hanno valore umano e, non sempre, pregio poetico: appare un'umanità fatta di gentile ironia e di violenza plebea, di sconcio priapismo e passione molle, di candore e turpitudine, del senso malinconico della vita effimera e della dolcezza piena dell'attimo fugace, di scurrilità buffonesca e di contenuta amarezza»[12].

Si pensi al bel gruppo di versi di un trepido quanto malinconico amante, che non sembra essere proprio corrisposto dal suo oggetto del desiderio. Alle sue lamentazioni ed effusioni sentimentali fa eco una seconda persona che aggiunge il quinto verso consolatorio, sotto il testo del primo, esortandolo a sperare ancora[13]:

Si potes et non vis, cur gaudia / differs
Spemque foves et / cras usque redire iubes?
[er]go coge mori, quem / sine te vivere cogis; /
Munus erit, certe non / cruciasse boni.
'quod spes / eripuit spes certe redd[i]t amanti

Se puoi e non vuoi, perché rimandi le gioie, perché rinfocoli la speranza e mi dici di tornare sempre domani? Costringimi dunque a morire, poiché mi costringi a vivere senza di te. Certo, sarà il dono di un'azione buona la fine del mio tormento.
La speranza certo restituisce all'amante ciò che gli ha sottratto

Tra citazioni di Tibullo e motivi ovidiani, il nostro colto amante deluso rimanda con i suoi versi a un ambiente in cui la civiltà letteraria latina doveva essere quanto mai familiare, ovviamente nelle classi più elevate. I testi di Virgilio, Ovidio, Lucrezio dovevano essere studiati a scuola e far parte dunque della cultura generale delle fasce alfabetizzate (che a Pompei sembra abbastanza ampia).

Si pensi ancora, tra le frasi amorose, al celebre graffito rinvenuto nel peristilio della Casa degli Amanti (I, 10,11)[14], dove al motteggio sentimentale della prima mano, una seconda, più scettica, aggiunge un simpatico commento (Fig. 3):

Fig. 3 Nella Casa del Casti Amanti (I, 10, 11), su una delle pareti, si legge un graffito con una celebre e poetica similitudine: «Gli amanti fanno, come le api, una vita dolcissima». Meno nota però è la risposta che una mano ignota e dileggiatrice appose alla stessa parete: «Mi piacerebbe».

Amantes ut apes vita mellita exigunt. Velle

Gli amanti fanno, come le api, una vita dolcissima. / Mi piacerebbe!

In molti altri invece l'effusione sentimentale si trasforma in un motteggio osceno e sarcastico, come sul lungo graffito inciso presso la porta posteriore dei Predia di Giulia Felice:[15]

(Cum) de(d)uxisti octies tibi superat ut abeasse decies coponium fecisti cretaria fecisti salsamentaria fecisti pistorium fecisti agricola fuiste aere minutaria fecisti propola fuisti laguncularia nunc facis si cunnulinxse eris consummaris omnia

Visto che hai cambiato lavoro otto volte, non ti resta che farle diventare sedici. Hai lavorato come cuoco, hai fatto vasi, il salumiere e il fornaio, sei stato contadino, hai prodotto cianfrusaglie in bronzo, sei stato venditore ambulante, ora fai boccali. Se avessi leccato anche fiche, avresti fatto proprio di tutto

Tali graffiti ci affascinano e ci toccano nel profondo perché in essi ritroviamo facilmente tratti della nostra civiltà, delle nostre attitudini, del nostro modo di pensare la poliedricità dei rapporti con l'altro, spesso con quel lieve scarto che ci rassicura sulla distanza e dunque sulla nostra presunta evoluzione nei costumi e nella nostra *humanitas*. I graffiti ci fanno riflettere sulla prossimità del passato a Pompei.

Iscrizioni nella Casa del Giardino

Non ci sorprende che anche dai recentissimi scavi i graffiti siano emersi in gran quantità, sulle strade come nelle case. E non poteva fare eccezione certo la Casa di Orione o quella dei dirimpettai che abitavano la Casa del Giardino. Cominciando da quest'ultima, non avendola ancora presentata, aggiungo qui una breve premessa in modo che il lettore si possa orientare (Fig. 4).

Si accede alla *domus* dal lato orientale della via; l'impianto è irregolare, con atrio rettangolare in posizione decentrata rispetto al monumentale ingresso, inquadrato da due capitelli cubici e una cornice in stucco fortemente aggettante. È evidente che nella prima fase (II secolo a.C.) la casa doveva avere un impianto più canonico, probabilmente con atrio tuscanico, del tutto stravolto nella fase più recente di occupazione[16]. Le *fauces* (11) (Fig. 5) presentavano un rivestimento in intonaco bipartito, la parte superiore in intonaco grezzo, quella inferiore con un alto zoccolo di colore rosa, aggettante, in cocciopesto. Dal corridoio di ingresso si accede a un atrio (5), decorato come l'ingresso. Il piano di calpestio delle *fauces* e dell'atrio al momento dell'eruzione era privo di rivestimento: i lavori di ristrutturazione, come abbiamo visto per altre *domus*, fervevano in questa parte della casa. A nord dell'atrio ci sono sette vani (6, 4, 12, 13, 14, 15, 16); tra questi, l'ambiente 6, corrispondente alla cucina,

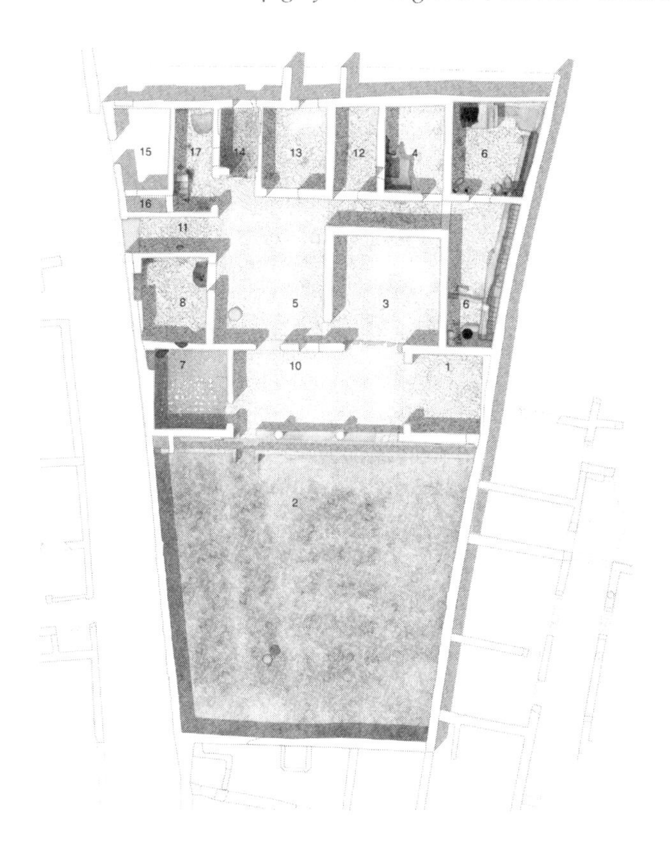

Fig. 4 Pianta ricostruttiva della Casa del Giardino nella Regio V. La domus presenta un impianto irregolare, dovuto alle modifiche occorse negli ultimi anni di vita, quando venne ristretto lo spazio dell'atrio (5). Le aree funzionali sono relegate nella parte retrostante a nord (6) mentre il settore ad est si caratterizza per la concentrazione di ambienti destinati al relax e allo svago (Elab. L. Ferro).

posta all'estremità orientale della casa, che conservava ancora *in situ* il tetto a un unico spiovente con *opaion* centrale (l'apertura circolare nel tetto per permettere al fumo di fuoriuscire) e sima angolare con leone a tutto tondo, elemento quest'ultimo chiaramente riutilizzato e messo in opera in una posizione non consueta (Fig. 6).

La cucina è collegata all'atrio mediante un corridoio (9) sul quale si apre anche la porta di accesso a un altro ambiente (12), probabilmente una dispensa. A sud dell'ingresso, aperto a est sull'atrio, è un

Fig. 5 Le fauces, viste dall'atrio, mostrano la continuità decorativa dei due settori della casa, caratterizzati da una decorazione bipartita cosiddetta «a zona»: zoccolo rosa in cocciopesto e intonaco grezzo nella parte superiore.

cubicolo a pianta rettangolare (8). Anche questo vano, come l'atrio e le *fauces*, ha pareti rivestite da intonaco grezzo nel registro superiore e da cocciopesto rosa in quello inferiore; lo zoccolo è però qui decorato con foglie d'acqua su fondo nero. Il pavimento è in cocciopesto. Sulla parete occidentale si apre una finestra strombata verso il vicolo; nel settore inferiore, sempre sulla stessa parete, è l'incasso di un basso armadio.

A sud dell'atrio si apre su un bel vano porticato (10), con pareti decorate in IV stile con genietti al centro di pannelli monocromi rossi e gialli e teoria di foglie d'acqua sul muretto a sostegno delle colonne (Fig. 7). Il pavimento è in semplice cocciopesto. Poggiati su quest'ultimo erano ancora *in situ* diversi oggetti, tra i quali un braciere in ferro e vasi in terracotta. Sul portico si affacciano a ovest e a est, in posizione speculare, due stanze da soggiorno (7 e 1), con funzione

Fig. 6 Nel contesto privilegiato di Pompei, dove le case sono state distrutte da un'azione improvvisa e non dal trascorrere inesorabile del tempo, è possibile ritrovare i tetti ancora in situ. Tale testimonianza consente di effettuare delle accurate operazioni di ricostruzione delle coperture.

di *cubiculum* diurno e di *oecus,* una stanza per il relax quotidiano[17]. Il primo presenta pareti in IV stile con pannelli a fondo bianco scanditi da architetture prospettiche, vignette con pavoni e ciliegie e stambecchi in campo libero. La decorazione è attribuibile verosimilmente alla bottega chiamata di Via di Castricio, per i suoi lavori testimoniati soprattutto in quella zona di Pompei[18]. Il pavimento è in cocciopesto con inserti di marmi (*sectilia*) bianchi. Il secondo presenta pareti decorate in IV stile con quadretti idillico-sacrali al centro di pannelli rossi alternati ad altri gialli con scorci di architetture prospettiche e genietti (Fig. 8). Edicole, ghirlande e cigni su fondo nero decorano lo zoccolo. Sul pavimento erano un treppiede in ferro e una patera in bronzo, quest'ultima chiaramente in caduta dal supporto originale al momento dell'eruzione. In entrambi gli ambienti laterali, ambiente 1 e 7, nonostante la stratigrafia più alta sconvolta dal passaggio di

Fig. 7 L'area del portico colonnato (10) vista dalla porta del cubiculum (7). Le due colonne sono dipinte in bianco e rosso, mentre i muretti che chiudono gli intercolumni e i due pilastri angolari sono decorati da teorie di foglie d'acqua. Il motivo ricorre spesso in questa tipologia di ambienti, quasi a voler sfumare il passaggio da uno spazio chiuso a quello aperto del giardino.

cunicoli, è stato rintracciato il crollo della decorazione ad affresco dei soffitti realizzati su incannucciata.

Sul portico si affaccia un ultimo ambiente di rappresentanza (3), un grande triclinio, comunicante a est anche con l'atrio (Fig. 9a FT). Le pareti affrescate presentano ampi riquadri e scene mitologiche. Sulla parete orientale è Adone tra Venere e un amorino, sul lato opposto, Eracle al cospetto di Deianira o di Omphale. Sulla parete settentrionale, al centro, Venere pescatrice con un amorino, mentre sulla sua sinistra un clipeo con ritratto femminile[19] (Fig. 9b FT). Il pavimento dell'ambiente è in cocciopesto. Provengono da questo locale una brocca di bronzo con ansa ageminata in argento, un manufatto elegante che ben si addice alla bella stanza.

Fig. 8 La ricostruzione della parete ovest dell'oecus 1 della Casa del Giardino. La decorazione è in IV stile, riconoscibile per la classica tripartizione della parete in senso orizzontale e verticale in cui il pannello centrale è incorniciato da architetture prospettiche (che richiamano elementi decorativi del II stile), ulteriormente arricchite da festoni e animali, sospesi su uno sfondo monocromo (Elab. H. Naudeix).

A sud del portico è un'ampia area aperta destinata a giardino (2), delimitata a nord da un profondo canale che, bordando tutto il portico, sfocia nella fogna che delimita il vicolo dei Balconi[20]. Collegata al canale e ricavata con un muretto divisorio a ovest del giardino, infine, una piccola latrina.

In situ nello spazio aperto del giardino, in posizione decentrata, era una mensa ricavata sfruttando il sostegno scanalato di una vasca marmorea (*labrum*) e di una soglia ritagliata: l'elegante decorazione dei giardini romani qui viene trasformata in un piano di lavoro[21]! Negli angoli sud-orientale e nord-settentrionale del giardino, gruppi di anfore. Nell'angolo sud-occidentale, invece, era un cumulo di macerie pertinenti a un soffitto affrescato che reca ancora l'impronta dell'incannucciata sulla parte posteriore. Come nel caso dell'atrio e delle *fauces*, anche il giardino era in ristrutturazione, come mostrano sia i cumuli di macerie ancora presenti sia il *labrum* trasformato in provvisorio piano di appoggio. Le analisi archeobotaniche, tuttora in corso, hanno evidenziato la destinazione dell'area: arbusti di tipo orticolo e alberi da frutto, distribuiti disordinatamente all'interno di un terreno scandito da canali paralleli per l'irrigazione.

Una parte della casa al momento dell'eruzione era in corso di ristrutturazione, come abbiamo visto; una situazione di work in progress che è testimoniata anche dalla mancata rifinitura del canale nel giardino e dall'apparente abbandono dello spazio sfruttato a verde. Tale stato caratterizza solo alcuni ambienti, mentre la maggior parte dello spazio domestico era in uso. In particolare è l'atrio a restituire documenti di un uso provvisorio del vano quale cuore del cantiere, come attestano una macina fuori uso, riutilizzata qui come vasca per impastare la malta, e le anfore stoccate insieme a pietrame nell'angolo sud-occidentale (Fig. 10). Questo dato è particolarmente importante, come vedremo, per poter intendere correttamente un documento epigrafico, dall'alto valore storico, scoperto proprio in questa stanza.

Portiamo ora l'attenzione su graffiti e iscrizioni: questa casa ha restituito numerosi documenti di grande interesse. Si tratta di epigrafi e disegni realizzati a gesso e a carboncino, o incisi con uno stilo, individuati un po' ovunque. Nella stanza da letto che si apriva entrando nell'atrio a destra, un buontempone aveva disegnato col gesso un fallo proprio sulla parete al di sopra della testata del letto. Forse potrebbe essere inteso come un indizio dell'uso promiscuo di questo vano: sappiamo infatti che non era infrequente la presenza di schiave destinate alla prostituzione, da cui il *dominus* doveva trarre lucro, come del resto è noto che alcune ancelle potevano essere anche destinate a prestazioni sessuali di cui poteva usufruire la *familia* di schiavi domestici[22]. La posizione particolare della stanza, posta immediatamente allo sbocco delle *fauces*, e dunque in diretto contatto con l'esterno della casa e con eventuali visitatori estranei al nucleo

Fig. 10 Nell'atrio è stata individuata la parte superiore di una macina (catillus), riutilizzata come vasca per impastare la malta. L'atrio aveva assunto la funzione di cantiere provvisorio per i lavori di ristrutturazione in corso nella casa. Si era soliti riutilizzare tutto quanto era immediatamente disponibile, per poter procedere velocemente al completamento dei lavori.

Fig. 11 Cubiculum 8. La stanza è caratterizzata dal tradizionale incasso per il letto. Al di sopra di quella che doveva essere la testata del letto, è ancora visibile il disegno a gessetto di due falli.

familiare, potrebbe rimandare proprio allo sfruttamento della prostituzione a vantaggio del *dominus* (Fig. 11).

La maggior parte dei documenti è distribuita comunque soprattutto sulle pareti dell'ingresso e dell'atrio. Sul muro meridionale dell'ingresso, nello spazio immediatamente esterno alla porta di casa (e dunque raggiungibile con facilità senza essere visti da chi transitava lungo il vicolo dei Balconi), un perditempo, che doveva amare il motteggio licenzioso ha inciso due graffiti scurrili: «*Leporis fellas*» e «*Lucius cunnilingus*» (Fig. 12). Un'invettiva per una donna e una per un uomo. Nella prima scritta ci si riferisce a una donna, di nome Leporis[23], alla quale si attribuisce una consuetudine nei rapporti orali (forse era lei la schiava votata alla prostituzione?); nella seconda il riferimento a un uomo di nome Lucius, cui si attribuisce una predisposizione nel rapporto orale con partner femminili. Non c'è che dire, le iscrizioni sembrano dotate di uno spiccato senso per le pari opportunità[24]!

Entrati nell'atrio, le sorprese continuano. Le mura della stanza sono piene di iscrizioni graffite, disegni, caricature e una straordinaria iscrizione a carboncino. Una cosa non certo singolare se si pensa che nell'atrio della Villa dei Misteri era stata incisa la caricatura di un volto maschile, forse del padrone di casa, caratterizzato da calvizie e da un nasone, corredata dall'iscrizione: «*Rufus est*»[25] (Fig. 13). Ma nel nostro caso la situazione è diversa, iscrizioni e disegni sono pervasivamente distribuiti in tutta la stanza, comunicando la forte impressione di uno spazio temporaneamente fuori uso.

Prima di passare a presentare quest'ultima scoperta – che contribuisce a dare nuova forza alle ipotesi di chi credeva a una data autunnale (ottobre? novembre?) e non estiva (24 agosto) della fatidica eruzione –, va ribadito lo stato in cui è stata rinvenuta questa stanza. Come si è detto, mentre gran parte della casa era pienamente fruibile e abitata (come attesta il rinvenimento di dieci vittime, tra donne e fanciulli, trovate in un *cubiculum* che si apriva sull'atrio a ovest), nell'atrio e in questa stanza, come anche nell'ampio giardino, i lavori di ristrutturazione fervevano.

Sulla parete est dell'atrio, presso l'estremità settentrionale, dunque vicino al corridoio che dava nella parte «privata» della casa, ad

Fig. 12 «Leporis fellas», questo è uno dei graffiti incisi sulla parete d'ingresso della casa del Giardino. Il dileggio e la scurrilità sono un elemento caratterizzante una larga parte delle iscrizioni pompeiane. La frequenza con cui appaiono tali graffiti è però indice della familiarità che una importante parte della popolazione deve aver avuto con con la scrittura e la lettura.

Fig. 13 Anche nella Villa dei Misteri, una delle più lussuose residenze pompeiane, non mancano tracce di una vitalità popolaresca che, anche attraverso il disegno e la caricatura, si prendeva gioco dei ricchi e potenti domini della città.

altezza compatibile con la statura di un adulto, era stato scritto a carboncino un appunto insignificante nel contenuto quanto fondamentale nelle conseguenze storiche (Fig. 14).

Il testo ha suscitato un'immediata vivace reazione nel web, dopo la prima presentazione ai media. È stata letta, ritengo in maniera del tutto attendibile, da Giulia Ammannati, che ne sta preparando l'edizione scientifica:

> *XVI K NOV IN OLEARIA / PROMA SUMSERUNT [...]*
>
> sedici giorni prima delle calende di novembre hanno preso nella dispensa olearia [...]

Il verbo «*sumserunt*» (che sta per la forma corretta «*sumpserunt*») sembra indicare che qualcosa sia stato preso o deposto nella cella olearia, ossia nella dispensa dell'olio. Purtroppo il complemento oggetto retto da *sumserunt* – che ci avrebbe fatto capire che cosa si stava registrando in riferimento alla dispensa – è stato cancellato in antico, non sapremo mai perché[26]. Il verbo *sumserunt* può significare sia «hanno preso» nel senso di «ricevuto» (si tratterebbe di un'entrata) sia «hanno preso» nel senso di «prelevato» (si tratterebbe di un'uscita)[27]. Quale che sia il senso corretto da attribuire alla forma verbale, sembra evidente trattarsi di un'iscrizione relativa alla gestione domestica. Il riferimento a una dispensa, che si doveva trovare nei pressi della parete iscritta, è chiaro: la *olearia proma* è evidentemente da identificare in uno dei due ambienti posizionati lungo il corridoio che porta alla cucina.

Dal punto di vista paleografico, nonostante i dubbi sollevati nell'acceso dibattito telematico, non sembrano esserci punti di lettura difficili che possano rimandare ad altre interpretazioni. Come giustamente segnala la Ammannati

> l'unica lettera che definirei «mal riuscita», in un'esecuzione corsiva che ammette per sua natura tali inceppamenti, è la secon-

Fig. 14 XVI K NOV IN OLEARIA /PROMA SUMSERUNT [...] «Sedici giorni prima delle calende di novembre, hanno preso nella dispensa olearia [...]». Il calendario romano, basato originariamente sul ciclo lunare, indicava col termine calende il novilunio, con idi il plenilunio, mentre le nonae erano il periodo intermedio fra i due. Gli altri giorni del mese non avevano nome e venivano indicati contando i giorni mancanti alle successive calende, idi o nonae, a seconda di quale fossero le più prossime.

da s di *sumserunt*. La lettura, tuttavia, mi pare indubbia: assai probabilmente siamo in presenza di un'esecuzione corsiva in un solo tempo della lettera (normalmente eseguita in due movimenti), in cui la mano non stacca fra primo e secondo tratto e dunque si materializza (così si dice in paleografia) il tratto aereo fra la fine del primo tratto discendente e l'inizio del secondo ascendente. È un fenomeno del tutto noto in paleografia, che personalmente non mi pone alcun problema. D'altronde l'interpretazione è garantita da tutto il contesto, in cui non ci sono altri segni minimamente dubbi, e che restituisce un'espressione assolutamente plausibile sia linguisticamente sia nel contesto[28].

Al di là del senso da dare alla banale registrazione di movimenti nella dispensa domestica – un appunto preso da chi era addetto alla cura degli affari domestici, forse uno schiavo alfabetizzato –, il dato più straordinario è la possibilità di individuare per l'eruzione una data di due mesi posteriore a quella tradizionale. A leggere l'iscrizione con quell'indicazione temporale – sedici giorni prima delle calende di novembre, ossia il 17 ottobre – si dovrebbe dedurre che l'eruzione non sia avvenuta il 24 agosto, ma piuttosto due mesi dopo, o comunque in autunno.

Ma le cose non sono mai così semplici quando si ha a che fare con le labili e lacunose testimonianze che ci arrivano dal passato. In effetti l'obiezione che è stata sollevata da più parti, soprattutto dagli amanti della comunicazione via web, è che non essendoci il riferimento all'anno, che di solito veniva indicato attraverso il nome dei consoli in carica, la data può anche riferirsi ad anni precedenti. Al riguardo è dunque necessario segnalare un aspetto fondamentale: al di là del fatto che l'iscrizione a carboncino sia per sua natura effimera e non destinata a durare a lungo (ma questo è un argomento non determinante, il carboncino in teoria si sarebbe potuto conservare per un anno), il dato forte viene dalla considerazione del contesto.

In archeologia la considerazione del contesto è imprescindibile[29]: solo portando l'attenzione su tutti i dati reperiti in associazione al reperto che stiamo considerando (che sia un contesto stratigrafico, ossia lo strato di terra in cui il reperto è contenuto, o lo spazio di una stanza, o l'associazione di un assemblaggio di vasi in una tomba) possiamo sperare di giungere per approssimazione alla decodificazione di un tratto del passato che è all'improvviso riemerso.

Nel nostro caso il contesto è l'atrio – ossia una stanza fondamentale nell'articolazione degli spazi della vita domestica – di una casa che era in ristrutturazione al momento dell'eruzione. Nessun pavimento, tracce di lavoro ovunque, un contenitore per realizzare la malta con cui rivestire pareti e pavimenti, anfore per contenere materiali da costruzione appoggiate alle pareti. E ovunque sulle pareti (da ristrutturare, aggiungerei) scarabocchi, caricature, schizzi, conti, iscrizioni incise, e questa in carboncino su cui portiamo qui la nostra attenzione.

Si tratta di esternazioni di operai impegnati nei lavori di ristrutturazione, conti fatti da schiavi o membri della *familia,* divertimenti di bambini[30]. Tutto questo era destinato a durare giorni, mesi, evidentemente il tempo della ristrutturazione della stanza: difficilmente possono essere rimasti su quelle pareti per un anno, come difficilmente si può pensare che proprio i lavori nella stanza principale della casa fossero in corso da oltre un anno, mentre la famiglia continuava ad affaccendarsi, ricevere, dormire, negli ambienti circostanti. Direi che la *lectio facilior* è di pensare ai lavori in corso di quelle settimane che precedettero l'eruzione, durante i quali le pareti erano state trattate come supporto per appunti, scarabocchi o motteggi da pausa lavoro.

Altre case, altre iscrizioni

Un caso analogo, molto vicino al nostro, è stato rinvenuto in una dimora del territorio di Ercolano, Villa Sora, una grande residenza marittima posta sulla costa ai piedi del Vesuvio[31]. Qui sulla parete di un vestibolo della villa in corso di ristrutturazione al momento dell'eruzione, è stato rinvenuto il graffito.

*K(alendas) NOVMRES TRIPIC[T]UM A XIV *I*

alle calende di novembre (sarà) dipinto con tre colori al costo di un sesterzio e quattordici assi

Il testo può essere interpretato come una sorta di preventivo di spesa, contenente l'indicazione del tempo restante per completare i lavori (ossia le calende di novembre, il primo giorno del mese), che prevedevano la decorazione delle pareti con un triplice strato di intonaco o con tre colori (ma difficile resta l'interpretazione del termine «*tripictum*», non altrimenti documentato). Il costo dei lavori era abbastanza modico, un sesterzio e quattordici assi[32]. Se nel caso precedentemente trattato l'appunto riguardava attività domestiche svolte in casa mentre nella stanza fervevano i lavori, il graffito di Villa Sora ci restituisce un documento della stessa attività di ristrutturazione in corso: in entrambi i contesti diventa difficile immaginare che i rispettivi appunti si riferissero ad anni precedenti e che fossero rimasti su pareti che attendevano da molto tempo di essere ridecorate.

Più che la presenza di fichi secchi e maturi in case e botteghe pompeiane, o di melagrane (in un edificio di Oplontis, la cosiddetta Villa B, addirittura 10 quintali, avvolte nella paglia intrecciata), che da tempo hanno fatto pensare a una data autunnale dell'eruzione[33], sono proprio queste due iscrizioni che possono contribuire a sciogliere un dubbio storico su cui si riflette da oltre un secolo (Fig. 15). E se si considera che per la data del 24 agosto in fondo ci affidiamo

Fig. 15 Una notevole quantità di melegrane venne ritrovata nella villa B di Oplonti. Queste erano originariamente avvolte nella paglia, secondo una tecnica tradizionale, ancora largamente in uso nel Sud Italia, che permetteva la completa maturazione del frutto una volta raccolto.

alla tradizione manoscritta delle famose lettere di Plinio il Giovane – che raccontano dell'eruzione e della morte di suo zio Plinio il Vecchio –, tramandata da codici medievali non tutti univoci nell'indicazione temporale, la testimonianza dei nostri poveri graffiti, vergati da mani non proprio avvezze alla scrittura, risulterebbe più fededegna. La mano allenata ma distratta di un monaco del X secolo, infatti, potrebbe aver trascritto settembre invece di novembre, dando origine a uno di quegli assiomi della storia che ritrovamenti banali potrebbero spazzare via di colpo. 24 ottobre *versus* 24 agosto 79 d.C.[34]

Anche nella Casa di Orione (su cui ancora torneremo), appena entrati nelle *fauces* ci imbattiamo in numerosi graffiti, alcuni chiari, altri illeggibili, altri ancora cancellati già in passato, evidentemente perché osceni o ingiuriosi. Entrando in casa, sulle superfici rivestite dagli stucchi in I stile, nel corridoio di ingresso sulla destra si distinguono graffiti con ritratti caricaturali, poi il disegno di un gladiatore – uno degli schizzi prediletti a Pompei, come prediletti erano i giochi dell'Anfiteatro; poco distante una data, parole e nomi, alcuni dei quali visibilmente abrasi in antico; ricorre tra questi quello di Sabinus ripetuto due volte[35]: forse il nome di uno dei proprietari che si sono succeduti nelle ultime generazioni di occupanti della casa (Fig. 16)? Come nelle *fauces*, anche nell'atrio alcuni graffiti interessano i muri perimetrali, in particolare i pilastri d'anta nel registro mediano, appena si entra a destra.

Uno dei graffiti riporta in latino minuscolo due nomi, uno femminile greco, l'altro maschile latino: «*Atenais balbu*»[36] (Fig. 17). Il nome ritorna nella casa anche altrove, dove sembra riferito a una prostituta, e non è scritto correttamente – *Athenais* è la forma corretta. Chi ha scritto ha riportato il nome greco in alfabeto latino, nella maniera in cui sentiva pronunciare, ossia omettendo l'aspirazione della Teta, trascritta con una semplice T e non con TH, come si dovrebbe. Si riferisce dunque a una donna di origini greche che, come gran parte delle fanciulle elleniche che hanno lasciato memoria di sé sulle pareti pompeiane, doveva essere schiava e/o prostituta[37]. Chi ha scritto non padroneggia la lingua greca – ma nemmeno la

Fig. 16 Casa di Orione, fauces. Su uno dei pannelli decorati in I stile si vedono una serie di graffiti, alcuni cancellati, altri ancora visibili, come quello di un Sabinus, nome frequentemente attestato nella società romana.

latina a giudicare da come scrive l'altro nome associato, una formula onomastica tipicamente romana, *Balbu[s],* trascritta senza S finale. Il nome è ben attestato in area vesuviana, si pensi ai ricchissimi Nonii Balbi di Ercolano, che avevano espresso un senatore, il quale aveva ricoperto la carica di governatore della provincia romana di Creta e Cirene[38]. Che Balbus sia il nome di uno degli occupanti (tra l'inizio del I secolo a.C. e l'eruzione, varie generazioni hanno espresso numerosi *domini*, padroni di casa)non è escluso, ma ovviamente non può che essere una supposizione. Athenais è invece verosimilmente una schiava greca che viveva e lavorava nello spazio domestico. Forse il graffito giocoso, inciso da qualche buontempone, voleva alludere a un legame amoroso che si era stretto tra il padrone e la sua schiava? Una possibilità, anche non troppo peregrina, considerando le testimonianze antiche relative alla frequenza di relazioni tra uomi-

Fig. 17 Nella Casa di Orione, sulla parete nord dell'atrio, è possibile leggere chiaramente Atenais Balbu. Il nome femminile presenta un errore ortografico poiché la corretta dizione sarebbe Athenais. L'errore è dovuto alla trascrizione errata di un nome greco in forma latina. Il nome greco è indizio della condizione servile della donna citata, forse una delle schiave che lavoravano nella casa.

ni liberi e schiave. Restando in area pompeiana, si pensi al famoso bracciale in oro serpentiforme indossato da una vittima rinvenuta in una *caupona* nel sobborgo portuale di Moregine (insieme ad altri gioielli), che all'interno aveva incisa la dedica: «*dominus ancillae suae*», il padrone alla sua schiava[39]. Un regalo che certo lascia immaginare un rapporto che andava ben oltre il semplice legame affettivo, che pur si doveva instaurare nella *familia* tra padroni e schiavi. L'*ancilla* del bracciale doveva essere stata l'amante del padrone di casa, anche se non elevata al rango di concubina né tantomeno manomessa e dunque trasformata in liberta. Allo stesso modo, riguardo alla Casa di Orione, l'anonimo incisore poteva scherzosamente indicare che il padrone di casa «se la faceva» con una delle schiave domestiche. Meno probabile, esattamente come per la vittima di Moregine, che si trattasse di una allusione a un legame diverso, di tipo «economico», ossia connesso con lo sfruttamento da parte del *dominus* di una *ancilla* avviata alla prostituzione – caso noto nel mondo romano e, come abbiamo visto, forse documentato nella Casa del Giardino[40].

La presenza di persone di origine greca, o comunque capaci di scrivere in greco, ritorna altrove nella casa. E la cosa non ci meraviglia se si considera che il numero di iscrizioni greche rinvenute a Pompei è talmente elevato e variegato da essere inferiore solo a quello di Roma[41]. Sulla parete settentrionale del *tablinum*, su uno dei pannelli in stucco rosso, è graffita con punta sottile e incavo poco saliente un'iscrizione in lingua greca su due registri, di non facile lettura, ma una parola si legge chiaramente: δουλομαι, ossia «sono schiavo».

Che sia la stessa persona richiamata nel graffito dell'atrio, Athenais, la greca che qui ricorda il suo status di schiava?

Giustamente è stato sottolineato che la presenza di individui grecofoni e la provenienza di chi scriveva sui muri non possono ricavarsi dalla lingua o dai nomi, che possono rispondere anche a mode e manifestazioni di cultura «esotica», soprattutto in una realtà composita come quella pompeiana, caratterizzata da un accentuato bilinguismo (la vicinanza di Napoli deve aver contato al riguardo). Del resto, nelle manifestazioni linguistiche «la selezione dell'uno o dell'altro codice non è legata alle origini personali, bensì ai contesti e alle funzioni comunicative, oltre che alle abitudini dei singoli»[42].

Le nostre speculazioni alla ricerca di pezzi di biografia delle persone e delle famiglie che hanno vissuto nella casa, tuttavia, non possono che essere e rimanere supposizioni. Supposizioni del resto utilissime, se non determinanti, a stabilire elementi di grande rilievo storico, come – nientemeno – la data dell'eruzione che ha distrutto Pompei e che, al tempo stesso, ci ha regalato il suo preziosissimo patrimonio archeologico.

La biografia della nostra Athenais, invece, si è dissolta insieme alla città dove aveva vissuto.

GLADIATORI E TAVERNE: INTRATTENIMENTO E TEMPO LIBERO

capitolo 5

La vita di piazza

All'incrocio tra il vicolo delle Nozze d'Argento e il vicolo dei Balconi, tra le insule 2 (completamente scavata), 3 (solo parzialmente scavata), 7 e 8 (non scavate), si apre uno di quegli slarghi attestati anche altrove a Pompei che svolgono la funzione di piccole piazze, nel quale confluiscono quattro vie dall'andamento irregolare[1] (Fig. 1). Come nel caso degli slarghi davanti all'ingresso del Foro Triangolare, delle Terme del Foro o di quelle Stabiane, o ancora lungo via Consolare, questo spiazzo doveva essere un punto d'incontro significativo del quartiere, nonché luogo deputato all'approvvigionamento idrico della comunità: dall'intrattenimento serale al rifocillamento diurno, dall'uso dell'acqua agli aspetti fondamentali del fenomeno urbano di epoca romana, molto della vita quotidiana si concentra spesso in questi spazi. Non è un caso, se si pensa al viavai continuo di persone, che sulle pareti degli edifici gravitanti intorno all'area si concentrino manifesti di propaganda elettorale[2] (Fig. 2).

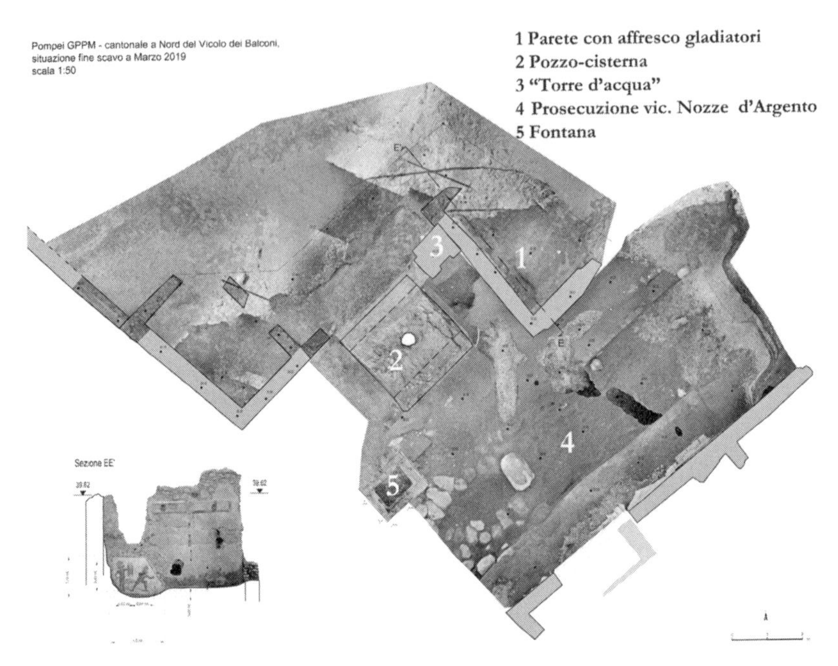

Fig. 1 Pianta dello slargo che si apre all'incrocio tra il vicolo dei Balconi e quello delle Nozze d'Argento, in parte privo dei tradizionali basoli pavimentali (4). La presenza dell'acqua caratterizza marcatamente lo spazio: una cisterna (2), una fontana (5) e una torre piezometrica (3), usata per il controllo della pressione di ricaduta dell'acqua (Elab. Poleis).

In effetti siamo qui in uno di quegli snodi urbanistici di Pompei dove l'impianto conosce una serie di disallineamenti dovuti al lieve cambiamento di orientamento degli isolati[3]. In particolare disassata risulta la via (anonima) di prolunga, oltre l'incrocio verso est, del vicolo delle Nozze d'Argento, che qui prosegue con uno scarto verso nord. In questo crocicchio si concentrano, come anticipato, significativi segni della vita pubblica della città antica: una fontana, una cisterna e una torre piezometrica, destinate all'approvvigionamento idrico urbano, realizzato con l'arrivo in acquedotto dell'acqua del Serino; un luogo di culto per i *lares compitales*, le divinità protettrici degli incroci stradali; due *cauponae* o *thermopolia*, ossia luoghi per il consumo di cibi e bevande [4](Fig. 3).

Fig. 2 All'incrocio da cui si dipartono la via Consolare (a sinistra) e la via di Modesto (a destra) nella Regio VI, si viene a creare un piccolo slargo, analogo a quello scavato nella Regio V. Tali spazi fungevano da luoghi di ritrovo della comunità, come una sorta di piccola piazza rionale.

Fig. 3 Le iscrizioni elettorali, in lettere rosse e nere, definiscono la facciata di tante case pompeiane e ricorrono con frequenza anche in questi spazi del tessuto urbano, in cui la popolazione si riuniva per approvvigionarsi di acqua.

Se lo slargo con le sue strutture idriche è stato completamente portato alla luce nel corso dei nuovi scavi della Regio V, le due estremità nord e sud delle insule 3 e 8 sono state scavate solo parzialmente, in funzione della risagomatura dei fronti di scavo, cui bisognava dare un andamento più consono agli standard di sicurezza che si volevano raggiungere nel sito.

Per quanto riguarda gli apprestamenti legati all'afflusso delle acque, come è noto, Pompei era stata per secoli rifornita d'acqua solo attraverso pozzi e cisterne, pubbliche e private. In età augustea, in un clima di riallineamento agli standard urbani in voga nella capitale, le città della Campania vennero dotate finalmente di acqua corrente facendo arrivare, attraverso una sofisticata rete di ingegneria idraulica, l'acqua del fiume Serino in Irpinia[5]. Giunta a Pompei la diramazione che doveva originarsi tra Sarno e Palma Campania, le acque confluivano presso Porta Vesuvio, il punto più alto dello spazio urbano, in un *castellum aquae*, un collettore di forma circolare, funzionale allo smistamento dell'acqua. Da qui il flusso veniva incanalato attraverso grandi fistule di piombo, che servivano a diramare l'acqua in tre direzioni. La distribuzione si avvaleva di una serie di torri di «troppo pieno» (piezometriche), pilastri alti fino a sei metri, sormontati da una vasca in piombo, funzionante come bacino per regolare la pressione, in modo da renderla costante in tutta la città (Figg. 4-5).

L'acqua destinata alla pubblica fruizione poteva essere approvvigionata attraverso le fontane disseminate in vari punti dell'impianto urbano, tutte di aspetto più o meno simile. Se ne contano ben quarantadue, cui si va ad aggiungere quella da poco scoperta, associata a una nuova torre piezometrica oltre alle tredici già note[6].

La fontana appena portata alla luce, come del resto le altre distribuite nei punti di maggiore traffico in tutta Pompei, è una struttura realizzata giustapponendo quattro grandi lastre di lava, tenute agli angoli da grappe metalliche. Un blocco quadrangolare, addossato alla lastra di fondo della vasca, era funzionale all'allacciamento alla conduttura in piombo, realizzata sulla facciavista posteriore. Grazie a un foro l'acqua scorreva a getto continuo nella vasca; un piccolo

Fig. 4 Vista dello slargo posta all'incrocio fra via di Nola e via del Vesuvio. Una fontana e una torre piezometrica caratterizzano anche in questo incrocio lo spazio. Le fontane simili distribuite in tutta Pompei presentano una decorazione sempre diversa, in questo caso Eracle che uccide il leone nemeo in una delle sue celebri fatiche.

Fig. 5 Il castellum acquae *di Pompei si trova nei pressi di Porta Vesuvio, ovvero in posizione centrale rispetto all'area urbana. L'acqua, in arrivo dall'acquedotto del Serino, era qui raccolta per poi essere ridistribuita in città attraverso tre diversi scomparti; destinati rispettivamente a rifornire le fontane, gli edifici pubblici e le case, garantendo così un ordine di priorità in caso di emergenza.*

foro posto all'altezza del suolo permetteva di svuotarla e procedere dunque alla manutenzione, mentre uno scolo praticato sulla lastra anteriore permetteva all'acqua in eccesso di defluire sul lastricato stradale[7].

La taverna dei gladiatori

Nonostante lo scavo del tutto parziale, su entrambi i lati sono affiorati i resti di due ambienti destinati alla somministrazione di cibi e bevande. Sul lato nord dello slargo è stato scoperto un vano rettangolare che si apre poco a monte della fontana. Purtroppo della sua porta è stato possibile documentare soltanto lo stipite occidentale, ma anche dal poco scavato si comprende che l'ambiente affacciava sul crocicchio con un ampio varco, come è tipico per botteghe e *cauponae*. Sulla parete ovest, nello spazio risparmiato dalla struttura di una scala lignea che conduceva al piano superiore, e di cui è visibile l'impronta negativa lasciata dall'incasso nel muro, un pannello di forma trapezoidale era posto a decorazione del locale (Fig. 6).

Sullo sfondo bianco, delimitata da una fascia rossa, a realizzare una *tabula* di grande realismo e vivacità cromatica, è raffigurata una coppia di gladiatori in azione. A sinistra il combattente in posizione stante, visibilmente da vincitore, è armato come un mirmillone (*mirmillo*), a destra il suo rivale, piegato in avanti e ferito in modo grave, in atteggiamento da soccombente, è armato da trace (*thraex*)[8] (Fig. 7 FT).

Il mirmillone veste un elmo a tesa larga con visiera, cresta angolare e un esuberante pennacchio; il braccio sinistro proteso regge il grande scudo rettangolare, simile a quello dei legionari; il destro, piegato a impugnare il *gladium*, la tipica spada corta romana, è protetto da una manica di metallo. Il torso è nudo, come le gambe, le uniche protezioni si limitano allo schiniere sinistro. L'avversario, come di consueto, è un trace, della categoria dei *parmularii*, ossia dei gladiatori dotati di un piccolo scudo rettangolare. Sul capo ha un elmo a tesa larga sormontato da un alto cimiero e corredato di un'ampia visiera

Fig. 6 La taberna con il pannello raffigurante un duello tra gladiatori non è stata scavata integralmente; l'affresco è realizzato nello spazio di risulta di un sottoscala. L'originaria presenza della scala ha reso necessaria l'adozione di una forma trapezoidale per il dipinto.

dall'apertura a grata a protezione del volto. Il torso è nudo, le sue uniche protezioni sono rappresentate da due schinieri che arrivano fino al ginocchio e da cosciali in strisce di cuoio o metallo sovrapposte a difendere la parte superiore della gamba fino all'inguine. Al braccio destro, nascosto dietro al corpo, porta il parabraccio di metallo. A terra tra i due c'è lo scudo rettangolare (*parmula*) perso dal trace. La scena rappresenta il culmine dell'azione: c'è già un vincitore, che ben eretto e statuario solleva lo scudo con orgoglio; il rivale disarmato è piegato e gravemente ferito, il sangue a fiotti fuoriesce dal polso e da una grande ferita al torace, lasciando ampie macchie sugli schinieri. Morirà? Tutto dipende ora dal desiderio degli spettatori, come vedremo, dal giudizio sull'andamento del combattimento, sul coraggio mostrato comunque dallo sconfitto[9] (Fig. 8).

Il dipinto presenta, dunque, in maniera particolarmente realisti-

Fig. 8 Il trace, gravemente ferito, alza l'indice della mano sinistra, evidentemente per chiedere di essere graziato. In questi casi infatti lo scontro proseguiva finché uno dei contendenti non alzava il dito, in segno di resa.

ca, una scena di combattimento nell'arena, uno di quegli spettacoli (*munera*) gladiatori annoverati tra le manifestazioni più apprezzate in assoluto nel mondo romano. Spettacoli violenti e brutali, soggetti però a regole ben precise, che, a differenza di quanto spesso emerge dai film hollywoodiani, poco lasciavano all'improvvisazione e al caos (a parte le sorprese che potevano giungere da fendenti e colpi ben tirati). Il *munus* era infatti organizzato secondo un ordine rigoroso, scandito in varie fasi, proponendo un abbigliamento e ruoli fortemente standardizzati. Le coppie di gladiatori si esibivano e affrontavano seguendo delle norme, a cominciare dalla selezione degli avversari, da accoppiare preferibilmente in maniera asimmetrica, ossia proponendo gladiatori dall'equipaggiamento diverso. Tra le *armaturae* più apprezzate nella prima epoca imperiale – quella dei nostri gladiatori dipinti – tale asimmetria viene rispettata: se l'inseguitore (*secutor*), abbigliato come il mirmillone ma con un elmo di forma arrotondata (più adatto per proteggersi dalle armi dell'avversario), affrontava nell'arena solitamente il reziario (*retiarius*), munito di rete, tridente e pugnale corto, anche il mirmillone e il trace, come nel nostro affresco, si esibivano solitamente accoppiati[10].

La coppia dei nostri gladiatori ha terminato la sfida. Il mirmillone ha vinto, il trace è in grande difficoltà, ferito e già ripiegato su se stesso. Il combattimento ha visto soccombere il guerriero dall'armamento più leggero, quello che di solito volteggiava attorno all'avversario, giovandosi della maggiore agilità e destreggiandosi in un duello a distanza, tra finte e rapidi affondi. Il mirmillone invece cercava piuttosto lo scontro ravvicinato, sfruttando così il suo pericoloso *gladium*, protetto dal grande *scutum*, che poteva essere usato anche per spingere lo sfidante fino a fargli perdere l'equilibrio. E in tal caso l'assalto con la spada poteva diventare fatale.

Degli esiti possibili dello scontro non abbiamo indizi evidenti, ma possiamo fare delle supposizioni, escludendo con certezza il pareggio. Tra le altre opzioni, le possibilità variavano dalla morte di uno degli sfidanti durante il duello alla capitolazione con o senza grazia, dunque l'uccisione dello sconfitto su incitazione dei convenuti. L'esito meno frequente era appunto la parità (*stantes missi*, ossia «congedati in piedi»), che del resto non sempre era prevista dalle regole del *munus*. In tal caso, se lo spettacolo era stato avvincente, per l'andamento complessivo, grazie al coraggio dei duellanti, che avevano combattuto rispettando le regole con pari dignità, su sollecitazione di spettatori e arbitro il lungo duello poteva essere interrotto: l'onore di entrambi era salvo e anche la vita. Solitamente però il duello si chiudeva con una parte soccombente: uno dei due gladiatori si arrendeva, sfinito o ferito in modo più o meno grave; all'arbitro spettava di interrompere la sfida, trattenendo il rivale vittorioso. Era il momento più singolare – e celebre, grazie alle rappresentazioni cinematografiche – della sfida[11]. L'organizzatore, facendo seguito alle impetuose incitazioni del popolo eccitato dalla lotta, decretava la condanna a morte dello sconfitto o concedeva la grazia. La finzione cinematografica ha inventato di sana pianta il celeberrimo gesto del pollice recto o verso: in giù la condanna, in su la grazia. Il gesto in antico non è mai esistito e non sappiamo se alle forme di acclamazione fosse aggiunto anche un segno specifico, le fonti tacciono al riguardo. Significativo, invece, il gesto della mano del nostro gladiatore soccombente, il quale avanza il braccio sanguinante, portando in alto il pugno chiuso con l'indice puntato, un evidente richiamo all'attenzione dei presenti per chiedere la grazia.

Difficile stabilire a quale esito della gara avesse pensato l'artista, se lo squarcio all'altezza del cuore fosse il preludio di una morte prossima: ferito a morte o sopravvissuto implorante la grazia? Non lo sappiamo, e del resto non è così rilevante. Forse nella scena si potrebbe cogliere anche un aspetto *pulp*, un intento quasi umoristico: i grandi fiotti di sangue che sgorgano dal petto e dal polso, imbrattando l'armamento, danno al rappresentazione un effetto di iperrealismo, che doveva impressionare lo spettatore. Ma non è escluso che l'insistenza sul sangue abbia anche un effetto di parodia[12].

Se la salvezza veniva negata, toccava al vincitore uccidere il rivale con il colpo di grazia, trafiggendolo alla schiena fino a raggiungere il cuore, o con un colpo alla gola. Un'azione difficile, se si pensa che il più delle volte si era costretti a uccidere un compagno di lunga data, con cui si erano condivisi onori e dolori della vita da gladiatore. La raccolta di tutti i documenti disponibili (soprattutto le iscrizioni sepolcrali, ma anche le rappresentazioni con didascalie di mosaici e rilievi) ha permesso allo studioso francese Georges Ville di calcolare che circa l'80 per cento degli scontri doveva concludersi con un atto di clemenza, la concessione della grazia. Del resto sappiamo che, più che lo spargimento feroce del sangue, quello che veramente attirava i tifosi era l'abilità tecnica, la capacità di vincere in un duello chi rispettava le regole e mostrava la superiorità nel condurre il combattimento[13].

Sappiamo poco dell'edificio decorato dall'importante pittura. Dall'articolazione dello spazio, un ampio vano aperto sullo slargo della fontana attraverso un grande varco, corredato di un piano superiore accessibile direttamente dalla stanza principale a pianterreno, è più verosimile che dovesse trattarsi di una *caupona*, una taverna. A giudicare dalla raffigurazione, posta nel sottoscala, visibile immediatamente da chi entrava nella struttura, doveva trattarsi di un luogo d'incontro frequentato dai gladiatori: forse una bettola malfamata, dove si giocava a dadi, si beveva e si passava una serata in rumorosa allegria. Non è forse un caso che a poche decine di metri da questo punto di ristoro sia stato ritrovato un grande edificio affacciato su via di Nola, la Caserma dei Gladiatori (V, 3, 2) e identificato con un luogo destinato alle loro esercitazioni, come documentano ben centoventi graffiti a tema gladiatorio[14]. E forse non è nemmeno casuale che su una parete della Casa del Giardino affacciata su vicolo dei Balconi, non molto lontano dalla nostra taverna, un bambino, a giudicare dall'altezza del graffito, abbia disegnato sulla parete bianca della cucina di casa un altro gladiatore, in questo caso un «oplomaco» (*hoplomachus*), ossia un guerriero armato alla maniera degli opliti greci con scudo rotondo, lancia e spada, un altro tipico avversario del mirmillone[15]. Un bambino forse suggestionato dal continuo viavai di gladiatori nel quartiere, tra caserma e taverna (Fig. 9)?

Street food?

Se dunque questo poteva essere lo spazio per il divertimento dei gladiatori, dall'altro lato della piazzetta, proprio davanti alla fontana e alla torre piezometrica, si apriva un altro esercizio. Posto all'angolo dell'insula 3, aperto sia su vicolo dei Balconi che sullo spiazzo, vi era un bel *thermopolium*, dal bancone elegantemente decorato, destinato al commercio di vivande per un più vasto pubblico. Una posizione ideale per esercitare il commercio di beni alimentari, ubicato com'è in un punto di grande traffico e al contempo affacciato su un ampio spazio antistante[16].

Facilmente riconoscibili nel paesaggio urbano pompeiano, queste strutture dove si vendeva cibo e si consumavano pasti veloci erano

Fig. 9 Una immaginetta di gladiatore dipinta in rosso su una parete della cucina della Casa del Giardino. Disegni di questo tipo sono abbastanza frequenti, spesso individuati a un'altezza tale da essere compatibili con la mano di bambini, sicuramente suggestionati dalla notorietà di molti gladiatori.

caratterizzate da alcuni elementi fissi: innanzitutto un ampio varco d'ingresso, il quale permetteva l'accesso direttamente al bancone, posizionato in modo da essere fruibile dal marciapiede. Di solito questi elementi di arredo hanno una disposizione a L e presentano in superficie le bocche dei grandi dolii, i contenitori in terracotta destinati a conservare le pietanze, murati nella struttura del bancone stesso. Su uno dei lati del bancone, addossato al muro c'era di solito un espositore a gradini dove erano in mostra pietanze e vasi con cibi diversi (Fig. 10 FT). Completava l'arredo un fornello mobile per riscaldare al momento le pietanze da servire calde[17]. Il nuovo *thermopolium* pompeiano, sebbene solo in parte scavato (ma constatatane l'eccezionalità si è deciso di scavare nel prossimo futuro tutto il vano) ha restituito una situazione straordinariamente preservata, un'incredibile fotografia del giorno dell'eruzione. E inoltre un bancone finemente decorato, unico nel suo genere (Fig. 11 FT).

La rimozione degli strati di pomici che avevano sepolto lo slargo con fontana ha portato alla luce il grande varco di accesso alla struttura posto a nord, mostrando come al momento dell'eruzione questo ingresso fosse dotato del canonico portale ligneo, costituito da un battente fisso e da una serie di pannelli a soffietto: l'impronta degli elementi lignei di chiusura è rimasta impressa nella cenere compattata delle correnti piroclastiche che hanno travolto l'edificio. Se il legno scomparso ha lasciato traccia nella cenere compattatasi sulla porta, la serratura in ferro, corrosa e ossidata, si è in buona parte conservata nel punto in cui era fissata originariamente nel battente ligneo, rimasta bloccata all'interno dello strato cineritico. All'interno, al di sotto degli strati superiori relativi ai flussi piroclastici, è stata individuata la coltre di lapilli dove risultavano rimescolate le pomici bianche e grigie: evidentemente depositatesi in origine sulla copertura, erano scivolate all'interno dell'ambiente, mescolandosi, al momento del collasso del tetto.

Asportati i flussi piroclastici e le pomici, è affiorato il bancone rimasto intatto con il suo arredo in posto, proprio come doveva essere stato lasciato al momento dell'eruzione, quando l'esercizio era stato chiuso, in tutta fretta probabilmente, prima di organizzare la fuga.

Sotto il materiale vulcanico vi era un deposito di tredici vasi, tra cui nove anfore, due fiasche, un'olla, insieme a un mestolo di bronzo (Fig. 12). Tra le anfore se ne riconoscono due del tipo cosiddetto Dressel 2-4 e sette di produzione egea. Si tratta di anfore vinarie[18], le prime, un prodotto locale, opera di produttori italici (che nel I secolo a.C. realizzano questi contenitori dalla foggia allungata dotate di anse bifide) su imitazione di celebri contenitori vinari dell'isola di Kos (capienti 26-28 litri); le seconde invece erano importate direttamente dalla Grecia[19]. Le Dressel 2-4 sono diffuse in maniera capillare nel mondo romano e potrebbero essere state prodotte inizialmente proprio in area vesuviana, dove sappiamo che una famiglia in particolare si distinse, in età augustea, nella fabbricazione di questi

Fig. 12 Le Anfore Dressel 2- 4 trovate nel thermopolium della Regio V. Sono i contenitori da trasporto più diffusi nell'area vesuviana, spesso prodotte in loco, come documentano le analisi condotte sugli impasti ceramici.

contenitori. Gli Eumachii, questo il nome dei membri della famiglia, raggiungono i vertici della scala sociale, vedendo attribuito a un loro esponente il sacerdozio, prestigiosissimo a Pompei, di Venere e Cerere (e la sacerdotessa Eumachia donerà alla città il magnifico edificio a corte porticata, affacciato sul lato orientale del Foro)[20]. Si tratta di una *gens* dal destino emblematico per capire la società pompeiana dell'epoca: il nome grecizzante potrebbe derivare da un originario *Eumachos*, ben attestato a Napoli, portato da un avo che aveva acquisito la cittadinanza pompeiana in seguito alla Guerra Sociale, il conflitto che aveva visto schierati su fronti diversi Roma e i suoi alleati italici. Come argomentato da Fausto Zevi, la famiglia potrebbe essere annoverata tra quelle *gentes* di ambiente napoletano legate a Silla che avevano avuto un ruolo determinante nella trasformazione di Pompei in colonia romana. Uomini d'affari dinamici, inseriti nella connettività mediterranea, resi cosmopoliti dall'abitudine ai traffici transmarini, che si distinguono anche nell'impiantare attività industriali, funzionali al commercio su vasta scala[21].

Dopo questa breve e spero utile digressione, torniamo al nostro *thermopolium*. La struttura del bancone è composta come di consueto da due setti murari perpendicolari, che disegnano una L, disposti a nord e a ovest (a ridosso dei due ingressi dell'esercizio), ma con l'aggiunta di un altro tratto di raccordo tra il setto nord e lo stipite della porta aperta sulla piazzetta. Allo stato attuale degli scavi, del bancone è stato portato alla luce solo il piano di questo tratto breve, ricoperto da intonaco in cocciopesto grezzo, dove si aprono tre aperture circolari funzionali ad alloggiare la parte inferiore di anfore tagliate, utilizzate per la dispensa dei cibi. Se il piano di lavoro non è ancora del tutto liberato dal materiale vulcanico, la fronte del bancone aperta sullo slargo della fontana è emersa, con tutta la bella decorazione affrescata che la riveste completamente.

Sul lato lungo del bancone, il fondo giallo è impreziosito da un'ampia vignetta rettangolare con lato superiore curvilineo, dove si apre un paesaggio marino. Il riquadro diventa una finestra aperta sullo spazio del mito, un'improvvisa fuga dal reale, che porta il visitatore a diretto contatto con creature mitiche: uno straordinario ippocampo dal corpo trasformato in un arcobaleno di colori galoppa sulla distesa marina, tra i balzi acrobatici dei delfini, trasportando sulla groppa una Nereide seminuda, col basso ventre e le gambe avvolte in un mantello dorato, la quale reca una cetra sul braccio sinistro[22]. Sul lato corto, sempre a fondo giallo, un cespo vegetale e un'altra vignetta, questa volta con scena iperrealistica: in un gioco sofisticato di mescolamento tra realtà e illusione, la finestra si apre sulla scena d'interno, che altro non è che la stessa taverna in cui ha fatto accesso lo spettatore dell'affresco. Si riconosce lo stesso bancone del *ther-*

mopolium, sulla cui fronte sono addossate anfore, proprio com'era nella realtà! Sulla superficie del bancone ci sono invece recipienti e oggetti vari, tra cui spicca una figura con caviglie incatenate recante una verga con fagotti sospesi, evidentemente la rappresentazione di una statuetta raffigurante uno schiavo al lavoro. Accanto a questa ecco un bacile, due olle in vetro con coperchio, una fruttiera e un vaso in vetro con fiori; alla parete una mensola da cui pendono due brocche, due colini e una lucerna. Uno spaccato assai suggestivo e al contempo informativo del funzionamento di una taverna e della disposizione del suo arredo. L'eleganza del bancone (che non ci deve stupire, se pensiamo ai bei rivestimenti marmorei dei banconi di via dell'Abbondanza) ritorna anche nel pavimento, realizzato con un piano in cocciopesto in cui sono inserite scaglie di marmi policromi (alabastro, portasanta, breccia verde e bardiglio).

Dimmi cosa butti e ti dirò chi sei

Forse la prosecuzione dello scavo e l'analisi dei resti eventualmente conservati nei contenitori del bancone potranno darci informazioni precise su quello che qui si somministrava. Lo scavo di altri contesti e soprattutto una lista di prodotti conservatasi grazie a un'iscrizione graffita sulla parete di un esercizio della Regio IX ci danno belle informazioni sulla dieta «mediterranea» degli antichi pompeiani e su quello che si poteva trovare in esercizi come questo appena scoperto[23]: comprati nell'arco di nove giorni sono beni quali formaggio (da uno a due assi per il formaggio duro, quattro per quello morbido), vino (da due a tre assi; il migliore fino a un *denarius*, ossia dieci assi), cipolle (cinque assi), datteri (un asse), salsicce (un asse), *hxeres* (traslitterazione in latino del greco «frutti secchi»: un *denarius*)[24]. Ma molte informazioni provengono soprattutto dalle analisi paleobotaniche, dove è stato possibile, sui contenuti di pozzi neri scavati (come quelli che servivano punti di ristoro dell'area di Porta Stabia), i quali hanno restituito diversi metri cubi di scarti alimentari, dai resti di organici carbonizzati di cucine (come cereali e vegetali) o dai resti mineralizzati di latrine (noccioli di frutta, lenticchie e semi di frutta normalmente ingeriti, come quelli di fichi, ciliegie, uva, more)[25]. Sempre dalla stessa area l'équipe americana impegnata nell'indagine ha individuato numerosi «portarifiuti» nella forma di anfore il cui collo era stato tagliato, a volte insieme al fondo, e con il corpo attraversato da diversi fori. Inserite nel suolo delle cucine, erano destinate allo smaltimento di rifiuti, a volte «differenziato» (in qualche caso ad esempio solo scarti di pesce). Attraverso i fori gli scarti liquidi potevano fuoriuscire e disperdersi nel suolo, mentre quelli solidi venivano periodicamente scaricati per strada, dove le piogge avrebbero provveduto a dilavarli. Da questi scarti si possono anche dedurre differenze tra i prodotti preparati e venduti o – in caso di *domus* – tra diete diverse (a seconda dei livelli di ricchezza). Nel caso di un contesto rinvenuto nella Regio VIII (7, 1-4), il menu era tutto sommato standard e abbastanza povero: cereali, olive, lenticchie, pesci del posto, uova, poca carne. In un altro pozzo, a breve distanza, invece (VIII 7, 9-11) accanto ai prodotti locali si distinguevano importazioni, oltre a una quantità più elevata (e di migliore qualità) di carne e di prodotti marini, quali ricci e molluschi. Ma la vera prelibatezza in questo contesto erano i ghiri, la cui carne era particolarmente amata sulle tavole dei Romani[26].

Questi dati possono essere ora confrontati con i risultati di uno scarico di rifiuti rinvenuto nel corso dei nuovi scavi su un marciapiede all'imbocco del tratto settentrionale (solo parzialmente scavato) del vicolo di Cecilio Giocondo, dove questo confluisce nel vicolo delle Nozze d'Argento. È interessante che proprio al di sopra dell'immondezzaio sia stata dipinta un'iscrizione ufficiale, come altre distribuite nell'area urbana di Pompei, la quale espone un divieto verso atteggiamenti illeciti (Fig. 13). Ma vediamo di che si tratta.

Sul muro ovest del vicolo, all'interno di un riquadro dipinto in bianco (una cosiddetta *tabula ansata*) realizzato direttamente al di sopra del muro non intonacato, è sovraddipinta un'iscrizione utiliz-

Fig. 13 L'iscrizione, dipinta in rosso su un sottile strato di intonaco bianco, è stata ritrovata nel vicolo di Cecilio Giocondo. Si tratta di uno di quegli avvisi – ammonizioni frequenti a Pompei – rivolto a chi, secondo una deprecabile ma frequente abitudine, lasciava le proprie deiezioni in strada.

zando un colore rosso-bruno, la quale recita (con qualche incertezza di trascrizione)[27]:

> *Permissu{m} aedilium* | *iste locus sacer est rogo te discede cacator* | *vicine irasci noli te si prendedero* | *hec inte poena manebit* | *HS XX N* | *cacator cave malum tibi* | *dicitur* (?) *caca*[---] [---]*ba*[---]

> Su autorizzazione degli edili questo luogo è sacro; ti chiedo di allontanarti cacatore, se ti prenderò qui vicino non ti irare, sarai multato per venti sesterzi. Cacatore attento alla maledizione ti è stato detto [...]

Come si può apprezzare, si tratta di un invito a non «evacuare» per strada, essendo il luogo sacro (*iste locus sacer est*), come se ne trovano molti a Pompei: evidentemente doveva essere un flagello, che rendeva le strade davvero infrequentabili!

Se forse il divieto sarà stato efficace per quanto riguarda eventuali defecatori, non sembra sia servito a tener pulito questo crocicchio, che come spesso documentato era considerato sacro.

Può sorprendere, ma gli immondezzai sulle strade – che ci fanno ricordare esperienze di degrado molto vicine ad alcuni luoghi del nostro mondo contemporaneo – costituiscono contesti di estremo interesse per ricostruire abitudini alimentari e dieta degli antichi, nonché aspetti della società e dell'economia della città romana[28].

Sul marciapiede il giorno dell'eruzione, o forse il giorno prima, era stata scaricata una significativa quantità di rifiuti, ceramiche frantumate, oggetti ormai in disuso, tra cui resti di cibo e 565 pezzi di ossa animali, che dovevano essere stati macellati e consumati nei giorni precedenti. Di questi, l'archeozoologa del laboratorio pompeiano, Chiara Corbino, ne ha identificati ben 223, mentre gli altri frammenti, troppo triturati e minuti, non erano più riconoscibili. La catalogazione del materiale ha mostrato trattarsi soprattutto di mammiferi, cui si aggiungono resti di volatili, che costituiscono l'8 per cento del campione; nonché fauna marina per il 14 per cento (pesci: 8; malacofauna: 5; ricci di mare: 1 per cento). Tra i mammiferi spicca il suino (50 per cento), seguono gli ovini (44 per cento), mentre la carne ben più costosa del bovino costituisce una presenza del tutto marginale. Tra gli uccelli è presente soprattutto il gallo domestico, cui si affiancano passeriformi. I resti ittici, molto frammentati (forse resti di *garum*, la famosa salsa, analoga alla nostra colatura di alici?), si riferiscono a pesci marini di medie dimensioni; tra i gusci di conchiglie si segnalano specie diverse, tra cui i molluschi bivalvi (*Glycymeris* sp.) sono senz'altro i più frequenti.

A proposito delle modalità di consumo delle carni, il calcolo dell'età di morte dei maiali, ad esempio, permette di stabilire che venivano consumati soprattutto maialini molto giovani (due abbattuti prima dei sette mesi, proprio come il porcetto da latte sardo, uno entro il primo anno di vita, mentre tre a circa due anni). L'unico individuo avente più di 42 mesi potrebbe essere stato tenuto in vita più a lungo per motivi riproduttivi, o forse si tratta di un cinghiale. Anche l'età di morte di capre e pecore rimanda ad animali uccisi in tenera età (due abbattuti entro i sei mesi e uno entro il primo anno di vita); la maggior parte degli individui è stata abbattuta entro i due anni di vita. Due pecore di sei-sette anni potrebbero essere state sfruttate a lungo per la produzione di lana prima di essere destinate alla tavola.

I resti di avifauna sono attestati da passeriformi e gallo domestico. Il gallo mostra la presenza di un individuo immaturo e uno maturo. Le parti anatomiche rappresentate sono: scapola, coracoide, forcella, carpometacarpo, tibiotarso (distale) e tarsometatarso. Queste corrispondono alle parti anatomiche associate a un minore contributo di carne: si deve trattare dunque degli scarti della preparazione per la mensa, rimossi ed eliminati.

Ma l'immondezzaio non aveva solo rifiuti faunistici. Anche dalle analisi paleobotaniche provengono dati molto interessanti: grazie al vaglio di circa 230 kg di terra, appositamente setacciata al momento dello scavo, è stato possibile analizzare in laboratorio la gran quantità di cosiddetti carporesti e antracoresti, ossia resti di frutti e di legno carbonizzato[29]. Si segnalano noccioli di olive, di un tipo piuttosto piccolo, vicino alle olive selvatiche, evidentemente un prodotto proveniente dal territorio, che a giudicare dai risultati delle analisi condotte da Chiara Comegna erano pertinenti a frutti effettivamente mangiati, dato che potrebbe corroborare ancor di più l'ipotesi dell'eruzione autunnale[30]. Accanto alle olive c'erano gusci di pinoli, un prodotto ampiamente documentato a Pompei, tanto in contesti sacri che domestici, il quale costituiva un significativo apporto calorico, fornendo altresì, con i gusci, materiale combustibile, come mostra lo stato carbonioso in cui sono stati rinvenuti i nostri prodotti. Accanto ai frutti c'era una gran quantità di carboni, per la maggior parte identificabili come pertinenti ad abeti, faggi e in misura minore noccioli. Si tratta evidentemente di materiale combustibile utilizzato per le attività domestiche della cucina, destinato ad alimentare le fiamme del focolare o di fornelli mobili. La composizione dell'immondezzaio fa dunque pensare a rifiuti alimentari accumulati in casa e poi scaricati insieme a quanto proveniva dalla pulizia dei fornelli della cucina.

I nostri rifiuti ci fanno pensare a un ultimo banchetto (o a pasti degli ultimi giorni) organizzato in una casa vicina dove, come da norma, si era servito del maiale (predilette erano soprattutto le parti più grasse, come la vulva e la mammella), abbinato a pesci che potevano essere arrostiti (*assus*) o lessi (*elixus*), insieme a carne di pecora al sugo (*ex iure*). Non dovevano mancare le verdure e frutta, anche se nel contesto hanno lasciato tracce essenzialmente, come già osservato, olive e pinoli. Ma sappiamo da molte fonti, nonché dai reperti organici conservati nel laboratorio di ricerche applicate di Pompei, che assai comune era la presenza a tavola di ceci, fave, lenticchie, insieme a lattughe e cavoli[31].

Quanti dati si possono trarre dalla spazzatura scaricata sui marciapiedi delle strade pompeiane, che certo non dovevano risaltare per pulizia[32]. Del resto non esisteva a Pompei un servizio regolare di nettezza urbana, anche se come sappiamo i magistrati chiamati *aediles* erano responsabili tanto degli edifici quanto delle strade e in generale del decoro urbano. Ma se le scritte che maledicevano chi defecava in strada erano così frequenti sulle pareti pompeiane, come abbiamo visto, è segno che il problema doveva essere abbastanza frequente. Se associamo le note iscrizioni con l'immondezzaio scoperto nei nuovi scavi (certo non isolato anche questo, sebbene tali scarichi di rifiuti non siano mai stati registrati nelle indagini del passato, assai poco attente a questo genere di testimonianze), possiamo dedurre che l'immagine che ci restituisce il reticolo stradale su cui passeggiamo oggi a Pompei, così asettico e pulito, doveva essere ben diversa in passato[33].

La ricerca interdisciplinare, attenta a ogni testimonianza che il passato ci restituisce, compone un'immagine meno idillica dell'antichità, meno «classica», come del resto permette di guardare al lavoro dell'archeologo con uno sguardo meno idealizzante. Assai poco Indiana Jones, per intenderci, ma in compenso un indagatore del passato, che attraverso manufatti e resti organici ci permette di approssimarci sempre di più alla vita «vera» degli antichi, di gettare uno sguardo più consapevole sulle giornate – ogni momento di quelle giornate – di chi ci ha preceduto.

I MOSAICI DI ORIONE: CAPIRE L'ICONOGRAFIA DALLE STELLE

capitolo 6

Dalle misteriose iconografie di due mosaici rinvenuti nella bella casa aperta col suo gran portale su vicolo dei Balconi, è stato dato – una volta decifrate – il nome alla nuova dimora tornata alla luce: la Casa di Orione.

I mosaici decorano due ambienti del settore più antico della casa, quello intorno all'atrio: un'ala (13) e un *cubiculum* diurno (6)[1]. Si tratta di due stanze che tra II secolo a.C. e 79 d.C. hanno conosciuto varie trasformazioni, sia nelle decorazioni parietali che nei pavimenti. Anche in questi vani si riflette la lunga vita della *domus*: se ne seguono le radicali trasformazioni, ma anche gli straordinari fenomeni di continuità, che contraddistinguono questa casa pompeiana più di molte altre (a parte la Casa del Fauno, che però appartiene a un livello sociale ben più alto). Qui si coglie la strenua volontà di conservazione dei proprietari, di preservazione, restaurandolo, dell'antico. Si lascia, come si è visto, negli spazi più significativi della casa una decorazione risalente al II secolo a.C., un'epoca chiamata il «secolo d'oro» di Pompei[2]. Un'archeologia dell'archeologia, insomma.

In entrambi i vani i due tappeti musivi sono inseriti, come *emblemata* (pannello centrale), all'interno di un pavimento in cocciopesto più antico. Risulta evidente, osservando da vicino i due mosaici, che questi non sono qui nella loro collocazione originaria, ma sono stati inseriti in un secondo momento all'interno del cocciopesto che decorava già nella prima metà del II secolo a.C. i due ambienti. Quando viene rialzato il piano di calpestio dell'atrio, in età augustea come abbiamo visto, questi cocciopesti con i relativi *emblemata* vengono conservati, ricorrendo a un gradino ligneo di raccordo, funzionale al cambio di quota tra il piano antico e quello più recente. I pavimenti dell'ala e del *cubiculum* continuano così a mantenere il bel rivestimento in cementizio a base fittile, elegantemente ornato da tessere bianche di palombino disposte a formare un reticolo composto da filari ortogonali. Nel caso del primo ambiente, in connessione con il varco di accesso, il pavimento si arricchiva originariamente di una fascia a triplice reticolo romboidale, la quale doveva risultare in parte coperta dalla nuova soglia lignea inserita quando si ristrutturò l'atrio.

Due pavimenti molto antichi (classificabili come di I stile), per due stanze speciali della casa, anteriori probabilmente anche alle pur antiche decorazioni in I stile delle pareti. Si tratta di piani che risalgono alla prima metà del II secolo a.C., parte integrante di un allestimento quasi del tutto scomparso: il primo sforzo di rinnovare l'antica casa del III secolo a.C. dotandola di raffinati pavimenti, e adeguandola così al nuovo standard urbano cui si stava portando tutta Pompei in quell'epoca[3] (Fig. 1).

Per far posto ai mosaici i due antichi pavimenti sono stati ritagliati al centro: il primo mosaico, quello dell'ala, è stato posizionato con il suo asse verticale, al centro esatto del vano, con il lato breve del rettangolo praticamente a ridosso dell'ingresso e della banda decorata a rombi che impreziosiva l'originaria soglia; il secondo, che si sviluppa secondo un asse orizzontale, è stato posizionato al centro esatto dell'ambiente. In entrambi i casi sembra che i due mosaici abbiano preso il posto di un decoro più antico, realizzato insieme al resto del pavimento, probabilmente un emblema non figurato, ma

Fig. 1 La splendida decorazione a mosaico di una delle alae della Casa di Orione. La pavimentazione è in cementizio con punteggiato di tessere, al centro l'emblema figurato. La maggiore antichità del pavimento in cementizio rispetto al tessellato è indiziata dall'irregolarità di alcune tessere di palombino, e dall'eccessiva vicinanza tra il motivo della soglia e la cornice dell'emblema, che solitamente risulta centrato rispetto ai limiti della stanza.

con motivi geometrici[4]. Dunque i tessellati sono stati inseriti in un secondo momento nella pavimentazione originaria delle due stanze, e devono essere stati recuperati evidentemente da un altro contesto. Questo testimoniano le piccole imperfezioni osservabili in alcuni punti del taglio, le quali mostrano ancora parti del pavimento in tessere di terracotta in cui dovevano essere alloggiati precedentemente i due *emblemata* (Fig. 2 FT). È difficile dire da dove provengano, non è escluso che siano giunti qui da lontano, acquisiti grazie agli scambi commerciali che tra II e I secolo a.C. mettono in contatto diretto Pompei e il Mediterraneo orientale[5].

Ma andiamo per ordine, cominciando ad analizzare da vicino il primo mosaico che va a occupare l'ala sinistra della *domus*. Si tratta di un tappeto musivo policromo di forma rettangolare (m 1,78 x m 0,92), che utilizza piccole tessere di colore (nero, bruno, grigio, verde, arancio, ocra ecc.) e materiale diverso (sia pietre che terracotta).

L'osservazione del pavimento in prossimità del taglio, in particolare lungo il lato est, dove ci sono alcune tessere bianche tagliate a triangolo, permette di supporre – come anticipato – che prima della messa a dimora del tappeto ora visibile anche la pavimentazione originaria prevedesse un disegno musivo centrale in tessere bianche nel cocciopesto. Il mosaico, riquadrato da una cornice a doppia *guilloche*, presenta una complessa iconografia leggibile dall'ingresso dell'ambiente (Fig. 3 FT). A partire dall'alto, su fondo nero, c'è una figura maschile alata in volo con una corona portata nelle due mani protese; al di sotto un'altra figura, anch'essa alata, col braccio destro rivolto verso l'alto, mentre con la mano sinistra impugna una torcia infuocata a bruciare i capelli di una terza figura sottostante dotata di ali di farfalla. Un mantello panneggiato, che ricade dal braccio piegato del personaggio con ali di farfalla, copre la parte inferiore della figura e lascia visibile solo corpo di uno scorpione, come se il corpo umano fuoriuscisse da quello dell'animale. Il tappeto si chiude in basso con un cobra dalle spire torte su fondo verde.

La scena raffigurata, complessa e priva di confronti, va intesa come un impegnativo programma decorativo promosso dal padrone di casa, da leggere insieme a quello del *cubiculum* diurno (6), con il quale ha notevoli affinità compositive e stilistiche, nonché similari modalità di messa a dimora[6]. Prima di passare all'identificazione del mito, è opportuno dunque descrivere anche l'altro mosaico, che mostra di appartenere a uno stesso ciclo mitico, sebbene ne descriva un momento diverso.

Il piano pavimentale che inquadra il secondo mosaico è del tutto simile a quello dell'ala: è in cementizio di cocciopesto con decorazione a tessere marmoree disposte a formare un reticolo regolare, ma, a differenza di quello, al momento dell'eruzione risultava particolarmente usurato. Anche in questo caso il pavimento fu appositamente ritagliato nella parte centrale per accogliere un tappeto musivo con tessere policrome, di forma rettangolare (m 1,22 x m 0,79). Il pannello risulta in alcuni punti delimitato da tessere di cocciopesto che permettono di capire che l'emblema è stato staccato da un altro pavimento, dunque da un altro edificio (Fig. 4). Come nel caso del primo mosaico, anche in questo vano il pavimento originario che ha accolto il mosaico proveniente da altrove doveva presentare un più semplice emblema centrale, non figurato, di cui resta traccia in una fila di tessere nere e bianche visibili ai lati del mosaico[7]. La scena, a sviluppo orizzontale, è inquadrata in una cornice a scacchiera bianca e rossa ed è leggibile, come di consueto, per chi guarda dall'ingresso

Fig. 4 L'emblema, con un complesso motivo di quadrati e losanghe inseriti in un elemento ottagonale, faceva parte della decorazione di un ambiente della casa dei mosaici geometrici nella Regio VIII. Un tipo di pavimento decorato da motivi geometrici, come dovevano apparire i pavimenti della casa di Orione prima dell'inserimento dei mosaici figurati.

dell'ambiente. Nonostante l'ampia lacuna nella porzione sinistra del mosaico, già esistente al momento dell'eruzione, è possibile riconoscere nel complesso la scena rappresentata. In alto, in posizione centrale e dominante, vi è un'enorme, variopinta farfalla ad ali spiegate: il corpo amigdaloide grigio è sormontato da una testa, dove tessere di diverso colore, dall'arancio al giallo, al bianco, nero e grigio, ne propongono espressivamente i tratti, come gli occhi e le antenne. Con gli stessi colori si rappresentano le ali con le varie partizioni cromatiche. Dalla farfalla parte un triplice gruppo di legacci arancio afferrati da un personaggio maschile, purtroppo in gran parte perduto a causa della lacuna. Ne resta il ventre e l'inguine, con l'attacco delle gambe divaricate, dal quale pende il piccolo pene, bordato da un rombo di peli pubici; il torso non è conservato ma rimane il braccio sinistro avanzato parallelamente alla gamba. Da quello che resta sembra di poter intravedere una figura dal torso di prospetto e gambe di profilo, delle quali la destra non è conservata mentre la sinistra è nascosta dietro gli animali vicini. Il pugno serrato tiene saldamente i legacci, che a coppia portano unite, come al guinzaglio, diverse fiere, le quali occupano tutta la porzione sinistra del pannello figurato (Fig. 5). L'estro del mosaicista si è particolarmente dispiegato nel creare un bestiario singolarissimo, tra cui spiccano animali domestici, fiere selvagge e veri e propri mostri, presentati su più piani sovrapposti. Si riconoscono, cominciando dal piano di fondo, in alto a sinistra, un'aquila con becco adunco rivolto a destra; al di sotto, su un piano avanzato, una piccola volpe; a destra, su un piano ancora più avanzato, la parte superiore di una pantera col capo rivolto a destra; alla sua destra, sul fondo, un orso con la testa destrorsa; tornando a sinistra, sovrapposto a pantera e volpe, un cane di cui si intravedono collo e testa girata sempre a destra; al di sotto un coccodrillo dall'enorme bocca spalancata a mostrare la doppia fila di denti, rivolto verso sinistra; subito a destra vi è la testa di un cinghiale avanzata verso sinistra, dal cui muso serrato fuoriesce una zanna sollevata verso l'alto. In primo piano, uno strano mostro occupa il resto della scena: si tratta di una chimera un po' speciale,

Fig. 5 Immaginifica e inusuale è la rappresentazione delle numerose fiere, trattenute saldamente da un personaggio che le ha catturate. Gli animali appaiono sovrapposti e quasi fusi in un'indefinita commistione di animali reali e fantastici.

che invece di avere parte anteriore e testa di leone quale corpo principale – come le chimere canoniche – presenta come dominante l'elemento caprino, serbando del felino solo le zampe anteriori. Come nelle normali chimere, invece, un serpente fuoriesce dalla coda. Un ultimo animale è infine rappresentato sui quarti anteriori della capra: si tratta di una chiocciola dalla conchiglia circolare. L'iconografia è del tutto sconosciuta, come l'insieme bizzarro di fiere al guinzaglio.

Si tratta evidentemente di un cacciatore mitico che ha catturato il mostro e le varie bestie, in questo – pare – aiutato da una farfalla (la quale non fa parte del gruppo delle prede, come mostra la sua posizione centrale e dominante e la configurazione dei legacci, tra eroe e farfalla triplici, mentre poi diventano bipartiti)!

Se le due iconografie sono tutt'altro che consuete, entrambe le scene risultano accomunate dalla presenza della farfalla. Inoltre appare evidente che i due mosaici sono molto simili dal punto di vista stilistico e sono stati prodotti verosimilmente dalla stessa officina. È più che probabile che facciano parte, dunque, di un unico ciclo mitico.

Indovina chi: due scene dello stesso mito?

Ma di quale racconto mitico si tratta? La ricerca di confronti iniziata appena messi in luce i due mosaici è stata del tutto... sconfortante, lo ammetto. Nonostante nell'artigianato antico gli schemi si ripetano all'infinito, variandoli ma a partire sempre da una base comune la cui esistenza si può recuperare proprio seriando le variazioni sul tema[8], in questo caso non si è trovato nemmeno un mosaico, una pittura, una decorazione vascolare che potesse almeno alla lontana evocare l'iconografia e dunque suggerire il mito alla base dei due manufatti.

Bisognava procedere dunque cercando indizi nei due mosaici stessi, dettagli che potessero richiamare personaggi e vicende mitiche noti dalle fonti antiche greche e latine. Pausania, Apollodoro, Igino e tanti altri scrittori raccontano infiniti cicli mitici e infinite varianti: i miti greci non vivono come un racconto univoco e standardizzato, ma si articolano in un rivolo di versioni, di temi principali e collaterali, di varianti che si definiscono anche in base alla geografia dei luoghi, e che spesso di quei luoghi tracciano le origini, spiegandone le peculiarità.

Ogni città, ogni regione del mondo greco – la Beozia, il Peloponneso, l'Attica, le isole – elabora propri racconti mitici, crea cicli che diventeranno di portata panellenica o resteranno confinati nei propri ambiti territoriali[9]. La complessa e frastagliata geografia della Grecia si configura come una geografia mitica: non c'è montagna, sorgente, fiume o bacino lacustre che non abbia permesso al mito di coagularsi, di essere agganciato al luogo. In ogni *polis* si tesse così una rete di connessioni mitiche che innerva il territorio, materializzata dalla presenza di tombe e monumenti legati a un eroe o a un dio. Il mito si radica così in aree sacre, trova riscontro nei riti comunitari, spiega attraverso il racconto una visione del mondo, le sue regole, quello che si fa e quello che non si fa[10]. Attraverso il mito si spiega un culto, si argomenta un rituale, si proiettano dal passato norme per il presente, elaborando così un'enciclopedia del comportamento[11].

Se si considera la natura ramificata e non rigida dei miti, non sorprenderà ritrovare più monumenti sepolcrali dello stesso eroe in contrade diverse, come gli stessi dèi abitano acropoli e spazi urbani di città diverse: più centri possono rivendicare al proprio territorio la nascita e l'appartenenza di un eroe o un dio[12]. I miti hanno a che fare con l'identità civica, arrivano a fondarla; intorno a loro si coagula il senso di appartenenza di una comunità che, elaborando un pantheon specifico e peculiare, rende più forti e duraturi i legami di solidarietà, elabora una visione collettivamente accettata della propria storia. Così uno stesso racconto si può arricchire progressivamente di altri segmenti mitici, di nuove versioni spesso in contraddizione.

Se numerosi racconti mitici spiegano la terra, si incardinano nelle città e nei loro territori, dando un ordine razionale al paesaggio, altri miti spiegano il cielo, l'arcano movimento degli astri, il loro comporsi in costellazione, le connessioni astrali, e persino la nascita o l'apparire di nuove stelle[13].

Quando alla morte di Cesare una cometa transitò per più giorni nel cielo, gli astronomi la identificarono come la chioma in fiamme del dittatore appena morto, il segno del suo catasterismo, l'ascesa in cielo; il trasformarsi in stella e dunque, con la metamorfosi della sua anima, l'acquisizione dello statuto divino, *divus Caesar*[14]. Qualcosa di simile era accaduto alla chioma di Berenice, la moglie del re d'Egitto Tolomeo III Evergete, che, dedicata in un tempio di Afrodite qualche secolo prima di Cesare, era all'improvviso scomparsa per essere poi riconosciuta tra le stelle, trasformata nello sciame inquadrato tra Leone e Boote[15]. I miti astrali sono stati elaborati da età antichissima, in Oriente come in Grecia, ma è soprattutto in età ellenistica, nelle corti regali dei successori di Alessandro Magno, che la cultura astronomica diventa moda. Nella biblioteca di Alessandria si interrogano le stelle, realizzando componimenti che trasformano il mito in scienza, che dal mito prendono avvio per comporre in armonia l'ordine celeste[16].

Ma torniamo all'enigmatico mito cui fanno riferimento i due mosaici pompeiani.

Da un lato è rappresentato un eroe cacciatore, ma non un cacciatore «normale», bensì un cacciatore di fiere diversificate, animali domestici, bestie feroci, mostri. Dunque bisogna andare alla ricerca di un cacciatore mitico. L'eroe per eccellenza cui in Grecia si attribuiva il compito di liberare la terra dalle fiere, premessa necessaria alla vita civilizzata in cui la natura è stata sottomessa alla cultura, è senza dubbio Eracle[17]. A lui si devono fatiche e avventure che lo portano a confrontarsi con bestie e mostri (si pensi all'Idra di Lerna, o a Cerbero nell'Ade). In questo caso, tuttavia, la scena non rimanda ad alcuna delle notissime avventure dell'eroe: è chiaro che bisogna cercare altrove[18].

Un aspetto singolare che potrebbe indirizzare la ricerca, per dare un nome al nostro cacciatore che a gambe divaricate (a indicare il veloce movimento, tipico di chi caccia) allunga il braccio trascinando le bestie già al laccio, è senza dubbio nell'enorme farfalla che lo accompagna nell'avventura.

La farfalla sembra avere un ruolo da protagonista nella scena, ed è interessante che l'artista si sia cimentato con una rappresentazione che doveva apparire quanto mai realistica. L'insetto sembra infatti rimandare a una specie precisa, nella quale si può riconoscere il Monarca africano (*Danaus chrysippus*), un lepidottero diurno della famiglia dei Ninfalidi, originaria del Nord Africa, un tipo di farfalla grande e colorata, dalle ali arancioni con variazioni apicali nere e bianche, il cui colore intenso nella parte superiore sfuma verso una tinta più giallognola nella parte inferiore[19].

Quindi che cosa significa la farfalla? Chi è il cacciatore che sta aiutando, dunque?

Per rispondere a questo quesito bisogna rivolgersi all'altro mosaico, dove ritornano nuovamente ali di farfalla, questa volta desinenti dal corpo di un essere umano... o meglio *non più* umano. Cerchiamo di mantenere un ordine, e andiamo perciò a individuare gli elementi peculiari che possono portarci nella giusta direzione, verso l'auspicata comprensione.

Innanzitutto un cobra, una bellissima raffigurazione del serpente, su uno sfondo verde (Fig. 6). Segue uno scorpione di cui si vede, insieme alle zampe, la parte inferiore del corpo stagliarsi su un fondo nero, con la coda arcuata ancora in parte al di sotto della linea del verde; lo sterno e il prosoma – ossia la «testa» e le chele – sono na-

Fig. 6 Mosaico di Orione, un particolare con un magnifico cobra dalle variopinte spirali. Le tessere policrome sono organizzate in modo da ottenere l'effetto realistico del brillare della luce sulle squame del serpente.

scoste dal mantello che discende ampio dal braccio del personaggio soprastante. Visibile risulta dunque la parte inferiore del corpo, ossia il metasoma che ne forma la coda e parte del mesosoma, ossia l'addome, con le sue due articolazioni multisegmentate; visibile solo in parte risulta lo sterno coperto dal panneggio, da cui fuoriescono su due lati le otto zampe. La rappresentazione è piuttosto realistica: il metasoma è presentato ricurvo, la coda è articolata, secondo natura, in cinque segmenti desinenti in cima nel pungiglione con il suo ago ipodermico (dove risiede l'apparato velenoso). Le zampe motrici, dove vi è un accenno ai segmenti in cui sono scandite, sono come in natura otto; i segmenti dell'addome sono espressi dal motivo a pettine in tessere nere e grigie che occupa il centro del corpo.

La parte superiore del corpo è dunque nascosta dal ricco panneggio, le cui pieghe sono espresse da una sequenza di fasce di tessere brune intervallate da linee con tessere nere. Dalla stoffa emerge la parte superiore del corpo bianco di un essere umano dal basso ventre in su: il personaggio, reso di prospetto con il braccio destro sollevato in alto col palmo aperto, il sinistro piegato al gomito, con l'avambraccio portato in lieve scorcio in alto con la mano spalancata. Le ripartizioni anatomiche del torso, il ventre, i pettorali sono segnati da una sequenza di tessere che variano cromaticamente dal grigio al rosato; lo stesso espediente segnala le parti in ombra delle braccia, dell'omero e del torso; i capezzoli e l'ombelico sono resi con una tessera in cotto. Il torso è attraversato da due bande che si incrociano al centro del petto, una in rosa si spinge verso il fianco sinistro, dove si intravede l'elsa di una spada, l'altra è segmentata in dominanza verde, forse una corona o piuttosto una cinta (da faretra?). La testa, raffigurata frontale, presenta ciglia e capelli neri lunghi, in parte portati sul petto; i tratti del volto, come bocca, naso e occhi, sono resi con una variazione di tessere dal grigio all'arancio. Il personaggio sembra essere ripreso in moto ascensionale e presenta delle grandi ali di farfalla che fuoriescono dal dorso. Rappresentate in scorcio, queste appaiono riferite a un altro tipo di farfalla, la Vanessa, sempre della famiglia *Nymphalidae*, della specie

Aglais io, caratterizzata da ali di colore rosso mattone con bordi più scuri, le quali presentano agli angoli delle vistose macchie a forma di occhio[20].

Per capire il senso di questa rappresentazione bisogna portare a termine l'osservazione del mosaico in tutta la complessità della scena, come se fossimo dei detective alle prese con i verbali di un'autopsia, stilati dall'anatomopatologo, per stabilire modalità della morte di una vittima e ricostruire la scena del delitto. Particolarmente significativa è la figura dalle ali spiegate che volteggia obliqua nell'aria, al di sopra del personaggio-farfalla: mentre il braccio destro piegato al gomito è portato in alto, in asse col braccio dell'altro personaggio, con pugno chiuso e indice sollevato, l'altro, sempre piegato al gomito, è invece rivolto verso il basso a reggere con tutto l'avambraccio e la mano l'asta di una fiaccola, con la quale sta dando fuoco ai capelli della figura sottostante. Le fiamme sono vividamente rappresentate con plurimi corni che si aprono a ventaglio intorno alla chioma, rese particolarmente realistiche grazie a un sapiente gioco cromatico che alterna gruppi di tessere ocra, arancio, bruno e bianco. Chiude la scena, ancora più in alto, un Erote, la cui testa è in perfetta assialità con quella degli altri personaggi, che reca una corona nelle mani protese, mentre il corpo in un ardito scorcio è portato indietro, le gambe incrociate atteggiate al movimento del volo.

Gli elementi su cui riflettere in vista di una corretta identificazione sono dunque molteplici: la chiave sta ovviamente nel personaggio con ali di farfalla, che rappresenta il centro del tappeto musivo. Prima di analizzare il significato della scena, con la sua composizione fortemente ascensionale, è fondamentale comprendere chi sia il protagonista del racconto figurato. Perché un personaggio fosse subito riconoscibile per gli spettatori antichi, era necessario mettere in evidenza alcuni dettagli, degli attributi pregnanti, strettamente associati al ruolo e alla funzione della figura che si voleva rappresentare.

Nel nostro caso un attributo evidentemente fondamentale è senza dubbio la spada, la cui elsa cade al centro esatto della composizione, spiccando con evidenza sul corpo bianco dell'essere alato, laddove della lama si vede solo parte del fodero, che prosegue poi nascosto dal mantello.

La spada qualifica dunque in una precisa maniera il personaggio: un eroe armato pronto alla sfida, al corpo a corpo. Ma anche se l'attributo è di grande rilievo, da solo non basta a dare un nome alla figura alata. Deve essere dunque compreso all'interno di un sistema di segni, che solo considerati nel loro insieme e nelle loro relazioni possono portare a svelare natura e identità del soggetto. Un aspetto essenziale, anche nella composizione della scena, va individuato nelle ali di farfalla. Bisogna cercare dunque nell'iconografia e nei testi letterari antichi eroi guerrieri dotati di ali.

Nelle raffigurazioni antiche, com'è noto, le ali qualificano generalmente esseri soprannaturali legati in qualche modo all'attraversamento di frontiere, al passaggio da un piano (quello terrestre) a un altro (quello celeste). Essenziale, ancora, per la nostra opera d'interpretazione è che si tratti con ogni evidenza di ali di farfalla, ali molto speciali, ben diverse da quelle di uccello che portano Eroti e Vittorie[21]. Il fatto che si siano rappresentate ali di farfalla ci permette quindi di restringere molto il campo di ricerca, in quanto diventa allusione diretta a una metamorfosi fisica con la quale il nostro personaggio deve trovarsi alle prese: come la farfalla emerge dalla crisalide, cambiando natura, così la figura alata deve essere rappresentata mentre sta mutando la sua natura. Apparentemente sembra emergere dallo scorpione, ma non è proprio così, almeno nel senso che tale combinazione non va interpretata – ci arriveremo – come una metamorfosi in atto tra un uomo e uno scorpione, o con la rappresentazione di un essere ibrido metà uomo-farfalla, metà scorpione. Purtuttavia una tale idea non va considerata come del tutto peregrina, e all'inizio ci si era orientati proprio verso un'interpretazione di questo genere, grazie a un'associazione mentale che portava a considerare altri esseri ibridi della mitologia: esistono nell'arte greca giganti, anche alati, con la parte inferiore anguipede, si pensi alla gigantomachia rappresentata sul famoso Altare di Pergamo conservato a Berlino[22].

Eppure, dopo averci lavorato seguendo questa pista, l'identificazione non sembrava portare da nessuna parte. Nessun mito di riferimento appariva all'orizzonte. Nessun gigante in quella lotta contro gli dèi dell'Olimpo – che a Pergamo vuole ricordare le guerre che si stavano combattendo contro i barbari Galati –, come del resto in tutte quelle rappresentate su vasi greci, somiglia al nostro: nessuno ha ali di farfalla, tantomeno uno scorpione al posto delle gambe[23].

Eppure, ci era evidente, la chiave era proprio lì, in quel mancato contatto tra l'animale e il personaggio alato, nascosto dal pesante panneggio che avvolgendo il basso ventre dell'uomo-farfalla discende a coprire anche le chele dello scorpione. Un espediente iconografico, evidentemente, per sintetizzare un momento cruciale dell'azione, un elemento del racconto mitico che forse era difficile rappresentare in maniera realistica, nello spazio compresso dell'emblema.

Se nel punto nascosto si dispiega il senso della scena, se qui vi è la chiave per la comprensione dell'evento mitico, allora la domanda cruciale che si doveva porre era una in particolare: che cosa nasconde il mantello? Il velo calato, quasi come un sipario su una parte del palco in cui si svolge la narrazione, sembra dirci che l'*acmé* dell'azione non è rappresentabile in una maniera immediatamente comprensibile, e dunque non si può far altro che coprire e celare il momento decisivo. Il pathos che si sprigiona dall'evento deve essere contenuto, quasi compresso, attraverso un espediente iconografico.

Dove si annoda il nesso tra animale ed essere alato, lì si concentra il senso profondo del racconto, una storia, come vedremo, di morte e resurrezione. Il pathos velato: si pensi al dolore non rappresentabile di Agamennone nel celebre quadro di Timante (pittore greco attivo fra V e inizio del IV secolo a.C.), che raffigura il drammatico momento in cui Ifigenia viene sacrificata per permettere ai Greci di salpare per Troia; un quadro perduto ma che ha ispirato un affresco pompeiano della Casa del Poeta Tragico (Fig. 7). Secondo l'interpretazione di Plinio il Vecchio, poiché il pathos traboccante che circondava l'azione si rifletteva in un crescendo nell'emotività dei presenti, fino al dolore inesprimibile del padre di Ifigenia, non potendo la disperazione del padre essere resa altrimenti, il pittore aveva scelto di

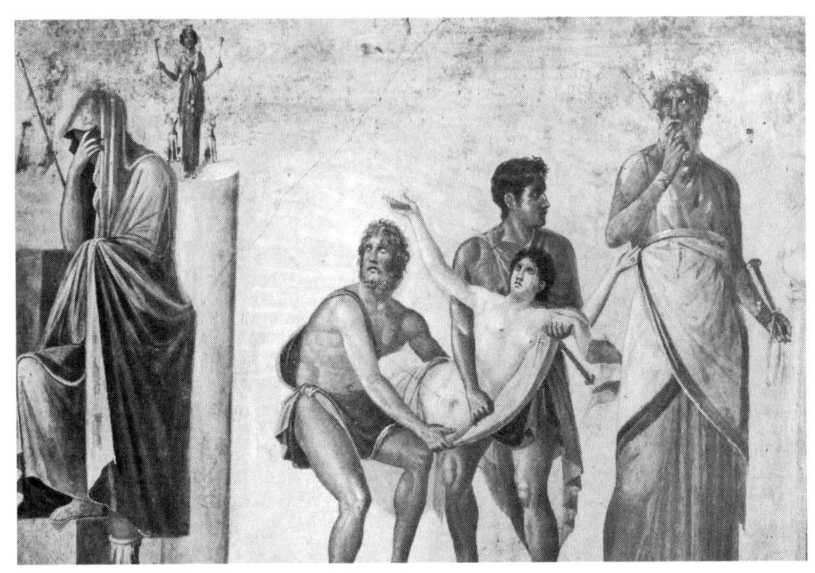

Fig. 7 L'affresco della Casa del Poeta Tragico, al Museo Archeologico Nazionale di Napoli, riproduce un celebre dipinto derivato forse da un originale greco del pittore Timante. Ifigenia viene condotta da Ulisse e Diomede al sacerdote Calcante, pronto a sacrificarla. Il padre Agamennone, afflitto, si copre il volto con la mano e il velo, lasciando così allo spettatore il compito di immaginare la sua sofferenza (Mondadori Portfolio/Electa/Luigi Spina, su concessione Mibact).

rappresentare Agamennone con il capo reclinato e avvolto nel mantello[24]. La sofferenza estrema era semplicemente irrappresentabile: «poiché la principale qualità di Timante è stata in verità l'ingegno [...], avendo esaurito le possibilità di rappresentazione del dolore, pose un velo sul volto dello stesso padre, del quale non poteva rendere in maniera adeguata i tratti»[25].

Forse, dunque, sotto il mantello si nasconde la morte, la dipartita di un eroe, premessa alla sua resurrezione. Le ali di farfalla ci indirizzano su questa strada. L'unico essere mitologico noto che reca ali di farfalla è Psiche, la personificazione dell'anima (la parola «anima» in greco antico si traduce appunto *psyche*), nota in pittura essenzialmente per la storia d'amore con Eros. Qui non si tratta però di una scena della vicenda tragica e amorosa di Amore e Psiche, che ha dato spunto a numerose opere d'arte antica e moderna. Anche se nella composizione trovano posto un essere con ali di farfalla e più in alto lo stesso Eros, che svolazza recando una corona nelle mani, nessun altro elemento richiama la famosa vicenda mitica. I vari protagonisti della scena ci raccontano senza dubbio un'altra storia. E non è una storia d'amore, anche se l'amore c'entra, come spesso succede nei racconti mitici, dove amore e morte sono di frequente ingredienti fondamentali.

Si tratta delle ali di Psiche, ma non si tratta di Psiche... ma allora chi è? Proviamo a mettere in fila altri elementi, attributi, caratteristiche. Il personaggio è innanzitutto un maschio, nonostante la carnagione bianca e i capelli lunghi. Ha la spada, attributo solitamente maschile, come tutte le armi (a meno che non si tratti di dee armate, come Atena o Afrodite, ma l'iconografia in simili casi è completamente diversa). Anche se non ci porta all'identificazione definitiva, il richiamo a Psiche ci aiuta nel percorso di comprensione. Infatti Psiche è l'anima, o meglio la personificazione dell'anima: ha una sua biografia mitica, come protagonista nel mito d'amore, ma in quel caso è l'Anima per antonomasia, l'incarnazione del concetto. Però, come esiste Psiche, la personificazione «astratta» dell'anima, così esistono le *psychai*, le anime dei morti (al plurale), per capirci quelle che si aggirano nell'oltretomba di Virgilio. Ma c'è di più. L'anima ha un legame con il cielo e con le stelle: ad esempio i seguaci della filosofia pitagorica conoscevano bene una teoria, nata nella loro cerchia, che coglieva stretti nessi tra lo Zodiaco e la migrazione delle anime[26].

Un'altra pista promettente. Da lì, procedendo per gradi, si è dato presto per acquisito che il personaggio-farfalla fosse un eroe colto nel preciso istante in cui si stava trasformando in qualcos'altro, e che la metamorfosi interessasse, più che l'eroe ormai defunto, la sua anima.

Spada, scorpione, ali di farfalla, tutti elementi fondamentali scelti dall'artista per rendere in immagine un mito complesso. Oltre a questi ingredienti, proseguendo nell'analisi, ecco un altro particolare sorprendente: i capelli in fiamme. Al di sopra del nostro eroe, come abbiamo visto, all'interno di uno schema compositivo improntato su un andamento fortemente ascensionale, un altro personaggio, stavolta con le canoniche ali di uccello degli esseri alati della mitologia greca (dagli Eroti alle *nikai*/Vittorie), reca una fiaccola capovolta, in modo da dar fuoco ai capelli dell'eroe: vampe vive emergono così dalla chioma corvina. Il demone alato non si limita a infiammare i capelli, ma con la mano destra compone un gesto esplicito, indicando con il dito puntato le altitudini celesti, il firmamento notturno, a giudicare dal fondo nero dato ai tre quarti superiori del mosaico. Chi è questo secondo personaggio? Difficile dare un nome a un demone alato, per ora ci basti dire che si tratta appunto di un demone, il quale, grazie alla dotazione delle ali, è segnalato come essere celeste, qualcuno che ha a che fare con gli infiniti spazi dell'etere, del mondo uranio. Più avanti proveremo ad avanzare delle ipotesi al riguardo.

L'ultimo personaggio rappresentato è di più semplice identificazione: si tratta senza dubbio di un Erote, dunque un Eros cosmico, che volando con la corona nelle mani sta accorrendo per prendere parte allo spettacolo cosmico, con l'intenzione di suggellare l'evento recando una corona, destinata senza dubbio all'eroe con ali di farfalla[27].

Riepilogando, sono dunque molteplici gli elementi che raccolti in maniera sistemica hanno progressivamente portato all'interpretazione. Dopo aver considerato le ali di farfalla, è venuta la volta dello scorpione, celato in parte sotto il manto che nega la scena del contatto con l'essere alato. Raccolti i miti greci che hanno a che fare con lo scorpione, il campo di ricerca si è ristretto fortemente. L'animale è infatti noto essenzialmente per il suo destino astrale, per essere stato assunto in cielo diventando l'omonima costellazione dell'emisfero australe, caratterizzata da stelle molto luminose, visibili alle nostre latitudini nella stagione estiva. Si tratta di una costellazione assai antica, di origine mesopotamica (come testimoniano sigilli del 3000 a.C.), il cui connesso mito greco deve essersi definito in base alle osservazioni astronomiche e al rapporto con gli altri corpi celesti[28].

Ma se lo scorpione compare nella mitologia greca solo nell'ambito della sua trasformazione in costellazione, uno dei tanti catasterismi antichi di cui hanno scritto autori ellenistici (Arato, Eratostene) e romani (Igino, Manilio), questo è indissolubilmente legato a un solo personaggio del mito, l'eroe Orione. Un unico filone mitico con molte varianti. L'interrogativo adesso si raffina: chi è l'Orione del mito?[29]

Orione, sei tu?

In breve, l'eroe dotato di statura straordinaria e di grande forza e bellezza viene assunto in cielo, insieme allo scorpione che ne aveva segnato il tragico destino[30]. Dunque, procedendo nell'analisi, bisognava verificare se i vari segni individuati nel mosaico si componessero in un sistema coerente con quanto sappiamo dai racconti mitici che si riferiscono all'avvenente gigante[31].

Il mito dell'eroe Orione presenta, relativamente alla sua esperienza terrena, un grande numero di versioni, legate alle varie terre che ne rivendicavano la figura, a partire da un nucleo più antico che sembra originarsi tra Beozia ed Eubea, ma trova una costante nella trasformazione *post mortem* in costellazione. Si tratta (Lat. scient. *Orion, -nis*, dal gr. *Oríon*) di un'antica costellazione australe, posta nel cielo a sud del Toro e dei Gemelli, visibile soprattutto d'inverno, tra novembre e marzo, composta come un grande quadrilatero (che corrisponderebbe alle spalle e ai piedi del gigante) ai cui vertici sono stelle molto luminose (a NE Betelgeuse/α Orionis e a SO Rigel/ß Orionis); all'interno del quadrilatero sono le tre stelle allineate δ, ξ, ε (che farebbero riferimento alla cintura del gigante) (Fig. 8).

L'assunzione in cielo tra le stelle non impedì che in vari luoghi si indicasse la sua tomba eroica. Per Pausania la tomba eroica era in Beozia[32]: «A Tanagra c'è il monumento sepolcrale di Orione, il monte Cericio, dove dicono che fu partorito Ermes, e una località chiamata Polo; e affermano che Atlante, seduto qui, riflettesse intensamente sulle cose che stanno sottoterra e su quelle celesti [...]».

Secondo Plinio invece (*Nat. Hist.,* VII 73) il corpo enorme dell'eroe sarebbe stato individuato a Creta dopo un terremoto[33]. L'esistenza di un monumento sepolcrale, la scoperta delle sue ossa ci dicono che l'eroe non era solo un personaggio del mito, ma anche un eroe

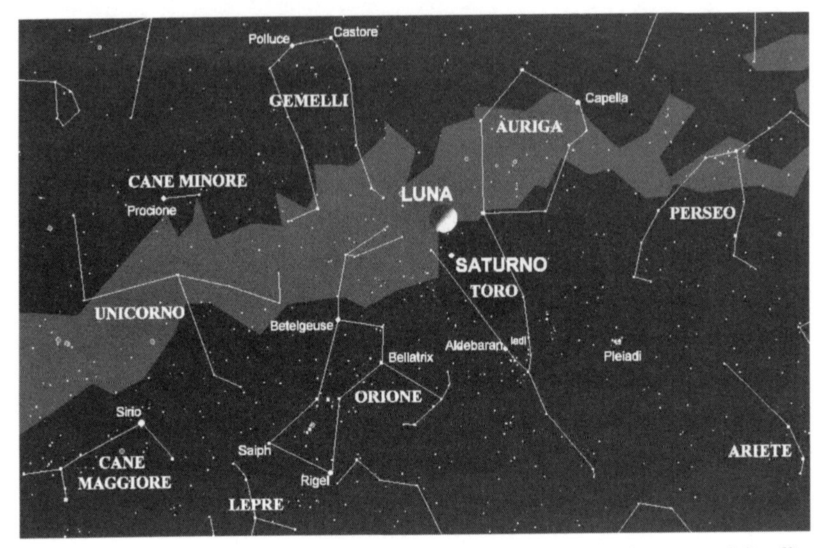

Fig. 8 La costellazione di Orione, visibile nei mesi invernali, è tra le meglio riconoscibili nell'emisfero australe ed è infatti tra quelle di più antica identificazione, a cui si legano vicende mitologiche elaborate migliaia di anni fa.

con una propria dimensione cultuale. Un culto prestato all'eroe è del resto attestato in maniera esplicita da vari documenti che ne collocano una sede santuariale in Beozia.

Il destino astrale era noto già a Omero, che ricorda la costellazione sia nell'Iliade che nell'Odissea[34]. Del resto appare evidente che gli aspetti più significativi della vicenda mitica e della biografia eroica siano stati elaborati a partire dall'osservazione e dallo studio della costellazione, della posizione e del suo movimento nella sfera celeste, del rapporto con gli altri astri (il cane Sirio, l'Orsa, le Pleiadi ecc.), e soprattutto del rapporto oppositivo con lo Scorpione, che sorge quando Orione tramonta.

Il mito è dunque arcaico, trovandosene traccia già nei più antichi testi letterari giuntici dal passato greco: dopo Omero anche Esiodo, il grande poeta beotico del VII secolo a.C., ne aveva ampiamente trattato, e a lui possono risalire alcuni tratti fondanti della versione mitica, che risiedono – come dicevamo – nell'osservazione della volta stellata.

Esiodo fa di Orione il figlio di un unico padre divino, Poseidone, e di Euriale, la figlia di Minosse[35]. Secondo questo nucleo mitico esiodeo l'eroe avrebbe avuto, grazie al padre dio del mare, la capacità di camminare sull'elemento liquido; un tratto questo che può essersi originato dalla posizione della costellazione nella volta celeste, secondo un punto di osservazione proprio di chi solcava le distese marine del Mediterraneo. Per i marinai, che alla luminosa costellazione dovevano fare riferimento – il suo sorgere e tramontare annunciava l'inizio e la fine della stagione adatta alla navigazione –, questa doveva sembrar quasi sfiorare la superficie del Mediterraneo, posta com'è presso la linea dell'equatore, che la rende visibile all'estremità inferiore del cielo.

Un eroe di grandi viaggi e peregrinazioni, Orione, il quale doveva essere molto caro ai naviganti euboici, i primi a riavventurarsi sul mare dopo la fine dei regni micenei: tra IX e VIII secolo a.C. percorrono in lungo e in largo quel mare non ancora *nostrum*, verso est e poi verso ovest, tessendo una rete di connessioni i cui nodi sono negli scali dove attivare lo scambio. Sono sempre loro che ben presto – in Occidente a partire dalla metà dell'VIII secolo a.C. – cominciano a fondare città, da Cuma (la colonia più antica) a Rhegion e Zancle (le odierne Reggio e Messina) fino a Naxos di Sicilia. E non è un caso che il mito dalla Grecia emigra anche in Occidente, dove lo troviamo ben radicato proprio a Zancle[36].

Le più note peregrinazioni del culto di Orione lo vedono in viaggio verso Chio, Lemno, Creta, isole che ospitano diversi segmenti mitici e varie avventure dell'eroe. Ma, prima di seguirlo tra le isole greche, è opportuno ricordare anche un'altra versione della sua nascita. Si tratta di una variante più tarda rispetto a quella raccolta da Esiodo, che lega però l'eroe sempre alla terra beotica (una versione forse da attribuire a un racconto elaborato dal poeta ellenistico Euforione), narrando di una nascita a dir poco miracolosa. Tutto comincia a Iria, in Beozia, con il suo mitico fondatore Irieo, un personaggio la cui interessante genealogia risale addirittura ad Atlante (uno dei Titani, figli di Urano e Gaia, appartenenti a una generazione anteriore a quella di Zeus, che li allontanerà dal cielo)[37]: tramite sua madre Alcione, una delle Pleiadi, figlia del Titano che sorreggeva le colonne tra cielo e terra. L'eroina, rapita da Poseidone, avrebbe generato in congiunzione con il dio oltre a Etusa e Iperenore, il nostro Irieo[38].

Nella genealogia di Orione dunque risultano compresenti tanto i riferimenti alla sfera celeste che alle distese marine. E non poteva essere diversamente, se – come si è detto – il mito prende le mosse proprio in relazione all'osservazione dal mare della costellazione. Per quanto riguarda il destino astrale, non è un caso che in una delle varianti mitiche venga indicato come avo del nostro eroe Atlante, il guardiano dei pilastri del cielo (Omero, *Odissea*, I 53) o colui che sostiene il cielo sulle proprie spalle, vivendo ai limiti della terra (Esiodo, *Teogonia.*, 517; Eschilo, *Prometeo* 347-50).

Secondo il mito, dunque, Irieo, il quale non aveva una discendenza, un giorno, riceve in casa tre viandanti, che ospita con grande generosità. Il trio di sconosciuti si rivela ben presto essere composto da tre divinità, Zeus, Ermes e Poseidone, giunte sotto mentite spoglie. Rivelata la loro natura divina, i tre, per ricompensarne la disinteressata ospitalità, esaudiscono il desiderio di paternità di Irieo, mettendo in atto un miracolo. Gli dicono di portare la pelle del toro che aveva sacrificato, e su quella urinano – il mito a volte, letto a millenni di distanza, appare decisamente bizzarro. La pelle bagnata viene seppellita e dopo nove mesi da questo singolare ventre materno nasce lui, Orione, la cui paretimologia rimandava appunto all'urina fecondante. Il nome originario sarebbe stato infatti Urion, poi trasformato in Orion. Se questa è la nascita, il destino non poteva che essere singolare – come del resto vale per ogni eroe greco: la biografia riassume tratti da prendere ad esempio, su cui gli umani possono orientare le proprie esistenze, ma al contempo ammonisce con i propri eccessi a non oltrepassare i limiti che gli dèi hanno posto alla natura umana[39].

Dalla Beozia, l'eroe si sposta nell'isola di Chio, arrivato a servire il locale re Enopione. Lì avrebbe, su indicazione del sovrano, intrapreso l'oneroso compito di liberare il territorio dalle bestie feroci che lo infestavano:

> Fu allora che, a Chios, il robusto Orione, con la sua potente mazza, abbatteva tutte le bestie selvagge, cercando con la sua caccia di attirare le grazie del famoso Enopione.
> (Arato, *Fenomeni*, 637-647).

Mentre è impegnato nelle sue imprese a Chio, l'eroe si innamora della figlia del re, Merope, ma il padre non la vuole concedere in sposa. Orione così le fa violenza, poi ubriaco (grazie al dono di Dioniso, padre di Enopione), si addormenta sulla spiaggia. Le biografie eroiche sono ricche di malefatte; gli eroi oltre a essere protagonisti di fatiche, appunto, «eroiche», salvifiche, di benemerenza verso gli esseri umani, possono anche macchiarsi di atti esecrabili, di azioni malvagie. Sono, per definizione, figure dell'eccesso – si pensi a Eracle –, che anche nell'aspetto fisico mostrano la loro eccezionalità: come il nostro Orione, gigantesco e bellissimo. Sono figure dell'anormalità che ristabilisce la norma, si può dire. *Paradeigma*, dicono i Greci, modello per le azioni degli umani, che nelle loro gesta esagerate da tutti i punti di vista indicano quello che si può fare nel viver civile e quello che non si deve fare. Modelli nel bene, da imitare, e nel male, da non seguire.

Se gli eroi greci per definizione sono anche tracotanti, affetti da *hybris*, non ci sorprende dunque che Orione possa tentare di far violenza a una fanciulla. Il padre di Merope, appreso dell'efferato gesto, si vendica: mentre esausto l'eroe dorme sulla spiaggia, lo acceca. L'accecamento è premessa di una nuova avventura, di un altro viaggio, questa volta in direzione nord, verso Lemno, isola dell'Egeo settentrionale. Qui c'è la mitica officina del dio Efesto, dove la divinità passa il tempo forgiando metalli. Nell'isola, come ha appreso Orione, gli si potranno trasmettere le indicazioni per riottenere la vista. E infatti il dio gliele concede, insieme alla guida del fanciullo Cedalione, che, trasportato sulle spalle, lo porterà fino alla dimora di Helios, il Sole, unico che può ridonargli la vista. In questo viaggio ritorna molto utile il dono ricevuto dal padre Poseidone, ovvero la facoltà di camminare sul mare. Il viaggio marino è veloce, grazie alle grandi falcate del gigantesco eroe. Riottenuta la vista, Orione è pronto per nuove imprese: così è la vita eroica, stacanovismo delle grandi gesta – si pensi all'instancabile Eracle delle dodici fatiche. L'azione ritorna quindi a Chio, dove la vendetta non si compie perché Poseidone ha aiutato Enopione a nascondersi in una stanza sotterranea dove l'ira dell'eroe non potrà scovarlo. Di qui la vicenda si sposta in un'altra isola, almeno in alcune versioni, e il vagare porta Orione da un luogo liminare all'altro, da Lemno a Creta, estremità del mondo greco, ancora una volta a traslitterare nel peregrinare eroico per terre estreme la posizione liminare della costellazione nel macrocosmo del cielo.

A Creta si sarebbe consumato l'epilogo della sua vicenda terrena, ma non tutti i mitografi concordano. C'è chi la ambienta ancora a Chio, o addirittura nella sacra isola di Delo, portando la scena nel cuore delle Cicladi; varie localizzazioni come varie sono le cause che conducono, nelle diverse versioni, alla morte. Nella variante delia, la fine avviene dunque nell'isola sacra di Apollo, dove l'eroe caccia con la sorella del dio, Artemide, la quale, sebbene vergine e costantemente distolta dai piaceri dell'eros, se ne innamora. La gelosia di Apollo sarebbe qui la causa della morte: il dio inganna la sorella, invitandola a colpire con la sua freccia qualcosa che si intravede da lontano, nella distesa marina. La dea uccide così Orione, che stava nuotando, annientando l'oggetto del suo amore.

Un nucleo di varianti individua la morte nelle frecce di Apollo o della stessa Artemide, ora per gelosia, ora per inganno. Ma sono versioni meno note, che fanno parte di quella serie poco diffusa e pertanto senza un significativo spessore mitico.

In buona parte delle versioni la morte avviene invece attraverso la puntura di uno scorpione, evocato da Gaia, la dea Terra, o dalla stessa Artemide, irata con l'eroe, o per il suo dichiarato proposito di uccidere tutte le bestie, o perché aveva tentato addirittura di far violenza alla divina figlia di Latona.

Gli elementi del nostro mosaico trovano finalmente corrispondenza. Seguiamo dunque il racconto più diffuso, che del resto si rivela per noi il più utile ai fini dell'identificazione della scena. A Creta, dunque, il nostro eroe continua a dedicarsi alla caccia di fiere, la sua occupazione preferita. La sua tracotanza esplode nuovamente, l'eroe vuole debellare la terra da tutte le bestie, uccidere tutti gli animali. Interviene la Madre Terra, Gaia, che gli scatena contro un enorme scorpione, sbucato fuori da una montagna, dalle viscere della terra. La bestia lo ucciderà con il suo potente veleno.

Ecco la versione narrata da Eratostene[40]:

> Orione si recò a Creta e lì viveva cacciando fiere insieme ad Artemide e Leto e pare che avesse minacciato di uccidere tutte le fiere che vivono sulla terra. Gaia, adirata contro di lui, fece sorgere uno scorpione gigantesco, ferito dal pungiglione del quale morì. In seguito a questo, per il suo valore Zeus lo pose tra le stelle su richiesta di Artemide e Leto, ugualmente vi pose anche lo scorpione in ricordo del fatto.

Orione venne collocato così da Zeus tra gli astri (insieme al suo rivale), dietro intercessione di Artemide e di Latona, o comunque per il riconoscimento dei suoi meriti, che non sono stati evidentemente offuscati dalla sua *hybris*. Assunto in cielo, divenuto costellazione, Orione continuerà le sue mitiche azioni venatorie, come ricorda Arato: «Orione, fiducioso almeno nella forza della sua spada [...]»[41].

Eccolo, quindi: l'eroe cacciatore nelle sue imprese celesti è armato della spada, un elemento questo che abbiamo riconosciuto come particolarmente caratterizzante nell'iconografia del nostro mosaico. E non ci meraviglia che nelle più tarde illustrazioni di codici bizantini che riportano i testi di Arato ed Eratostene le immagini (che si rifanno senza dubbio a raffigurazioni più antiche, almeno di età romana) raffigurano l'eroe-costellazione con la mano sollevata a brandire la spada!

Come corredato di spada, stavolta sguainata, appare nel globo dell'Atlante Farnese, la statua marmorea del Museo di Napoli, dove il Titano reca sulle spalle il globo celeste con segni zodiacali e costellazioni in rilievo (Fig. 9).

Queste sono le uniche figurazioni certe relative a Orione; quelle relative al suo aspetto di eroe mitico e perciò ai vari episodi della sua vita e alla sua morte sono pressoché inesistenti, e non c'è neanche un caso in cui l'interpretazione della scena possa ritenersi incontrovertibilmente sicura.

In tanta penuria di raffigurazioni, il nostro mosaico diventa un *unicum*, eppure imprescindibile per conoscere l'iconografia eroica, che diviene a questo punto «incontrovertibilmente sicura»[42].

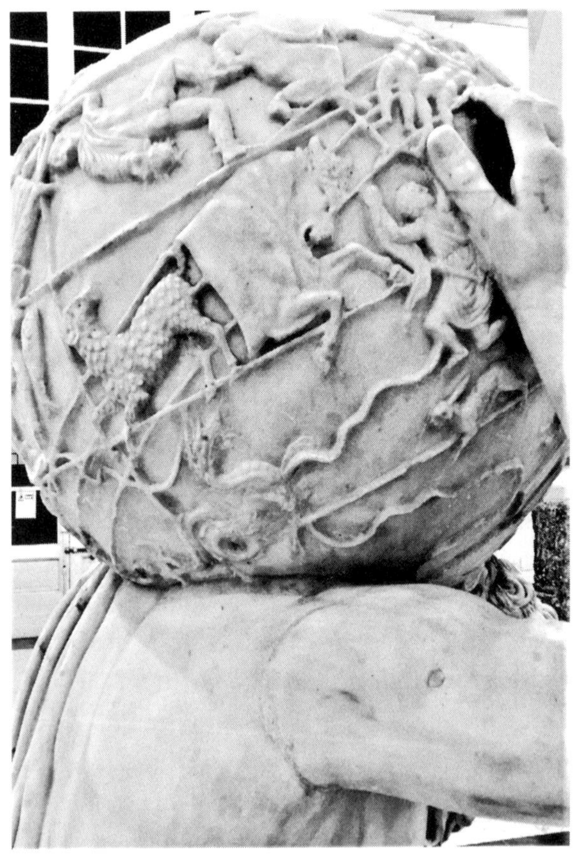

Fig. 9 Dettaglio del globo celeste sorretto dal mitico Atlante. La statua fa parte della collezione Farnese, conservata al Museo Archeologico Nazionale di Napoli. Sulla volta celeste, dove spicca la rappresentazione di Orione con la spada, sono riprodotte ben 43 costellazioni inclusi i 12 segni zodiacali.

Adesso sappiamo chi sei

Se sintetizziamo tutti i dati raccolti, considerandoli insieme, non può che emergere il significato che ci sembrava precluso: il nostro personaggio alato ha la carnagione lattea (mentre la consuetudine per gli uomini vuole che il corpo sia scuro, abbronzato) e ali di farfalla perché è ormai anima – la *psyche* che fuoriesce dalle spoglie umane al momento della morte. E che sia un'anima che ascende al cielo, dunque partecipe di un destino eccezionale, è dimostrato dall'andamento fortemente ascensionale di tutta la composizione. Ma anche dai gesti: la mano destra sollevata verso l'alto col palmo aperto; e soprattutto il braccio allungato del demone alato, con la mano serrata e l'indice puntato verso l'alto (Fig. 10).

Fig. 10 I gesti dell'eroe e del demone alato, riconoscibile forse come Aion (personificazione del tempo e dell'eternità), rievocando l'ascensione verso la sommità celeste, alludono al catasterismo di Orione, ossia la sua trasformazione in costellazione.

Sotto il mantello si cela dunque la metamorfosi, il corpo morto da cui emerge l'anima, il quale doveva essere ancora ghermito dalle chele dello scorpione. Come abbiamo visto, un momento negato dal panneggio che nasconde il contatto, l'azione che darà origine a un evento cosmico.

Ma forse dietro l'espediente di celare le chele dello scorpione c'è anche altro, qualcosa che rimanda a dotte disquisizioni di astronomi alle prese con la catalogazione delle costellazioni. Il velare la parte superiore dello scorpione potrebbe essere un'allusione all'asterismo a sé, che avrebbe visto protagoniste le chele della fatale bestia, inglobate in un segno a parte, quello della Bilancia. Si tratta di un fenomeno già attestato nel VII secolo a.C. nelle tavolette assire di MUL. APIN («i piatti della bilancia, corna dello scorpione»). Secondo questa ricostruzione, quella parte della costellazione doveva riferirsi alla Bilancia, il cui nome è attestato come Libra nel mondo romano, addicendosi «all'epoca in cui questa parte del cielo ospitava il Sole nell'equinozio d'autunno, il momento di equilibrio di durata fra il giorno e la notte»[43]. Al riguardo appare assai significativo che l'*Epitome* di Eratostene, pur non considerando le *Chelai* una costellazione a sé, registra comunque che la figura dello scorpione occupava due segni zodiacali; e così pure Igino [...] *Huius (Scorpii) prior pars* («la parte anteriore dello Scorpione»).

Dunque potrebbe trattarsi di un espediente per far riferimento a queste conoscenze astronomiche, e dunque un richiamo «velato» all'altro segno zodiacale, la Libra.

Ma ci resta ancora da spiegare l'inquietante particolare della chioma in fiamme e del demone che le dà fuoco. Nella ricerca del significato, come abbiamo visto, non concorrono altre raffigurazioni in qualche modo analoghe. Invece un'impressionante testimonianza che squarcia il velo e ci consente finalmente la comprensione dell'insolita iconografia ci viene da un grande poeta latino, Ovidio, autore di un poema non a caso dedicato alle metamorfosi eroiche, tra le quali spiccano a più riprese esperienze di catasterismo[44]. Ascesa in cielo e trasformazione in costellazione corrispondono a un destino che non segna solo la biografia del nostro eroe e del suo rivale, infatti, ma quella di tanti eroi ed eroine del mito, a cominciare dall'Orsa Callisto. E non solo di eroi del mito, come ci fa apprezzare Ovidio, ma anche di uomini: a cominciare dall'età ellenistica, del resto, in un mondo nuovo dove pure gli umani possono avere un destino divino, il catasterismo viene a concludere anche vicende umane. Abbiamo ricordato all'inizio del nostro discorso il caso di Cesare, il dittatore che *post mortem* si trasformerà in *divus*, un dio. La divinazione avviene attraverso l'assunzione in cielo tra gli astri, e la trasformazione dell'anima in stella.

> [...] la grande Venere, invisibile, si ferma in mezzo alla sede del Senato e sottrae dal corpo del suo Cesare l'anima non ancora liberatasi, e non permette che essa si dissolva nell'aria e la porta su tra gli astri del cielo. E mentre la porta, si accorge che diventa luminosa e s'infuocano i capelli, e la lascia andare dal proprio seno. Quella vola più in alto della luna e, trascinandosi dietro per lungo spazio una coda fiammeggiante, brilla, ormai stella.[45]

Una cometa transitata per più giorni nel cielo di Roma aveva materializzato il catasterismo del dittatore e dunque il suo trasformarsi in *divus*. L'immagine della trasformazione in essere celeste è composta da Ovidio immaginando l'anima di Cesare portata in alto dalla progenitrice Venere. L'anima ricorda ancora l'immagine «trasfigurata» della persona umana, ne reca ancora le fattezze, i capelli. E la chioma che prende fuoco diventa il simbolo della metamorfosi in atto. Tant'è che Venere, a questo punto, non può far altro che lanciare «più in alto della luna» l'anima. La *psyche* di Cesare, con la chioma infuocata, lascerà dietro di sé «una coda fiammeggiante», la cometa.

Così, nel nostro mosaico, la capigliatura in fiamme non può che significare il catasterismo in corso[46]. La scena fotografa la metamorfosi immortalandone gli ultimi istanti, quasi l'epilogo: questo sarà segnato da Eros, che interviene, con la sua dimensione cosmica, a suggellare la nascita della costellazione ponendo sul capo infiammato una corona.

L'eroe Orione, quindi lo scorpione emissario di Gaia che secondo alcune varianti del mito ne provoca la morte, l'Erote che ne suggella l'assunzione in cielo. Ci resta ancora da assegnare qualche nome e qualche ruolo: chi è a questo punto il demone alato che, dando alle fiamme i capelli dell'eroe, al contempo indica con il dito sollevato il percorso dell'anima «più in alto della luna»? Un demone inviato da Zeus, interprete della volontà divina? O forse piuttosto la personificazione di un concetto, della nuova dimensione che acquista l'anima trasformata, ossia l'eternità?

Anche se il nostro mosaico è più antico, sorprende qualche somiglianza rintracciabile con rilievi di età imperiale, uno celebrante l'apoteosi di Sabina, moglie di Adriano, l'altro l'apoteosi di Antonino e Faustina. Nel primo rilievo, conservato ai Musei Capitolini e proveniente dal cosiddetto Arco di Portogallo (un arco trionfale romano non conservatosi), la scena rappresentata materializza il momento in cui l'anima di Sabina è tratta dal rogo nell'area sacra dell'ustrino e condotta in alto da un demone alato femminile, recante una fiaccola, in posa ascensionale obliqua (Fig. 11). Al di sotto, assiso accanto al rogo, compare lo stesso imperatore Adriano, che solleva l'indice verso l'alto, proprio come il nostro demone. Il demone con fiaccola è la personificazione di *Aeternitas*, l'eternità. Nell'altro rilievo, che decora la base della colonna di Antonino Pio, conservata ai Musei Vaticani, è rappresentata l'apoteosi di Antonino Pio e di sua moglie Faustina. Questi sono ritratti nell'atto di ascendere al cielo, trasportati in questo caso da un genio alato, maschile, che reca in mano il globo celeste con un serpente. Si tratta della personificazione di *Aion*, «il tempo», simbolo dell'eternità[47].

Nel nostro mosaico compaiono dunque aspetti presenti nei due rilievi, in riferimento ai geni che trasportano le anime imperiali in cielo, anche se vi prendono posto come se fossero mescolati: di entrambi compaiono le ali; della figura alata del primo, ritorna la fiaccola, mentre del secondo l'aspetto fiorente di un giovane alato, ma privo però di globo e serpente, anche se il rettile può recuperarsi nel nostro cobra, posto a dominio della terra.

Fig. 11 Il rilievo, ai Musei Capitolini, proveniente da un monumento noto come Arco di Portogallo, rappresenta l'apoteosi dell'imperatrice Sabina, moglie di Adriano. La figura umana ascende al cielo acquisendo carattere divino, trasportata da un demone alato femminile, identificabile come Aeternitas. Assiste all'evento lo stesso Adriano che fa lo stesso gesto del demone alato del mosaico di Orione (Bridgeman/Mondadori Portfolio).

A giudicare dalle iconografie delle apoteosi imperiali non è escluso che il nostro sia dunque una personificazione. Dopo la presentazione del mosaico nella *Lettura* del «Corriere della Sera», è intervenuto Andrea Carandini, che ha guardato al mosaico e alla sua complessa iconografia per figurarsi l'imperatore Adriano, pronto al trapasso estremo, pieno di speranza di una salvezza ultraterrena che poteva venire dal proprio catasterismo:

> Possiamo congetturare come il principe poteva immaginare la sua anima. La vedeva come un Adriano in eroica e pallida nudità, le braccia rivolte al notturno cielo, che lascia la terra, dominata da un cobra, portato agli astri dalle ali di farfalla spuntate dalla crisalide del suo corpo, la cui chioma è già in fiamme, accesa da un fanciullo alato, *Eros/Thanatos* o Morte, munito di fiaccola rovesciata, che si libra sopra di lui, sovrastato da *Hypnos* o Sonno che porge una corona. Questa iconografia è suggerita dal mosaico recentemente rinvenuto a Pompei da Massimo Osanna, che raffigura il mitico e bel cacciatore Orione assunto in cielo per essere trasformato nella omonima costellazione. È questa la raffigurazione rara del «catasterismo» o «collocazione tra gli astri», questa volta però di un uomo, seppure imperatore, che sperava di intravedere la crisalide del suo corpo tramutarsi in anima divina e nuova stella [...]

Riflessioni del tutto condivisibili, anche se l'interpretazione delle figure che accompagnano l'eroe nel catasterismo non si può imbrigliare con certezza in un'identificazione univoca e certa.

Si tratta senza dubbio, come si è visto, di personificazioni. Escluso che il demone che dirige la fiaccola verso i capelli di Orione possa essere Aeternitas, un demone femminile tipico del mondo romano, non è inverosimile che possa trattarsi di Aion, l'essere divino che accompagna nell'apoteosi Antonino Pio e Faustina. Si tratta di un concetto che ritorna già nella Grecia classica, per indicare il tempo assoluto, immobile e immutabile, dunque l'eternità in contrapposizione con Chronos, il tempo relativo, il movimento incessante[48]. In epoca ellenistica, Aion si trasforma poi in una potenza cosmica, identificandosi con lo stesso Cosmo. Interessa notare che Aion Ploutònios, chiamato anche Agathòs Dàimon, era una divinità protettrice della città di Alessandria, cui assicurava prosperità[49]. L'iconografia nota lo presenta non a caso con il cerchio zodiacale e le Stagioni, diventando simbolo del cosmo che si rinnova incessantemente portando frutti e prosperità.

Anche in mancanza di attributi specifici, non sarebbe dunque azzardato individuare nel nostro personaggio Aion, che trasforma in costellazione, eternizzandolo, il cacciatore Orione. Forse non a caso in un inno alla Natura composto in età antonina, presumibilmente dal poeta cretese Mesomede, Aion ritorna come una divinità solare, «signore della eterna volta celeste» (αἰωνοπολοκράτωρ: Pap. Gr. Mag., I, 202), e «signore dei diademi infuocati» (δεσπότης των πυρίνων διαδημάτων: Pap. Gr. Mag., IV, 520 s.). E forse proprio in questa definizione possiamo ritrovare ancora una volta la trasposizione letteraria del capo infiammato del nostro eroe.

Il lavoro dell'archeologo si chiude qui: come in un'investigazione poliziesca, ha ascoltato tutti i testimoni, ne ha vagliato le biografie, ha cercato ogni contatto con la scena del crimine, ha chiuso l'indagine. Continua il lavoro del filosofo, come quello del fisico, alla ricerca di spiegazioni per comprendere il cosmo, per riflettere sul tempo e sull'eternità. O forse è meglio lasciare il compito ai poeti.

Elle est retrouvée./Quoi? – L'Éternité./C'est la mer allée
Avec le soleil.
Âme sentinelle/Murmurons l'aveu/De la nuit si nulle
Et du jour en feu.
Des humains suffrages,/Des communs élans/ Là tu te dégages
Et voles selon.
Puisque de vous seules,/Braises de satin,/Le Devoir s'exhale
Sans qu'on dise: enfin.
Là pas d'espérance,/Nul orietur./Science avec patience,
e supplice est sûr.
Elle est retrouvée./Quoi? – L'Éternité./C'est la mer allée
Avec le soleil.
(Arthur Rimbaud, Mai 1872. Da *Œuvres complètes*, a cura di Antoine Adam, Bibliothèque de la Pléiade, Paris, 1972)

NELLA STANZA DI LEDA. MITO ED EROTISMO

capitolo 7

È sempre stata lì

Stiamo per approcciarci a uno dei ritrovamenti che più ha destato stupore e attenzione, tanto tra gli addetti ai lavori quanto tra il pubblico non specialista. Per realizzare questo avvicinamento, procediamo attraverso la topografia dell'antica città, dando una cronologia degli scavi, in modo da restituire così alla nuova scoperta il valore storico che giustamente merita.

Lungo via del Vesuvio, il *cardo* di Pompei che, correndo dalle mura nord a quelle sud, taglia la città in due, incrociando ad angolo retto prima via di Nola e poi via dell'Abbondanza (il *decumanus*), si dispongono importanti case, botteghe, edifici termali (terme stabiane e terme centrali). Nel settore a nord di via di Nola lo scavo si arrestò all'inizio del Novecento sul fronte orientale della via, andando a scoprire solo le facciate degli edifici dell'insula 6 della Regio V (Fig. 1). Lo sterro dell'epoca portò alla luce su tutto il fronte della via ingressi di case e botteghe che non vennero però ulteriormente indagate e di cui dunque si conoscevano solo le murature prospicienti la strada[1].

Nell'ambito dei lavori di messa in sicurezza dei fronti di scavo, tesi a stabilizzare le pareti delle aree non scavate, operando in maniera sistematica su circa tre chilometri di materiale vulcanico che incombe pericolosamente su quanto già portato alla luce, molte sono state le sorprese[2]. Il progetto su questa via prevedeva una risagomatura delle scarpate lasciate dagli scavi del passato, le quali spesso si elevavano per 4-5 metri, con una vegetazione particolarmente esuberante, sulla strada e le fronti liberate degli edifici (Figg. 2-3). Si è reso dunque necessario, per mettere in sicurezza l'incombente coltre di materiale vulcanico, lo scavo degli ambienti prospicienti la strada dell'insula 6, in modo da realizzare un pendio più lieve, e dunque un'inclinazione non superiore ai 35 gradi. All'inizio dei lavori, su questo lato orientale del grande asse di transito diretto a nord verso Porta Vesuvio, affioravano tra la vegetazione e il terreno incoerente solo alcune creste murarie, soprattutto nel settore settentrionale della via, quanto restava delle attività intraprese con le indagini condotte qui tra il 1902 e

Fig. 1 Vista della via di Nola, asse est-ovest, che incrocia via del Vesuvio. A destra, l'area non indagata della Regio V con il cantiere dei nuovi scavi.

Fig. 2 Fronte di scavo lungo via del Vesuvio, prima dei lavori di messa in sicurezza.

Fig. 3 I lavori in corso lungo il fronte di scavo di via del Vesuvio. Tali interventi, necessari a mettere in sicurezza il pendio realizzato dall'arrestarsi in questo punto degli scavi del passato e dunque le facciate degli edifici affiorate, sono diventati una straordinaria occasione di conoscenza.

il 1908 e poi delle successive opere di consolidamento statico, messe in sicurezza e restauro che hanno caratterizzato l'area per tutto il XX secolo e fino ai tempi più recenti (nelle appendici avremo modo di ricostruire nel dettaglio le vicende archeologiche di Pompei).

Le attività di scavo hanno comportato innanzitutto la rimozione, lungo tutto il pendio, del piano di calpestio moderno (dallo spessore oscillante tra 0,90 e 1,50 m), originatosi dalle attività agricole protrattesi sino a tempi recentissimi, nonché dai vari interventi di scavo e messa in sicurezza che hanno compromesso significativamente le stratigrafie eruttive in quest'area. La rimozione dello strato di terreno superficiale e dei vari riempimenti moderni ha fatto affiorare in più punti creste di murature antiche pertinenti a vani degli edi-

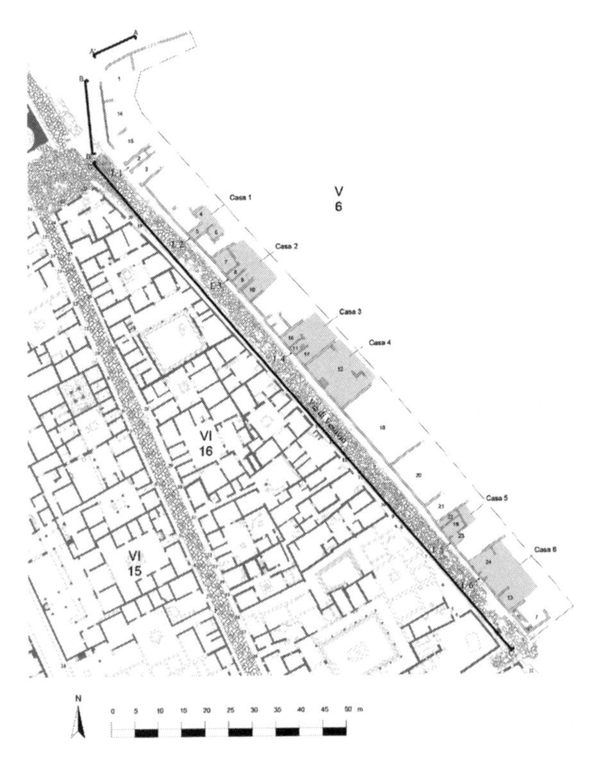

Fig. 4 Pianta della Regio V, insula 6, nel lato che affaccia su via di Vesuvio. L'arretramento dei fronti di scavo, la cui linea si legge a tratteggio, ha portato alla luce ambienti e pitture (Elab, Poleis).

fici ancora sepolti, la cui facciata era stata liberata durante gli scavi dell'inizio del Novecento. Dove necessario ai fini del progetto, lo scavo è stato approfondito rimuovendo strati riferibili alle correnti piroclastiche e al riempimento di pomici, raggiungendo in alcuni casi i piani pavimentali antichi.

Delle varie unità edilizie così individuate, riferibili ad almeno quattro case, segnalate dai varchi degli ingressi che si aprivano nelle murature affacciate sulla via, sono stati identificati venti nuovi ambienti (Fig. 4). È stato inoltre possibile riflettere sullo sviluppo urbano di questo quartiere: la presenza di blocchi rettangolari in travertino, riconducibili a pilastri funzionali, alla realizzazione di murature in opera a telaio, ha consentito ad esempio di ipotizzare una fase costruttiva dell'insula inquadrabile già nel corso del II secolo a.C. Inoltre, interventi di restauro successivi al terremoto del 62 d.C. sono attestati da murature in opera incerta con *caementa*, costituite da materiale di reimpiego, nonché da rivestimenti parietali decorati in IV stile.

Grosso modo al centro di questo tratto di via del Vesuvio è stata indagata una parte significativa di una ricca *domus* che ha restituito una straordinaria decorazione pittorica.

Nella casa di Leda

Se impraticabile risulta il compito di ricostruire planimetria e storia edilizia della *domus*, da quanto emerso dai lapilli è possibile gettare uno sguardo sulla vita degli ultimi proprietari, che poco prima dell'eruzione avevano portato avanti un ambizioso progetto di ristrutturazione della casa, per adeguarla alle nuove esigenze della famiglia e ai valori del *dominus*. Le pitture, particolarmente raffinate, rivelano una committenza alta, che deve aver affidato i lavori a una bottega di grande rilievo del panorama artigianale vesuviano. Decorazioni e scelte tematiche rivelano in controluce la storia di una famiglia che forse, grazie alla rinnovata casa, doveva segnalare la propria ascesa sociale, avvenuta verosimilmente mediante il commercio[3].

Quanto a oggi scavato restituisce una parte piccola ma significativa della *domus*, che abbiamo chiamato Casa di Leda per il bellissimo quadretto che decora una stanza da letto (Fig. 5 FT). Un dipinto venuto fuori quasi per caso, si direbbe che voleva tornare alla luce a tutti i costi: il progetto originario non prevedeva che si scavasse l'ambiente, il quale doveva restare quasi tutto al di sotto del pendio che si stava regolarizzando. In particolare la parete nord, dove è venuto alla luce il quadro, di cui non si intravedeva nulla, era destinata a rimanere sepolta. Ma il materiale vulcanico è per sua natura friabile e incoerente, così mentre si lavorava alla stabilizzazione del pendio, che passava a breve distanza dalla parete, la pioggia ha provocato un leggero smottamento di lapilli, che distaccandosi dal muro al quale aderivano hanno lasciato intravedere un ginocchio e un polpaccio. Membra che si sarebbero rivelate appartenere alla celebre regina di Sparta, colta nel momento più conturbante della sua vicenda biografica. Avvisato dell'inaspettato rinvenimento, effettuato il doveroso sopralluogo, sono stato colto da una viva emozione. La sorpresa di quella scoperta imprevista, la bellezza di quel dettaglio di una figura umana che affiorava tra i lapilli mi hanno molto colpito e fatto riflettere a lungo su quella testimonianza di un'arte raffinata che riemergeva all'improvviso. Che fare? Proseguire lo scavo, e dunque variare il profilo del pendio previsto dal progetto (che andava notevolmente arretrato per consentire lo scavo completo dell'ambiente, con tutto ciò che ne consegue, dall'investimento di risorse all'allungamento dei tempi del progetto, cosa non indifferente, trattandosi di fondi europei con una scadenza!)? Oppure lasciare al proprio destino di immagine ignota la figura che appena affiorava, decidendo di proseguire più facilmente, come da progetto? Scelte sempre difficili, ma che in questo caso non potevano non andare – dal mio punto di vista – che verso la conoscenza e la restituzione di quest'opera d'arte alla comunità mondiale che si interessa a Pompei. È emersa così Leda con il cigno, uno dei quadretti mitologici più belli che la città vesuviana ha restituito.

Mi auguro che un giorno si potrà scavare tutto questo edificio che, a giudicare dal poco emerso, si prospetta una struttura di tutto rilievo nel panorama di via del Vesuvio. Ora in ogni caso, riaperto dal l'1 novembre 2019 il tratto settentrionale della via, dall'incrocio con via di Nola a Porta Vesuvio, è possibile affacciarsi sull'uscio di casa e ammirare il bell'affresco che dà il nome alla dimora (e continuerà a darlo se un giorno si riuscirà a scavare tutta la casa) (Fig. 6 FT). In attesa che sia completato il restauro – e soprattutto che siano progettate coperture definitive, a sostituire le tettoie provvisorie messe in opera durante lo scavo per salvaguardare le pitture –, in modo da permettere al pubblico di entrare nelle stanze liberate dai lapilli, qui se ne presenta per la prima volta una trattazione scientifica, dopo la diffusione delle preliminari notizie diffuse dai media[4].

La parte scavata comprende l'ingresso, parte dell'atrio tuscanico e una camera da letto cui si accedeva da questo settore della casa che, come di consueto, fungeva da ambiente di raccordo delle varie stanze della parte «pubblica», quella accessibile anche a coloro che erano estranei al nucleo dei famigliari e degli amici più stretti[5]. Sull'atrio, di cui si è indagato solo il settore orientale, mentre la parte occidentale e la relativa parete rimangono sepolte sotto la coltre di lapilli, si affacciano più vani di cui soltanto uno è stato completamente scavato.

Come già avvenuto nei capitoli precedenti, accomodiamoci in casa e procediamo con ordine: entrando dall'ingresso principale, dapprima incontriamo dunque le *fauces*, uno spazio fondamentale, fungendo da raccordo e cesura tra il paesaggio urbano e le sue occupazioni (*negotium*) e il paesaggio domestico, sospeso costantemente tra dimensione pubblica e privata (*otium*)[6]. Non sorprende constatare che negli ingressi si concentrano messaggi chiave rivolti a chi aveva accesso alla *domus*: grazie all'arredo pittorico (e a quello che già dalla strada si percepiva della casa) si dovevano cogliere immediatamente status, ricchezza e valori dei proprietari. Qui ci sono di frequente le immagini dipinte delle divinità che si scelgono come rappresentative della famiglia e che si invocano per assicurare la protezione domestica. La scelta delle divinità collocate in questo spazio racconta aspettative, ansie e desideri di chi nella casa abitava, e trasmette dunque al contempo messaggi visuali allo spettatore esterno, a chi viene a far visita o a chiedere favori[7]. Altri temi decorativi diffusi, quasi di genere (anche se mantengono sempre vivo nella semantica dell'articolazione tematica un messaggio chiaro), sono le nature morte, gli *xenia* (un genere pittorico ricordato da Vitruvio, che prevedeva rappresentazioni di prodotti dei campi, galline, uova, ecc. che venivano solitamente donati all'ospite), allusioni evidenti all'ospitalità che si apprezzerà in casa, o ancora i paesaggi idillico-sacrali, un rimando ulteriore alla dimensione religiosa, alla *pietas*, ma al contempo all'*otium* rigenerante del paesaggio, quasi un'anticipazione dei valori della natura, introiettati in casa attraverso gli spazi addomesticati del verde domestico (o illusionistici nelle pareti decorate da giardini). Il tutto, divinità, paesaggi, nature morte, deve tuttavia essere sapientemente inserito in uno schema decorativo sobrio e solenne, un'austerità (al contempo asserita e negata) cui ha compito di alludere il partito pittorico che scandisce le pareti con grandi campiture policrome, dove il lezioso non trova eccessivo spazio.

Le *fauces* ben conservate (m 3,56 x m 1,50; h. 5 m) della nostra casa non fanno eccezione: il registro superiore, solo parzialmente conservato, presenta un *pinax* su fondo bianco in cui, nonostante il cattivo stato di conservazione, si riconosce proprio una natura morta, un cesto con beneauguranti melagrane e un uccello in volo; nel registro mediano, quello più importante (posto su grandi campiture policrome della zoccolatura, scandita da pannelli in rosso e nero, inframmezzati da fasce gialle con sobrie decorazioni architettoniche), la simmetrica scansione di pannelli dalle eleganti cornici architettoniche inquadra al centro una scena con divinità (Fig. 7 FT). L'immagine del dio la dice lunga sul *dominus* che deve averla selezionata nel campionario della bottega qui all'opera. Si tratta di un'immagine già celebre a Pompei, perché scelta già per il loro vestibolo dai ricchi Vettii, liberti noti in città per la realizzazione di una delle case più lussuose dell'ultima generazione di pompeiani[8] (Fig. 8 FT): Priapo, vestito all'orientale, con il copricapo frigio in ricordo delle sue origini (era venerato soprattutto a Lampsaco, nell'Ellesponto), indossa i consueti indumenti al femminile che lasciano scoperte la spalla sinistra e le gambe, facendo fuoriuscire l'enorme fallo eretto. Il dio della fecondità della natura e degli umani viene colto dal pittore; reggendo una bilancia, è intento a pesare il fallo su un piatto, mentre sull'altro come contrappeso è un sacchetto di denaro; al di sotto ancora un cesto colmo di frutta, immagine di quegli *xenia* che l'ospite si attende di ricevere una volta varcata la soglia. Tutto nel quadro insiste sull'esplicito richiamo alla fertilità e all'abbondanza[9]. Chi entrava in casa doveva essere sorpreso dall'improvvisa apparizione: doveva suscitare senz'altro ilarità, pur veicolando un serio messaggio di abbondanza e di lusso che il proprietario desiderava affermare attraverso tale immagine così evocativa. Messaggio che risulta quasi ridondante, con il suo triplice richiamo alla prosperità: la fertilità personale (e la potenza sessuale, richiamata esplicitamente dall'enorme fallo); la prosperità economica (esplicitata dal sacco di monete); l'abbondanza nei raccolti (con l'evidente richiamo del cesto di frutta)[10].

L'ingresso è dunque tutto un inno alla ricchezza. Come nel caso della Casa dei Vettii, è assai probabile che anche il proprietario di questa *domus* appartenesse a quel ceto di liberti che – a partire dall'epoca di Claudio e poi sempre più in età neroniana e flavia – aveva conosciuto a Pompei e nelle altre città della penisola una straordinaria ascesa sociale. Grazie al commercio, l'arricchimento di molti aveva toccato vette impensabili per le generazioni precedenti. Il messaggio veicolato dal Priapo e dagli altri pannelli che andremo a scoprire diventa dunque esplicito: il dio saluta col suo membro enfaticamente esibito (tra l'altro posto ad altezza giusta per essere percepito anche dai più distratti) la ricchezza che il commercio ha portato in casa, e con essa lo status del *dominus*. Un commento visivo che sembra eguagliare un messaggio scritto sulla parete di un panificio, dove la mano di un simpatico pompeiano ha inciso presso la rappresentazione di due falli[11]: «*hic habitat felicitas*». Qui abita la felicità! Del resto immagini di falli a rilievo erano disseminate ovunque sulle strade, spesso in connessione con esercizi commerciali, come nel caso del vicolo dei Balconi, nei pressi della *caupona* dal bel bancone (Fig. 9).

Dalle *fauces* proseguiamo verso l'atrio[12]. Solitamente la decorazione d'ingresso, atrio, tablino e *alae* costituiva un'unità tanto compositiva quanto cromatica. Gli spazi più «pubblici» della casa dispiegavano una decorazione omogenea che enfatizzava i messaggi già sapientemente anticipati nel vestibolo di ingresso. In questo caso il tablino non è stato scavato, ma quanto si vede dell'atrio mostra come l'impianto del rivestimento pittorico sia stato concepito in chiave unitaria. A differenza della Casa di Orione che abbiamo visitato nelle pagine precedenti, qui tutto viene realizzato ex novo, non c'è alcun riferimento agli antichi decori sopravvissuti. Qui non si sottolinea la continuità, bensì la novità, lo status raggiunto di chi ha le possibilità economiche per adeguare lo spazio domestico (acquistato dopo il terremoto del 62 d.C.?) alle tendenze più in voga di quegli anni.

Fig. 9 Vicolo dei Balconi, Regio V. All'ingresso di una caupona è la rappresentazione di un fallo, vivacemente dipinta di rosso. Tali rappresentazioni, a volte molto fantasiose, decorano spesso le facciate pompeiane, a evocare protezione e prosperità.

Non c'è tradizione da preservare, ma il messaggio è tutto nell'ascesa sociale da affermare perentoriamente.

La norma vuole che gli atri conservino una certa sobrietà, anche in quest'epoca, ed ecco allora che la bottega all'opera ripropone anche qui le consuete articolazioni della parete, sia in senso orizzontale che verticale (Fig. 10 FT). Al centro, nel settore mediano della decorazione parietale, quello più rilevante, ecco ampie campiture di colore rosso e giallo, con bordure alternate negli stessi colori, accoppiati alternativamente a quelli delle pannellature monocrome. Al centro di queste superfici omogenee le decorazioni figurate: sulla parete sud, al centro, una grande *tabula* con il mito di Narciso[13]; ai lati figure alate volteggiano liberamente sul fondo rosso – si tratta del mondo di Dioniso, Satiri e Menadi, l'alter ego selvaggio del mascolino e del femminino. Queste vignette di dimensioni significative sono tipiche di questa fase della decorazione pittorica pompeiana, il IV stile[14]: oltre al corteo dionisiaco, Amorini, personificazioni delle stagioni, Muse e ancora nature morte possono campire le distese eleganti di colore.

Narciso nell'atrio

Da un lato dunque Narciso, con la sua singolare biografia eroica, di fanciullo bellissimo, cacciatore innamoratosi di se stesso al rimirare il proprio volto riflesso nell'acqua di una fonte; dall'altro il meraviglioso mondo di Dioniso, che rimanda alla gioia di vivere, alla libertà e all'ebbrezza. Uno schema decorativo sobrio, come vuole la norma per gli atri, dove si concentrano i messaggi propagandistici del *dominus* che qui si autorappresenta «pubblicamente» mostrando, attraverso le decorazioni, i propri valori e il proprio mondo. In quest'epoca, ormai, l'atrio ha perso quella funzione – che ancora in età augustea manteneva – di luogo di ricevimento di *clientes* e dunque di riproposizione di valori etici, pubblici da rivolgere all'esterno per celebrare le glorie della famiglia. L'atrio diventa ora quasi l'anticamera del peristilio e dei suoi connessi spazi verdi e di *otium*, del piacere di vivere[15]. Non sorprende l'insistenza, che fa tutt'uno con le immagini dell'ingresso, sui temi dionisiaci e dell'eros. Un vero e proprio inno alla *joie de vivre*, col richiamo a temi «approfonditi» negli spazi adiacenti, dalle *fauces*, come abbiamo visto, ai *cubicula*, come vedremo. La casa diventa il regno di Dioniso e Venere, paradigmi divini della coppia umana, che qui trascorre un tempo rilevante della propria biografia.

L'insistenza sulle due divinità a Pompei è paradigmatica, cominciando già in età sannitica, per diventare quasi ossessiva nel I secolo dell'impero[16]. E insieme alle sue divinità e ai loro amori (da un lato Arianna, dall'altro Ares e Adone) fanno la loro comparsa sulle pareti di atri e triclini le immagini di eroi coinvolti in vicende amorose, spesso con divinità. Nel nostro atrio spicca Narciso, raffigurato secondo lo schema fisso adoperato in quest'epoca per i bellissimi fanciulli amati dagli dèi (Endimione, Ciparisso), reclinato obliquamente su una roccia con il volto girato verso lo spettatore, mentre Eros con arco e freccia pronti per l'uso gli si avvicina da dietro, e il cane tenta di distoglierlo dal suo languore ringhiandogli presso il ginocchio (Fig. 11). Un rigoglioso paesaggio antropizzato e sacrale inquadra la scena: davanti la fonte delimitata da vegetazione acquatica, intorno e dietro alberi, rocce e architetture solenni.

Natura e cultura, caccia ed eros, ineluttabilità del fato e (impossibile) struggimento amoroso: questi i temi che affiorano dal quadro, inviando un messaggio esplicito che si raccorda con l'arredo elegante quanto superficiale di tutta questa sezione della casa. Gusto e biografia del proprietario, moda del tempo, valori condivisi di una società in trasformazione: sono tutti ingredienti che concorrono a definire un programma decorativo dove più che la sfera intellettuale del proprietario emerge la sua volontà di dichiararsi partecipe di un idillico mondo di amore e piaceri, dove come vedremo all'amore impossibile di Narciso si contrappongono gli amori esplicitati di Leda nella stanza vicina. Ma prima di passare a Leda restiamo ancora un po' nell'atrio e soffermiamoci su Narciso.

Fig. 11 Il pannello con la rappresentazione del mito di Narciso restituisce l'immagine del giovane cacciatore languidamente disteso su una roccia, inquadrato da un paesaggio idilllico. Il pittore aggiunge un vivace elemento alla rappresentazione: il cane che abbaia per richiamare l'attenzione del suo padrone distratto dall'attività venatoria.

Il tema è particolarmente ricorrente sulle pareti pompeiane di IV stile[17]. Tra l'età di Nerone e quella degli imperatori flavi le case della città vesuviana si arricchiscono di quadri mitologici inseriti nella tipica cornice architettonica che scandisce la parete. Spiccano tra i temi prescelti quelli connessi a fanciulli di grande bellezza amati felicemente o tragicamente dagli dèi. Rispetto all'epoca precedente, si nota un passaggio da temi in qualche modo connessi con un messaggio etico a temi più edonistici, che richiamano valori quali la bellezza, l'amore, l'estasi, il piacere. Si accentua così il ricorrere delle immagini di passioni tra divinità e umani o ritratti di giovani che sono stati prescelti dagli dèi per la loro straordinaria avvenenza e fatti oggetto di amore: Adone, Ciparisso, Endimione. Tra questi non poteva mancare Narciso, amato anch'egli dalla ninfa Eco (la personificazione del fenomeno acustico), ma che non corrispondendo alla dea finirà per morire per amore di se stesso[18].

La leggenda nasce in Beozia, terra di miti e di nascite divine. Pausania, nella sua *Descrizione della Grecia*, lungo il percorso attraverso la Grecia centrale (IX Libro), lasciata la vetta dell'Elicona incontra nella piana sottostante, dove è la città di Tespie, una località chiamata Donacone («Canneto»), in cui si riconosceva la fonte nella quale si era specchiato Narciso. Verosimilmente si tratta di un mito locale, tutto sommato marginale, proprio per il suo radicamento nel territorio di Tespie, il quale assurge però a importanza internazionale grazie alla trattazione di Ovidio, che lo inserisce tra i miti di metamorfosi[19]. La vicenda di Narciso compare infatti nelle fonti solo a partire dal I secolo a.C., in una scarna narrazione fatta da Conone (*FGrHist* 26 f 1 [24]). Entrambi gli autori collocano il giovane, figlio del fiume Cefiso e della ninfa Liriope, in un contesto caratterizzato dall'omosessualità e dall'iniziazione pederotica e fanno di lui un adolescente bellissimo che, rifiutando l'amore degli altri, s'innamora della sua immagine riflessa nell'acqua di una sorgente. Dopo aver scoperto l'inganno di cui era rimasto vittima, muore per la delusione, senza riuscire a completare il percorso verso l'età adulta[20]. Dal fanciullo esanime nascerà un fiore, il narciso[21].

Una significativa testimonianza sulla popolarità del mito nel mondo romano a partire dal I secolo d.C. sono le numerosissime pitture pompeiane dedicate al soggetto, che riecheggiano senza dubbio l'influenza di Ovidio[22]. Nel nostro caso, più che pensare a un'operazione dal sottile significato intellettuale, credo che si possa interpretare la scelta del mito come un semplice riferimento ai piaceri dell'*otium*, declinato nel duplice riferimento (se letto con i motivi che inquadrano la *tabula* sui pannelli adiacenti) al mondo di Dioniso e a quello della caccia, come territorio dell'oltre, dove natura, amore e bellezza si fanno paradigmi fondamentali che trasportano altrove chi attraversa e vive questi spazi domestici.

Leda nella stanza da letto

Passando dall'atrio al *cubiculum* che si apriva a destra di chi entrava, ci si imbatte in una delle più belle camere da letto che Pompei ci ha restituito (Fig. 12). Fresca di decorazione doveva essere in quei giorni fatidici dell'eruzione, uno spazio che con ogni probabilità non è stato goduto a lungo dai proprietari.

L'ambiente, con ingresso lungo la parete nord, completamente scavato, presenta setti murari in opera a telaio (come conferma la presenza di blocchi di calcare del Sarno, utilizzati nei cantonali), te-

Fig. 12 Uno sguardo dalla camera da letto verso l'atrio. L'affresco di Leda si trovava nel cubiculum, ovvero la camera da letto. Non è insolito trovare questo tipo di raffigurazioni erotiche nelle camere dei pompeiani, che adattano spesso il messaggio alla funzione della stanza.

stimoniando l'antichità della casa, che doveva risalire nel suo primo impianto già al III secolo a.C. La decorazione invece, come si diceva, era stata da poco realizzata, rinnovando completamente lo spazio interno. L'intera composizione, su fondo bianco, alterna fasce con architetture prospettiche in azzurro a pannelli con motivi vegetali e zoomorfi e si completa, nella parte superiore, con una fascia modanata in rosso e giallo, in cui si susseguono quadretti di piccole dimensioni, a fondo bianco, con la rappresentazione di mostri marini. Su entrambe le pareti, *pinakes* a sportello, sospesi alla modanatura superiore, con paesaggi e nature morte.

Accanto alla porta d'ingresso, sulla parete est, all'altezza dello sguardo di chi entrava, lo schema decorativo era arricchito da una *tabula* con un altro soggetto mitologico (Fig. 13 FT). Si tratta di uno dei miti più celebri tanto nell'arte antica quanto in quella rinascimentale e moderna: Leda e il cigno. Figlia del re di Etolia, la bellissima principessa era andata a Sparta in sposa al re Tindaro. Come di consueto, la somma divinità dell'Olimpo, Zeus, per sedurre la bellissima mortale, si traveste. Come accaduto con Danae, Alcmena, Europa, Callisto, il dio si fa irriconoscibile per riuscire ad avvicinarsi all'oggetto del desiderio. In questo caso sceglie l'aspetto di un cigno. Nella stessa notte la regina si unirà a Tindaro, il parto che ne seguirà ha del miracoloso: dall'unione col cigno verrà alla luce un uovo, da cui saranno generati Elena e Polluce; dall'unione con Tindaro nasceranno Clitennestra e Castore[23].

La «Signora», come indica il nome Leda, è protagonista di diverse tradizioni che come sempre, grazie alla struttura aperta del mito, tessono con una serie di varianti racconti incentrati sulla nascita di Castore, Polluce, Elena e Clitennestra, tra i quali spicca anche una storia che fa intervenire la dea Nemesi (che depone una delle due uova da cui nasce una delle due coppie di gemelli). La costante, morfema fondamentale del racconto mitico, è la metamorfosi di Zeus in cigno: il dio che ama incessantemente scendendo sulla terra riempie il mondo di figli indirizzati a destini gloriosi.

Sono questi gli elementi che rendono il mito particolarmente gradito negli ambienti domestici pompeiani. Il tema amoroso e quello della procreazione. Da un lato dunque un tema erotico, nella nostra stanza da letto particolarmente accentuato, se si pensa allo sguardo sensuale e consapevole di Leda che guarda col capo reclinato direttamente negli occhi dello spettatore (Fig. 14). La scena si svolge in un interno (ad accentuare ancora di più l'aspetto erotico), laddove il mito vorrebbe piuttosto un esterno, per giustificare l'aquila (inviata da Zeus) che plana a minacciare il cigno. L'animale si rifugia in grembo alla regina, che solleva il braccio destro a reggere il manto – che ricopre la sua gamba destra, lasciando scoperto tutto il resto del corpo – come protezione verso il pericolo incombente. Il cigno è già disteso sul corpo dell'eroina, il suo collo serpentino si insinua a raggiungere quello della regina, quasi prossimo a un bacio.

Fig. 14 Gruppo di famiglia in un interno: la scena è immaginata nella camera da letto della regina spartana che alza la veste ad accogliere il cigno e, con lui, nella sua stanza noi spettatori, resi silenziosi complici, dallo sguardo consapevole che la regina sembra rivolgerci.

La donna siede sulla sponda del letto di cui si intravede un materasso ricoperto da un copriletto celeste, la mano destra poggiata sulla *kline*, il piede destro fermamente assicurato su un suppedaneo; la gamba sinistra è rappresentata invece di scarto e obliqua, a serrar le ginocchia, significando un movimento di ritroso diniego verso le avance del cigno. Le gambe si serrano, il palmipede afferra la coscia sinistra, mentre la parte inferiore del suo corpo è già saldamente incuneata nel basso ventre della donna. Le gambe si serrano, in un gesto di ritrosia e pudicizia, prontamente negato dallo sguardo sensuale, ammiccante e consapevole. Un capolavoro di erotismo; ben diverso dalle altre raffigurazioni pompeiane, dove la regina stante tiene il cigno per il collo, in una definitiva negazione della sensualità. La rappresentazione tuttavia non ci sorprende, se si considera che siamo in una camera da letto, probabilmente quella padronale, dove si consumava l'amore coniugale. Un tema passionale, in linea con le funzioni dell'ambiente, ma anche una fonte di «ispirazione»: le immagini predispongono all'atto amoroso, veicolando al contempo anche altri messaggi. L'amore paradigmatico di Zeus e Leda è destinato a generare figli dal glorioso destino. La donna più bella, Elena, anch'essa destinata a diventare regina, e Polluce, un semidio, insieme al fratello Castore protettore della classe degli *equites*, i cavalieri della società romana[24]. Dietro il tema delle nascite eroiche potrebbero leggersi le aspirazioni di un'intera classe sociale verso un'ascesa da ottenere proprio grazie alla prole. Pensiamo a tutta la decorazione nota della casa, e in particolare al Priapo del vestibolo, che richiama direttamente, in virtù del collegamento con la Casa dei Vettii, quell'ambiente di liberti che nel commercio e nella ricchezza acquisita dovevano aver trovato un riscatto sociale e aspirare, attraverso la prole, ad acquisire uno status prima negato. I figli di liberti potevano assurgere agli onori (e oneri) delle cariche magistratuali, scalando nel corso della loro vita i vari gradini di un *cursus honorum* precluso ai propri padri.

Dal Priapo che si palesa a salutare i visitatori all'ingresso, al Narciso che languidamente adagiato presso la fonte attrae lo sguardo di chi si aggira nell'atrio, fino alla Leda, perturbante, ammiccante dalla testata del letto: tutto un mondo di valori ed emozioni emerge dal passato. Chi entrava nella casa, l'osservatore antico, doveva avvertire tutta la carica erotica di questa sequenza d'immagini, da quella apotropaicamente divertente di Priapo a quella sensuale di Narciso nel suo languore da innamorato, fino all'esplosione erotica della Leda amata e posseduta dal cigno[25]. Il fermo immagine delle varie iconografie che diventano vive sotto gli occhi dell'osservatore, proprio grazie al suo atto di guardare (e lasciarsi affascinare).

Le immagini ci guidano dentro gli spazi della casa, rievocando quella catena di sguardi antichi che, qui, su di esse, si devono essere posati[26]. Ci offrono così qualcosa del personaggio che ha scelto le proprie decorazioni e i soggetti greci, tra i tanti che offrivano quelle botteghe impegnate a ridecorare una Pompei che voleva risorgere dal tremendo terremoto del 62 d.C., ma che sarebbe stata presto sepolta, a lungo ma non per sempre, sotto la coltre di lapilli[27]. Le mani degli archeologi che risuscitano il passato, che provocano queste «resurrezioni» della memoria, hanno salvato anche Leda da un destino di oblio.

E la sua rinnovata fama si è diffusa immediatamente nel mondo, finendo anche sulla prima pagina nel «Times» il 20 novembre 2018[28].

IL PIÙ AMATO DAI POMPEIANI. UNA TOMBA SPECIALE APPENA FUORI CITTÀ

capitolo 8

Scavi di oggi, scavi di ieri

Il viandante che usciva da Porta Stabia alla volta del porto o della vicina località di Stabia si imbatteva all'esterno delle mura in vari sepolcri (Fig. 1). Le tombe erano di norma fuori dalle porte urbiche, lungo le direttrici di traffico principali delle città antiche[1]. In quell'anno fatidico dell'eruzione, una in particolare doveva attrarre l'attenzione del passante, un mausoleo da poco costruito, che si distingueva da tutti gli altri per monumentalità, decorazione e soprattutto per la lunga iscrizione che ne occupava la facciata, a una altezza giusta perché gli occhi vi si posassero senza difficoltà (Fig. 2).

> *Hic togae virilis suae epulum populo pompeiano triclinis CCCCLVI ita ut in triclinis quinideni homines discumberent* (hedera). *Munus gladiat(orium) / adeo magnum et splendidum dedit ut cuiuis ab urbe lautissimae coloniae conferendum esset ut pote cum CCCCXVI gladiatores in ludo habuer [...]*

Fig. 1 Due delle tombe individuate lungo il percorso in uscita da via Stabiana. Tutte le principali arterie viarie di Pompei erano costeggiate da sepolcreti dove le più importanti famiglie ostentavano la propria fama e ricchezza per coloro i quali si accingevano ad attraversare le porte della città. La città dei morti rispecchiava in tal modo l'ordine e la gerarchia della città dei vivi.

> Costui in occasione della sua toga virile offrì al popolo pompeiano un banchetto con 456 triclini in modo che su ciascun triclinio trovassero posto quindici uomini. Offrì uno spettacolo gladiatorio di tale grandiosità e magnificenza da poter essere confrontato con quello di ognuna delle nobilissime colonie fondate da Roma poiché parteciparono 416 gladiatori [...]

Così comincia il lungo testo: le parole incise con belle lettere regolari ed eleganti sulla tomba parlavano del defunto, elencavano azioni e benemerenze di una vita spesa a vantaggio della comunità.

Venuta alla luce nel 2017, la tomba monumentale rappresenta senza dubbio la scoperta più inattesa di questa recente stagione di scavi in corso a Pompei: è stata rinvenuta durante i lavori di ristruttura-

Fig. 2 La monumentale iscrizione marmorea è stata ritrovata su di un monumento funerario, ancora parzialmente sepolto, anticamente posto sulla via in uscita da Porta Stabia.

Fig. 3 Nella ricostruzione grafica si comprende come la tomba monumentale fosse ormai inglobata nelle fondazioni del palazzo storico, attuale sede degli uffici di soprintendenza, rendendo ancor più singolare la sorpresa di una tale scoperta, a pochi metri da chi lavora quotidianamente nella città.

zione di un edificio ottocentesco, attuale sede degli uffici del Parco Archeologico (il mio studio è esattamente là sopra), il quale si era in parte sovrapposto alla struttura antica (Fig. 3).

Nell'area, già nel Settecento e nell'Ottocento erano stati individuati diversi sepolcri. Tra questi ancora visibili sono due tombe a *schola* (una esedra semicircolare) in tufo grigio, poste immediatamente a sinistra di chi usciva dalla città, sul suolo pubblico e, dunque, autorizzate dall'*ordo decurionum*, il Senato locale (Figg. 4a-b). La prima è quella di Marcus Tullius – lo ricordano due cippi iscritti ai lati dell'esedra, un personaggio di rilievo della società pompeiana, noto soprattutto per aver costruito il Tempio della Fortuna Augusta, nei pressi del Foro; la seconda è del duoviro Marcus Alleius Minius, come recita l'epigrafe posta sulla spalliera del monumento funebre[2]. Altre due tombe del tipo cosiddetto a dado sono state individuate più recentemente, all'inizio del nuovo millennio (2001-2002)[3]: tutte imponenti, destinate a personaggi importanti morti tra i primi decenni del I d.C. e l'eruzione.

Ma nessuna di queste eguaglia la tomba appena scoperta. Le nuove indagini, avviate nel 2016, prevedevano all'inizio solo sondaggi limitati finalizzati al consolidamento delle fondazioni dell'edificio moderno. Non ha destato sorpresa la scoperta di un ulteriore tratto di strada basolata, parzialmente individuato già in passato, nonché di tracce di altre tombe compromesse dagli interventi edilizi del XIX secolo. Sorprendente invece è stato il rinvenimento presso l'angolo dell'edificio di un basamento in blocchi di trachite dalle potenti fondazioni, che lasciava presupporre la presenza di una struttura funeraria di grande impatto monumentale, in parte inglobata nelle fondazioni del nuovo edificio (Fig. 5). Tra mille difficoltà, trattandosi di un finanziamento europeo con un budget fisso e non variabile, si è deciso di ampliare le indagini e di scavare per quanto possibile il manufatto architettonico intercettato. Le aspettative erano molte, a giudicare dal poco che si vedeva, ma quello che è venuto fuori dai lapilli ha superato di gran lunga le nostre migliori speranze di archeologi.

Lo scavo, reso piuttosto complicato dall'incombente presenza

Fig. 4a-b Tombe a schola in uscita da porta Stabia: un'area semicircolare, sopraelevata rispetto al piano stradale, caratterizzata alle estremità da zampe leonine o di grifo. La peculiare scelta architettonica, che sembra voler invitare al raccoglimento e alla sosta, aveva una funzione onoraria, riservata a personaggi che avevano rivestito un ruolo importante nella società pompeiana.

Fig. 5 L'immagine rende chiara l'estrema complessità dello scavo, condizionato dalle fondazioni dell'edificio moderno che, in parte, si appoggia alla struttura funeraria.

dell'edificio ottocentesco, ha portato alla luce una monumentale tomba, già rinvenuta clandestinamente, scavata e trafugata al momento della costruzione della casa colonica nel 1843, ricadente allora in proprietà privata (Fig. 6 FT). Resoconti dell'epoca ci lasciano ricostruire gli eventi, non proprio edificanti, che avevano portato alla scoperta e all'immediata obliterazione del monumento! Il soprintendente Avellino, appresa la scoperta di antichità nel fondo dove fervevano i lavori per la costruzione della casa, si reca immediatamente in sopralluogo. Vede alcune tombe affiorate, ma non la nostra; recupera nei pressi, fuori contesto, un grande rilievo con combattimenti gladiatori, il quale viene fatto trasportare a Napoli. Sono possibili solo speculazioni, allora e in seguito, nel dibattito accademico acceso attorno all'originaria collocazione del grande rilievo, sulla tomba che lo doveva ospitare e sul personaggio che lo aveva fatto realizzare per celebrare le proprie gesta.

Grazie alla nuova scoperta, questo mistero può dirsi risolto. Vediamo come[4].

Un mausoleo eccezionale

Ma perché la nuova tomba è così importante? In che modo si distingueva dalle altre tanto da attirare subito la curiosità dei passanti, che uscendo o entrando a Pompei si dovevano fermare qui ad ammirare, impressionati, il monumento?

Innanzitutto perché appartiene a una tipologia senza confronti a Pompei: come ha sorpreso noi studiosi oggi, così doveva stupire chi la osservava in passato, per l'unicità nel panorama funerario di quest'area e delle altre necropoli. Al di sopra di un basamento si eleva una struttura a pianta quadrata dai lati concavi (di m 6), rivestita in calcare bianco che richiama il marmo, composta da sedile e mensola curvilinei e un tamburo rettilineo recante sul lato occidentale una lunga epigrafe, sormontato da una cornice modanata. La parte superiore, purtroppo gravemente danneggiata dall'eruzione e poi dai lavori ottocenteschi, mostra il nudo nucleo cementizio della camera funeraria, la cui copertura a volta è andata distrutta. Impronte sul lato superiore della cornice, funzionali all'alloggio di perni, lasciano ricostruire la presenza di lastre di rivestimento del nucleo cementizio della camera e dunque portano a ipotizzare che la parte superiore del monumento presentasse un dado rivestito di lastre di pietra calcarea o marmo, come nella parte inferiore. Al di sopra del dado si elevava forse un'edicola con la statua del defunto, ma ovviamente qualunque speculazione sulla parte ormai scomparsa è senza riscontro.

Ma oltre che dall'aspetto imponente, il passante doveva essere attratto dalla lunghissima iscrizione, che ricordava eventi e storie pompeiane. Alcuni episodi erano noti a tutti, ed erano menzionati a futura memoria; altri erano meno celebri e meritavano un richiamo, in modo che chiunque, cittadino o forestiero che fosse, conoscesse l'edificante storia di uno dei personaggi più in vista della comunità. Una personalità al vertice della società pompeiana che doveva essere morta poco prima dell'eruzione: la tomba e l'iscrizione, dalle superfici intatte e per nulla consumate dal tempo, lasciano ipotizzare che quando fu sepolta dai lapilli non doveva essere stata a lungo esposta alle intemperie. O forse non era stata ancora del tutto completata o utilizzata. Non è da escludere infatti che non avesse ancora ospitato il defunto e altri membri della sua famiglia: la camera funeraria circolare con nicchie lungo le pareti per contenere le urne è stata rinvenuta già profanata, evidentemente nel 1843. Non sappiamo dunque se il celebre estinto fosse già stato deposto all'interno del mausoleo. Del resto anche episodi citati nel testo epigrafico ci fanno comprendere di essere di fronte a un personaggio ancora in vita negli ultimi anni di Pompei, forse addirittura nell'anno stesso dell'eruzione!

La più lunga iscrizione di Pompei

L'iscrizione non presenta nome e cariche del defunto, probabilmente trascritte in un'altra epigrafe posizionata altrove nel sepolcro. Per svelare il mistero dell'identità del personaggio bisogna rivolgersi a quello che ci ha lasciato, la sua tomba, e dunque analizzare attentamente il monumento, collazionando tutti i dati che questo può offrire, grazie soprattutto alla lunghissima iscrizione. Un testo straordinario, come dicevamo, per la quantità di dati che fornisce sul defunto e su tutta la comunità pompeiana (Fig. 7). Mentre le canoniche iscrizioni sepolcrali presentano nome, età, condizione sociale e carriera del defunto, omettendo di solito puntuali notizie biografiche, nel caso della nostra iscrizione (lunga 4 m e distribuita su sette righe) non siamo di fronte al testo ufficiale normalmente previsto per le tombe, bensì a un testo aggiuntivo, un «elogio» a se stesso che il personaggio deve aver fatto predisporre in vita, perché ricordasse a tutti la sua singolare vicenda esistenziale.

Sono così ricordate azioni e attività realizzate in occasione di momenti importanti della sua biografia, dall'assunzione della toga virile (l'ingresso con la maggiore età nella comunità di cittadini) alle nozze, e poi ancora in momenti topici dell'esistenza. Eventi tutti celebrati con atti di grande munificenza: banchetto pubblico; giochi con combattimenti tra gladiatori; cacce con bestie di ogni genere; distribu-

Fig. 7 L'iscrizione, lunga più di quattro metri e disposta su ben sette registri narrativi, è un particolareggiato racconto delle vicende della vita pubblica di un personaggio dell'élite pompeiana.

zioni sottocosto di frumento e gratuite di pane cotto; elargizioni di denaro ai decurioni, ai magistrati delle associazioni e... molto altro! Non c'è che dire, il generoso defunto si era fatto voler bene dai suoi concittadini.

Le attività di munificenza verso la propria comunità costituiscono una pratica molto diffusa tra i ricchi cittadini di municipi e colonie romane, ma raramente sono raccontate nel sepolcro, almeno a Pompei. Gli atti di liberalità erano del resto necessari se si voleva acquisire e mantenere il prestigio, nonché promuovere la propria carriera politica.

Scorrendo il testo, a volte difficile da tradurre (perché a tratti allusivo e ambiguo nel linguaggio), si apprendono dunque dati straordinari sull'uomo e sui tempi. Gli eventi vengono narrati, soprattutto quelli meno recenti, in maniera particolareggiata, con indicazione puntuale dei dati numerici delle attività di munificenza, scanditi con una precisa sequenza, evidentemente in maniera da rispettare la successione temporale con cui si erano svolti (Fig. 8 FT).

Ricordando la lunga vita: festeggiamenti e celebrazioni per la maggiore età.

Alla prima tappa della biografia del defunto, l'ingresso nella comunità civica, è dedicato gran parte dell'*elogium*. Il passaggio da *puer* a *vir* rappresenta una tappa fondamentale nella vita di un maschio nato libero: è il momento in cui si lasciano i simboli dell'infanzia, la *bulla* (il medaglione che si portava appeso al collo) e la *toga praetexta* (la veste bianca dall'orlo purpureo). L'ingresso nella *iuventas* può avvenire in un momento compreso tra i 14 e i 17 anni: premessa essenziale è superare la prima tappa fondamentale della biografia di un fanciullo, quella del raggiungimento della maturità sessuale, ossia il divenire *puber*, individuo giuridicamente capace di contrarre matrimonio; il raggiungimento dei 17 anni coincide con il servizio militare, premessa essenziale per l'ingresso nel mondo dei *cives*, dei cittadini di pieno diritto, che avverrà con i 25 anni. L'ingresso nel mondo degli adulti viene dunque scandito quando il fanciullo è ritenuto pronto, e coincide con lo svolgimento in famiglia di un rito specifico che segna la trasformazione degli adolescenti in *iuvenes*: abbandono dei simboli dell'infanzia, la *bulla* (che viene dedicata ai Lari, le divinità domestiche), e cambio d'abito, dalla *toga praetexta* a quella *virilis*, la toga indossata dai *viri,* gli uomini, l'abito della quotidianità pubblica dell'uomo libero, priva di decorazioni, del semplice colore della lana con la quale è tessuta.

Per celebrare il solenne passaggio di status il giovane aveva offerto un sontuoso banchetto, invitando tutti i cittadini pompeiani; di seguito un memorabile spettacolo gladiatorio, e infine elargizioni in occasione di una drammatica carestia, prolungatasi per quattro anni. Azioni grandiose rivolte alla comunità pompeiana nella sua interezza, ecumenicità che diventa la cifra per segnalare a tutti che i successi riservati dalla vita al nostro erano ben meritati! Forse, come vedremo, si tratta di un espediente per sottolineare il diritto a un'ascesa sociale per un uomo le cui origini non erano tra le più prestigiose.

Una grande festa per celebrare l'ingresso nel mondo degli adulti non è certo un'iniziativa bizzarra e inconsueta: le élite della tarda repubblica e della prima età imperiale organizzavano spesso dispendiosi banchetti pubblici e tali avvenimenti diventavano non di rado il tema di rilievi e pitture a decorazione del sepolcro dell'offerente. Le immagini ricordavano così, in maniera chiara e facilmente percepibile, meriti e munificenze del defunto[5]. Ma nel nostro caso non si tratta di una decorazione figurata, necessariamente selettiva nel presentare l'evento. Sulla tomba pompeiana la grandiosità dell'evento è descritta in maniera dettagliata con parole e numeri, serbando memoria di una manifestazione priva di confronti per un centro di provincia come Pompei: tutto il popolo è invitato all'*epulum* offerto dal defunto; vi prendono parte tutti i maschi adulti, i cittadini a pieno titolo, distesi su ben 456 triclini, in gruppi di quindici.

Una straordinaria e complessa messa in scena per un evento che doveva divenire memorabile: il banchetto, solitamente allestito in casa, in questo caso deve aver richiesto una dispendiosa attività di organizzazione e, senza dubbio, uno spazio civico particolarmente ampio. Forse la Palestra grande, con la sua capiente corte porticata, idonea a ospitare eventi a elevata partecipazione.

Ma il dato certamente più straordinario è che, insieme alla memoria della circostanza, la lunga iscrizione, grazie alla precisazione del numero di partecipanti, ha serbato il ricordo del numero certo degli abitanti (vedremo come) della città, il *populus* pompeiano, ossia i cittadini. Chi sono i cittadini di una città romana come Pompei? Sono gli aventi diritto, ossia quelli periodicamente censiti, con una operazione che si chiama, appunto, *census*. Dunque i maschi adulti che possono prendere parte alla vita politica e alle decisioni della comunità[6].

Moltiplicando il numero dei triclini allestiti (456) per quindici, ossia il numero di persone che vi erano distese a mangiare, riusciamo a computare con esattezza il numero dei cittadini di Pompei nei primi decenni del I secolo d.C.: 6.840.

Il dato consente finalmente di avere un punto fermo da cui iniziare per calcolare gli abitanti della colonia, permettendo di superare lo stato di incertezza che pesa su ogni tentativo di ricostruzione della demografia pompeiana, che parta dal conteggio delle case (operazione in verità difficile!) o dalla stima del territorio necessario a nutrire la popolazione (operazione altrettanto difficile, se si pensa alla mancanza di conoscenza dell'effettiva estensione dello spazio agrario di Pompei)[7].

Il dato recuperabile dalla nostra iscrizione ci consente di ipotizzare – considerando probabile che i maschi aventi diritti coincidano con il 27-30 per cento della popolazione totale – un elevato numero complessivo degli abitanti pompeiani che, affiancando ai maschi adulti anche le donne e i bambini, potrebbe portare a un calcolo approssimativo di circa 30.000 individui[8]. Se aggiungiamo anche gli schiavi, si potrebbe raggiungere una popolazione complessiva di circa 45.000 persone.

L'ingresso nell'età adulta del defunto viene celebrato anche da uno spettacolo gladiatorio *adeo magnum et splendidum* («talmente grande e splendido») che aveva visto impegnati ben 416 combattenti. L'iscrizione recita: «*[...] ut pote cum CCCCXVI gladiatores in ludo habuer [...]*». L'espressione «*in ludo habuer [...]*» può destare qualche dubbio interpretativo, innanzitutto per il significato di *ludo,* in secondo luogo per il verbo trascritto in forma abbreviata, *habuer* [...]. Il vocabolo *ludus* in latino può indicare sia i giochi stessi (quindi significare che nell'arena combatterono 208 coppie di gladiatori), sia la scuola gladiatoria (dunque il defunto era personalmente proprietario di una scuola di 416 gladiatori); per quanto riguarda il verbo *habere,* abbreviato in *habuer* [...], la mancanza di desinenza, plurale o singolare, apre qualche altro dubbio interpretativo. Potrebbe integrarsi *habueret* e tradurre dunque che lo spettacolo fu tanto grandioso e splendido, poiché il defunto «aveva nel ludo» un numero elevato di gladiatori.

In ogni caso, che fossero suoi o reperiti grazie al ricorso a una *familia* gladiatoria in possesso di qualche lenone della zona, ossia il proprietario e gestore della scuola gladiatoria, lo spettacolo allestito si segnalava per il numero elevatissimo di gladiatori messi a disposizione. Il successo di uno spettacolo era del resto calibrato proprio sulla grandiosità della messa in scena e sul numero di combattenti impiegati, nonché sulla durata della manifestazione. Il nostro evento deve essersi svolto, secondo la norma per occasioni di grande rilievo, in più giorni: la quantità di combattenti cui si fa riferimento fa pensare a giochi protrattisi a lungo, forse una settimana.

Gli spettacoli annunciati nelle numerose iscrizioni dipinte sulle pareti di Pompei durano da uno a quattro giorni, con rare eccezioni: in un caso cinque giorni consecutivi, in un altro addirittura più di due settimane, ma verosimilmente con pause in qualcuno dei giorni della sequenza[9]. Il numero di coppie che ritorna maggiormente negli *edicta* è pari a 20, anche se sono documentati contingenti più cospicui, 25, 30, 40. Nel nostro caso, se considerassimo ipoteticamente il numero di 30 coppie impegnate ogni giorno – in considerazione della particolare magnificenza dispiegata, il protrarsi per almeno sei giorni darebbe un numero complessivo di 180 coppie, dunque 360 gladiatori in totale. A questi si potrebbero aggiungere dunque 56 *suppositicii*, i sostituti, le riserve che sedevano in panchina nei *munera* più spettacolari per entrare in campo al momento giusto, nel caso i compagni venissero uccisi, o quantomeno troppo presto[10]. Si tratta ovviamente solo di speculazioni, laddove è impossibile scendere nel dettaglio dell'evento senza dati più precisi: non è escluso infatti che nello spettacolo evocato dall'epigrafe si sia fatto scendere nell'arena un numero superiore di coppie per giorno, come insegna uno spettacolo puteolano – pubblicizzato proprio sui muri di Pompei – durante il quale si erano viste in campo, per quattro giorni, ben 49 coppie[11]. Quello di cui siamo certi è che si deve essere trattato di giochi memorabili, probabilmente accolti nel grande anfiteatro, il cui ricordo preciso era degno di essere dettagliato sul sepolcro alla fine di una lunga carriera di successo.

Carestia e munificenza

> *[...] Cum / munus eius in caritate annonae incidisset, propter quod quadriennio eos pavit, potior et cura civium suorum fuit quam rei familiaris; nam cum esset denaris quinis modius tritici, coemit / et ternis victoriatis populo praestitit et, ut ad omnes haec liberalitas eius perveniret, viritim populo ad ternos victoriatos per amicos suos panis cocti pondus divisit [...]*

> [...] Ora, poiché la sua munificenza era coincisa con una carestia, per questo motivo, per un quadriennio, li alimentò, e la cura per i suoi concittadini fu superiore a quella per il suo stesso patrimonio; infatti essendo quotato un moggio di frumento a cinque denari, ne acquistò e lo mise a disposizione del popolo a tre vittoriati (al moggio). E affinché a tutti pervenisse questa sua liberalità, distribuì al popolo individualmente attraverso i suoi amici una quantità di pane cotto equivalente a tre vittoriati [...]

La narrazione degli eventi e delle attività di munificenza messe in campo in occasione dell'ingresso nel mondo degli adulti continua ora con il ricordo di distribuzioni di frumento protrattesi per quattro anni, a causa di una carestia che aveva colpito la città. Dopo il banchetto, dopo i giochi gladiatori che avevano visto la comunità pompeiana festeggiare per più giorni, il nostro personaggio, non pago di tante risorse investite, concepisce un'ennesima grandiosa azione, di cui nel testo si segnala non solo la lunga durata ma anche la pervasività: le elargizioni dovevano raggiungere indistintamente tutto il popolo, cui non solo viene distribuito il frumento sottocosto ma persino, a ciascuno e gratuitamente, pani cotti. La situazione doveva essere davvero critica, una crisi economica forse dovuta a cattivi raccolti, e molte famiglie non potevano permettersi di comprare frumento per trasformarlo in pane. Il nostro interviene mettendo a disposizione il patrimonio di famiglia, che si lascia supporre ingente: laddove un moggio di frumento era quotato a cinque denari, egli ne acquistò una grande quantità per metterlo a disposizione del popolo pompeiano sottocosto. Invece che a cinque denari lo rivendette infatti a tre vittoriati al moggio (vedremo tra poco le proporzioni). Essendoci inoltre varie famiglie che non potevano permettersi neppure di comprare il frumento a tre vittoriati al moggio, per poi farlo cuocere in una delle tante panetterie pompeiane, il personaggio decise, avvalendosi anche di *amici*, di programmare distribuzioni di pani cotti da assegnare individualmente, senza costo alcuno[12].

Il testo apre molte questioni, dall'epoca in cui era avvenuta la carestia, e quindi le sue conseguenze sulla comunità pompeiana, alle valutazioni economiche e numismatiche. Per quanto riguarda le indicazioni numismatiche, il testo è importante per l'indicazione delle risorse investite e per la puntuale segnalazione delle monete utilizzate, il denario e il vittoriato.

Il denario è la moneta cardine del sistema imperiale, che circolava quasi ovunque: d'argento, era stata introdotta a Roma tempo prima, in età repubblicana, precisamente tra il 215 e il 211 a.C. (durante la seconda guerra punica) e continuava a essere utilizzata e coniata anche in età imperiale[13]. Pesava all'inizio 1/72 di libbra, diminuì progressivamente fino a 1/84 (i denari di Augusto ad esempio pesavano 3,892 g) e poi sotto Nerone fino a 1/96. Nella prima età imperiale, quando aveva il valore di quattro sesterzi, erano in circolazione a Pompei denari coniati soprattutto in età augustea, e poi in età giulio-claudia, ma continuavano ancora a circolare in grande quantità i vecchi denari repubblicani, che venivano scambiati 1 a 1 con l'analogo nominale dei primi decenni del I d.C.

I vittoriati, così denominati per la raffigurazione sul rovescio di una Vittoria che portava una corona su un trofeo d'armi, sono anch'essi una moneta argentea di età repubblicana, che si inizia a coniare nella stessa epoca del denario e viene sistematicamente emessa tra il 211 e il 170 a.C. Veniva coniata con un peso di fino inferiore ai denari, pesando circa 3,4 g, dunque all'incirca 3/4 di denario. Tra il 170 e la fine del II secolo a.C. non verrà più coniata; quando sarà rimessa sul mercato, grazie a una legge speciale, la *lex Clodia* (ricordata da Plinio XXXIII, 13,46) ne viene cambiato il valore con un nuovo peso di 1,95 g, rendendolo pari a mezzo denario – divenendo equivalente al quinario che viene così ricostituito, dopo aver cessato di esistere con la riforma monetaria introdotta nel 217 a.C.

L'indicazione fornita dall'iscrizione è dunque chiara, corrispondendo un vittoriato a 0,5 denari, tre vittoriati, la cifra con cui il nostro rivende un moggio di frumento, equivalgono a 1,5 denari, dunque un prezzo molto più basso dei 5 denari con cui era reperibile sul mercato. Dunque le azioni dispiegate nel corso della carestia erano state improntate a una tale generosità da meritare di essere poste sulla tomba a imperitura memoria.

Per avere un'idea di come si deve essere dispiegato nella pratica tale intervento in favore del popolo pompeiano si può considerare un noto affresco rinvenuto in una casa di Pompei e ora esposto al Museo Nazionale di Napoli (Fig. 9). La pittura mostra un bancone dal quale un personaggio è intento a distribuire pane a due adulti che si avvicinano alla struttura, mentre un fanciullo tende la mano verso l'alto, nel gesto di richiedere di prendere parte alla distribuzione. Interpretata spesso come una rappresentazione della vita quotidiana pompeiana, e dunque in maniera «banalizzante» come una raffigurazione della bottega di un panettiere, è invece verosimile che la scena si riferisca a un preciso episodio di liberalità e celebri un personaggio che, come il nostro, si era distinto nella cura dei suoi concittadini[14].

Un altro spettacolo allestito nell'anfiteatro, prima del 59 d.C.?

[...] Munere suo quod ante senatus consult(um) edidit, omnibus diebus lusionum et conpositione promiscue omnis generis bestias venationibus dedit [...]

[...] In occasione del suo spettacolo che aveva organizzato prima del senatoconsulto, per tutti i giorni dei giochi e per ogni programma di combattimento fornì animali di tutte le specie senza distinzione alle cacce [...]

Il testo ricorda di seguito un altro *munus* offerto dal nostro ai pompeiani, in un nuovo momento della sua vita, senza specificarne occasione e motivazione. Si riporta invece un'apparentemente oscura e singolare indicazione: lo spettacolo era stato organizzato «prima del senatoconsulto». Ho proposto di tradurre il testo *munere suo quod ante senatus consult(um) edidit,* integrando la nuova abbreviazione presente nel testo *senatus consult(um)* e non *consult(o),* e dunque come «prima del senatoconsulto», dando all'*ante* il valore di preposizione, un riferimento temporale dunque al momento in

Fig. 9 Il celebre affresco, conservato al Museo Archeologico Nazionale di Napoli, presenta l'immagine di un bancone ligneo pieno di pani dalla forma circolare e già porzionati, identici a quelli ritrovati, carbonizzati, nelle città vesuviane.

cui lo spettacolo era stato allestito, ossia prima che fosse emanato un senatoconsulto, una delibera del Senato romano, editto solo accennato perché evidentemente noto a tutti. Preferisco tale traduzione a una possibile trasposizione «lo spettacolo che era stato organizzato precedentemente per senatoconsulto», sintatticamente possibile, anche se ci si sarebbe aspettati *ex senatus consulto*: ma in tal modo dovremmo pensare che il termine *senatus consultum* si riferisca a una delibera del Senato locale, cosa abbastanza singolare e mai documentata. Si deve fare quindi riferimento a una disposizione dell'organo legislativo romano: sarebbe ben strano indicare una delibera del Senato locale, l'*ordo decurionum* di Pompei, chiamandola *senatus consult(um)*: il Senato era solo quello di Roma!

Nella decifrazione dell'iscrizione, l'archeologo o lo storico, dopo l'ispezione del monumento e la trascrizione dei segni incisi nella pietra (un tempo si procedeva con l'apografo, ossia realizzando la copia fedele col disegno dell'iscrizione, oggi più velocemente con il laser scanner), procede in biblioteca (o nel proprio ufficio, grazie alle biblioteche digitali), munito di grammatica latina e dei repertori che collazionano iscrizioni già edite, cercando di scoprire la verità: un'anatomia delle parole trattate come reperti.

Altrettanto strano, ovviamente, sarebbe che uno spettacolo locale fosse stato deliberato dal Senato di Roma. Il testo fa riferimento dunque a un senatoconsulto romano e va inteso come un puro riferimento temporale: ossia, quello spettacolo era stato allestito prima di una nota delibera che toccava direttamente la comunità pompeiana. Credo che, nonostante la laconicità del testo, si faccia riferimento all'unico senatoconsulto emanato a Roma per Pompei di cui si sia serbata memoria nei testi latini: l'editto promulgato all'indomani della rissa scoppiata nell'anfiteatro al tempo dell'imperatore Nerone, nel 59 d.C., di cui ci informa Tacito. Il violento episodio era nato da uno scontro tra tifosi locali che si era trasformato in una seria questione politica, di valenza «nazionale», tanto da richiedere l'intervento stesso dell'imperatore. Come riporta lo storico latino, a Pompei scoppiarono disordini in occasione di un *munus* gladiatorio allestito da Livineio Regolo, personaggio di reputazione assai dubbia, espulso dal Senato romano. La sommossa si sarebbe originata da alterchi tra tifosi pompeiani e nocerini; degenerando, avrebbe portato a numerosi morti e feriti (soprattutto della città vicina). Nerone affidò l'inchiesta al Senato che inviò i consoli a indagare. Ai pompeiani fu vietato di organizzare altre manifestazioni gladiatorie per dieci anni; le associazioni illegali furono sciolte; l'organizzatore dei giochi, l'ex senatore di Roma Livineio Regolo, e quanti avevano istigato il fatto furono esiliati[15]. Un Daspo, insomma, ben più severo di quanto capiti con la nostra giustizia sportiva!

Lo spettacolo menzionato nel testo epigrafico si riferisce dunque a un'attività di munificenza intercorsa poco prima dell'anno della rissa, quel fatidico 59 d.C., quando nell'anfiteatro furono vietati – per dieci anni – spettacoli con i gladiatori.

Di questo secondo *munus*, che potrebbe proprio coincidere con quello nel quale scoppiò il tremendo tafferuglio, si celebrano soltanto le cacce, ossia una parte, seppur significativa, di un cartellone che doveva annoverare secondo la norma anche duelli tra gladiatori (ovviamente prima del 59 d.C.). Dopo questa data infatti i giochi annunciati sulle pareti delle strade pompeiane sostituiscono i combattimenti tra gladiatori con spettacoli di altro genere, ad esempio atleti e giocolieri.

Gli spettacoli anfiteatrali erano scanditi, come è noto, in due parti, i combattimenti tra gladiatori e le *venationes*. In regime normale, nelle manifestazioni nell'anfiteatro le cacce e i combattimenti di animali facevano parte del programma del mattino, mentre agli scontri tra gladiatori era riservato il pomeriggio[16]. Solitamente il cartellone relativo agli spettacoli con animali era a sua volta scandito in tre sezioni: combattimenti ferini, numeri circensi e battute di caccia. L'ordine degli scontri tra animali non era predeterminato e doveva destare sorpresa negli spettatori, mentre si potevano alternare immissioni di belve esotiche e feroci e di animali addomesticati. La parte più impressionante doveva essere la successiva, ossia la *venatio* vera e propria, il confronto tra uomini e animali, dove i *venatores* intervenivano vestiti con una semplice tunica e armati solo di lancia. Tra le fiere si annoveravano felini (tigri, leoni, leopardi), orsi e financo elefanti, ma anche animali innocui come gazzelle, struzzi, cervi e antilopi[17].

Dello spettacolo pompeiano, forse come si è visto proprio quello del 59 d.C. che aveva portato alla «squalifica», si fa cenno solo alle cacce, evidentemente la parte più esaltante, o meglio quella da ricordare nella memoria collettiva, laddove – se si tratta effettivamente dei giochi del 59 – la manifestazione era degenerata in connessione proprio con l'altra sezione, destinata ai combattimenti gladiatori. Se gli spettacoli furono effettivamente allestiti dall'equivoco ex senatore Livinieo, in base alla testimonianza di Tacito, il nostro personaggio si poteva essere occupato delle cacce, messe in scena la mattina e dunque prima del degenerare della situazione. Anche se si ricordano solo le *venationes*, doveva trattarsi di un *munus iustum atque legitimum*, un cartellone completo, che richiedeva, accanto ai combattimenti tra uomini, esibizioni *cum venatione apparatuque*[18]. Non si menzionano nell'iscrizione dettagli della sequenza di esibizioni e attività, ma si segnala che «per tutti i giorni dei giochi e per ogni programma di combattimento fornì animali di tutte le specie senza distinzione [...]»: per sottolineare la magnificenza della manifestazione era necessario indicare semplicemente che erano state utilizzate bestie di ogni genere, per ogni giorno di spettacolo. Del resto, questo bastava a indicare che i giochi erano stati particolarmente onerosi, per il costo degli animali, per quello dell'organizzazione e per le paghe da corrispondere ai *bestiarii.*

Il riferimento ai differenti programmi di combattimento allude probabilmente alle tre parti in cui erano scandite le *venationes*, con la canonica successione di combattimenti tra soli animali, numeri circensi e, a chiudere, le battute di caccia con numerose bestie feroci, animali esotici e anche addomesticati.

Pompei, 59 d.C. La rissa nell'anfiteatro

Che si faccia riferimento al senatoconsulto emanato in seguito al famigerato episodio viene confermato dal seguito del testo epigrafico: dopo la menzione del secondo spettacolo, si fa riferimento in maniera allusiva – ma a questo punto facilmente comprensibile – alla situazione di crisi verificatasi in seguito alla rissa e agli omicidi perpetrati.

> *[...] et, cum Caesar omnis familias ultra ducentesimum ab urbe ut abducerent iussisset, uni huicui Pompeios in patriam suam reduceret permisit*

> [...] E poiché Cesare aveva dato ordine di deportare dalla città tutte le famiglie (condannate), concesse solo a costui di ricondurre in patria i Pompeii

Il dato, trattato, come già accennato, in tono particolarmente elusivo, doveva richiamare immediatamente ai pompeiani e alle comunità del circondario, nonostante la laconicità del messaggio, quell'episodio della vita civica ben stampato nella memoria collettiva, per le gravi conseguenze che aveva avuto per tutti gli appassionati, privati come erano stati per lungo tempo di spettacoli gladiatori!

Si fa dunque nuovamente riferimento al senatoconsulto che era seguito all'accaduto narrato da Tacito, un episodio che aveva infangato l'immagine dei pompeiani e spinto l'imperatore a intervenire con misure drastiche[19]. La nostra iscrizione ricorda un aspetto della vicenda che è quello relativo alle punizioni seguite alla rissa, facendo riferimento alle «famiglie» che erano state espulse in seguito alla condanna: l'espressione usata, «*[...] et, cum Caesar omnis familias ultra ducentesimum ab urbe ut abducerent iussisset*», risulta non proprio chiara a prima lettura: «E poiché Cesare aveva dato ordine di deportare a oltre duecento (miglia) dall'urbe tutte le famiglie [...]». L'espressione «*ultra ducentesimum ab urbe*», che ricorre in un altro passo di Tacito, in riferimento all'esilio di Agrippina, sembra essere qui usata come una formula per esprimere il concetto di deportazione/esilio, cioè bandire qualcuno portandolo a una distanza di oltre duecento miglia dalla città (*urbe* in questo caso non sarebbe solo

Roma, ma ogni città da cui il bandito viene allontanato). Ma chi sono «tutte le famiglie»?

Il testo qui non è chiaro perché è sottinteso a quali famiglie si faccia riferimento. Personalmente ritengo che le alternative possano essere due. Una prima opzione è interpretare che ci si riferisca a «tutte le famiglie (condannate)» che in seguito alla rissa erano state allontanate dalla città. Su questa linea interpretativa ci viene in aiuto il passo di Tacito che ricorda che «a Livineio e a quanti avevano provocato i disordini fu comminato l'esilio». Dunque, oltre all'organizzatore dei giochi, anche varie persone coinvolte nei tafferugli erano state bandite. Se così fosse, dovremmo pensare, affiancando al testo di Tacito la nostra iscrizione, che le famiglie dei condannati sarebbero state espulse integralmente. La seconda opzione, scaturita dallo stretto legame del nostro personaggio con il mondo dei gladiatori, potrebbe portare a interpretare «tutte le famiglie» come «tutte le famiglie (gladiatorie)», ossia le comunità di combattenti che convivevano in una scuola (*ludus*) finalizzata all'addestramento dei gladiatori, gestita da un proprietario (*lanista*) il quale forniva il materiale umano all'organizzatore dei giochi (*editor*).

Appare chiaro che, a seconda dell'interpretazione data alla prima parte della frase, a cambiare è il significato del testo nel complesso. Nel caso si faccia riferimento alle famiglie condannate, la seconda parte della frase, *uni huicui Pompeios in patriam suam reduceret permisit [...]* potrebbe tradursi «concesse solo a costui di ricondurre in patria i Pompeii». Mentre in Tacito il riferimento è generico e rivolto alle persone coinvolte che furono esiliate, il testo andrebbe in tal caso a indicare l'esilio comminato addirittura ai due sommi magistrati in carica. L'espressione, alludendo al ruolo di intermediario svolto dal defunto (che così si presenta come figura particolarmente vicina alla corte imperiale) tra imperatore e comunità colpita da sanzioni e condanne, darebbe testimonianza del fatto che anche la *gens Pompeia* era stata colpita dalla condanna all'esilio, un dato di grande rilievo per la storia politica della colonia. Il riferimento alla nota famiglia pompeiana alluderebbe dunque alla sorte dei due duoviri del

59 d.C., che sappiamo essere Gnaeus Pompeius Grosphus e Gnaeus Pompeius Grosphus Gavianus, padre e figlio adottivo, entrambi appartenenti alla stessa famiglia, grazie all'adozione di un Gavius da parte del noto personaggio di origini siciliane[20].

Se invece, come mi sembra meno probabile, nella prima parte della frase il riferimento è alle *familiae* gladiatorie di Pompei, il testo potrebbe semplicemente intendersi come: «E poiché Cesare aveva dato ordine di deportare dalla città tutte le famiglie (gladiatorie), concesse solo a costui di ricondurle in patria a Pompei». La parola *Pompeios* non sarebbe quindi l'accusativo plurale di un nome di famiglia, i Pompeii, ma sarebbe un accusativo di moto a luogo riferibile al toponimo *Pompeii*.

L'iscrizione fornisce dunque, a mio avviso, dati inediti su un momento importante della storia politica e istituzionale della città vesuviana, restituendo lo scenario di un torbido intrigo, solo adombrato da Tacito, che aveva portato all'espulsione degli stessi duoviri, riportati in patria qualche tempo dopo grazie all'intermediazione del nostro personaggio. Che i sommi magistrati dell'anno fossero stati deposti è del resto confermato dai documenti amministrativi riportati nelle *tabulae ceratae* (tavolette lignee con specchiatura in cera per incidere un testo), rinvenute nella casa del banchiere Cecilius Iucundus: per l'anno 60, già a maggio sono indicati altri due duoviri, N. Sandelius Balbus e P. Vedius Siricus, laddove la norma pompeiana voleva che le nuove cariche entrassero in vigore a luglio, nonché la presenza straordinaria di un *praefectus iure dicundo* (un delegato dunque alla giurisdizione della città), Sextus Pompeius Proculus[21].

Un'altra tappa importante della vita: le nozze

Idem quo die uxorem duxit, decurionibus quinquagenos nummos singulis, populo denarios augustalibus vicenos pagan(is) vicenos nummos dedit [...]

> In occasione del suo matrimonio elargì la somma di cinquanta nummi a ogni singolo decurione, per quanto riguarda il popolo venti denari per ciascun augustale e venti nummi per ogni pagano [...]

Altre elargizioni sono riportate in relazione alla celebrazione delle nozze. Il matrimonio a Roma, nel primo impero, era una tappa che per gli uomini si varcava non in giovanissima età, soprattutto nei ceti più abbienti. Diversamente dalla donna, che poteva andare in sposa molto presto, generalmente prima dei vent'anni (anche a dodici-tredici), per gli uomini era frequente convolare a nozze tra i venticinque e i trenta. In ogni caso si verificavano generalmente unioni tra un uomo più adulto e una donna più giovane. Assai diffusi erano poi i divorzi, a testimonianza di quanto instabile fosse l'istituto del matrimonio tra tarda repubblica e impero. Molti personaggi delle élite romane avevano affrontato nella loro vita varie separazioni, e dunque diversi matrimoni[22]. Per non parlare dell'alto tasso di mortalità in giovane età (per le donne spesso a causa dei parti), che portava per natura a nuove unioni coniugali. Si pensi a Plinio che a quarant'anni era al suo terzo matrimonio, contratto con Calpurnia, non ancora ventenne[23]!

Non è possibile dire a che età si sia sposato il nostro personaggio e non è chiaro se gli eventi narrati nel testo siano tutti riportati in puntuale sequenza temporale. Se così fosse dovremmo immaginare le nozze dopo il 59 d.C. e dopo che il nostro era già diventato potente e famoso, se – come risulta – era in stretta relazione persino con l'imperatore. Ovviamente si potrebbe pensare anche a un secondo matrimonio, selezionato per la memoria collettiva rispetto al primo perché aveva dato luogo a elargizioni particolarmente importanti. Ci troviamo tuttavia nell'ampio e dissestato campo delle congetture, ipotesi che difficilmente possono essere dimostrate.

Le opere di munificenza dispiegate in questa circostanza riguardano elargizioni di denaro a beneficio di varie categorie di persone: innanzitutto i decurioni, che vengono premiati con cinquanta nummi; accanto a questi vengono interessati augustali e pagani, cui si concedono rispettivamente venti denari e venti nummi.

L'indicazione «per ogni pagano» fa riferimento non tanto a ogni residente di un distretto rurale (il *pagus*), bensì al funzionario minore che del distretto era responsabile, equivalente come ceto a un augustale. Per quanto riguarda la distribuzione di denari, anche in questo punto del testo latino ci sono dei dilemmi interpretativi. Nella frase *decurionibus quinquagenos nummos singulis, populo denarios augustalibus vicenos, pagan(is) vicenos nummos dedit*, sono portato a tradurre la parola «*populo*» come riferimento collettivo a tutti coloro tra la cittadinanza che sono stati coinvolti nelle donazioni, dunque un termine introduttivo («per quanto riguarda il popolo») prima di specificare chi del *populus* era stato oggetto di distribuzione, ossia per la precisione gli augustali e i pagani. Un'altra possibilità – che tendo però a non seguire – sarebbe quella di collegare *populo* con il successivo *denarios* (SC. *singulos*), e interpretare dunque diversamente la distribuzione: 50 denari a ogni decurione (prendendo nummi a significare denari, ma si tratterebbe di una quantità molto elevata, e probabilmente senza eguali), un denario per ogni membro del *populus* pompeiano (cittadino di città), 20 denari per ogni augustale, e 20 nummi per ogni pagano. Prediligo la prima opzione, intendendo dunque che i cittadini non prendono parte alle distribuzioni di denaro, cosa che non dovrebbe sorprendere: il *populus*, ovvero gli abitanti della città, è beneficiario di altre forme di generosità, dispiegate per ottenere un sostegno universale: *panem et circenses*. Le donazioni in contanti sarebbero riservate dunque agli *ordines* che forniscono servizi alla città a proprie spese. L'uso di *populo* come riferimento collettivo introduttivo agli augustali e ai pagani specificherebbe che, del *populus*, solo augustali e pagani ne beneficiarono.

La parte da leone la farebbero dunque gli augustali, i quali – per motivi che a noi sfuggono – rivestono agli occhi del nostro personaggio un ruolo particolarmente importante. Forse proprio per le loro funzioni di garanti del culto imperiale? Si tratterebbe dunque di una sorta di *captatio benevolentiae* nei riguardi dell'imperatore in carica.

Se la sequenza delle opere di liberalità elencate rispetta una successione temporale, bisogna supporre che le nozze siano avvenute dopo il 59 d.C.Dunque saremmo di fronte a un'ulteriore attestazione dello stretto rapporto del defunto con Nerone, nei confronti del quale del resto si è spesso parlato di un legame particolare con Pompei, forse intessuto tramite sua moglie Poppea[24].

The show must go on: ancora spettacoli

[...] Bis magnos ludos sine onere / rei publicae fecit [...]

[...] organizzò in due occasioni grandi spettacoli senza onere alcuno per la comunità

Un'ulteriore menzione di *munera*, che segue immediatamente il ricordo delle benemerenze nei confronti della comunità pompeiana. In maniera assai concisa si menzionano altre due occasioni di giochi, senza maggiori specificazioni sull'occasione celebrativa in questione. Se il testo, anche in questo punto, è particolarmente laconico, il ricordo di spettacoli offerti senza spesa per la città ci fa supporre che si tratti di eventi allestiti per celebrare tappe della carriera pubblica del personaggio. Solo in tal modo avrebbe senso l'indicazione *sine impensa publica*: gli spettacoli allestiti utilizzando denaro della collettività erano generalmente quelli organizzati dai magistrati che entravano in carica. Potrebbe trattarsi del duovirato e del duovirato quinquennale, cariche appunto che, nonostante fossero gli stessi magistrati a rendere possibile l'impiego di risorse pubbliche nell'organizzazione dei giochi, erano state celebrate con *ludos* allestiti a proprie spese dai funzionari: doppio merito[25]!

Proseguiamo nella lettura. Qui si potrebbe proporre uno slogan riassuntivo, prima di scendere nel dettaglio. Qualcosa del tipo: patrono? No, grazie! Vediamo perché:

> *[...] propter quae postulante populo, cum universus ordo consentiret ut patronus cooptaretur et IIvir referret, ipse privatus intercessit dicens non sustinere se civium suorum esse patronum*

> [...] per tutte queste cose, in base alla richiesta del popolo, essendo d'accordo tutti i decurioni che fosse cooptato come patrono, mentre il duoviro riferiva (all'assemblea) egli stesso, da privato cittadino, oppose il suo veto, affermando di non potere essere patrono dei suoi cittadini

La conclusione dell'*elogium* fa riferimento alla fama ottenuta presso i propri concittadini grazie a tutte le generose attività di munificenza: «per tutte queste cose, avendolo richiesto il popolo, con il consenso di tutti i decurioni», gli viene richiesto dal duoviro di essere indicato come patrono. La logica conclusione di una brillante carriera e di una generosità dispiegata nel corso di una vita doveva essere la nomina a *patronus* della colonia, ossia il titolo onorifico più importante cui potessero aspirare le élite municipali e coloniali. Il testo fa sapere che l'onore e l'onere sarebbero stati rifiutati dal nostro personaggio. Non sappiamo se si tratti della volontà di dispiegare nel testo, accanto alle espressioni di generosità, una (falsa?) modestia; la dichiarazione di un atteggiamento sempre misurato nell'avere, ma smisurato nel dare. Come non possiamo sapere se infine, dopo acclamazioni popolari e insistenze decurionali, il nostro avesse finito per accettare il patronato. Resta la testimonianza di una biografia eccezionale, che fa del defunto, senza ombra di dubbio, la personalità civica più rappresentativa degli ultimi decenni di vita della città vesuviana.

Il personaggio e la sua tomba

Prima di passare all'individuazione del defunto tra i personaggi noti della storia degli ultimi decenni di Pompei, torniamo a considerare da vicino il suo monumento funebre. La scoperta della tomba ci offre la possibilità di ricontestualizzare un reperto importante, rinvenuto a Porta Stabia nel giugno 1843, confluito nelle collezioni del Museo Archeologico di Napoli[26] (Fig. 10 FT). Come abbiamo detto all'inizio del capitolo, si trattò di un'epoca in cui questo settore subito fuori le mura della città era ancora in mano a privati, dunque un'area – come un po' ovunque a Pompei, dove i terreni non erano stati acquistati dallo Stato – di scavi incontrollati e clandestini. Il rilievo, forse troppo pesante per poter essere portato lontano con celerità, doveva appartenere a una tomba scoperta illecitamente e oggetto di spoliazione delle sue parti decorate. L'intervento del soprintendente Avellino deve aver interrotto le attività. Impossibile era allora comprendere da dove provenisse. Il rilievo presenta giochi gladiatori scanditi nelle tre fasi consuete, rappresentate, come in un fumetto, su tre fasce sovrapposte. Nel registro superiore è raffigurata una solenne processione, quella che precedeva i giochi veri e propri e portava i protagonisti dello spettacolo verso l'anfiteatro. Momento clou era la *probatio armorum* tenuta dall'*editor*, ossia la verifica delle armi che sarebbero state utilizzate nei duelli. Nel registro centrale, quello di dimensioni maggiori, dunque il più importante, era il *munus gladiatorium* vero e proprio. Chiudeva la sequenza, nel registro inferiore, la *venatio*, la caccia (Fig. 11 FT).

In base a un'attenta valutazione dei resti della tomba e della compatibilità dimensionale del rilievo con quest'ultima (circa 4 m di lato), se si valuta il ruolo che gli spettacoli gladiatori e le *venationes* hanno nell'elogio, è possibile completare la parte superiore del monumento scoperto, collocandovi la lastra decorata. Non abbiamo certezza di dove fosse ubicato il pannello figurativo nello spazio architettonico del sepolcro. La realizzazione di rilievo laser scanner di tomba e lastra[27] permette di escludere che la decorazione fosse immediatamente sopra il pannello con l'iscrizione, ossia poggiasse sulla cornice modanata parzialmente conservata, la quale sormonta lo spazio destinato al testo epigrafico (il rilievo sporgerebbe su questo lato di circa 10 cm rispetto alla modanatura). È probabile del resto che qui trovasse spazio un'altra lastra marmorea contenente nome e cariche del defunto, che come si è visto non sono riportate nell'*elogium*. La sovrapposizione virtuale del rilievo sul monumento consente invece di proporre una ricostruzione con il pannello figurato ospitato sul lato meridionale del sepolcro. Qui la tomba è emersa già depredata del rivestimento lapideo della camera funeraria circolare, di cui si vede il muro in cementizio, purtroppo distrutto nella parte superiore dall'eruzione e dai successivi interventi. Una collocazione su questo lato acquisterebbe senso, se si considera che la tomba è posta enfaticamente proprio al punto dove la strada nord-sud in uscita da Porta Stabia girava verso est in direzione del porto fluviale e di Stabia. In tal modo iscrizione e rilievo venivano a dialogare da due punti di osservazione differenziati: chi usciva dalla città leggeva prima l'iscrizione e poi vedeva le immagini, chi entrava – viceversa – si imbatteva prima nella rappresentazione figurata e poi nelle parole. In ogni caso i due lati più in vista della tomba, posti come erano lungo un asse di comunicazione fondamentale della città antica, venivano a essere ugualmente valorizzati.

Per quanto riguarda le scene rappresentate sul rilievo, il campo figurato tripartito presenta in alto, come anticipato, la processione: aperta da due littori e da tre suonatori di flauto; seguono: un *ferculum* (la portantina sulla quale si portavano le statue degli dèi in processione) portato da quattro inservienti, sul quale si intravedono due personaggi intenti al lavoro su un'incudine, forse allusione al dio Vulcano (i giochi rappresentati si erano tenuti forse il 23 agosto, data dei *Vulcanalia*?)[28]; due *harenarii* (lo staff dell'arena), uno recante una tabella, l'altro una palma; un togato stante di fronte; sette *harenarii* che portano armi gladiatorie; un suonatore di liuto; due cavalli bardati e acconciati per il *ludus equestris*, condotti dagli inservienti. Nella zona mediana si svolge lo scontro tra cinque coppie di gladiatori disposte simmetricamente rispetto a quella centrale. Il combattimento è alla fine: da sinistra a destra, il vincitore leva trionfante lo scudo mentre l'avversario è riverso a terra; il lanista (il proprietario della *familia* gladiatoria) si inserisce nella seconda coppia con il combattente ferito sorretto da quattro *harenarii*; nella terza coppia un gladiatore è caduto in ginocchio e sta per ricevere il colpo di grazia. La quarta coppia ripropone la situazione della seconda con il ferito soccorso da due *harenarii* e un terzo che gli fascia la gamba; nell'ultima coppia il vincitore immerge la spada nel torace dell'avversario. Una vivida rappresentazione di quello che doveva essere la norma di un giorno all'anfiteatro: combattimenti, feriti, morti, un viavai di addetti che si inserivano nella mischia, qualche volta persino il tenutario del *ludus* (la scuola gladiatoria), preoccupato di perdere uno dei suoi campioni. Un tipico giorno di festa nelle città dell'Italia romana (e non solo), una prassi che ci lascia perplessi: come era possibile che una civiltà così avanzata trovasse godimento nell'assistere all'agonia di esseri umani? Una domanda, questa, in toto sbagliata, perché concepita attraverso il filtro della nostra cultura e non contestualizzata nelle società antiche, dove la schiavitù era una norma e portava al trasformarsi, nella percezione, degli altri uomini in cose[29].

Nella fascia inferiore, dedicata alla *venatio*, altre scene cruenti: sono raffigurati, cominciando da sinistra, un capriolo assalito da un cane, un cacciatore che abbatte un toro colpendolo alla testa, un altro che affronta un enorme cinghiale, un cervo e un toro che lottano, un cinghiale addentato da un cane, un orso che azzanna un gladiatore caduto alla presenza di due *harenarii*. Anche qui la rappresentazione di una parte dei giochi in una giornata all'anfiteatro, dove animali feroci e addomesticati, esotici e comuni si scontrano tra loro o con i gladiatori.

L'analisi stilistica del fregio ha suggerito generalmente una datazione tra il 20 e il 30 d.C. Credo tuttavia che vada necessariamente abbassata, al di là della pertinenza o meno del rilievo alla nuova tomba. La qualità stilistica del fregio non può essere paragonata con le analoghe realizzazioni, anche pompeiane, dei primi decenni dell'età giulio-claudia, mentre le toghe dei personaggi che sfilano nella pompa del primo registro, con il *sinus* (la parte di tessuto appoggiata al fianco destro dall'andamento curvilineo) particolarmente allungato che incornicia il ginocchio, non sembrano essere più antiche dell'età neroniana. Una datazione neroniana-flavia su base stilistica sembrerebbe dunque più calzante rispetto a quella giulio-claudia proposta[30].

Per quanto riguarda l'attribuzione della lastra, è stato proposto di riferirla – senza dati probanti – a una tomba messa in luce nel XIX secolo nella zona e poi rinterrata, la cui iscrizione ricordava il duoviro Cn. Clovatius. È stata anche messa in relazione con Aulus Clodius Flaccus, duoviro per due volte e quinquennale, noto da un'iscrizione per gli spettacoli offerti[31]. Quest'ultima attribuzione sembra del tutto illegittima, considerando la cronologia incompatibile tra personaggio attivo in età augustea e rilievo, che come si è visto non può essere datato prima dell'età neroniana-flavia.

Alla luce dei dati forniti dalla nuova scoperta, è più che probabile che il rilievo completasse la tomba di San Paolino. Al di là del fatto che il manufatto ha dimensioni compatibili con il monumento, lungo com'è circa 4 m., la narrazione per immagini corrisponde bene al testo epigrafico e al ruolo del defunto come straordinario organizzatore di giochi. Al riguardo, se si considerano insieme testo epigrafico e sequenza delle immagini, il rilievo potrebbe essere considerato un commento visivo abbastanza preciso della narrazione testuale. I primi due registri farebbero così riferimento all'evento organizzato al momento dell'assunzione della toga virile, dunque il *munus adeo magnum et splendidum*, la cui grandiosità era stata dispiegata proprio nello spettacolo gladiatorio che aveva impiegato ben 416 combattenti. Non sarebbe un caso, dunque, se la nostra ipotesi coglie nel segno, che al registro con combattimenti tra gladiatori sia stata data particolare enfasi, posto com'è al centro e di dimensioni più grandi delle altre due fasce. L'ultimo registro sarebbe in connessione invece con il secondo *munus* citato, quello avvenuto prima del senatoconsulto che andrà a chiudere per un decennio l'anfiteatro, del quale – ancora, non casualmente – l'epigrafe ricorda, come parte più spettacolare, proprio le *venationes*, che dovevano aver stupito il popolo per varietà e quantità di animali. Proprio come fa il nostro rilievo[32].

Cn. Alleius Nigidius Maius?

Eccoci così al quesito finale: chi è, dunque, il defunto? È possibile identificarlo tra i vari personaggi noti della storia degli ultimi decenni di vita di Pompei?

Basandoci sull'iscrizione riusciamo a tracciare il profilo di una figura assai in vista sulla scena vesuviana (tanto da essere stato indicato come possibile *patronus coloniae*, un titolo onorifico altamente prestigioso nei contesti civici dell'Italia di quell'epoca), che aveva avuto un legame privilegiato con il mondo degli spettacoli gladiatori. Si deve trattare di un esponente della nuova classe dirigente dell'età giulio-claudia, che ha fatto carriera tra l'età di Claudio e di Nerone (nel 59 d.C. era già un personaggio assai potente, come si è visto, e legato allo stesso imperatore). Potrebbe essere rimasto in auge anche nella successiva epoca flavia, periodo a cui è possibile far risalire la sua chiamata a diventare patrono, ultimo episodio della sua vita, che si deve essere conclusa quasi a ridosso dell'eruzione (a giudicare dallo stato di conservazione della tomba).

Consistenti sono gli indizi che permettono di ricollegare la nuova tomba di Porta Stabia a uno dei personaggi più influenti e in vista nella scena vesuviana nei decenni immediatamente precedenti l'eruzione, una figura che da tempo ha attirato l'attenzione degli studiosi di storia pompeiana: Cn. Alleius Nigidius Maius[33]. Un esponente di quella nuova classe dirigente del I secolo d.C. che, giovando dell'estrema mobilità sociale dell'età giulio-claudia, tra l'età di Claudio e di Nerone, grazie all'adozione da parte dell'importante famiglia degli Alleii, percorre una carriera fulminante. Forse non è un caso che in prossimità della nuova tomba sia ubicata quella a *schola* già ricordata scoperta nel XIX secolo, appartenente al duoviro M. Alleius Minius: un più antico sepolcro ubicato sullo stesso lato della nostra, e costruito su suolo pubblico in età augustea per un personaggio della stessa famiglia, i potenti Allei[34].

Ma cosa sappiamo di Nigidius? Per ricostruire la sua biografia e verificarne la coincidenza con il personaggio che ha fatto incidere l'iscrizione a sua eterna memoria ci vengono in aiuto numerosi *tituli* pompeiani, iscrizioni dipinte sulle pareti della città (ben 17 sono riferibili a lui), nonché riferimenti su *tabulae ceratae* dell'archivio di Caecilius Iucundus. Questi documenti consentono di conoscere molti elementi della biografia pubblica del personaggio e cogliere una serie di tangenze con quanto emerge dall'epigrafe funeraria. Altre tracce della sua vicenda biografica, oltre a quelle dipinte sulle pareti di Pompei, provengono da due iscrizioni riferibili a membri della sua famiglia, che ci fanno conoscere genitori e prole, permettendoci di capire il *milieu* parentale da cui proviene. Partendo da queste ultime testimonianze, nella necropoli di Porta Nocera, nella tomba di Eumachia, una columella (purtroppo scomparsa) può essere identificata con la pietra tombale della madre, Pomponia Decarchis[35], una liberta, moglie di Cn. Alleius Nobilis, anch'egli liberto o figlio di un liberto, la quale affida alla stele, come essenziali dati biografici, oltre al nome del marito, quello del figlio, *Allei Mai mater*[36]. Dunque il nostro proveniva da un'antica famiglia italica, i Nigidii, attestata anche a Capua con attività nell'industria bronzistica[37], e doveva essere stato adottato dall'importante famiglia locale degli Alleii, *gens* campana con spiccati interessi nel commercio (attestata già in età repubblicana, con attività anche nel porto franco di Delo, nell'Egeo, a sua volta legata alla nota famiglia degli Eumachii, come documenta il contesto di rinvenimento del cippo funerario di Pomponia. Un altro documento epigrafico restituisce nome e ruolo della figlia, Alleia, sacerdotessa di Cerere e Venere[38]. La bella carriera del padre e il suo successo si riflettono così nel rango elevato della giovane, la quale si distingue socialmente per aver acquisito il sacerdozio più ambito nel contesto pompeiano[39].

Per quanto riguarda le tappe della carriera del nostro, questa si può ricostruire grazie alla documentazione proveniente dalle varie iscrizioni rinvenute sulle pareti pompeiane, a testimonianza di un successo popolare acquisito in una vita dedicata ai riconoscimenti sociali, spesso ottenuti con notevoli atti di munificenza. Se per le funzioni di edile e duoviro abbiamo solo informazioni sulla candidatura prive di riferimento cronologico[40], una delle tavolette citate riporta una quietanza, che colloca con precisione nel tempo il suo duovirato quinquennale al 55-56 d.C[41].

In base a questo punto fermo della sua carriera è stato proposto di datare il duovirato al 49-50 (considerando la norma che non permetteva l'iterazione della stessa carica entro un arco di tempo di cinque anni) e la sua edilità al 45-46 (in considerazione dell'impossibilità di concorrere entro un triennio a cariche diverse)[42]. In base a questi dati è difficile stabilire con precisione la data di nascita, ma ci si può certamente arrivare per approssimazione: se la sua carriera comincia nel regno di Claudio e trova il suo culmine sotto Nerone, con il duovirato quinquennale, tenendo conto del fatto che al momento dell'assunzione della massima carica della carriera un magistrato dovesse avere circa quarant'anni, non è dunque arbitrario pensare che il nostro sia nato all'inizio del regno di Tiberio, intorno al 15 d.C. Potrebbe dunque aver assunto la toga virile grosso modo tra il 30 e il 35 d.C., per poi conseguire a ritmo serrato le tappe di una fulminante ascesa, che tocca il duovirato quinquennale nel 55-56 d.C.

Meno chiare le evidenze di un secondo duovirato, ipotizzato da alcuni in base ad altri due *tituli* che lo acclamerebbero insieme al duoviro in carica nel 61-62 d.C., Ti. Claudius Verus[43].

Che la sua carriera non si interrompa comunque con la vicenda neroniana sembra dimostrato dalla più che probabile integrazione di un'iscrizione rinvenuta dietro la scena del Teatro Grande[44]:

> *Pro salute / [imp(eratoris) Vespasiani] Caesaris Augu[sti] li[b]e[ro]rumqu[e] / [eius ob] dedicationem arae [glad(iatorum) par(ia)] ---] Cn(aei) [All]ei Nigidi Mai, / flami[nis] Caesaris Augusti, pugn(abunt) Pompeis, sine ulla dilatione, / IIII non(as) iul(ias): venatio, [sparsiones], vela erunt*

Alla salute dell'imperatore Vespasiano Cesare Augusto e dei suoi figli. In occasione della dedica di un altare [...] coppie di gladiatori di Cneus Alleius Nigidius Maius, flamine di Cesare

Augusto, combatteranno a Pompei, senza alcun rinvio, il 5 luglio. Ci sarà una caccia, [aspersioni] e il velario

Nonostante il testo ci sia giunto ampiamente lacunoso, sembra del tutto plausibile che nell'imperatore citato sia da riconoscere Vespasiano, per via della citazione nel testo dei figli (l'imperatore precedente, Nerone, non ebbe figli e dunque non può essere lui): la formula del resto ritorna identica in altri documenti epigrafici con riferimento a Vespasiano, sia a Roma che a Ercolano[45]. Dunque il nostro era riuscito a rimanere in auge anche con l'affermarsi della dinastia flavia, come attesta il suo grandioso omaggio all'imperatore in carica, magnifici giochi per la dedica di un'ara *pro salute imperatoris*, nonché il ruolo assunto di flamine imperiale, ossia sacerdote del culto dell'imperatore divinizzato. Se certa appare l'identità dell'imperatore cui vanno i munifici omaggi di Nigidius Alleius, discussa rimane invece l'identificazione dell'ara dedicatagli[46]. Varie le proposte avanzate, tra chi suggerisce di identificarla nel grande basamento posto nella piazza forense di fronte al Capitolium e chi vuole riconoscerla in quella posta nel cosiddetto tempio di Vespasiano affacciato sul Foro di Pompei, un altare risalente a epoca augustea che il nostro avrebbe restaurato dopo il terremoto.

L'iscrizione fornisce dunque un dato cronologico fondamentale per fissare anche la tappa finale della vicenda biografica: l'imperatore Vespasiano muore il 23 giugno del 79 d.C., mentre i giochi si tengono quattro giorni prima delle None di luglio, ossia il 5 luglio. Se consideriamo come attendibile la data del 24 ottobre per l'eruzione, il nostro deve essere morto nel quadrimestre luglio-ottobre!

Per quanto riguarda la conclusione della sua vicenda terrena, un altro documento concorre nell'indicare che nel 79 Nigidius era ancora in vita: si tratta della *locationis proscriptio* (un manifesto dipinto sulla facciata della sua proprietà per metterne in affitto alcune parti), da cui si apprende che a lui apparteneva l'*Insula Arriana Polliana* (insula della ricca Casa di Pansa nella Regio VI), di cui mette in affitto, attraverso un suo schiavo, *tabernae cum pergulis suis et cena-*

cula equestria et domus, ossia le botteghe che si affacciavano sulla strada con i relativi soppalchi, i secondi piani e le (piccole) *domus* poste nell'insula intorno alla lussuosa residenza di Pansa[47]. In base alla scoperta di questo annuncio di locazione si è supposto che il personaggio fosse morto nell'eruzione, basando la deduzione sul fatto che, trovandosi il *titulus* ancora in vista ed essendo datato al mese di aprile, non poteva che trattarsi dell'anno dell'eruzione, altrimenti sarebbe stato cancellato.

Questi ultimi due documenti ci sostengono in una ricostruzione della biografia del personaggio che lo vede ancora attivo negli ultimi anni di vita della città vesuviana, e ci lascia pensare che fosse morto proprio a ridosso del fatidico evento[48].

Il principe dei giochi

Una brillante carriera quella di Nigidius, per la quale il frequente allestimento di *munera* deve aver giocato un ruolo importante. Le benemerenze messe in campo nel corso di tutta la sua esistenza gli garantirono grande reputazione e gloria in città, fino a farne uno degli esponenti politici più in vista. Non risulta solo acclamato ripetutamente come prodigo dispensatore di giochi (tant'è che nella bibliografia è passato innanzitutto come il più noto tra gli impresari di spettacoli gladiatori)[49], fino a essere chiamato in un'epigrafe *princeps munerariorum*, «il principe dei giochi», ma viene acclamato altresì come *princeps coloniae* sulle pareti pompeiane, ossia «il principe della colonia[50]».

Per quanto riguarda più specificatamente il suo impegno come allestitore di grandiosi spettacoli gladiatori, le ripetute menzioni di *munera* non sono sempre collocabili nel tempo. Se nei *tituli* rimane dunque incerto se le celebrazioni riportate facciano riferimento alla sua ascesa al duovirato o anche a cariche assunte precedentemente (come quella di edile), è certo invece che il suo duovirato quinquennale venne accompagnato da *munera*, come documentano due annunci[51]. Entrambi menzionano esplicitamente la quinquennalità di Maio, e vanno riferiti a due spettacoli distinti. Il primo è dipinto sulla facciata della Casa di Trebio Valente e recita:

> *Cn(aei) Allei Nigidi / Mai quinq(uennalis) sine impensa pubblica glad(iatorum) par(ia) XX et eorum supp(ositicii) pugn(abunt) Pompeis*

> a cura di Gneus Alleius Nigidius Maius, duoviro quinquennale combatteranno a Pompei, senza impiego di risorse pubbliche, venti coppie di gladiatori e altrettanti sostituti

Richiama, dunque, un *munus* da lui allestito, significativamente *sine impensa publica*, «senza impiego di risorse pubbliche», trovando un importante riscontro con quanto riporta la nostra iscrizione – che, come abbiamo visto, ricorda ben due eventi celebrati senza attingere alla finanza cittadina. La notazione è di grande interesse: è proprio perché si tratta di giochi celebrati nel corso della sua quinquennalità che il nostro esponente segnala in maniera chiara la propria generosità. Ricoprendo la carica pubblica, infatti, sarebbe stato autorizzato a prelevare il denaro necessario all'allestimento dalle casse della colonia; invece, a segnalare la propria grande magnanimità e liberalità, che – possiamo aggiungere – aveva caratterizzato tutta la sua biografia, Maio attinge al patrimonio personale[52].

Il secondo editto, dipinto su una parete della via della Fortuna riporta:

> *[C]n(aei) Allei Nigidi / Mai quinq(uennalis) gl(adiatorum) par(ia) XXX et eor(um) supp(ositicii) pugn(abunt) Pompeis VIII, VII, VI k(alendas) dec(embres). Ellios [et] ven(atio) erit. Maio quinq(uennali) feliciter.*

> a cura di Gneus Alleius Nigidius Maius, duoviro quinquennale, combatteranno a Pompei, il 25, il 26 e il 27 novembre, trenta

coppie di gladiatori e altrettanti sostituti. Ci sarà anche Ellios e una caccia

Si tratta chiaramente di un altro spettacolo, allestito in occasione della stessa quinquennalità, o piuttosto di una seconda quinquennalità, questa volta senza l'indicazione *sine impensa publica*, e con un numero diverso di coppie gladiatorie, in questo caso trenta. Alla luce di quanto sappiamo della biografia complessa di Nigidius, nulla di più probabile che la sua munificenza fosse stata articolata in più eventi nella stessa quinquennalità o, piuttosto, che la stessa carica fosse stata rinnovata una seconda volta.

Ma le coincidenze con la nostra iscrizione non si fermano qui. Innanzitutto emerge da numerosi documenti un forte legame con l'anfiteatro e il suo mondo, un rapporto che va al di là dell'occasione degli spettacoli gladiatori allestiti e offerti al popolo. Innanzitutto, ben quattro *tituli* contengono l'annuncio di spettacoli offerti in occasione dell'inaugurazione di *opus tabularum*[53].

Dedicatione / operis tabularum Cn(aei) Allei Nigidi Mai, Pompeis idibus iunis: / pompa, venatio, athletae, vela erunt

a cura di Gneus Alleius Nigidius Maius, in occasione dell'inaugurazione delle tavole dipinte il 15 giugno a Pompei, ci sarà una processione, una caccia, atleti. L'anfiteatro sarà coperto dal velario

L'evento ricordato non riguarda il restauro dell'intero archivio cittadino (il *tabularium*), come pure è stato affermato, ma piuttosto di tavole che il nostro fa dipingere ed esporre in un luogo probabilmente coincidente con lo stesso anfiteatro. Tavole che avrebbero potuto commemorare proprio i suoi magnifici giochi, secondo un uso ben attestato tanto da Plinio (*Nat. Hist.*, XXXV, 52), quanto da un'iscrizione beneventana[54].

Gli annunci in questione presentano una significativa omissione:

la menzione dei gladiatori partecipanti all'evento. Questi sembrano infatti sostituiti da atleti, circostanza che fa pensare a un evento occorso dopo il 59 d.C., ossia in seguito al senatoconsulto e quindi al Daspo che aveva vietato gli spettacoli gladiatori. Le tavole avrebbero allora compensato, attraverso il ricordo di *munera* del passato – forse gli stessi allestiti da Nigidius –, la coercitiva assenza di una parte fondamentale degli spettacoli ancora tenuti nell'anfiteatro pompeiano.

Cosa ancora più interessante, uno di questi annunci, ha accanto a sé anche un'acclamazione, purtroppo non completa: il nome dipinto *Grosphos* [---], fa riferimento ai due *Grosphi,* padre e figlio adottivo, in carica come duoviri nel 59 d.C.[55] Ma più che a un'ingiuria, come è stato interpretato («in seguito alla famosa rissa nell'anfiteatro, evidentemente perché implicati in qualche modo in quella sedizione»), l'allusione ai due potrebbe leggersi come una acclamazione legata al loro ritorno in patria, avvenuto qualche anno dopo l'espulsione – che, come ora sappiamo, potrebbe aver visto proprio il nostro Nigidio in un ruolo da protagonista. Se la ricostruzione coglie nel segno avremmo una testimonianza significativa del legame tra il nostro e i duoviri del famigerato anno della rissa.

Un altro indizio, del resto, potrebbe richiamare ancora una volta il legame tra Nigidio e l'evento del 59 d.C. Un graffito che fa riferimento a Maius quinquennale, sembra associare nell'acclamazione proprio il nome di (Livineio) Regolo, cosa che aveva già fatto ipotizzare una qualche associazione tra il nostro e i fatti dell'anfiteatro. Se l'associazione tra i due personaggi in base ai nomi conservati fosse corretta, avremmo un indizio forte riguardo all'implicazione del nostro in quei drammatici fatti, un'implicazione che però non doveva aver significato responsabilità evidenti: «È probabile che le sue responsabilità fossero limitate o quanto meno ben celate e tali da non comportare alcun provvedimento punitivo nei suoi confronti»[56]. Le linee di tangenza tra la nostra iscrizione e la documentazione che proviene da *tituli* e altri documenti epigrafici sono dunque numerose, consentendo di considerare quanto meno plausibile l'identificazione.

Certo, solo il rinvenimento dell'iscrizione col nome, che sicuramente doveva essere sulla tomba, potrebbe rassicurarci del fatto che, nella passione che ci porta a cercare di ricostruire il passato, non si siano scambiate due persone, e proprio nella tomba! A giudicare da quanto fatto per i suoi concittadini, che sia o no Nigidius Alleius Maius, doveva trattarsi di un personaggio molto popolare nella città ai piedi del Vesuvio, il più amato dei pompeiani.

CENERI E LAPILLI: STRATIGRAFIA DI UN DISASTRO

capitolo 9

Archeologia e paesaggio a Pompei

«A Pompei due passi separano la vita antica dalla vita moderna».
Théophile Gautier, 1852

Pompei è un luogo unico non solo per quanto ha restituito della sua antica vita, interrotta repentinamente dall'eruzione, ma anche per la possibilità di conoscenza che fornisce sulle terribili dinamiche della sua distruzione[1]. Nel sito vesuviano la stratigrafia archeologica diventa l'anatomia di una catastrofe: nei vari livelli di materia vulcanica depositatisi su strade e edifici, su giardini e campagne circostanti la città, si è deposta, strato dopo strato appunto, la memoria di un giorno lontano che ha trasformato per sempre quell'angolo di paradiso che era la costa napoletana prospiciente il Vesuvio (Fig. 1). Premessa al divenire di un paesaggio che ancora oggi leggiamo nel territorio. Il vulcano, con la sua massa sdoppiatasi con l'eruzione[2] (il

Fig. 1 Una perfetta immagine del complesso di strati vulcanici che sigilla la città di Pompei. Dal basso verso l'alto si leggono lo strato di pomici bianche e grigie alternate, nei livelli superiori, ai depositi da flusso piroclastico e, infine, la spessa coltre di cenere emessa nella fase finale dell'eruzione.

monte Somma, l'antico edificio vulcanico, e il Vesuvio vero e proprio, che nascerà con l'eruzione del 79 d.C.), il «bipartito giogo» della *Ginestra* di Leopardi; la linea di costa allontanatasi da Pompei, Oplontis, Ercolano, Stabia, sono parte integrante del «nuovo» paesaggio che si è creato allor quando il Vesuvio è esploso[3] (Fig. 2 FT). All'improvviso un'enorme coltre di lapilli si è riversata sull'abitato e sulle campagne poste a sud del massiccio vulcanico, mentre tutt'intorno al monte si depositava la cenere compattata delle correnti piroclastiche.

Paesaggi vesuviani

Un paesaggio non è eterno; al contrario, è vittima delle trasformazioni drammatiche prodotte dalla natura e dall'uomo. Nel caso che ci riguarda, ai nostri occhi puntati sulla contemporaneità del luogo, il paesaggio che circonda Pompei e i paesi vesuviani si è prodotto a causa di eventi diversi pertinenti in particolare a due epoche assai distanti nel tempo: l'eruzione vulcanica del 79 d.C., l'urbanizzazione selvaggia a partire dal secondo dopoguerra[4] (Fig. 3). Tra queste due epoche è compresa la lunga durata di uno scenario «naturale», quello creato con l'eruzione e secoli dopo riscoperto insieme alle città sepolte nel Settecento da viaggiatori incantati, i quali celebravano ammirati questo connubio unico fra natura e storia[5]. Ora questi luoghi celebri del golfo di Napoli, raccontati da scrittori e dipinti da artisti europei, sopravvivono solo nella memoria collettiva. Osservando le immagini ereditate da tre secoli di vedutismo nell'area vesuviana, o le immagini delle campagne fotografiche che si succedono numerose dalla seconda metà del XIX secolo, chiunque riconoscerà Pompei. Tale identificazione non avviene esclusivamente grazie ai monumenti

Fig. 3 La veloce crescita urbanistica della seconda metà del secolo scorso, ha trasformato la Valle del Sarno in una complesso hinterland, in cui le città si susseguono senza soluzione di continuità, cancellando così la possibilità di leggere il paesaggio antico.

architettonici, ma anche tramite l'incombente profilo del Vesuvio, di una luce specifica, dell'aspetto e del comporsi della vegetazione. Tuttavia, è un paesaggio che non c'è più, come non esiste più il paesaggio che circondava Pompei prima della catastrofica eruzione.

L'invadenza barbarica della modernità ha operato delle trasformazioni radicali, così come aveva fatto con modalità ed esiti diversi il vulcano. Allora, un paesaggio fortemente ma armonicamente antropizzato venne cancellato del tutto, la storia trasformata in natura: i terreni che sigillano le civiltà sepolte ridiventano paesaggio agrario e pastorale, alterando nella nostra modernità, spesso irrimediabilmente, non solo il suo aspetto precedente, ma anche i rapporti complessi fra uomo e ambiente instaurati in millenni di storia.

Questo saccheggio oggi ci colpisce come ci colpisce (e atterrisce) la memoria della catastrofica eruzione (in questo caso esito di un solo giorno, che ha trasformato tutto in un soffio feroce; nel caso dell'urbanizzazione contemporanea, invece, risultato di più decenni di storia del nostro Mezzogiorno).

Ancor più ci sorprende se si pensa che l'Italia è stata fra le prime nazioni a porsi una legislazione per la salvaguardia dei beni paesaggistici. Il primo intervento in questo senso, infatti, risale all'11 giugno 1922: il concetto di bellezza naturale vi appariva largamente influenzato da quello dell'opera d'arte e la sua difesa come un'estensione degli stessi principi. Una seconda normativa, molto simile, è approvata il 29 giugno del 1939. Il dibattito sulla tutela del paesaggio scompare però nell'immediato dopoguerra, assorbito dal bisogno di ricostruire e modernizzare il Paese, ma anche dalla speculazione edilizia e dai rapporti stretti fra governi, mafie, interessi locali e privati. È il momento drammatico della trasformazione irreversibile del paesaggio intorno a Pompei.

Nel 1989 interviene la Legge Galasso, e un nuovo approccio al paesaggio si fa strada, ampliando lo spazio d'azione da «cose singole» a «complessi di cose», estendendo finalmente la tutela ad amplissime porzioni di territorio e affermando la necessità di un governo dell'ambiente che riguardi tutta la superficie nazionale. In tal senso, appare rilevante la risoluzione n° 53 del Consiglio d'Europa (poi evoluta nella Convenzione europea del paesaggio, sottoscritta nell'ottobre del 2000 a Firenze), che riconosce il paesaggio come parte integrante del territorio: da lì prende forma ed è una realtà imprescindibile sia quando si consideri oggettivamente, sia quando si filtri sentimentalmente in un'interpretazione artistica o letteraria.

Ma per arrivare a ragionare su questa realtà attuale, se è necessario arrivare oggi a pensare il paesaggio come identità estetica dei luoghi, rivendicando per esso lo status proprio di tutti i valori estetici, il loro essere intersoggettivi, mezzi di comunicazione per una società, è altrettanto necessario comprendere le origini di questo «nuovo» paesaggio, in gran parte generatosi con l'eruzione. Un legame ancora forte unisce l'oggi all'epoca romana, a quel fatidico giorno – ora ci sentiamo di dirlo – dell'ottobre del 79 d.C.

Pompei è un caso emblematico in questo senso: un luogo dove si sintetizza il rapporto fra natura, arte e storia[6]. Ma è un luogo dove ben si può comprendere la portata sconvolgente di quell'evento naturale che si è fatto premessa ineludibile del nostro presente.

Chi passeggia oggi per le strade liberate dai lapilli delle aree aperte al pubblico non percepisce quasi per nulla l'entità della catastrofe che ha colpito Pompei: le rovine, le case scoperchiate potrebbero essersi generate anche con il lento passare del tempo, come in molti contesti di rovine[7] (Fig. 4). Con difficoltà, i più fantasiosi riescono a evocare qualcosa di quel fatidico giorno, riescono a percepire l'immagine di quelle vie ricolme di materiale eruttivo. Spesso mi sono trovato a rispondere a visitatori che mi chiedevano come si presentavano le case, le strade pompeiane prima degli scavi veri e propri, al momento delle indagini. Tutti facevano molta difficoltà a ripensare una città completamente sommersa, sigillata sotto i lapilli. Eppure le tracce abbondano, anche se nascoste, celate perché trasformate, anche qui, dal passaggio di un altro «tempo», quello che ha ricominciato a scorrere nuovamente nel 1748.

Anche nelle zone più frequentate dal pubblico le tracce non mancano: si pensi a via dell'Abbondanza, che a partire da metà della

Fig. 4 Una delle più celebri vedute pompeiane: il Vesuvio che si staglia sullo sfondo della piazza del Foro.

sua estensione e per tutto il tratto orientale è dominata dalla coltre vulcanica, che seppellisce con 4-5 metri gli edifici sul fronte settentrionale (Fig. 5). Furono i grandiosi scavi di Vittorio Spinazzola a creare questa situazione: il disseppellimento del principale asse di traffico che attraversa Pompei in senso est-ovest (il decumano della città romana)[8] (Fig. 6). Intrapreso nel 1910, lo scavo del tronco orientale di via dell'Abbondanza, oltre l'incrocio con via Stabiana, si rivelò agli occhi dei contemporanei come un'impresa epica, e non solo perché comportava il collegamento fisico dei grandi monumenti cittadini, il Foro, i teatri e l'anfiteatro, permettendo di traversare senza interruzioni le aree più significative dello spazio urbano, ma anche perché lungo la via affioravano le facciate degli edifici, con superfici dipinte, pitture, decori, decine e decine d'iscrizioni elettorali, che restituivano, con immediatezza, la vitalità della città antica. Il moltiplicarsi delle campagne fotografiche costituisce senza dubbio il vero cambiamento in quegli anni: la pellicola registra e diffonde nel mondo l'immagine della città, lo stato di avanzamento dei lavori e le opere d'arte che continuano a emergere dagli scavi (Fig. 7). Allora una nuova consapevolezza scaturisce dal mezzo fotografico, il quale mostra in maniera inequivocabile e spiazzante gli enormi sterri di lapillo: è questa la premessa al riemergere impressionante dell'antico[9]. Sul lato settentrionale della via le architetture vengono scavate molto parzialmente, spesso solo le facciate; alle loro spalle incombe ancora oggi la coltre di lapilli, e su quel pianoro di non scavato ancora esistono alcuni edifici rurali del XIX secolo, come la Casina dell'Aquila, che con la sua bella facciata bianca domina il paesaggio urbano della Pompei portata alla luce. Ma anche questa imponente coltre di materiale vulcanico lascia con difficoltà percepire il suo significato, e

Fig. 5 Vista di via dell'Abbondanza verso est. Sulla destra la vegetazione richiama la presenza del settore a nord della via non ancora scavato. La città appare alle volte, agli occhi dei visitatori, perfetta e immobile, quasi come un set cinematografico privato degli attori che avrebbero dovuto dar vita ai suoi vicoli e alle sue case.

Fig. 6 Scavi di via dell'Abbondanza ai primi del Novecento. La scelta di Vittorio Spinazzola, l'allora soprintendente, fu quella di concentrarsi sul disseppellimento della principale arteria viaria pompeiana; portando avanti, di pari passo, il restauro delle facciate delle case e delle botteghe che andavano emergendo dai lapilli. Gli ambienti che non vennero esplorati furono murati, per impedire il lento scivolare della coltre di cenere e lapilli nelle zone già scavate (Archivio PAP*).*

non riesce a essere determinante per comprendere «come» Pompei fu sepolta. Coperta di vegetazione, a tratti particolarmente florida, non si intravede più la stratigrafia di ceneri e lapilli che tutto ha sommerso[10] (Fig. 8-9). Nei casi in cui un tempo i varchi di strade laterali si aprivano, l'erezione di muri di contenimento, voluti da Vittorio Spinazzola per evitare smottamenti e crolli, ha celato vieppiù la vista della coltre imponente di materiale vulcanico non ancora scavato.

Altrettanto difficile è immaginare il paesaggio al di fuori delle mura cittadine, e comprendere come questo si sia trasformato per «mano» della pioggia di lapilli e delle ondate di correnti piroclastiche che l'hanno investito. Si pensi alla villa di Oplontis posta a breve distanza da Pompei, nel comune di Torre Annunziata (Fig. 10). Circa duemila anni fa era una delle bellissime ville marittime che si affacciavano

Fig. 7 Una preziosa fotografia del 1917 testimonia dello scavo del piano superiore di una delle domus della Regio I. Gli operai sono intenti a recuperare i frammenti di tegole e laterizi e a rimuovere i lapilli; anche se non manca chi, incurante dell'importanza di quanto si andava facendo, si concede un momento di pausa, sedendosi su di un muro affrescato (Archivio PAP*).*

dall'alta scogliera sul mare, oggi è un'area archeologica circondata dagli edifici di un'urbanizzazione spesso incontrollata che è andata a impiantarsi sulla terra riguadagnata al mare nel corso dell'eruzione[11]. Oggi la villa non guarda più il sole tramontare sul Tirreno, ma su di lei incombono brutti palazzi – persino uno a numerosi piani, altissimo – eretti su metri di sedimento. La costa è qui allontanata di circa 500 metri. Paesaggio che cambia, due volte e per sempre.

Anatomia di una catastrofe

Ma come si è dunque verificata questa catastrofica rivoluzione che ha cambiato per sempre il paesaggio urbano, rurale e costiero di

Figg. 8-9 La zona non scavata di Pompei è attualmente ricoperta dalla vegetazione e, fino a pochi anni fa, era ancora in parte data in concessione per lo sfruttamento a fini agricoli (Foto da drone Poleis).

Pompei? Non c'è oggi un posto migliore per comprendere l'evento se non l'area dei nuovi scavi: le più recenti ricerche hanno restituito una documentazione straordinaria. Immense sono le possibilità di conoscenza che ci offre la stratigrafia eruttiva, e dunque la storia delle ore fatidiche che hanno cancellato per sempre la vita antica di

Fig. 10 Il meraviglioso peristilio della Villa di Oplontis a Torre Annunziata, un tempo aperto sull'ampio giardino e sul golfo. La costa campana, decantata per la salubrità del clima e la bellezza del mare, divenne la scenografia perfetta per una serie di ricche residenze extraurbane, tra cui i più pregevoli esempi si trovano, oltre che ad Oplonti, a Stabia, sull'attuale collina di Varano.

Pompei, strappandola al suo tempo, l'epoca della dinastia flavia nel I secolo d.C. (Fig. 11).

Ma cominciamo dall'inizio (della fine), ossia dal tipo di eruzione verificatasi a Pompei, una catastrofe naturale che ha cambiato l'aspetto del Vesuvio e di tutto il paesaggio circostante[12] (Fig. 12). Le eruzioni possono essere infatti di due tipi, effusivo ed esplosivo, a seconda della maniera in cui erutta il magma proveniente dalla camera magmatica compressa all'interno della crosta terrestre. Qualora nel magma risalente attraverso il condotto vulcanico (la frattura che mette in connessione la camera magmatica e il cratere in superficie) si verifichino esplosioni – generate dall'elevato contenuto di gas intrappolato –, siamo di fronte a eruzioni esplosive. Se nelle eruzioni effusive il magma fuoriesce lentamente con colate di lava che scorrono lungo il pendio del vulcano raffreddandosi presto, in quelle esplosive si producono potenti e pericolosissime colonne eruttive

Fig. 11 Un'immagine dell'area di scavo nella Regio V. Una volta rimossi gli strati superficiali di terreno, accumulatisi nel corso dei secoli, si arriva a riscoprire una stratigrafia preziosa, alla quale, per la prima volta, si possono applicare i moderni metodi di indagine archeologica (Foto da drone Poleis).

formate da gas e «piroclasti» (frammenti solidi). Quando tali colonne si rivelano di elevata potenza vengono chiamate «pliniane», a partire proprio dal caso pompeiano. A Pompei la colonna eruttiva dopo l'esplosione inizia la sua corsa verso il cielo, aumentando progressivamente di altezza ora dopo ora, fino a raggiungere i 32 chilometri, penetrando nella stratosfera. Dalla colonna comincia da subito una pioggia di materiale vulcanico, una continua dispersione di pomici (frammenti di magma solidificato). L'azione dei venti, fatale in quel giorno per i pompeiani, comincia a deviare la nube eruttiva in direzione sud, verso la città posta a dieci chilometri dal cratere del vulcano. Pare che negli oltre ventimila anni di storia vulcanica del Vesuvio, l'eruzione del 79 d.C. sia stata l'unica a dirigersi verso sud e non a oriente. Le pendici meridionali e la piana sottostante quel giorno vengono così ricoperte progressivamente da uno strato sempre più

Fig. 12 L'attuale bocca del Vesuvio con il profondo cratere che si apre all'altezza di 1281 metri s.l.m. Lo stato quiescente del vulcano, privo del caratteristico pennacchio che a lungo ne aveva occupato la sommità, ne fanno una delle mete più visitate dell'area campana (Fotogramma P. Stine).

denso e potente di lapilli. Sulla città di Pompei si depositano nelle 18-19 ore di pioggia vulcanica circa tre metri di pomici, con un ritmo di circa 15 centimetri all'ora. Nella prima fase sono pomici bianche, poi grigie, colorazione determinata dalla variazione nella composizione chimica del magma. Quest'insistente pioggia di lapilli viene a ricoprire, lentamente quanto incessantemente, tutti gli spazi aperti della città, le strade, il Foro, i cortili e i giardini (Fig. 13). Scivolando dagli spioventi dei tetti, i lapilli si riversano maggiormente negli spazi immediatamente sottostanti, configurando un paesaggio di depositi irregolari, più spessi dove più facile è l'accumulo. Dai tetti dei compluvi penetrano negli atri delle case, colmano gli impluvi, dilagano ovunque nelle stanze circostanti se le porte sono state lasciate aperte (Fig. 14). Dopo poche ore, il deposito sulle strade deve raggiungere il metro, passate dodici ore supera i due metri. Verso la mezzanotte di quel giorno, praticamente i portoni delle case e le finestre non si possono più aprire, bloccati dai cumuli di pomici nelle strade. Ormai, per chi si è rifugiato nei vani domestici, sono sbarrate anche le porte che davano sugli atri e sui peristili e spesso uniche vie di fuga restavano finestre e balconi del piano superiore. Se i tetti displuviati possono aver retto a lungo lasciando scivolare i lapilli grazie alla loro inclinazione, i tetti piatti o dalla lieve pendenza sono notevolmente sovraccaricati dal peso della massa di pomici (si calcola un incremento di circa 100 chili per metro quadrato all'ora): in poche ore iniziano dunque i primi crolli. Le vittime ritrovate in casa – chi non aveva saputo o potuto fuggire in tempo – sono circa 400.

Dopo poco meno di venti ore di attività incessante, l'eruzione entra in una seconda fase: la colonna eruttiva, progressivamente più instabile, comincia a collassare, in un primo momento parzialmente,

Fig. 13 Un particolare dello strato di pomici bianche, il primo a ricadere sulla città.

ma presto il crollo è totale. Si originano così i flussi piroclastici, nubi di cenere e gas che avanzano velocissime – anche 100 metri al secondo –, trasportando detriti vulcanici e i resti di quanto travolto. Solo ora l'eruzione coinvolge altri centri posti intorno al vulcano, dove non si era verificata la pioggia di lapilli[13]. All'alba del nuovo giorno la prima delle sette correnti piroclastiche che toccheranno Pompei si ferma presso il lato settentrionale del muro di cinta. Questo primo flusso che si dirige verso sud travolge ville e fattorie suburbane, portando distruzione e morte; il nucleo urbano invece ne è solamente sfiorato: le mura riescono a proteggere ancora Pompei!

Seguono a breve distanza di tempo altre due correnti, che però questa volta, scavalcando le mura, trapasseranno la città, anche se non sono ancora così potenti da uccidere e distruggere quanto emerge dalle pomici.

Fig. 14 Le pomici si riversarono in tutti gli ambienti, passando attraverso le porte e le finestre e riempiendo dal basso gli edifici che lentamente, ma inesorabilmente, iniziarono a cedere.

Fig. 15 Al di sopra del potente strato di pomici, si individua chiaramente il succedersi dei flussi piroclastici che, a più riprese, devastarono la città, creando un deposito denso e compatto di ceneri, detto appunto cinerite.

Queste dinamiche eruttive si leggono nella stratigrafia di ogni scavo effettuato a Pompei: al di sopra dei cumuli di pomici bianche e grigie si notano solitamente piccoli strati di cenere compattata, alti pochi centimetri (Fig. 15).

Continuiamo a seguire le dinamiche di questa seconda fase eruttiva. Una volta depositatesi le ceneri indurite dei primi tre flussi, la città viene travolta da una nuova nube piroclastica. Sarà quella definitivamente letale per Pompei e i pompeiani: giunge con una notevole potenza e travolge le strutture ancora affioranti degli edifici, distruggendo buona parte dei piani superiori delle case. Al contempo, segna la morte di quanti ancora restavano in città, negli ambienti delle case risparmiati dai crolli, nelle strade. La quarta corrente piroclastica risulta poco omogenea e irregolare nei depositi che viene a formare, segno di una notevole diversità nei suoi parametri fisici, per quanto riguarda composizione, velocità e temperatura. Parametri diversi se misurati all'interno delle strade orientate nella direzione dei flussi (dove la temperatura poteva aumentare) o in corrispondenza di manufatti architettonici disposti in senso perpendicolare rispetto alla nube in scorrimento, travolti e distrutti in maniera spesso radicale.

La quarta corrente, come anticipato, porterà diffusamente la morte dentro le mura di Pompei. Le cause dei decessi sono state oggetto di un lungo dibattito e di plurime speculazioni sin dal Settecento. Come gli studi più recenti e avveduti stanno dimostrando, sono state molteplici, variando a seconda del punto in cui un individuo è stato sorpreso dalla nube. In molti casi si è trattato di morte per asfissia, causata dalla densa presenza di ceneri nelle correnti; in altri casi, dove queste giungono a temperatura più alta – tra i 300 e i 400 gradi – la morte arriva per lo shock termico; in altri casi, infine, siamo di fronte a vittime da traumi, causati dai materiali trasportati dalla furia vulcanica.

L'impossibile fuga

Un caso emblematico è quello della prima vittima scoperta nei nuovi scavi della Regio V, presso l'incrocio tra vicolo dei Balconi e quello delle Nozze d'Argento (Fig. 16 FT).

Lo scheletro, pertinente a un maschio adulto di 30-40 anni, era all'interno del banco di cenere, in uno strato che è stato identificato dai vulcanologi come corrispondente alla quarta corrente piroclastica[14]; dunque in una posizione che risponde a quella del rinvenimento della maggior parte delle vittime che cercarono la fuga in un momento di pausa dell'attività eruttiva, correndo su metri di lapilli ricoperti dalle ceneri delle prime correnti che avevano raggiunto la città. Il nostro pompeiano fuggiva con quello che era riuscito a racimolare in casa: in un sacchetto di stoffa – di cui rimane l'impronta della trama impressa nella cenere – portato al collo e appoggiato sul petto. Pochi averi, una chiave di ferro, fusa e ossidata, evidentemente la chiave di casa, associata a un gruzzoletto di 17 monete d'argento e bronzo (Fig. 17 FT). A un esame preliminare, tra le monete riconoscibili vi sono venti denari d'argento e due assi di bronzo: la maggior parte delle monete è di età repubblicana (a partire dalla metà del II secolo a.C.); una delle monete repubblicane più tarde è un denario legionario di Marco Antonio, forse della XXI *legio*. Tra le poche monete imperiali individuate, un probabile denario di Ottaviano e due denari di Vespasiano[15]. Non si tratta di un grande patrimonio: la somma poteva bastare a nutrire una famiglia per circa quindici giorni!

Ma se il dato relativo al rinvenimento nella stratigrafia vulcanica risulta coerente con le più recenti ricostruzioni delle dinamiche eruttive, una scoperta assai singolare ha caratterizzato il rinvenimento della vittima, suscitando anche un notevole clamore mediatico: lo scheletro liberato dalla cenere vulcanica risultava privo della testa, della parte superiore della cassa toracica e degli arti superiori; al loro posto era invece conficcato un enorme blocco parallelepipedo in calcare, pertinente verosimilmente allo stipite di una porta trascinato dal flusso piroclastico. Le prime ipotesi fatte a caldo al momento dello scavo e delle prime comunicazioni alla stampa portavano a ricostruire una morte per trauma, causata dunque dal blocco che si era abbattuto sullo sventurato fuggiasco decapitandolo e trascinando poi lontano il cranio. Proseguendo con lo scavo si è potuta comprendere la vera causa della morte: si è verificato innanzitutto che il corpo si trovava in uno strato di cenere posto a un livello inferiore rispetto a quello dove si era conficcata la pietra, dunque questa era caduta sulla vittima quando era già stata completamente inglobata nella cenere, dunque *post mortem*. La corrente piroclastica aveva sorpreso la vittima mentre cercava una via di scampo, fuggendo evidentemente da uno degli edifici vicini, forse da uno dei balconi del vicolo. Sopravvissuto alla prima fase dell'eruzione – si doveva essere rifugiato in casa e i tetti avevano retto al peso delle pomici –, approfittando di un (effimero) momento di quiete, seguito al terzo flusso, il pompeiano aveva deciso di scappare infine dalla città. Probabilmente non aveva fatto molta strada, camminando a fatica al buio, sopra la coltre di lapilli. Avvolto all'improvviso dalla nube sopraggiunta velocissima, deve essere morto per asfissia, ucciso dall'inalazione della cenere che aveva saturato l'aria durante il passaggio della corrente piroclastica.

Per quanto riguarda il mistero della testa scomparsa, questo è stato chiarito approfondendo lo scavo al di sotto dello scheletro. Le indagini hanno permesso di verificare che, a poca distanza dal luogo in cui questo era caduto, era stato praticato un cunicolo nel corso di scavi clandestini (probabilmente di epoca moderna, tra XVII e XVIII secolo). Questo «intervento» aveva finito per causare il collasso della stratigrafia vulcanica soprastante. Il cranio e l'omero del fuggitivo, sprofondati, giacevano sul fondo del cunicolo, a una quota molto più bassa rispetto alle ossa della gabbia toracica.

Documentare l'eruzione nei nuovi scavi

Passando a considerare più da vicino gli effetti dell'attività vulcanica sugli edifici sepolti dall'eruzione, si può portare l'attenzione sui nuovi scavi della Regio V, intrapresi nell'ambito dei lavori di messa in sicurezza dell'intera area archeologica e finanziati dal Grande Progetto Pompei. Un filone strategico si è rivolto ai cosiddetti fronti di scavo[16], ossia le ripide pareti, spesso verticali, delle aree non ancora scavate, createsi nel punto in cui le indagini del passato si erano arrestate. Il progetto, intervenendo in maniera sistematica su circa tre chilometri di materiale vulcanico che grava pericolosamente sulle aree scavate, è funzionale dunque alla stabilizzazione delle scarpate, le quali spesso incombono per 5-6 metri, con una vegetazione molto esuberante, sulle strade e le pareti di edifici già portati alla luce. È stato interessato dal progetto anche il cosiddetto «cuneo» della Regio V, una sorta di penisola di non scavato che si prolungava verso via di Nola, incombendo sulle insule 2 e 3, dove nei decenni passati si erano verificati numerosi crolli, causati dall'instabilità dei pendii (Fig. 18).

L'attività di messa in sicurezza si è trasformata così in una grande

Fig. 18 Una vista dall'alto dell'area non scavata della Regio V. In basso a destra la zona di intervento, il cosidetto cuneo, a fianco della grande casa delle Nozze d'Argento, riconoscibile dall'alto, per la presenza delle ampie coperture a protezione dell'atrio e del peristilio (Archivio PAP*).*

occasione di conoscenza, permettendo di esplorare una vasta area vergine di circa 2000 m^2, il più esteso scavo effettuato a Pompei dai tempi di Amedeo Maiuri e delle sue campagne degli anni '50 del secolo scorso.

Lo scavo, oltre a rivelare una porzione mai esplorata sistematicamente della città antica, ha reso possibile un'indagine della stratigrafia eruttiva che si è rivelata davvero istruttiva per comprendere le varie fasi della drammatica eruzione, ma anche per documentare gli interventi susseguitisi in quest'area tra il 79 d.C. e oggi, ivi comprese le altre eruzioni di età moderna. I nuovi scavi sono stati intrapresi, come vuole il metodo stratigrafico, dalla sommità del pianoro non scavato, cominciando ad asportare gli strati più recenti dell'enorme accumulo. Eliminata la vegetazione che cresceva rigogliosa soprattutto sul bordo e sulle pendici del cuneo, si è cominciato asportando il piano di campagna moderno, fino a pochi anni fa intensamente coltivato da affittuari.

La parte superiore del «cuneo», si è constatato, era un accumulo di terreno e materiale vulcanico, esito delle indagini ottocentesche che avevano scelto questo *plateau* come area di stoccaggio dei terreni di riporto delle operazioni. Già queste fasi iniziali delle nuove indagini si sono dimostrate molto interessanti, per l'archeologo come per il soprintendente: lo scavo dello scavo! L'asportazione dei cumuli ottocenteschi ha infatti rivelato una notevole quantità di materiale. Lo scavo stratigrafico di oggi richiede attenzione verso tutto quello che ogni strato asportato restituisce: anche il più piccolo frammento può apportare conoscenza se considerato nel suo contesto, come una tessera di un mosaico che può essere ricomposto solo attraverso la collazione di tutte le altre.

Nei vecchi scavi, al contrario, l'interesse principale era liberare gli edifici da cenere e lapilli e recuperare soprattutto i materiali integri o considerati più interessanti. Del resto, considerando il numero elevatissimo di operai al lavoro e quello ridotto di chi controllava (gli archeologi erano praticamente assenti, o vi si recavano per sopralluoghi limitati), non meraviglia che insieme alla terra di scavo e al materiale vulcanico asportato venissero mandati in discarica anche frammenti di affreschi, stucchi, anfore, ceramica. E tra questi persino interessantissimi materiali integri, non visti da qualche distratto scavatore.

Questa prima fase ha raggiunto dopo circa due metri il piano di campagna ottocentesco, quello dove si camminava al momento di intraprendere gli scavi della Regio V. La messa in luce del piano originario, da cui presero le mosse le indagini di quest'area nel tardo Ottocento, ha permesso di rivelare significative tracce di attività che erano state condotte qui prima dell'inizio degli scavi ufficiali. Osservando attentamente il terreno si intercettano azioni e attività con cui l'uomo e la natura hanno cambiato in qualche modo il paesaggio: la terra contiene in sé sempre la memoria dell'incessante trasformazione cui è sottoposto il paesaggio agrario o quello urbano.

Fig. 19 La rimozione dei primi strati ha consentito di individuare dei grandi fori, approssimativamente circolari, e delle trincee, frutto degli scavi clandestini. Per la prima volta si è dunque potuto documentare, in maniera metodologicamente corretta, anche l'attività di chi, nei secoli, camminò nel ventre della città sepolta (Foto da drone Poleis).

Si sono rinvenute così le tracce di precedenti attività di scavo, come si è già accennato in relazione al rinvenimento dello scheletro: in superficie la differenza di colore della terra e la diversa composizione dei terreni nei vari strati permettono di riconoscere il riempimento di ampie trincee di forma allungata o vere e proprie fosse circolari o ellissoidali, da cui si dipartivano tracce di cunicoli prodotti nel compatto materiale cineritico dell'eruzione del 79 d.C. (Fig. 19).

Come vuole il metodo stratigrafico di scavo archeologico, si è proceduto dunque nell'indagine asportando i vari strati depositatisi – nonché tutte le tracce di azioni umane o naturali –, cominciando da quelli più recenti: dunque si sono prima asportati gli strati frutto delle azioni di disturbo del giacimento archeologico, causate da scavi clandestini o da attività agricole e di cava.

Si è proceduto così asportando il riempimento di queste fosse e trincee, l'azione più recente tra quelle visibili sul terreno. Si è quindi verificato che questi cunicoli, procedendo alla cieca nel materiale eruttivo, hanno portato allo sfondamento delle pareti antiche: l'obiettivo principale di queste attività non documentate, scavi clandestini di cui andava accertata l'epoca, era evidentemente il recupero di oggetti preziosi, una vera e propria caccia al tesoro disinteressata alle strutture e ai contesti. In vari casi, tali cunicoli hanno intercettato pareti affrescate, senza alcuna cura dei dipinti, distrutti insieme al resto per proseguire nel saccheggio (Fig. 20). Per comprendere quando furono effettuati questi scavi, non documentati nei resoconti degli scavi borbonici che si aprono nel 1748, un dato fondamentale ci viene dai vulcanologi che prendono parte alle ricerche.

La stratigrafia di riempimento delle fosse e delle trincee presenta infatti strati di ceneri riferibili a eruzioni di età moderna. In particolare uno strato superiore mostra ceneri di colore rosato che potrebbero riferirsi all'eruzione del 1822, uno più in basso potrebbe essere associato a un'eruzione del tardo Settecento. Non ci sono tracce fotografiche delle eruzioni ottocentesche, ma abbiamo documentazione di quella del 1906 (Fig. 21).

L'eruzione dalla Casa di Orione

Emblematico, al riguardo, è quanto accaduto nella Casa di Orione, che ormai conosciamo, il cui atrio era stato centrato da un'enorme fossa circolare, grande quasi quanto il vano, dalla quale si dipartivano trincee e cunicoli che hanno attraversato muri in tutte le direzioni. Dunque le grandi fosse una volta praticate erano state lasciate a cielo aperto per essere poi parzialmente riempite dalle ceneri di eruzioni successive. In quell'epoca, i terreni erano di proprietà privata, e ciò ha consentito di procedere nelle attività praticamente indisturbati, forse anche quando ormai poco lontano erano iniziati gli scavi ufficiali promossi da Carlo III di Borbone.

Fig. 20 Un cubiculum della Regio V attraversato da un ampio foro nella parete frontale. Gli scavatori clandestini (i cosiddetti fossores) non potevano rimanere in attesa di trovare una porta o una finestra, e dunque proseguivano gli scavi distruggendo le pareti, penetrando negli ambienti, alla spasmodica ricerca di oggetti preziosi e facili da trafugare.

Una volta documentati e scavati questi strati di riempimento di fosse e trincee, intercettati in quasi tutti gli ambienti della *domus* di Orione, sono stati raggiunti i livelli di materiale vulcanico, o meglio quanto ne restava dopo l'asportazione avvenuta con gli scavi clandestini.

Innanzitutto il livello cineritico depositatosi in conseguenza delle correnti piroclastiche. Quanto restava in posto consisteva essenzialmente in uno strato di poco più di una decina di centimetri, sedimentatosi al di sopra delle pomici grigie nel settore sud-occidentale della casa. In quasi tutti gli ambienti intorno all'atrio la cinerite copriva direttamente il pavimento lungo le fasce a ridosso dei muri, dove le pomici non erano arrivate. Questi dettagli ci permettono di ricostruire le dinamiche eruttive, comprendere quali stanze della casa erano state chiuse o avevano la porta spalancata quando il vul-

Fig. 21 L'eruzione del 1906 in una foto dell'epoca.

cano esplose, quali coperture hanno ceduto prima al peso dei lapilli, quali sono rimaste in essere quasi fino alla fine dell'eruzione. Nel nostro caso, l'assenza di tegole, di pezzi di solaio o di pavimenti del piano superiore negli strati di lapilli depositatisi nelle stanze intorno all'atrio, di contro all'ingente presenza degli stessi nella cinerite, ci fa comprendere che la parte superiore della casa fu sventrata e distrutta solo con l'arrivo del flusso piroclastico.

Nell'atrio la distribuzione dei frammenti di tegole, concentrati soprattutto al centro dell'ambiente, suggerisce che un primo cedimento della copertura sia avvenuto nella sua porzione mediana, contemporaneo forse ad altre brecce apertesi lungo il lato meridionale. Ulteriori livelli di tegole, di dimensioni più grandi, sono stati documentati infatti a diverse altezze, immerse nelle pomici bianche così come nelle grigie nell'angolo sud-occidentale e sud-orientale dell'ambiente, attestando un crollo non simultaneo della copertura. Il settore mediano e la fascia meridionale dell'atrio della casa, dunque, sono stati i «pozzi d'entrata» principali delle pomici; queste ultime hanno invaso poco dopo i vari ambienti laterali, i cui solai hanno invece retto durante la prima fase eruttiva, scivolando dall'atrio al loro interno in tempi diversi.

La presenza nelle *fauces* e nell'atrio, a pochi centimetri dal piano di calpestio, di una discreta quantità di piccoli frammenti di tegole e coppi immersi nei lapilli dimostra invece come parte del tetto abbia qui ceduto durante la fase delle pomici bianche, ossia la prima fase eruttiva (Fig. 22).

Come per le ceneri delle correnti piroclastiche, anche per le pomici grigie gli spessori limitati del deposito e il loro andamento inclinato a partire dall'atrio indicano che il punto da cui sono penetrate era la vasta stanza centrale: i secondi piani posti sugli ambienti intorno all'atrio continuavano dunque ancora a reggere durante questa fase, mentre il tetto di quest'ultimo doveva aver in parte ceduto, lasciando penetrare la pioggia di pomici.

Nel caso di alcune stanze (3, 6 e 8), la presenza di pomici grigie che coprivano direttamente il pavimento dimostra che le porte erano state chiuse e avevano retto alla pressione dei lapilli durante le prime ore dell'eruzione.

Le pomici bianche, ossia i primi materiali vulcanici caduti (quelli che nella stratigrafia dunque troviamo più in basso), coprivano direttamente il piano pavimentale nell'area delle *fauces* (4), nell'atrio (12) e nella maggior parte degli ambienti laterali (15, 7, 11 e 13).

In varie stanze lo strato di lapilli, con spessori fortemente decrescenti man mano che ci si allontanava dalle porte, invadeva solo in parte gli ambienti, non raggiungendo mai le pareti di fondo e lasciando talvolta libere anche le fasce a ridosso dei muri laterali, poi colmate dalle pomici grigie. Tale particolare disposizione permette di ricostruire qualcosa dell'arredo delle stanze ormai scomparso: la distribuzione degli strati eruttivi all'interno degli

Fig. 22. L'atrio della Casa di Orione in fase di scavo. Nella domus i depositi piroclastici sono stati profondamente alterati dall'attività di scavo clandestina ma, nei livelli più bassi, si individua ancora la stratigrafia originale, con le tegole e i coppi immersi nelle pomici bianche, e dunque crollati già nelle prime fasi dell'eruzione (Foto da drone Poleis).

ambienti, infatti, sembra suggerire la presenza di una serie di ostacoli incontrati dalle prime pomici lungo le pareti, poi quasi del tutto coperti dalle pomici grigie e infine integralmente dalla cinerite. Si tratta con ogni probabilità della presenza di mobili, come indicano anche gli oggetti recuperati a diverse altezze nelle pomici grigie (vani 11 e 13).

Considerata l'assenza del livello di pomici bianche negli ambienti 8 e 6 a ovest, nel 17 a sud e nel 3 a est, le porte di questi vani – come si è visto – dovettero essere chiaramente serrate durante l'eruzione, impedendo così l'ingresso delle pomici che stavano inondando l'atrio a causa del precoce collasso di parte del suo tetto. Tale interpretazione della stratigrafia eruttiva trova una straordinaria conferma nella scoperta presso tre varchi di serrature in ferro, corredate delle chiavi ancora *in situ*, prova della presenza di porte lignee chiuse durante le prime ore del catastrofico evento.

Differentemente, l'assenza di porte, come di norma negli ambienti 13 e 18 che fungono da *alae*, e nel 7, ossia il tablino, giustifica la presenza di pomici bianche, che hanno invaso gli spazi a diretto contatto con l'atrio. Nel caso dell'11, un *cubiculum*, ossia una stanza da letto solitamente corredata di porta per assicurarne la privacy, la presenza di pomici si giustifica col fatto che il varco era stato lasciato aperto al momento dell'eruzione, circostanza che ha comportato l'entrata delle pomici bianche.

Anche se gli scavi clandestini precedenti hanno notevolmente compromesso strutture della casa e stratigrafia vulcanica, nei depositi che restavano *in situ* risulta ancora leggibile la storia di quelle terribili ventiquattro ore che hanno cancellato una città fino a quel giorno viva e dinamica. Se letto e registrato con puntuale attenzione, lo scavo può rivelare dati straordinari per ricostruire il nostro passato. Per consentire una «risurrezione della memoria». Forse non si potrebbe dire meglio di così: Pompei è un luogo straordinario, dove al passato è consentita un'occasione di risurrezione.

«RAPITI ALLA MORTE»: I PRIMI CALCHI DELLE VITTIME DI POMPEI

capitolo 10

Una collezione unica

Nel corso del Grande Progetto Pompei, oltre alle operazioni di messa in sicurezza delle rovine e al restauro degli edifici, è stato possibile avviare anche un ambizioso lavoro di ricognizione, catalogazione e studio dei manufatti conservati nei depositi localizzati all'interno del parco archeologico e in numerose case, utilizzate come provvisori magazzini. Questa nuova attenzione agli oggetti, alla loro materialità, alla loro biografia, non poteva non allargarsi a includere i famosi calchi delle vittime, una «collezione» unica, proprio perché esclusivamente a Pompei – per le peculiari dinamiche distruttive che hanno interessato solo questa città – esistono e sono realizzabili queste «sculture» che trattengono in sé i corpi delle vittime della catastrofe, nei loro estremi atteggiamenti assunti al momento della morte[1].

Il progetto è stato finalizzato innanzitutto a un intervento improcrastinabile di restauro. I calchi infatti – strano ma vero –, a parte singoli interventi di restauro avvenuti in occasioni (non documentate) in cui erano stati evidentemente oggetto di traumi, non erano mai stati interessati da un lavoro complessivo che si occupasse in maniera sistematica e della loro materialità. Un nuovo approccio ha interessato tutta la straordinaria «collezione», considerandone stato di conservazione, dinamiche di degrado, analisi osteologica e della composizione del materiale usato per realizzare la forma.

Come era prevedibile, le scoperte che il nuovo approccio ha permesso di realizzare sono numerose e d'eccezione. I dati riguardano tanto la biografia delle vittime (grazie alle radiografie effettuate e alle analisi del DNA), il loro aspetto, status, salute, ecc., fino alle dinamiche della morte; quanto la tecnica di realizzazione dei calchi, le variazioni nella composizione del gesso utilizzato, il trattamento riservato alle ossa al momento della creazione della forma (Fig. 1).

Dati interessantissimi vengono dagli esami del materiale impiegato nella realizzazione, soprattutto se considerato nella diacronia, nella lunga durata della pratica, tra 1863 e oggi. Evidente dalle analisi dei nostri restauratori che si sono dedicati all'intervento è l'involuzione avvertibile nel passaggio del tempo. Non siamo di fronte a una evoluzione e un progressivo perfezionamento della tecnica, quanto piuttosto al contrario: i calchi del XIX secolo sono generalmente migliori di quelli del XX, e in particolare di quelli realizzati nel dopoguerra (Fig. 2). I materiali utilizzati erano migliori: si passa da un alabastro di notevole qualità e particolarmente puro dei primi calchi a una composizione che conosce l'impiego della scagliola industriale, a partire dallo scorcio dell'Ottocento. Materiale assai più economico e scadente verrà progressivamente utilizzato e in particolare nel dopoguerra, dando vita a realizzazioni molto meno plastiche e rispondenti all'originaria impronta lasciata nella cenere indurita: il gesso edilizio di bassa qualità fa perdere infatti fedeltà all'impronta, che in più casi risulta rimodellata.

Negli anni '80 del XX secolo si utilizzerà infine anche il cemento, facendo seguito a un impiego pervasivo della materia nelle pratiche di cantiere: si realizzano così manufatti assai pesanti e allo stesso

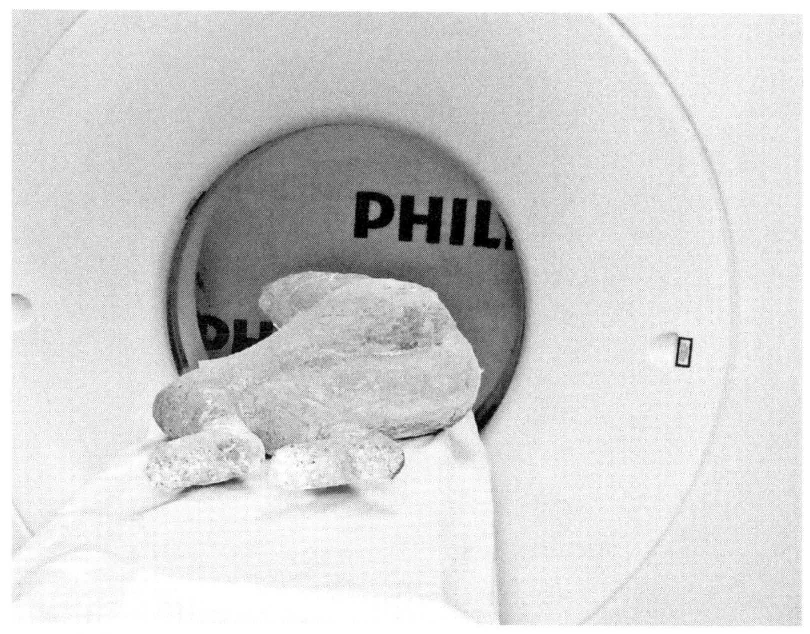

Fig. 1 Il calco di una vittima dell'eruzione viene sottoposto a radiografia per poterne analizzare i resti scheletrici. Il procedimento usato per la creazione delle impronte dei corpi, estremamente suggestivo, non consente purtroppo di ottenere informazioni riguardo al genere, all'età e allo stato di salute delle vittime, poiché le ossa sono inevitabilmente intrappolate all'interno del calco.

tempo più fragili (Fig. 3). Il gesso alabastrino dei primi calchi è ormai un lontano ricordo!

Tra le molte storie che si potrebbero raccontare sui nostri calchi, grazie ai dati acquisiti con il nuovo progetto di ricerca e restauro, una in particolare mi sembra emblematica: la storia della realizzazione del primo gruppo di fuggiaschi individuato nel 1863, della loro fortuna e del loro progressivo oblio, fino alla «riscoperta» avvenuta nel 2015.

Seguiamo dunque il destino di questi primi quattro calchi, una vicenda avventurosa e singolare, a partire dalla loro scoperta. Una storia scandita da peregrinazioni da un luogo all'altro, tra scomparse e riapparizioni, che si svolge nel corso della «seconda vita» di Pompei, tra l'inverno 1863 e oggi.

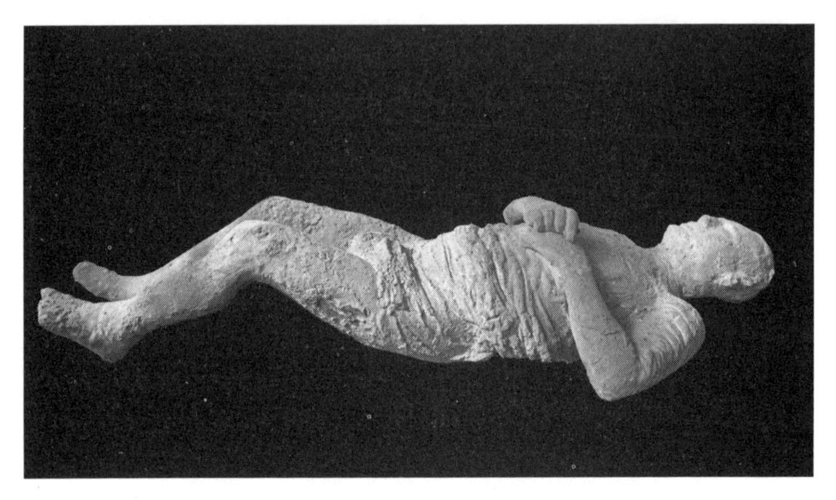

Fig. 2 Uno dei calchi realizzati alla fine dell'Ottocento. Il materiale scelto per la colata, un gesso alabastrino, consentiva un incredibile livello di dettaglio e una maggiore plasticità, offrendo così un'immagine sorprendente degli ultimi istanti di vita dei cittadini di Pompei (Archivio PAP*).*

Un'incredibile «scoverta pompejana»

Un giorno di febbraio del 1863, in un'Italia che stava facendo i primi passi come nazione, una notizia sensazionale appare sul «Giornale di Napoli» col titolo *Scoverta pompejana*[2]. Era una lettera, scritta di suo pugno da Giuseppe Fiorelli, ispettore degli scavi (dal 1860), destinato di lì a breve, ad aprile dello stesso anno, a divenire soprintendente, succedendo a Domenico Spinelli principe di San Giorgio[3]. La lettera pubblicata a Napoli racconta nel dettaglio di un ritrovamento recente negli scavi in corso nella città vesuviana. Una delle «scoperte» più straordinarie mai avvenute a Pompei, e che solo a Pompei poteva avvenire.

Vediamo nel dettaglio di cosa di tratta: come leggeremo nelle parole stesse del geniale archeologo, destinato a divenire la figura più rappresentativa della seconda vita di Pompei, più che di una scoperta di reperti, la notizia si riferisce alla scoperta di una tecnica, o meglio, al momento del primo impiego di quella tecnica che permetteva

Fig. 3 Due calchi, realizzati negli anni '80 del secolo scorso, mostrano il diverso livello di dettaglio offerto dall'utilizzo del cemento industriale. Tale materiale è risultato, col tempo, meno adatto a riempire le cavità, oltreché di più difficile conservazione.

di ridare volume ai corpi dei pompeiani, riproducendone l'atteggiamento nell'istante in cui furono sorpresi dalla morte[4].

> Il 3 corr., scavandosi nel vico che ha cominciamento di fronte ad una delle porte minori delle Terme Stabiane, e riesce presso l'edifizio di Eumachia, furono rinvenute all'altezza di cinque metri dal suolo, circa un centinaio di monete d'argento, quattro orecchini ed un piccolo anello di oro, con due chiavi di ferro ed alcuni avanzi del tessuto dentro cui erano involte le monete. Ricercando quella terra accuratamente perché nulla sfuggisse di quel prezioso tesoretto, si giunse ad un punto dove la terra sfondando sotto la cazzuola, mostrò una cavità vuota e profonda tanto, da potervi introdurre un braccio e cavarne fuori delle ossa. Mi avvidi allora ch'era quella l'impressione di un corpo

umano, e pensai che colandovi dentro prontamente la scagliola, si sarebbe ottenuto il rilievo della intiera persona. L'esito ha superato ogni mia aspettazione. Dopo alcuni giorni di arduo lavoro, ho avuto il contento di veder sorgere la intiera figura di un uomo mancante solo di picciola parte del lato destro, involto in un mantello, con lunghi calzoni, ed i piedi chiusi in una specie di coturni, cui sono ancora aderenti i chiodi ed i ferri delle suole; la bocca aperta ed il suo ventre gonfio oltre misura mostrano com'egli fosse morto soffocato dalle acque, e sepolto nel fango di cui lo trovai circondato. Poco discosto da lui giacevano due donne, la sposa forse e la figliola, cui già appartennero quegli ori che ho depositati nel Museo Nazionale, cadute l'una accanto all'altra, la prima di età matura e la seconda giovanetta che non aveva oltrepassati venti anni, le cui intere persone serbate intatte con lo stesso mezzo della scagliola, offrono tuttavia visibili i lavori di trine e di lacci che ne ornavano le vesti e le scarpe.

A partire dal martedì 3, e per alcuni giorni successivi, vengono realizzate le prime impronte di un gruppo di fuggiaschi sorpresi dalle correnti piroclastiche mentre cercavano la fuga in una strada della Regio VII, prospiciente le Terme Stabiane, nota allora come vicolo di Augusto, ma che sarebbe stata chiamata vicolo degli Scheletri dopo la sensazionale scoperta (Fig. 4).

I primi tre calchi sono prodotti tra il 3 e il 7 febbraio, giorno in cui devono essere stati individuati i resti del quarto, anche se nella lettera, redatta evidentemente prima della compiuta realizzazione dell'ultimo membro del gruppo, non se ne fa cenno[5]. Più precisamente tra il 3 e il 4 febbraio il primo, tra il 6 e 7 il secondo e il terzo, rinvenuti uno accanto all'altro, il quarto individuato il 7 mentre si liberavano dalla cenere i due calchi ritrovati il giorno prima, e portati alla luce subito dopo l'invio della lettera al giornale.

Una vicenda singolare quella dei primi calchi, così celebrati all'inizio e oggetto di una straordinaria attenzione mediatica e letteraria, ma destinati dopo pochi anni a cadere nell'oblio. Nonostante infatti

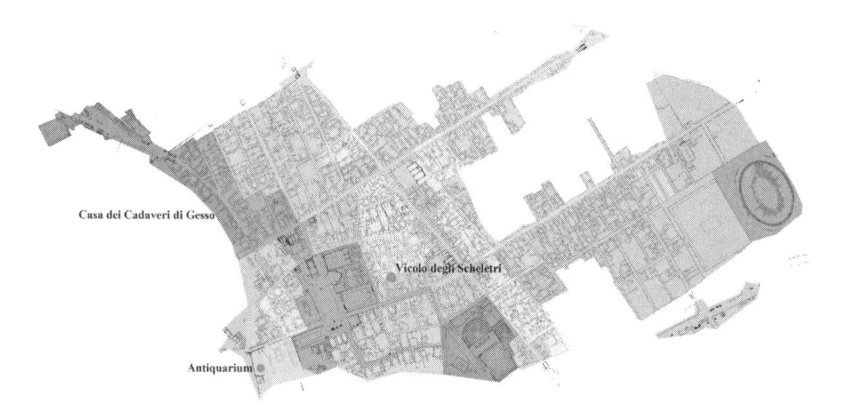

Fig. 4 Nella pianta sono indicati il vicolo degli Scheletri, dove furono effettuati i primi calchi; la Casa dei Cadaveri di Gesso, usata nei primi anni come deposito e luogo espositivo e l'Antiquarium, dove i corpi delle vittime dell'eruzione furono conservati fino al bombardamento del 1943.

si sia ritornati nella bibliografia pompeiana su questi calchi e sulla scoperta della tecnica con loro inaugurata a più riprese, dopo i primi resoconti e le prime descrizioni del momento della scoperta e degli anni immediatamente successivi, nel XX secolo e fino a oggi nessuno si è più occupato della loro materialità, cosicché finirono per essere ben presto dimenticati. Del resto già nella prima metà del XX secolo la fama del nostro gruppetto di fuggiaschi era stata offuscata da calchi ben più celebri[6], si pensi al cane rinvenuto nella Casa di Orfeo (VI 14, 20) nel 1874, o alla fanciulla distesa supina col volto poggiato sul braccio piegato, rinvenuta nel tratto nord di via Stabiana nel 1875 (Fig. 5), o ancora al calco di uomo rannicchiato, scoperto nella Palestra Grande nel 1938 (Fig. 6 FT). Il nostro gruppo, dopo essere stato esposto fino al 1943 nell'Antiquarium, verrà rimosso da lì in seguito al bombardamento e nel dopoguerra finirà per essere completamente dimenticato e infine dato per disperso[7].

Non precipitiamoci oltre, e ritorniamo al momento della grande «scoverta pompejana» e alla lettera mandata dal Fiorelli al «Giornale di Napoli».

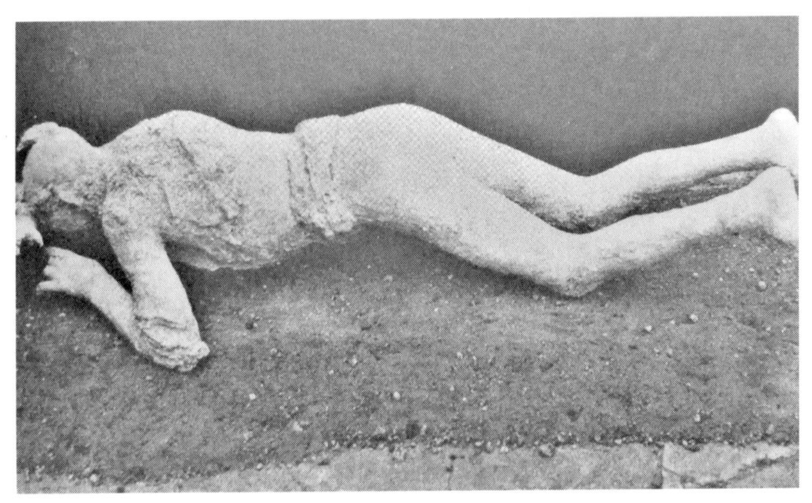

Fig. 5 La celebre fanciulla ritrovata nel 1875 su via Stabiana è attualmente esposta in uno degli ambienti delle terme. Oltre al corpo si conservano ancora i dettagli della veste che indossava e parte della cinta che le avvolgeva la vita (Archivio PAP*).*

La nota trasmessa al giornale nei giorni stessi in cui si realizzarono i primi tre calchi[8] viene redatta sulla scia di emozioni che la straordinaria scoperta doveva aver scatenato nell'inventore e in quanti – operai, soprastanti, custodi e visitatori – avevano avuto la fortuna di assistere all'emergere quasi intatto delle forme dei corpi di quel gruppetto di fuggiaschi che cercavano di scappare dalla città, marciando su metri di lapillo ormai depositatosi sulle strade. Tra le varie voci, particolarmente toccanti sono le parole di Luigi Settembrini, trasmesse in una lettera – scritta lo stesso 13 febbraio in cui apparve quella del Fiorelli sul «Giornale di Napoli» –, di ritorno da Pompei, dove si era recato su invito dell'ispettore per prendere visione della scoperta:

> Ritorno adesso da Pompei ed ho l'animo pieno di mestizia per uno spettacolo miserando [...] sono morti da diciotto secoli, ma sono creature umane che si vedono nella loro agonia. Lì non è arte, non è imitazione; ma sono le loro ossa, le reliquie della loro

> carne e de' loro panni mescolati al gesso; è il dolore della morte che riacquista corpo e figura. Io la vedo quella meschina, io odo lo strido con cui chiama la mamma, e la vedo cadere e dibattersi [...] Finora si è scoverto templi, case ed altri oggetti che interessano la curiosità delle persone colte, degli artisti e degli archeologi; ma ora tu, o mio Fiorelli, hai scoverto il dolore umano, e chiunque è uomo lo sente[9].

L'emozione e il compiacimento traspaiono dalle parole della lettera al Fiorelli, ma anche dal fatto che la fretta di dare la notizia alle stampe non era stata accompagnata da altrettanta sollecitudine nel relazionare al proprio soprintendente, e dunque al superiore Ministero. Tant'è che dieci giorni dopo la pubblicazione della lettera sul giornale, il 23 febbraio, il segretario generale Giulio Rezasco scrive per il ministro a Domenico Spinelli principe di San Giorgio, soprintendente in carica sin dal 1850, lamentando la mancata relazione sulla scoperta, che, dunque, grazie all'immediata eco avuta nella stampa, stava diventando di dominio nazionale e presto mondiale:

> Il sottoscritto ha letto con meravigliosa compiacenza nel Giornale di Napoli il trovato dell'egregio Cav. Fiorelli, pel quale si riproducono agli occhi nostri le sembianze le vesti ed anche gli affetti e gli estremi dolori dei pompeiani, e prega la S.V. di rallegrarsene da parte del Governo con quel valentuomo. Solo duole forse che queste cose stupende che onorano la scienza, l'Italia, e accrescono di tanto l'onore dell'uomo preclarissimo, non sieno partecipate al Governo direttamente e subito, non costringendolo alla necessità comune di averne notizia dalle Gazzette[10].

E il soprintendente così risponde il 6 marzo, giustificandosi dell'inottemperanza con la mancata trasmissione da parte dell'ispettore Fiorelli della dovuta relazione. Ma nonostante segnali che il «Consiglio di direzione non conobbe, se non dalle gazzette, la peregrina ultima scoperta, delle impronte», attesta al contempo che sia lui che il consiglio di direzione avevano in parte assistito al memorabile evento di quei giorni (evidentemente dopo la pubblicazione della nota)[11]:

> Al pari di V.S.I. questo Consiglio di Direzione non conobbe, se non dalle gazzette, la peregrina ultima scoperta, delle impronte umane rinvenute in Pompei [...] Non avendo sul proposito alcun rapporto dall'Ispettore degli Scavi, non poteva il Consiglio sulle vaghe, incerte, ed inesatte parole dei diarii politici, rassegnare al Ministro della Istruzione Pubblica una relazione uffiziale di così alta importanza per la Scienza. Ad onta che i componenti del Consiglio avessero individualmente ammirata e studiata la peregrina scoperta, pur tuttavolta per quei riguardi che tutti noi sentiamo, al pari di V.S.I., per il nostro chiarissimo collega Cav. Fiorelli, nessuno credette dover togliere a questo egregio uomo la iniziativa di una tale relazione [...].

La rivoluzionaria scoperta che permetteva di ridare volume ai corpi, riproducendo l'atteggiamento dei pompeiani sorpresi e uccisi sul colpo dalle correnti piroclastiche che raggiunsero le strade e le case all'alba del 25 ottobre del 79 d.C.[12], nella lettera autografa è presentata come frutto dell'intuizione di un momento: un giorno di febbraio del 1863, scavando nel vicolo prospiciente le Terme Stabiane, l'ispettore agli scavi avrebbe concepito la rivoluzionaria tecnica. In quell'attimo sarebbe stato folgorato dall'idea che nel vuoto lasciato dalle decomposte sostanze organiche si serbava ancora la traccia, l'«impronta», di quelle membra. Qualora riempita di gesso, la cavità avrebbe restituito dalla terra la forma dei corpi scomparsi, restituendo, con l'attimo della morte, il gesto e la posa dell'istante della drammatica conclusione della vicenda terrena dei fuggitivi.

In verità, seppur rivoluzionario, il metodo non era del tutto originale. La consapevolezza di poter ricreare la forma dei corpi attraverso l'impronta che questi avevano lasciato nella cenere doveva essere ben viva negli scavatori di Pompei sin dal Settecento: a indagini da poco iniziate erano state, infatti, recuperate con successo diverse impronte lasciate dalle vittime nella cenere indurita del flusso piroclastico[13]. Numerosi viaggiatori ricordano con stupore l'impronta di un seno femminile recuperato nel 1772 nella Villa di Diomede, il quale, trasportato nel Museo di Portici, fu talmente ammirato e celebrato da finire per ispirare il nudo femminile del famoso quadro di Théodore Chassériau datato 1853. Occorre poi ricordare che negli ultimi anni di scavi condotti sotto il regno borbonico si era dato avvio alla tecnica del calco in gesso per recuperare altri materiali organici, come gli arredi delle case, grazie all'iniziativa del principe di San Giorgio. Il 25 novembre 1856 il soprintendente realizzava infatti il primo calco di una porta a due ante[14], pochi anni dopo, nel 1859, veniva riprodotta un'altra porta, quella di una bottega della Regio VII[15] (Fig. 7). È questa la premessa alla memorabile scoperta del Fiorelli, come puntualizzato anche da Heinrich Brunn, segretario dell'Istituto di Corrispondenza Archeologica, in un resoconto del suo viaggio a Pompei avvenuto proprio in quel 1863:

> Alla stessa accortezza nella direzione degli scavi è dovuta un'altra scoperta, che importante già adesso promette de' risultati anche maggiori in avvenire. È noto, che il terreno, sotto al quale è sepolta Pompei, si compone in parte di ceneri, che lanciate dal Vesuvio frammischiate con acqua sono poi giunte alla durezza d'un tufo dolce. Ond'è accaduto che corpi vegetali ed animali soggetti a putrefazione, dopo essere caduti in polvere, hanno lasciato l'impronta della loro forma in quelle ceneri stesse. Fatta quest'osservazione già alcuni anni indietro si fece l'esperimento ben riuscito di formare in gesso sopra tali impronte alcune porte in legno e chiusure di botteghe, parte delle quali per cura del sig. Ivanoff fu pubblicata nei nostri Annali del 1859[16].

La «scoverta pompejana» era stata, dunque, preparata da una pratica – destinata a diventare consuetudine – indirizzata a salvare le tracce dei manufatti organici, originatasi già negli anni '50 dell'Ot-

Fig. 7 Il calco della parte inferiore della porta di una bottega della Regio VII. La tecnica del gesso liquido poteva essere applicata a tutti i materiali organici della città, ed era facilmente utilizzabile per produrre delle repliche di porte e finestre, oltre che di piante e radici.

tocento, prima dell'Unità d'Italia e del ritorno del Fiorelli a Pompei. D'altro canto anche l'applicazione della tecnica ai resti delle vittime sembra che fosse stata preceduta da sperimentazioni non andate a buon fine. In effetti, a tal proposito, risultano inequivocabili le indicazioni confluite nel Regolamento temporaneo degli scavi redatto dal principe di San Giorgio e edito nel «Giornale degli Scavi» del 1861[17]. L'elenco dei doveri prescritti per gli architetti degli scavi prevede anche che questi «cureranno che siano prese da artefici del luogo le impronte in gesso delle antiche coverture, delle opere in legno distrutte dal tempo, dei cavi de' corpi, e di altre simili impressioni fuggevoli rimaste nella terra, facendone esatta descrizione ed indicando di ciascuna la forma, la giacitura, le dimensioni [...]».

È evidente che alcuni tentativi di riprodurre calchi delle vittime dovevano essere già stati effettuati, parallelamente alle riproduzioni di arredi, ma non portati a compimento con altrettanto successo – anche se la consapevolezza della necessità di salvare le «impressioni fuggevoli rimaste sulla terra» era già maturata[18]. Sotto la direzione di Domenico Spinelli, e poi soprattutto con l'arrivo – o meglio il ritorno – di Giuseppe Fiorelli, si gettano le basi per una conduzione più rigorosa degli scavi, ponendo fine alle «levate verticali» per procedere piuttosto con un'indagine orizzontale, rispettosa della stratigrafia dei depositi vulcanici e dei relativi manufatti in crollo. La ricerca sul campo non è più sterro volto a ritrovare oggetti preziosi e opere d'arte, ma un'indagine sistematica delle tracce del passato[19].

Si possono perdonare al Fiorelli queste osservazioni non del tutto veritiere, se si considera che la lettera al «Giornale di Napoli» non poteva e non voleva essere un resoconto scientifico, ma la trasmissione «mediatica» di una scoperta sensazionale, che si avvaleva di un linguaggio emozionale che ammantava l'episodio di un'atmosfera epica.

Dalla mano dello stesso Fiorelli abbiamo anche un resoconto scientifico dell'impresa: il 14 febbraio 1865 scrive al ministro la relazione «Notizie sugli Scavi e Studi di Archeologia», che raccoglie le sue riflessioni sul «modo più acconcio a tenersi nello scavo degli antichi monumenti, con la indicazione delle opere principali da studiare per la interpretazione dei medesimi». Ponendosi il problema di dettare linee guida a chi dovrà occuparsi di scavi e dei connessi studi il Fiorelli termina la relazione con un paragrafo intitolato *Impronte di corpi umani rinvenute a Pompei*, in cui fa un primo resoconto dettagliato a sua firma della tecnica per realizzare i calchi:

> Le impronte di corpi umani rinvenute a Pompei in mezzo alle terre non possono incontrarsi in altri siti, a meno che non si tratti di corpi sepolti nelle medesime condizioni di quelli, che fu dato rinvenire nel 1862. Erano dessi corpi di persone cadute semivive, ed immediatamente ricoperte di una pioggia di cenere sottilissima, la quale mista all'acqua aveva formato un sì mollo loto, da penetrare in tutte le sinuosità del corpo, e aderire siffattamente alla persona, da ricevere non pure la impronta delle attitudini dei corpi, ma anche delle loro vesti e dei volti. La quale impronta, renduta solida e consistente dai lunghi anni,

> restò sana ed intatta anche quando le carni e le vesti degli estinti si macerarono col tempo, lasciando vuoto lo spazio, che avevano dapprima occupato. Di tutto ciò non s'aveva alcun indizio esteriore; ma quando rimuovendosi le terre a strati orizzontali, un colpo di zappa ruppe la sommità di uno di tali voti, vi furono viste dentro ossa di un corpo quivi sommerso e disfatto. E però, onde ricavare da quella cavità l'effige della persona, che v'era stata racchiusa, fu mestieri mercé un lungo tubo introdurre, sul foro a caso prodotto per taglio della terra, tanta quantità di polvere di gesso sciolta nell'acqua, da colmare interamente i vuoti, che tenean le veci di una forma. Così, quando il gesso fu consolidato, bastò rompere il rimanente strato di terra non ancora tocco dalla zappa, per avere di nuovo le ossa degli estinti ricoperte di carni e di vesti; queste però mutate in gesso, che serbava per tale modo alla scienza le immagini vere di uomini vissuti diciotto secoli dietro[20].

Abbiamo seguito l'iter storico della tecnica, ora torniamo al fatidico giorno della prima applicazione riuscita ai corpi delle vittime, al momento in cui si colò il gesso nel vuoto che nella cenere recava l'impressione di membra e vesti, realizzando in tal modo il primo calco.

Il 3 febbraio 1863, gli scavi della Regio VII fervevano, riavviati al momento dell'arrivo di Fiorelli nel 1861 e portati avanti con grande impegno e con metodi più adeguati (Fig. 8): gli operai al lavoro presso l'incrocio di due assi stradali tra le insule 11, 12, 13, 14 percepiscono la presenza di una cavità, il Fiorelli, presente sul posto (come sembra lasciar intendere dalla lettera al giornale, per la presenza nell'area di preziosi monili e manufatti in oro e argento, più verosimilmente mandato a chiamare, come altri riportano), compreso che trattavasi del vuoto lasciato dal corpo decomposto di una vittima, fa in modo che l'involucro non venga distrutto, come accaduto in precedenza, dando avvio al procedimento; fa colare del gesso liquido fino a riempire la cavità e attende fino al giorno successivo, quando, solidificatasi la materia, sarebbe apparso il primo calco.

Fig. 8 Veduta degli scavi di Pompei al tempo di Giuseppe Fiorelli.

Fiorelli ne indica grosso modo la posizione e il rapporto con il tesoretto di monete e gioielli rinvenuto nei giorni precedenti a poca distanza, anzi segnala che proprio l'accurata ricerca di altri oggetti del tesoretto («argento = 99 piccole monete, bronzo = 6 monete medie, una moneta di modulo grande ed altre due mezzane aderenti a due chiavi di ferro»)[21] fece sì che si raggiungesse con accortezza il punto in cui la prima vittima era caduta senza distruggerne l'involucro. Ricorda anche approssimativamente la quota, 5 m. al di sopra del piano di calpestio[22]. Si doveva trattare con buona verosimiglianza di uno dei fuggiaschi che avevano tentato di mettersi in salvo all'alba del 25 ottobre, quando, verificatasi una diminuzione dell'attività vulcanica, quanti avevano trovato ricovero in casa o nei vari edifici pubblici avevano cercato di lasciare la città già quasi sepolta (fuggendo al di sopra dei lapilli accumulatisi durante la notte), ma erano stati travolti dalle correnti piroclastiche. La morte deve essere avvenuta per shock termico, come per gli altri membri del gruppetto, a causa dell'elevata temperatura della nube che raggiunse Pompei e travolse quanti erano ancora rimasti in vita. Le cause evocate dal Fiorelli non si basano su dati scientifici, ma piuttosto sull'ispezione autoptica del cadavere, e alla luce delle acquisizioni degli ultimi decenni risultano del tutto fantasiose[23].

Oltre a quella del Fiorelli, esistono numerose descrizioni fatte da studiosi e scrittori che ebbero occasione di prendere visione degli scavi (o che riprendono, variandoli, i primi resoconti, senza approccio autoptico), indice tangibile del successo internazionale che la «scoverta» ebbe immediatamente. La prima, comprensiva anche di notazioni sul rinvenimento, si deve alla penna di Luigi Settembrini, in quella stessa lettera datata 13 febbraio, giorno della pubblicazione della nota del Fiorelli sul giornale napoletano. La missiva di Settembrini è particolarmente interessante anche perché descrive i corpi ancora *in situ*, prima che fossero trasportati nel loro temporaneo ricovero nella Casa dei Cadaveri di Gesso (su cui torneremo più avanti)[24]:

> Fiorelli [...] con lunghe mollette cava alcune ossa dal foro, e fa entrare nella cavità gesso liquido, il quale poi che è indurato e rasciutto e rinettato della cenere attaccatavi, presenta la figura di un uomo, che giace supino con la bocca aperta [...] intero è il braccio sinistro disteso [...] il braccio destro non l'ha, perché lì si trovò fatto il foro donde entrò il gesso. Sul braccio sinistro e sul petto è un certo rilievo, che pare fatto dai panni. Il ventre è nudo; i calzoni arrovesciati sulle cosce; ai piedi ha le suole allacciate, e sotto ci si vedono i chiodi: dalle fasce che involgono il piede sinistro esce nudo il dito pollice. Pare un uomo di una cinquantina d'anni: gli si vede bene il naso e le gote; gli occhi per niente, né i capelli; nella bocca aperta gli si vede mancare alcuni denti; qua e là apparisce il tessuto delle vesti[25].

In assenza del medium fotografico, che – circostanza singolare – non verrà negli scavi di Fiorelli mai utilizzato per rappresentare calchi o altri manufatti *in situ*, la descrizione del Settembrini diventa oltreché preziosa, rendendo puntualmente testimonianza di una pratica non altrimenti documentata in contesto[26]. Circostanza strana questa dell'assenza totale di documentazione fotografica: seppure la realizzazione di fotografie a Pompei cominci sostanzialmente con l'inizio stesso del nuovo medium (1839), intensificandosi proprio negli anni '60 del XIX secolo, grazie all'attività di talentuosi professionisti che operano a Napoli in quegli anni, non è documentato alcuno scatto dei calchi *in situ*, né dei primi quattro realizzati nel 1863, né dei successivi creati dal Fiorelli e dai suoi successori. Bisogna attendere infatti le celebri fotografie degli scavi di Vittorio Spinazzola (1910-1924) per vedere scheletri e calchi ancora *in situ*. La circostanza meraviglia altresì se si pensa che Giorgio Sommer dal 1860 era già attivissimo negli scavi (dove nell'aprile di quell'anno ottiene un permesso addirittura semestrale), lasciando ipotizzare una stretta collaborazione intrapresa con lo stesso Fiorelli. Le descrizioni autoptiche diventano quindi ancor più fondamentali!

Molti dopo le prime descrizioni si sono cimentati nel riportare e relazionare su aspetto, tecnica, impressioni, cause del decesso e atteggiamento delle vittime di fronte alla morte. La scoperta diventerà immediatamente oggetto di narrazioni che a volte hanno il colore del mito, e la realtà verrà di frequente trasfigurata nel racconto «epico», anche perché presto le descrizioni diventeranno di seconda e terza mano: Ettore Magaldi nel 1930 ricostruisce gli avvenimenti diversamente dalla testimonianza del Fiorelli, facendo risalire al 5 febbraio la scoperta e la riproduzione simultanea di tutti e quattro i primi calchi[27]:

> a un suo ordine [di Fiorelli] gli operai colano gesso liquido nei cavi lasciati dalla dissoluzione dei cadaveri e sullo scavo si fa per un momento il silenzio. Quando il gesso fu indurito, si toglie l'ultimo strato di cenere e alla commossa vista dei presenti il miracolo appare. Giacevano a terra, come se fossero caduti allora, quattro corpi umani, una intera famiglia, forse i genitori e due figlie, di cui una in tenera età [...] Caddero quel giorno

> nella posizione in cui dovevano comparire, diciannove secoli dopo, alla commossa pietà degli astanti [...]

L'approccio «impressionistico» delle prime (e sostanzialmente uniche) descrizioni autoptiche, che non si avvalgono di analisi scientifiche sui resti, nonché il frequente riprendere con *variatio* da parte di alcuni resoconti precedenti, fanno sì che i dati registrati su età, sesso, stato sociale, cause del decesso siano spesso divergenti e frutto di speculazioni poco scientifiche.

Una precoce, puntuale descrizione delle prime impronte, esemplificativa dell'approccio che ha caratterizzato lo studio dei calchi, si deve a Marc Monnier nell'ambito del resoconto del viaggio effettuato nel 1864 – dunque l'anno successivo a quello della scoperta. A differenza del Settembrini, il letterato svizzero però non ha l'opportunità di vedere i gessi *in situ*, bensì nel loro primo ricovero temporaneo, nella cosiddetta Casa dei Cadaveri di Gesso, un edificio lungo la via consolare (Regio VI, Insula Occidentalis, 27-30), dove era ospitata anche la direzione[28]:

> L'anno scorso, in una piccola strada, sotto un cumulo di detriti, gli operai dello scavo si accorsero di uno spazio vuoto al fondo del quale apparivano delle ossa. Chiamarono subito il signor Fiorelli, che ebbe un'idea luminosa. Fece diluire del gesso che fu subito versato nella cavità sino al fondo, la stessa operazione fu ripetuta in altri punti dove si era creduto di vedere delle ossa. Dopo, fu tolto accuratamente lo strato di lapillo e cenere indurita che aveva avvolto, come in una cappa, quel qualcosa che si cercava di scoprire. E, tolto quel materiale, si ebbero sotto gli occhi quattro cadaveri. Tutti oggi possono vederli nel Museo di Pompei. Uno di quei corpi era di una donna vicino alla quale sono stati trovati novanta monete, due vasi d'argento, chiavi e gioielli. Fuggiva dunque portando questi oggetti preziosi, quando cadde nella piccola strada. La si vede ancora coricata sul lato sinistro: si distingue molto bene la sua acconciatura, il tessuto

dei suoi abiti, due anelli d'argento che porta al dito; una delle mani è troncata, si vede la struttura cellulare dell'osso; il braccio sinistro si leva contorto, la mano delicata è contratta, si direbbe che le unghie si siano conficcate nella carne; tutto il corpo sembra gonfio, contratto; solo le gambe molto sottili sono distese; si avverte che si è dibattuta a lungo nelle orribili sofferenze: il suo stato è quello dell'agonia, non quello della morte.
Dietro di lei erano cadute una donna e una giovane: la più anziana, la madre, forse, era di umili origini, a giudicare dall'ampiezza delle sue orecchie; non portava al dito che un anello di ferro; la sua gamba sinistra, alzata e piegata, mostra che ha sofferto meno rispetto alla nobile dama; i poveri perdono meno a morire. Molto vicino a lei, come su uno stesso letto, è coricata la fanciulla: una alla testa e l'altra ai piedi; le gambe si incrociano. Questa giovane, quasi una bambina, provoca una strana impressione; si vede molto esattamente il tessuto, le trame dei suoi vestiti, le maniche che coprono le braccia fino al polso, qualche strappo qua e là che lascia la carne nuda, e i ricami delle piccole scarpe nelle quali camminava; si assiste soprattutto alla sua ultima ora come se si fosse stati là, sotto la collera del Vesuvio; aveva portato la sua veste sulla testa, come la fanciulla della Villa di Diomede, perché aveva paura; era caduta correndo, il volto contro la stessa, e non potendo alzarsi, aveva appoggiato su una delle braccia la testa fragile e giovane. Una delle mani è dischiusa come se avesse tenuto qualche cosa, forse il velo che la copriva. Si vedono le ossa delle sue dita bucare il gesso; non ha sofferto a lungo, la fanciulla, ma è lei che fa maggiormente pena a vedersi: non aveva che quindici anni.
Il quarto è quello d'un uomo, una specie di colosso. Si era coricato sul dorso per morire coraggiosamente; le sue braccia e le sue gambe sono dritte, immobili. I vestiti sono nettamente evidenti, le brache visibili e aderenti, i sandali allacciati ai piedi e uno di essi bucato dall'alluce, i chiodi delle suole visibili. Porta all'osso d'un dito un anello di ferro; la bocca è aperta, manca

qualche dente; il naso e le guance disegnate vigorosamente; gli occhi e i capelli sono spariti, ma il baffo persiste. C'è qualcosa di marziale e di risoluto nel suo bel cadavere.
Mi fermo qui, perché la stessa Pompei non può offrirci niente che rassomigli a questo dramma ancora palpitante. È la morte violenta con le sue torture supreme, la morte che soffre e si dibatte, colta sul fatto dopo diciotto secoli.

Se Marc Monnier ha la ventura di vedere i calchi subito dopo la scoperta, quando erano conservati nella loro prima collocazione, Émîle-Georges Delaunay, che scrive nel 1877, ne testimonia l'avvenuto trasferimento nell'Antiquarium. Qui saranno ospitati a lungo, esposti in apposite ed eleganti teche in ferro battuto e vetro, quasi delle leggere e trasparenti bare sospese su alti e snelli piedi. La descrizione procede in base alla posizione delle vetrine nella stanza del Museo, che non rispetta l'ordine di rinvenimento degli stessi[29]:

Il secondo (Vetrina II) è di una statura al disopra dell'ordinario, non meno di sei piedi di lunghezza. Eccolo: ha gli zigomi sporgenti, le sopracciglia molto accentuate ed i suoi baffi gli danno l'aria di un vecchio soldato; le labbra sembrano fare uno sforzo per respirare; le palpebre intatte e gli occhi aperti come se soffrisse ancora. Caduto sul dorso, questo gigante ha voluto rialzarsi appoggiandosi sul gomito e coprendo la testa con un lembo del mantello, come per proteggersi dalla cenere o dai gas che lo soffocavano. Quest'uomo di una certa età, come ho già detto, era il padre delle due giovanette, che lo seguivano a pochi passi e che morirono insieme.

Il testo continua con la descrizione dei due calchi femminili esposti insieme, essendo stati prelevati unitamente dalla cenere, in un'unica vetrina (V):

La maggiore è coricata su di un lato come per dormire; l'altra, quattordicenne appena, è caduta bocconi, stendendo le braccia come per proteggersi. Una mano contratta, le cui unghie entrano nella carne rileva la grande sofferenza; l'altra mano tiene stretto al viso un lembo della veste od un fazzoletto; forse la poveretta spera di sottrarsi al soffio mefitico; i piedi battendo l'aria sono impigliati nella tunica. Questo piccolo corpo, dice Beulé, è già seducente; un bel dorso, delle spalle ben disegnate, la sua grazia nascente, ricordano la Joueuse d'osselet [sic!] o la Nymphe à la coquille [sic!]; l'acconciatura dei capelli è delle montanare italiane: una treccia riportata sulla testa.

Le due figure femminili, di cui una molto giovane – «quattordicenne appena» –, dall'elegante acconciatura a treccia, furono rinvenute a breve distanza dal primo calco, e dovevano essere state travolte dal surge mentre correvano insieme: si rinvennero infatti in giacitura contrapposta con le gambe intrecciate. La più grande di età, a giudicare dalle dimensioni del corpo, stesa di fianco, l'altra riversa bocconi nel gesto di proteggersi il volto con un lembo della veste, come emerge bene dalle parole del Monnier. Alle due fanciulle non sembra fosse associato alcun oggetto (anche se alcune descrizioni danno indicazioni diverse), a differenza della quarta vittima, rinvenuta poco indietro lungo la stessa via, caduta sul dorso, leggermente ruotata sul fianco sinistro, con il braccio sinistro piegato al gomito e proteso verso l'alto. Quest'ultimo calco rinvenuto nella via era pertinente a una donna che indossava orecchini con perle, e nella fuga aveva portato con sé una borsa con preziosi tra cui una statuetta d'ambra di fanciullo ricciuto e vari oggetti in argento[30]:

> Argento = due coppe ornate a globetto all'interno [...] Uno scudo circolare con cornicetta nel giro e nel suo fondo trovasi il bassorilievo dell'Abbondanza con patera nella destra e corno nella sinistra [...] Uno specchio [...] Un cucchiaio ellittico col manico lungo pl. 0,54. Altro cucchiaio circolare lungo pl. 0,54. Altro più piccolo lungo pl. 0,52. Altro più piccolo pl. 0,50. Altro lungo pl. 0,48. Altro lungo pl. 0,46. Tre frammenti di catenuzza.

I quattro calchi, come anticipato, sono stati variamente interpretati da quanti ebbero occasione di vederli dal vivo e di descriverli, con varie significative divergenze e punte, a volte, di vera fantasia. Particolare impressione fece il primo, un uomo adulto molto alto e dalla solida corporatura, con tracce evidenti della veste e dei sandali e un anello in ferro al dito della mano sinistra, inequivocabilmente di sesso maschile (c'è chi pensa addirittura di intravedere i peli pubici tagliati a guisa di semicerchio, come nelle statue!), ora inteso come il *pater familias* del gruppo famigliare, ora come un soldato (qualcuno intravede persino tracce della corazza sul suo addome)[31]. La seconda e la terza vittima, una interpretata come adolescente, l'altra come una donna adulta, sono state nei primi anni della scoperta interpretate come madre e figlia, mentre la quarta, rinvenuta un po' più discosta, circa venticinque metri dagli altri, è stata vista ora come pertinente al gruppo ora come una fuggitiva che nulla spartiva con la famiglia. Anche relativamente al genere, ma soprattutto allo status, le opinioni avanzate sono state tra le più disparate[32]: tranne Settembrini, che vi vedeva un uomo, gli altri sono stati unanimamente concordi nell'identificare una donna adulta; riguardo allo status, in base agli oggetti associati e all'aspetto, c'è chi l'ha interpretata come una dama dell'alta società, ben distinta per classe dalle altre due, chi semplicemente come una donna sposata, chi infine, addirittura, come una prostituta!

Nelle prime descrizioni sembra comunque prevalere l'opinione che i primi tre rappresentassero una famiglia, composta da padre, madre e figlia adolescente, mentre il quarto calco, rinvenuto un po' discosto, sarebbe pertinente a una fuggitiva isolata. Più di recente, luogo di rinvenimento univoco, composizione di genere e catalogo degli oggetti associati hanno fatto sì che il gruppo fosse interpretato come un'unica famiglia, composta dal *pater familias* che apriva la strada nella vana corsa verso la salvezza, dalla *domina* che chiudeva, mentre al centro dovevano essere le due figlie, delle quali una ancora giovinetta[33].

Strano destino quello dei primi quattro calchi: popolarissimi negli anni Sessanta del XIX secolo, quindi nei primi anni dopo la scoperta, perderanno progressivamente interesse, surclassati dalla fama dei calchi realizzati in seguito, a partire dagli anni Settanta. Ma ancora peggiore il destino delle quattro vittime nel Novecento. Vale la pena seguirne, a tal riguardo, peregrinazioni e nuove sventure.

Purtroppo, come accennato, a parte le descrizioni di chi era presente all'evento o di chi ne ha scritto a partire da quelle testimonianze, non si ha documentazione puntuale del luogo esatto del rinvenimento, né tantomeno documentazione fotografica. Le foto esistenti ritraggono i calchi, ormai rimossi dal loro contesto di rinvenimento e trasportati altrove per foto artistiche, dove il Vesuvio non può mancare (Fig. 9 FT).

Per tali riprese artistiche viene scelto un edificio a ovest del settore femminile delle terme del Foro, non più esistente in quanto distrutto dal bombardamento del 1943[34]. È evidente che più che il contesto di rinvenimento, senza dubbio meno poetico e ricco di «tensioni estetiche», si sceglie l'evocativa ubicazione su una terrazza che permetteva d'inquadrare perfettamente sullo sfondo il Vesuvio. Per questi calchi, più che l'aspetto documentario, prevale la necessità d'intercettare il rapporto stretto tra le vittime e il Vesuvio[35]. Se così fosse si tratterebbe di uno spostamento provvisorio dalla sede «ufficiale», effettuato su richiesta del fotografo, per avere uno sfondo degno. Non è escluso che l'ubicazione sul terrazzo sia stata dettata al Sommer dallo stesso Fiorelli, proprio con lo scopo di «drammatizzare» la loro prima apparizione attraverso il medium fotografico, che avrebbe inesorabilmente cambiato la percezione e l'immagine fino ad allora diffusa di Pompei[36].

A parte queste ambientazioni funzionali alla creazione artistica dei fotografi, il primo luogo di ricovero ed esposizione è dunque l'edificio posto presso il limite occidentale della città, lungo la via consolare, che proprio per la presenza dei calchi sarà denominato la Casa dei Cadaveri di Gesso. Si tratta di un complesso realizzato sulle rovine di un'antica *domus*, dove a pochi anni dalla scoperta dei primi calchi, nel 1866, sarebbe stata ospitata anche la celebre «Scuola Archeologica di Pompei», in locali allestiti ad hoc con foresteria e biblioteca, parte fondamentale dell'ambizioso programma di ricerche e riforme del Fiorelli[37]. Qui vari calchi realizzati nella seconda metà dell'Ottocento vengono rappresentati a più riprese da fotografi dell'epoca, a cominciare da Giorgio Sommer e Michele Amodio e descritti come vere e proprie attrazioni di quegli anni[38] (Fig. 10). I calchi erano qui distribuiti in due stanze, nella prima vi era la quarta vittima, ricoverata su uno scaffale, nella seconda stanza vi erano gli altri tre, su uno scaffale la prima vittima, su un altro le due fanciulle insieme[39]: questo spiega come mai nella puntuale descrizione di Marc Monnier viene menzionata per prima la quarta vittima, rinvenuta per ultima, poi gli altri due calchi femminili, caduti insieme ed esposti in coppia, e infine l'uomo, che in verità era stato il primo a essere scoperto e realizzato[40].

La collocazione nella Casa dei Cadaveri di Gesso diventerà in ogni modo il luogo d'esposizione e visita dei primi calchi per poco più di un decennio, fino alla metà degli anni '70. La descrizione di Monnier ci permette di immaginare le due piccole stanzette in cui erano accomodati su «letti» realizzati ad hoc, immortalati nelle varie riprese di Giorgio Sommer[41]. Gli ambienti, che dovevano essere abbastanza bui, non permettevano la realizzazione di foto, che richiedevano una temporanea traslazione dei calchi nella corte dell'edificio, come mostrano gli scatti dello stesso Sommer nonché di Michele Amodio del 1873 circa che rappresentano efficacemente il primo calco, il cui bianco contrasta con la facciavista di un muro più scuro in blocchi, mentre il Vesuvio fa da sfondo dominando la composizione[42].

Nel 1874 verosimilmente il nostro gruppetto di quattro vittime, più gli altri calchi nel frattempo erano stati realizzati, fu trasferito nel nuovo Museo Pompeiano creato dal Fiorelli per esporre proprio i calchi ormai sempre più numerosi (e per i quali mai si pensò a una collocazione nel Museo Napoletano) e quegli oggetti che non apparivano «degni» del grande Museo: ossia quell'*instrumentum domesticum* e quegli oggetti più schiettamente pertinenti alla vita quotidiana, come impronte di alberi e arredi, ruote di carri, cibi carbonizzati, tessuti, pigmenti, insomma tutte quelle testimonianze della vita degli

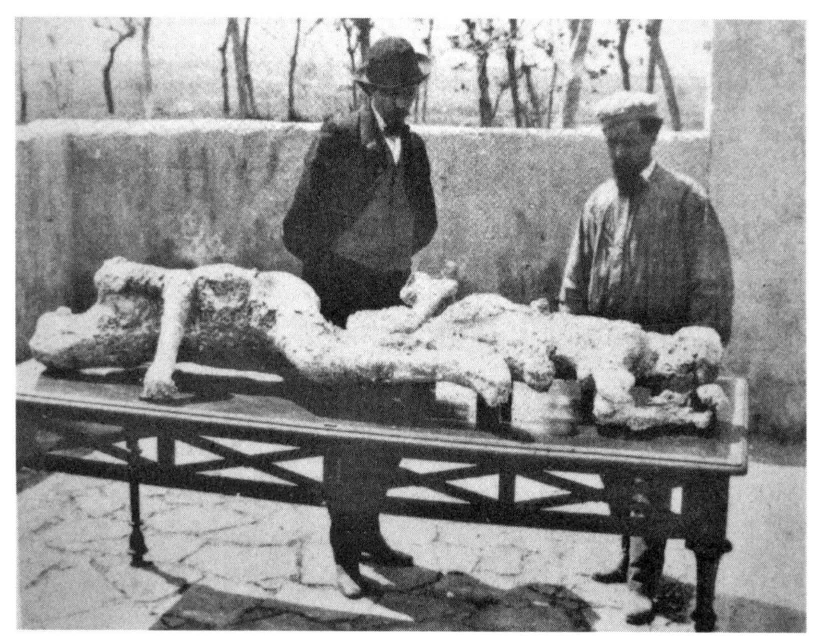

Fig. 10 I calchi delle due donne rinvenute nel vicolo degli Scheletri, una giovane e l'altra più matura, cadute durante la fuga in posizioni opposte, ma ancora unite nella morte. Questi calchi, come gli altri che vennero realizzati nei primi anni da Fiorelli, erano esposti ai visitatori nella casa dal lapalissiano nome di «Casa dei Cadaveri di Gesso», ma dovevano essere spostati all'esterno per permettere le riprese fotografiche (da Dwyer 2010).

ultimi giorni di Pompei che non costituivano opere d'arte da esporre in un vero e proprio museo (Figg. 11-12 FT)[43].

Per la nuova sede espositiva si scelsero dei locali realizzati in una *crypta* che si apriva accanto a Porta Marina, individuata dopo la demolizione del soprastante casino Minervini, che aveva utilizzato quell'ambiente come cantina. Così lo stesso Fiorelli descrive brevemente lo spazio utilizzato[44]:

> Sembra che dopo costruita la porta [Marina], fossero aggregate ad essa alcune località attigue all'agger delle pubbliche mura, dandovi adito da questo stesso androne e dal pomerio, onde servire di deposito alle merci provenienti dal mare. Tale almeno

> apparisce l'uso di quella crypta, che vi trova a destra di chi sale, e che contiene il MUSEO POMPEIANO.

I nostri calchi saranno ospitati dunque in una sala del piccolo museo e qui resteranno anche nell'allestimento del Maiuri del 1926: all'edificio si entrava allora dal grande ingresso aperto sotto la volta di Porta Marina, nella prima sala s'incontravano, tra le altre suppellettili, i calchi in gesso di arredi e porte, nell'attigua seconda sala il visitatore si trovava – come ricorda, tra gli altri, nella sua guida l'allora direttore degli scavi di Pompei, Antonio Sogliano[45] – «dinanzi alle infelici vittime della catastrofe, strappate con pietosa industria alla terra divoratrice». L'enorme attrazione costituita dai gessi lì esposti, è testimoniata da tutte le descrizioni fatte del piccolo museo, a cominciare dallo stesso Sogliano:

> Il dramma straziante di queste vittime interessa sempre potentemente, sopra ogni altra cosa; Pompei con l'insieme meraviglioso dei suoi monumenti, col tesoro inesauribile dei suoi insegnamenti, non commuove così forte la fantasia e il cuore, come con le forme dei suoi poveri morti.

Ma per avere un'idea precisa di dove confluirono i primi quattro calchi di via degli Scheletri si può ripercorrere la guida scritta dal geniale soprintendente che li aveva realizzati[46]. Questi erano esposti insieme alle altre vittime nella seconda stanza della lunga *crypta* dalla volta a botte: si trattava di un vano dove erano affastellati materiali eterogenei lungo le pareti (lastre di vetro di finestre, dipinti, suppellettile in ceramica e bronzo esposta sugli scaffali, oggetti in osso; corredi delle tombe sannitiche), mentre i calchi erano in vetrine disposte paratatticamente una di seguito all'altra al centro della stanza. Oltre alle nostre quattro vittime erano qui conservati altri due calchi, realizzati uno nel 1868, pertinente a un uomo dalla Casa di M. Gavio Rufo, l'altro nel 1871, pertinente a un altro uomo da un vicolo tra l'insula 2 e 3 della Regio IX[47].

La situazione resta immutata anche nei decenni successivi con i successori di Fiorelli: il Sogliano si limita a risistemare la stanza II sostituendo semplicemente le grate dei vecchi scaffali con sportelli a vetri[48], mentre i calchi rimasero al loro posto. Ancora nel riallestimento più innovativo realizzato nel 1926 da Amedeo Maiuri, col quale il «Museo Pompeiano» diventa un Antiquarium, si rifà anche il pavimento della nostra sala, ma i quattro calchi restano al loro posto, nonostante per mancanza di spazio si comincino a sovrapporre le teche una sull'altra[49].

Ma anche questa collocazione non era destinata a durare. Nella notte del 24 agosto del 1943, in singolare coincidenza con la data canonica dell'eruzione, avvenne il disastroso bombardamento, che colpisce duramente anche l'Antiquarium, arrecando ingenti danni all'edificio e agli oggetti ivi contenuti: della lunga *crypta* scandita in quattro vani rimase in piedi solo la prima stanza, mentre il resto fu ridotto in macerie (Fig. 13).

Un interessantissimo documento di archivio relativo al progetto di riallestimento del museo restituisce la drammatica situazione post bombardamento[50]:

> [...] nel Museo di Pompei la scelta e l'ordinamento del materiale erano informati al criterio di offrire una visione chiara, semplice ed organica delle suppellettili della casa antica [...] Preziosi e commoventi documenti dell'umanità di Pompei e del suo tragico seppellimento, i calchi delle vittime dell'eruzione vesuviana esposti nelle vetrine centrali del Museo, e ricercate e ricordate dalle molte migliaia di visitatori che ogni anno si affollano all'ingresso della città dissepolta. Purtroppo la maggior parte di queste raccolte è andata distrutta o gravemente danneggiata: tutto ciò che si è recuperato dalle macerie si viene pazientemente e diligentemente restaurando. Ma il Museo di Pompei deve risorgere; non deve restare questo ricordo amaro e atroce della guerra [...]

Fig. 13 La fotografia testimonia lo stato in cui versava l'area del museo dopo il bombardamento del 24 agosto del 1943. In primo piano sono ben visibili le macerie della seconda e della terza stanza del museo, mentre si intravedono le migliori condizioni della prima stanza, allora accessibile da un ingresso posto in corrispondenza di Porta Marina (Archivio PAP*).*

E in effetti il Museo rinascerà presto: la tenace e paziente attività di Amedeo Maiuri, che si mette all'opera alacremente subito dopo i bombardamenti (l'edificio sarà di nuovo colpito il 20 settembre), fa sì che già nel 1948, in occasione del secondo centenario della scoperta di Pompei, si riapra l'Antiquarium con un rinnovato allestimento[51] (Fig. 14).

È a partire da questo momento che dei nostri calchi si perdono le tracce.

Nel catalogo della mostra «Storie da un'eruzione», allestita nel Museo Archeologico Nazionale di Napoli nel 2003, si ripercorre la vicenda delle quattro vittime a partire dalla scoperta, se ne ricordano gli oggetti rinvenuti in associazione, esposti tra l'altro nella mostra, ma nessun accenno si fa ai calchi[52]. Che evidentemente si danno per

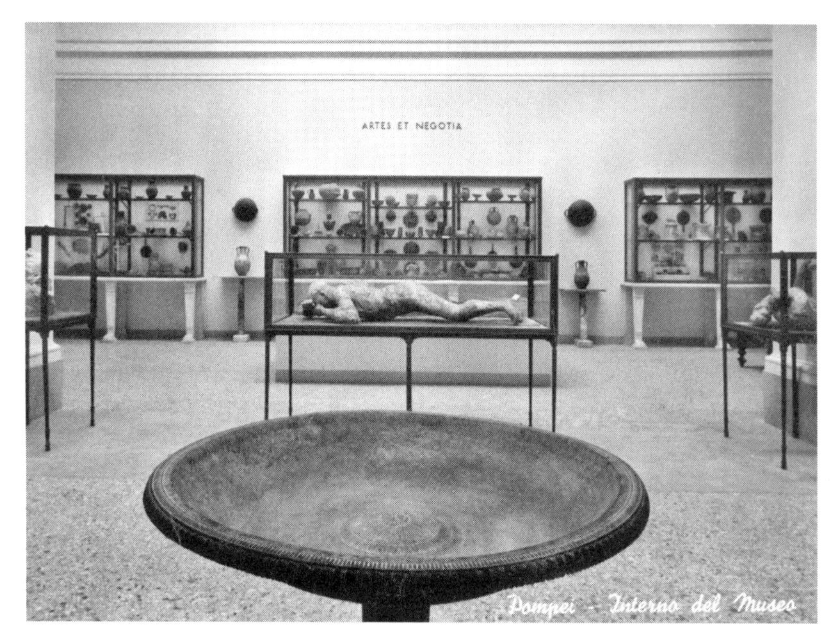

Fig. 14 I nuovi interni dell'Antiquarium pompeiano, ricostruito per volere di Amedeo Maiuri, in una cartolina dell'epoca. Oltre al rinnovato allestimento dell'Instrumentum domestico, vennero ricollocati nelle sale alcuni dei calchi sopravvissuti ai bombardamenti.

distrutti nel corso del bombardamento, come esplicitamente afferma Eugene Dwyer nel suo puntuale studio sui calchi pompeiani: «They were all destroyed when the Museum was bombed on 24 August 1943, the anniversary of the city's destruction»[53]. La fonte a cui attinge Dwyer è il saggio divulgativo di Maiuri *Pompei e la guerra*[54]: in effetti nulla d'altro sembra edito riguardo al destino dei nostri calchi:

> E tra le macerie affioravano le suppellettili frantumate delle vetrine e giacevano rovesce, contorte, mutilate, come vittime di quella recente catastrofe, le impronte dei morti di due millenni fa, le vittime che i lapilli e le ceneri dell'eruzione del 79 avevano pietosamente composto, e che una più disumana violenza aveva mutilato e violentato in quella loro religiosa pace di morti sopravvissuti.

Non si hanno negli archivi della soprintendenza altri dati sul destino degli oggetti e dei calchi recuperati. Un elenco redatto dal Maiuri, una volta intrapreso il paziente lavoro di rimozione delle macerie comprendente tutti i manufatti danneggiati e distrutti dalle bombe è una preziosa testimonianza relativa alla perdita di tutto il patrimonio inventariato andato distrutto[55]. Ma i calchi, non essendo stati mai inventariati, né allora né in seguito, non furono compresi puntualmente nell'elenco. Quelli più danneggiati dalle bombe, che non si potevano nuovamente esporre, dovettero finire in un deposito usato a più riprese negli anni di Maiuri, ospitato in uno degli ambienti delle Terme del Sarno (VIII 2, 17 – ambienti 9 e 9a), dove confluirono oltre ai calchi danneggiati, un'ingente quantità di frammenti di marmo recuperati negli scavi dopo il bombardamento.

La ricognizione sistematica intrapresa nel 2014, preliminare alla redazione del progetto di restauro, ha permesso il recupero di dati e finalmente una messa a punto sullo stato di conservazione e sul numero dei calchi conservatisi fino a oggi (su un totale di 103 recuperato dalla bibliografia ne sono stati censiti, come ricordato in apertura, 90). Nel corso di questo lavoro di conoscenza sono stati ritrovati anche alcuni calchi considerati perduti, a cominciare dal nostro gruppetto di via degli Scheletri. Di questi il primo e il quarto sono stati recuperati, grazie a un accurato restauro, nella loro interezza (Figg. 15-16). Con le due fanciulle cadute insieme, il destino è stato meno clemente: separate per sempre dalle bombe, è stato possibile recuperare una buona parte del primo calco (quello della più grande), mentre della fanciulla più piccola che aveva commosso per la sua tenera età i primi visitatori sembra non resti che parte del torso e dei glutei.

I due calchi restituiti alla loro forma originaria sono stati esposti nel 2015, insieme ad altri diciannove restaurati (tra cui diversi dei più antichi), nella Piramide realizzata da Francesco Venezia[56], nell'ambito di una mostra dal titolo «Pompei e l'Europa. 1748-1943», dedicata alla seconda vita di Pompei (Fig. 17 FT). Con la chiusura della mostra si è deciso d'intraprendere nuovamente (come hanno fatto in

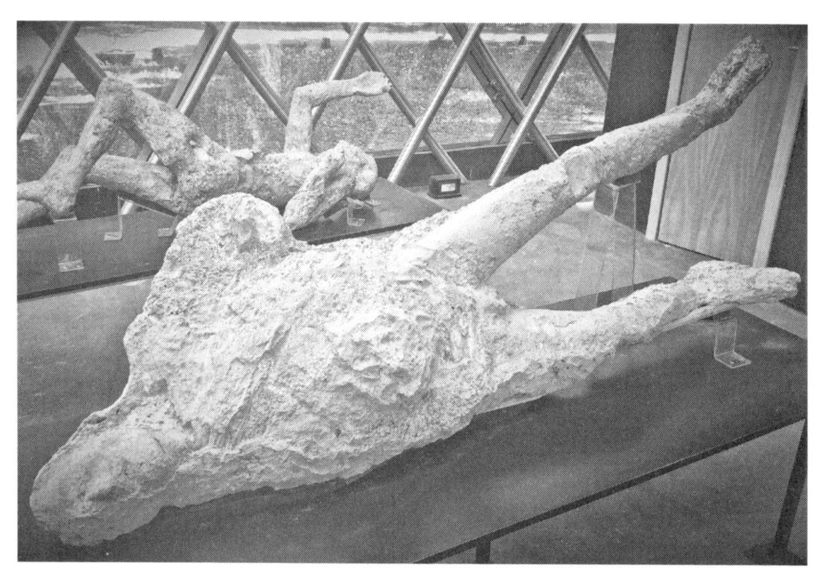

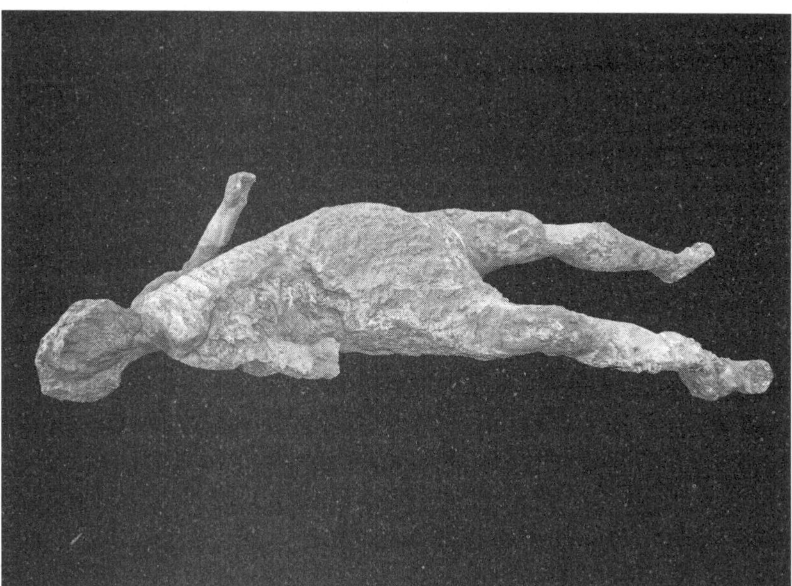

Fig. 15 Il calco di un uomo dalla notevole statura, ritrovato riverso sul dorso, è stato riconosciuto come il primo dei calchi realizzato nel vicolo degli Scheletri. Il gesso era stato a lungo considerato perduto, ma se ne è ricostruita la provenienza ed è attualmente esposto in una stanza della Casa di Sirico.

Fig. 16 Il corpo della donna fa parte del gruppo dei primi quattro individui ritrovati nel vicolo degli Scheletri, descritto in più occasioni da numerosi visitatori e ritrovato in uno stato di conservazione alterato, dovuto ai danni subiti durante il bombardamento. Il corpo è anch'esso esposto nella Casa di Sirico (Archivio PAP*).*

molti, da Spinazzola al Maiuri) la strada della ricontestualizzazione (laddove possibile) dei calchi e l'esposizione al pubblico in ambienti appositamente protetti e adeguati alla manutenzione dei gessi. I due calchi integri di via degli Scheletri, insieme al torso della terza vittima del gruppo, sono stati collocati su un piano in vetro ed esposti in un vano della Casa di Sirico, appena restaurata, adeguato all'esposizione, con la realizzazione di uno schermo in vetro che protegge i calchi ma li lascia pienamente fruibili (Fig. 18 FT). Un adeguato apparato didattico ne ricorda la vicenda e ne spiega la tecnica. I nostri calchi più volte «rapiti alla morte», secondo la celebre espressione di Giuseppe Fiorelli, hanno trovato così una più dignitosa collocazione:

> Se avrò la sorte d'incontrare nuovi corpi fra le ceneri, meglio fornito di tutti i mezzi occorrenti alla buona riuscita di un'opera cotanto importante, i miei getti riusciranno più perfetti. Per ora mi è di grato compenso a gravissime fatiche, l'avere aperta la via ad ottenere una ignota classe di monumenti, per i quali l'archeologia non sarà più studiata nei marmi o nei bronzi, ma sopra i corpi stessi degli antichi, rapiti alla morte, dopo 18 secoli di oblio.

LA DOPPIA VITA DI POMPEI: 1748, COMINCIANO GLI SCAVI UFFICIALI

Appendice 1

Cava de la Civita, 1748. 23 Marzo – Con el motivo de haver estado en los dias pasados al reconocimiento del rio que conduze el agua à la Polvarera en la Torre de la Anunciada, y noticias que tenia precedentemente en particular del Intendente D. Juan Bernardo Boschi, de haver alli un paraje llamado la civita, como 2 millas distante de la dicha Torre, donde se han hallado de particular algunas estatuas y otros residuos de la antigua ciudad Estabia: me pareciò reconocer el paraje y tomar algunos informes, y he venido à creer que puedan alli encontrarse algunos monumentos y alajas antiguas con menos travajo, que se consigue en este paraje: y con el motivo que haze ya alguno tiempo, que en las presentes escavaciones no se halla cosa particular, no obstante que siempre se continuan por entre fabricas arruynadas: yo desearia sumamente suspender aqui por poco el travajo, è ir à hazer una prueba con la misma gente en el expresado paraje de la civita [...] à fin de manter el travajo despues en aquel, que la expericencia haga ver ser el mas abundante. Y si S.M. aprovasse el que se haga esta pueva en ellos. Lo que yo deseo mucho, seria necesaria una orden de V.E. para el Govern. De la Torre de la Anunciada, para que facilite el que se pueda establezer el trabajo, y el que pueda dormir la gente en algunas casas ò tavernas que hay alli vecino.[1]

Così comincia l'epopea che avrebbe cambiato la storia dell'archeologia classica e rivoluzionato la cultura europea: il resoconto ufficiale degli scavi redatto per il re di Napoli, Carlo III, si apre il 27 marzo del 1748. Un appassionato ingegnere militare, Roque Joaquín de Alcubierre, che aveva avuto in sorte di intraprendere per conto della corte borbonica gli scavi di Ercolano dieci anni prima, chiede al re di sondare una nuova zona, chiamata Civita di Torre Annunziata. Qui il dibattito erudito alternava l'ubicazione di Pompei a quella di Stabia, mentre i locali asserivano che il sottosuolo fosse ricco di antichità.

Ha inizio con queste pagine in spagnolo una delle avventure archeologiche più appassionanti del mondo: la scoperta di Pompei. In effetti non si trattava di una vera e propria «scoperta»: dell'esistenza di una città sepolta sotto i lapilli sul pianoro della Civita, chi viveva nel territorio lo aveva sempre saputo. Su quel pianoro non affioravano certo rovine. La città sepolta da cenere e lapilli non lasciava più trapelare significative reliquie tra i vigneti e le colture che si estendevano a perdita d'occhio: dopo l'eruzione, negli anni a seguire, tutto ciò che emergeva era stato distrutto dagli uomini – per reimpiegarne i materiali – o dal tempo. Ma facendo pozzi per raggiungere la falda acquifera o scassi per cavar lapillo, i contadini della zona si erano sempre imbattuti in antichità – così del resto erano cominciati i primi scavi a Ercolano[2].

Un'occasione più di ogni altra doveva portare alla conoscenza della vasta estensione di antichità del sottosuolo: i lavori condotti alla fine del XVI secolo dall'architetto Domenico Fontana per realizzare un grande canale, che con un percorso di 21 chilometri, in parte scavato in galleria, doveva portare le acque del fiume Sarno ai mulini e poi agli impianti militari di Torre Annunziata. Realizzando il canale gli operai si erano imbattuti per un lungo tratto nelle rovine sepolte di Pompei, attraversandola in tutta la sua lunghezza, da est a ovest[3]. Ma la scoperta non diede origine a nessun progetto di scavo, almeno ufficiale: l'Europa non era ancora pronta per un confronto così diretto con l'Antico. Se non era tempo per scavi programmati, la grande opera, facendo conoscere la vastità del giacimento, deve aver ispirato, se non intensificato, nuovi scavi clandestini, da sempre qui praticati!

Di Pompei, dopo l'occasione mancata del canale di Domenico Fontana, si continuava a discettare solo nei circoli eruditi. Qualcuno, come il Capaccio nelle sue *Historiae Neapolitane* del 1607, si era anche spinto a identificarla con la città sepolta che aveva lasciato significativa traccia nel toponimo Civita, nei pressi di Torre Annunziata[4]. Per altri si trattava invece dei resti di Stabia, un'altra antica città, ai tempi dell'eruzione luogo di soggiorno privilegiato per le élite dell'impero. Plinio il Vecchio, grande letterato a capo della flotta imperiale stanziata nella vicina Miseno, lì aveva trovato la morte, proprio in quel fatidico giorno del 79 d.C.[5]

Seppure senza più consapevolezza della topografia antica di questo tratto della costa del Golfo di Napoli, ben si sapeva dunque che nel sottosuolo c'erano tesori, oggetti, pitture, statue. Sono proprio le notizie raccolte sul posto che animano Alcubierre a intraprendere ricerche, nel desiderio di assicurare altri tesori alla corte napoletana per cui prestava servizio. I lavori in galleria a Ercolano procedevano stancamente, per la difficoltà delle opere di scavo – lì diverse dinamiche dell'eruzione avevano portato non lapilli ma una densa nube di cenere, che raffreddatasi era diventata un tufo difficile da asportare. Carcerati affiancavano gli operai assoldati, ma tutto costava troppo e richiedeva troppo materiale umano.[6]

Dopo un sopralluogo e un giro di consultazioni con i locali, l'ingegnere spagnolo chiede dunque al re di spostare gli operai alla Civita, dove era arrivato alla conclusione che «si potevano recuperare monumenti e preziosi oggetti antichi con meno lavoro». Il 30 marzo, ottenuto il beneplacito reale, i primi colpi di piccone, i primi scavi ufficiali (i resoconti sono proposti in spagnolo: appaiono comprensibili e restituiscono, crediamo, un tocco di atmosfera):

> *2 Abril – En consequencia de la orden que recivì de V.E [...] el dia 30 passè con porcion de la gente de estas grutas: y establecì el travajo de la nueva escavacion en la Torre Annunciata.*

E dunque il primo aprile, al primo sopralluogo dell'ingegnere capo, le prime scoperte:

> *encontrè ya empezada à descubrir las fabricas en dos partes [...] y son los lugares que me han parecido mas proprios segun las varias noticias que he tomado, y voy tomando para poder mejor encaminar este travajo, en el que solo hay 12 personas [...]*[7]

Si inizia a frugare la terra, nei punti indicati da chi conosce quella zona piena di tesori, si continua a interrogare la gente che vive e coltiva sulla Civita alla ricerca dei luoghi più proficui. Non si ha alcuna idea di dove indirizzare, senza dispendio inutile di soldi e di uomini, le ricerche. Si brancola nel buio, insomma. Gli scavi ufficiali cominciano dunque con queste premesse, ma ovviamente ci si trova – e come altrimenti? – a Pompei.

> *6 Abril – En la cava que se ha empezado en la Torre de la Anunciada, lo primero que se ha descubierto, ha sido una pintura [...] que contiene dos grandes festones de ojas de frutas y de flores [...] y haviendo pasado con migo esta mañana el escultor à verle, ha dispuesto de cortarle [...]*[8]

Cominciando dall'alto a rimuovere la terra delle coltivazioni e le ceneri del vulcano ci si imbatte nella parte sommitale degli edifici. Non meraviglia che la prima scoperta sia un affresco, che dalla descrizione costituisce la parte superiore della decorazione di una parete decorata. Scoperto il dipinto, prima ancora di portare alla luce tutta la parete, si rimuove il pannello per trasferirlo a Palazzo Reale. L'intervento non comincia con un interesse per la topografia, per i monumenti, per i contesti, ma per le opere di pregio che si possono recuperare: è una caccia al tesoro, non uno scavo archeologico nel senso moderno!

Nei giorni successivi le scoperte si susseguono incessanti, soprattutto pitture, poi i più diversi oggetti, in marmo, in bronzo, in ferro. I protagonisti di questi primi anni straordinari sono, insieme all'Alcubierre, altri due ingegneri a lui sottoposti, Karl Weber e poi Francesco La Vega; uno scultore di origine francese, Giuseppe Canart (cui spettano i restauri di dipinti e marmi); il romano Camillo Paderni che diventerà il custode del Museo Ercolanense, istituito nella Reggia di Portici per esporre i reperti[9]. Un team efficiente quanto impreparato ad affrontare una sfida così complessa, animato da passione ma anche da rivalità e forte competizione (che sfocia spesso in aperto conflitto).

Nonostante i metodi inadeguati – uno scavo sostanzialmente inteso come ricerca di begli oggetti da esibire a corte – le scoperte mostrano all'Europa l'esistenza di un luogo dove il tempo sembra scardinarsi e il passato emerge con una vividezza mai conosciuta prima. Gli incessanti rinvenimenti, registrati puntualmente giorno dopo giorno nei resoconti destinati a Carlo III, sono destinati a imprimere un'impronta durevole sulla cultura europea. L'impatto straordinario delle pitture e degli oggetti che emergono tra i lapilli si vedrà ben presto: fonte di ispirazione, di un nuovo orientamento rigenerante per il gusto e per le arti. L'Antico diventa il modello con cui confrontarsi e da recuperare, nella sua freschezza, nei suoi colori, nelle sue forme. Le ricerche sono destinate a trasformare non solo la scienza antiquaria, dunque, ma cultura, arte e vita quotidiana dei Moderni[10].

Agli albori delle scoperte cominciano già accese discussioni, spesso causate dall'avvertita assenza di un piano coerente di indagini e di direttive procedurali. Da subito emergono tra gli intellettuali del Secolo dei Lumi orientamenti diversi, critiche, riflessioni, preoccupazioni. Un intenso dibattito si rincorre per tutta Europa: sarà la cifra costante di tutta la seconda vita di Pompei.

Le menti più lucide comprendono immediatamente la portata rivoluzionaria di quell'improvviso riemergere delle città vesuviane dai lapilli e avvertono altresì le responsabilità generate dalla gestione di quelle scoperte.

La «seconda vita» di Pompei si avvia da subito su un doppio binario: da un lato l'indagine «scientifica» sul campo, con un approccio che si cerca progressivamente di razionalizzare e rendere metodico; dall'altro l'immaginazione, volta a ricreare, in sintonia con lo scorrere del tempo e della contemporaneità, un'altra Pompei, dotata di una realtà poetica avvincente nella sua mutevolezza.

Già a proposito di Ercolano, poco prima che le scoperte di Pompei infiammassero la cultura europea, Charles de Brosses, politico e letterato francese, esultava per il ritrovamento inatteso di un antico centro urbano: «La découverte de la Ville souterraine d'Herculée prés de Naples est un événement si singulier & si curieux, que je ne fuis pas surpris que vous cherchiez à rassembler tout ce qu'en peuvent raporter les témoins oculaires[11]». Dal canto suo Scipione Maffei, l'erudito e letterato veronese, nel 1747 si esaltava per la possibilità di scoprire finalmente un'intera città: «O qual rara ventura de' nostri giorni è mai, che si discopra non uno ed altro antico monumento, ma una Città [...]». E già allora le menti più aperte e avvedute guardavano alle scoperte archeologiche con animo consapevole verso le responsabilità della tutela e della conservazione, affermando con rigore quanto imprescindibile fosse l'elaborazione di un metodo di scavo adeguato: «[...] desiderabile sopra tutto è, che si risolvano a lavorar per di sopra, levando, e trasportando quel monte di cenere, e d'altra materia, che il Vesuvio gettò sopra l'antica Città [...]», o ancora: «procedendo alla cieca per cunicoli, e per angusti condotti, molto avverrà di guastare, e molto converrà distruggere, né si potrà veder mai fabrica nobile intera, né prospetti, né saper come e dove collocassero le tante statue, e gli altri ornamenti [...] converrebbe vedere il tutto al lume scoperto del Cielo [...] sgombrando e lasciando tutto a suo luogo, la città tutta sarebbe incomparabile, e inenarrabil Museo[12]». E profetizzando al contempo il folgorante richiamo che la città dissepolta avrebbe costituito per l'Europa: «In questo modo la spenta Città si farà rinascere e dopo mille e settecent'anni rivedere il Sole. Con questo molte e molte cose per gli usi della vita, per l'architettura, per l'arti, per l'erudizione impareremo, che ne' libri si ricercano in vano. Con grandissimo benefizio del paese correrà a Napoli tutta l'Europa erudita, perché non potrebbe immaginarsi il più bel piacere, che di veder con gli occhi le abitazioni, le basiliche, i Templi de' tanto rinomati Romani»[13].

Ben note sono le invettive di Winckelmann, l'intellettuale tedesco considerato il padre dell'archeologia classica, che soprattutto lamentava l'imperizia di chi dirigeva i primi scavi, definendo l'Alcubierre «un agrimensore o ingegnere spagnuolo [...] Quest'uomo, il quale non aveva mai avuto da fare colle antichità più della luna coi gamberi (secondo il proverbio italiano) fu causa per la sua imperizia di molti guasti e della perdita di molte belle cose[14]».

Certo, seguendo con attenzione i resoconti sistematici di quei primi scavi, raccolti dal Fiorelli nella *Pompeianarum Antiquitatis Historia*, i lavori all'inizio decisamente non si distinguono per una sensibilità nella tutela dei luoghi (le architetture sono solo supporti da cui strappare dipinti!). Ma leggendo pagina dopo pagina quelle descrizioni delle attività in corso, si percepisce come le ricerche seguano un percorso necessariamente sperimentale, e ben presto mostrino un progressivo miglioramento e affinamento nei metodi e negli approcci[15].

Nonostante le critiche, più o meno fondate, bisogna sottolineare del resto che l'aver posto a dirigere gli scavi l'Alcubierre, un ingegnere coadiuvato da altri ingegneri (Karl Weber fino al 1764 e poi Francesco La Vega fino al 1780), non era iniziativa così peregrina, se si considera che gli scavi delle città vesuviane ponevano problemi molto complessi dal punto di vista statico e della sicurezza – e questo tanto nelle gallerie di Ercolano, quanto negli scavi a cielo aperto pompeiani. Del resto gli archeologi e gli umanisti, a cominciare dal Winckelmann, non avevano alcuna idea delle tecniche di scavo, ossia di come si sarebbe dovuto al meglio procedere tra ceneri e lapilli. È l'esperienza sul campo che farà sperimentare e migliorare progressivamente tecniche e metodi. L'impresa è impegnativa, lenta e assai costosa, tant'è che lo stesso Winckelmann ironicamente scrive: «vi rimarranno luoghi da scavare ed antichità da trovare per i nostri posteri fino alla quarta generazione», suggerendo altresì che «con minori spese si potrebbero trovare tesori simili se si volesse scavare a Pozzuolo, a Baja, a Cuma, a Miseno [...] Ma la corte si è contentata degli scavi attuali e non ha permesso a nessuno di fare uno scavo considerabile per proprio conto» (per fortuna, aggiungo io!)[16].

Le ricerche sono fin dall'inizio un affare di Corte, o meglio un'impresa di Stato, finanziate dall'erario regio, che coinvolge gli Ufficiali del Genio e impiega anche soldati ed ergastolani. Il ruolo di Carlo III è fondamentale in questa avventura archeologica che segna la «nascita» della moderna archeologia, un'impresa destinata a spostare l'attenzione del mondo della cultura dal collezionismo antiquario all'archeologia, come disciplina di formazione fondamentale[17]. Alla curiosità del re (e di sua moglie, Maria Amalia di Sassonia) va senz'altro ascritto il merito dell'azione. Ma non si può dimenticare un altro personaggio chiave, il ministro Bernardo Tanucci, toscano colto e intelligente, che tanta parte avrà nel seguire l'impresa accanto al sovrano, e poi in prima persona, divenuto reggente alla partenza di Carlo per la Spagna nel 1759. Accesa passione e viva curiosità emergono dal suo epistolario, ad esempio in una lettera scritta nel 1747 a un amico che riporta: «l'unico mio spasso è lo studio delle antichità e mi è stata data l'occasione dall'escavazione della città di Ercolano [...] Ogni sera si porta qualche pezzo nella camera del Re e si ragiona nell'ora appunto in cui egli si spoglia per andare a letto».

L'interesse dei primi scavi, di cui si registra (evidentemente su richiesta della Corte) ogni minimo rinvenimento, è soprattutto per le pitture che da subito vengono staccate a realizzare quadri, uno per ogni figura singola o scena figurata, da destinare alla reggia di Portici (scomponendo la mirabile unità delle pareti affrescate in una miriade di quadretti decontestualizzati)[18]. Ma oltre alle pitture e alle varie opere d'arte, l'interesse va anche alle realizzazioni dell'artigianato, gli oggetti della vita quotidiana: tutto è degno di esposizione nel Museo Ercolanense, cui venne ben presto destinata un'ala del palazzo reale di Portici, diretto dal Paderni[19].

Nonostante le severe norme restrittive che accompagnano la collocazione dei reperti nel museo, unite all'aura di mistero che circonda a lungo i lavori di scavo a Ercolano come a Pompei – accessibili limitatamente e non riproducibili liberamente con disegni e rilievi –, l'ammirazione per quegli oggetti che affioravano intatti dal passato è enorme. I manufatti pompeiani generano una vera e propria fioritura artistica in chiave neo-antica nelle arti figurative, nell'ornato, nei modelli architettonici[20]. E non solo: si pensi all'influenza sulla letteratura che da subito si manifesta, già nella seconda metà del XVIII secolo. Jacques Cazotte, per ambientare l'incontro tra Alvaro, protagonista del suo *Le diable amoureux,* e Belzebù nelle vesti prima del terrificante dromedario e poi della silfide Biondetta, non troverà di meglio che gli anfratti e le «grotte» del teatro di Ercolano. Le città vesuviane, sempre sospese tra ricerca scientifica e immaginazione, diventano anche simbolo di un luogo «fuori del tempo» o meglio «senza tempo», le cui rovine evocano il mistero dell'ultramondano[21].

In questa prima fase le ricerche sulla Civita, non sistematiche ma lanciate a seconda dell'interesse percepito o tramandato di una determinata area, si rivolgono a zone distanti una dall'altra, a occidente della città l'area di via delle Tombe e della connessa villa di Cicerone, a oriente quella dell'anfiteatro, e soprattutto degli adiacenti Praedia di Giulia Felice[22].

L'identificazione definitiva di Pompei con la città in corso di scavo sulla collina della Civita avviene solo nel 1763, quando Carlo III era ormai da qualche anno a Madrid e alla guida del regno si era insediato Ferdinando IV, con la reggenza del ministro Bernardo Tanucci. La scoperta presso la necropoli di Porta Ercolano di un'iscrizione menzionante T. Suedius Clemens e che citava la «comunità pompeiana» tolse ogni dubbio sulle rispettive ubicazioni di Pompei e Stabia. Questa scoperta coincide con la decisione, densa di conseguenze per la storia della seconda vita di Pompei, di lasciare le rovine a cielo aperto dopo lo scavo. Mentre prima si risotterrava tutto una volta asportati pitture e reperti, ora si lasciano a vista, finalmente visitabili (con tutto ciò che ne consegue, per i problemi di restauro e conservazione che si pongono da subito).

Nella seconda metà del Settecento, soprattutto con l'impulso della sovrana Maria Carolina, gli scavi proseguono dunque con maggiore solerzia, sviluppandosi e allargandosi per nuclei, affinando progressivamente l'approccio scientifico. Sono di questi anni la scoperta e lo scavo di luoghi celebri, che molto stimoleranno la curiosità europea: da un lato il quartiere dei Teatri, con il Foro Triangolare e soprattutto il Tempio di Iside[23], dall'altro l'area di Porta Ercolano, con le sue tombe monumentali e la villa suburbana di Diomede, nonché il tratto urbano di via consolare con le sue case (ad esempio quella del Chirurgo) (Fig. 1). Pompei finalmente diventa un luogo visitabile, di cui si comincia a percepire la dimensione urbana, di cui si possono ammirare strade, tombe, case, botteghe, santuari e monumenti pubblici[24].

Mentre gli scavi proseguono alacremente, il museo nella reggia di Portici si affolla di migliaia di oggetti: solo per avere un'idea della mole incredibile di reperti, basti pensare che nel 1756 nelle stanze del palazzo destinate a esposizione si contavano 800 pitture, 350 sculture, oltre 100 vasi, 40 candelabri, 800 papiri. E oltre a questi gli organici, la miriade di reperti paleobotanici, i pani carbonizzati, le stoffe, i pigmenti, ecc[25].

Ma è ancor più a partire dall'inizio dell'Ottocento, con il decennio francese, che si registra l'avviarsi a Pompei di un approccio scientifico più rigoroso, una ricerca sistematica a partire dall'individuazione dell'intero circuito difensivo (così da determinare l'estensione del centro urbano). Conseguenza diretta di questo nuovo approccio è l'importante progetto generale di esproprio di tutti i terreni in cui ricadeva l'antica città, in gran parte ancora in mano a privati. A Michele Arditi, allora soprintendente agli scavi (1807-1838), Giuseppe Bonaparte, re di Napoli nel 1806, affida il compito di redigere un piano esaustivo, che verrà poi intrapreso con l'arrivo di Gioacchino Murat nel 1808 e soprattutto di sua moglie Carolina, entusiasta ammiratrice dell'Antico, cui si deve effettivamente l'acquisizione allo Stato dei

Fig.1 Vista della Necropoli di Porta Ercolano in una stampa da W. Gell, Pompeiana, London 1832

terreni. Alla regina si deve anche un piano di accelerazione degli scavi, pervicacemente voluto e portato avanti (con non poche smanie di protagonismo) nell'ingenua speranza di portare alla luce tutta la città: lo scavo passa al centro della politica culturale del regno[26]. Si lavora contemporaneamente nelle due aree di indagine individuate dai Borbone, con l'intenzione di ricongiungerle: procedendo dai due lati verso il cuore della città si raggiunge e si comincia lo scavo del centro politico e monumentale, il Foro di Pompei.

L'accesso agli scavi è ora, finalmente, reso più semplice. Pittori, architetti e letterati possono confrontarsi con la città antica emersa dai lapilli e straordinariamente conservata: si pensi alla monumentale opera in quattro volumi dell'architetto francese François Mazois, *Les ruines de Pompéi*, la prima sistematica panoramica scientifica di architettura e urbanistica pompeiana[27]. Si documenta, si disegna, si cataloga, si propongono ricostruzioni grafiche delle rovine, si cerca di immaginare e ricomporre con accuratezza la vita quotidiana nelle *domus* e nelle aree pubbliche, i cui spazi e decorazioni vengono riprodotti in dipinti, esercitazioni accademiche, progetti architettonici, finendo per influenzare marcatamente anche l'aspetto delle residenze principesche europee.

Col progredire sistematico degli scavi, grazie a investimenti ben più cospicui di denaro e uomini (ben 624 operai nel 1813), diventano sempre più pressanti le esigenze di tutela e valorizzazione. Emblematico, ben prima del decennio francese, l'atteggiamento del La Vega che nel 1771, portata alla luce la citata Casa del Chirurgo, propone che un ambiente «restandosi in situazione da potersi coprire e anche custodire, facendovisi il suo tetto, porta e finestrino come era prima» vada «lasciato interamente come si era trovato [...] per soddisfazione del pubblico»; del resto, continua in maniera lungimirante, le pitture «altro pregio non avevano che quello della combinazione, la quale viene a mancare nel tagliarsi in pezzi[28]».

Altrettando lungimiranti le idee espresse nel 1804 da François-René de Chateaubriand, entusiasta di scoprire «une ville romaine conservée toute entière, comme si les habitants venaient d'en sortir un quart d'heure auparavant!»: a Pompei i reperti vanno lasciati nei luoghi in cui sono riportati alla luce; bisogna rifare tetti, soffitti, pavimenti e finestre delle case, in modo da salvaguardarne le pitture:

> *En parcourant cette cité des morts, une idée me poursouivait. A mesure que l'on déchausse quelque édifice à Pompéia, on enlève ce que donne la fouille, ustensiles de ménage, instruments de divers métiers, meubles, statues, manuscrits, etc., et l'on entasse le tout au Musée Portici. Il y aurait selon moi quelque choses de mieux à faire: ce serait de lasser les choses dans l'endroit où on les trouve et comme on les trouve, de remettre des toits, des plafonds, des planchers et des fenêtres, pour empêcher la dégradation des peintures et des murs; de relever l'ancienne enceinte de la ville, d'en clore les portes; enfin d'y établir une garde de soldats avec quelques savants versés dans les arts.*[29]

Nel momento in cui Napoleone decideva di trasformare il Louvre nel più grande museo del mondo, Chateaubriand pensava a Pompei come «le plus merveilleux musée de la terre». Un'idea lungimirante, ispirata dai primi dettami del movimento romantico contrario alla musealizzazione e delocalizzazione dei reperti. Un approccio rispettoso del contesto e della conservazione, assai moderno se pensiamo all'importanza fondamentale del concetto di contesto oggi: «Ce qu'on fait aujourd'hui me semble funeste: ravies à leurs places naturelles, les curiosités les plus rares s'ensevelissent dans des cabinets où elles ne sont plus en rapport avec les objets environnants».

La foga di Carolina, tuttavia, porta con sé anche nefaste conseguenze: si decide di affiancare agli scavi in economia, con gli operai (e gli «Zapponi» del Genio) assoldati direttamente, altra forza lavoro, dando in appalto le indagini. Giuseppe Dell'Aquila vince la gara d'appalto, ed entra in scena come un nuovo personaggio-chiave della nostra secolare vicenda[30]. È il 7 luglio del 1811. I nuovi interventi al loro avvio non soddisfano del tutto la regina, che impone vari tentativi di accelerazione, anche affiancando un altro partitario al Dell'Aquila e coinvolgendo contemporaneamente gli «Zapponi» del Genio. Ma è Giuseppe Dell'Aquila ad avere la meglio, restando per decenni l'unico vero referente degli scavi, acquisendo potere e presto vantando crediti dallo Stato. A controllare gli aspetti amministrativi viene posto Raffaele Minervini, membro del Consiglio degli Edifici Civili, che diventa commissario dell'Opera degli Scavi (con grande disappunto del soprintendente Arditi). Il Minervini e il Dell'Aquila sono strettamente legati, e non sembra peregrino affermare che perseguono piuttosto interessi privati che quelli dello Stato. Anche il commissario, per le sue attività dentro e fuori Pompei, comincia così a vantare crediti con la casa reale. Il Murat, evidentemente a corto di liquidità e riserve, gli cede la cintura dei terreni espropriati intorno a Pompei (con la clausola che si possano utilizzare per la terra di riporto dagli scavi). Il Dell'Aquila, dal canto suo, avendo accumulato un grande credito nei confronti dello Stato, chiede che anche a lui come al commissario si cedano terreni: così torna sciaguratamente in mano dei privati la parte nord-orientale della città. Nei decenni successivi, reinsediatisi di nuovo i Borbone sul trono di Napoli, sarà tutto un protrarsi di tentativi di recupero e contenziosi con Giuseppe Dell'Aquila e i suoi eredi. La questione si risolverà solo all'inizio del secolo successivo! I documenti di archivio restituiscono un quadro fosco, di inefficienze statali (anche a causa di funzionari poco ligi al dovere – per non dire altro! – come ad esempio Carlo Bonucci) e di soprusi da parte privata (Fig. 2).

Forte e chiara è la denuncia della situazione da parte di Giuseppe Fiorelli, ispettore degli scavi, nel 1848. Senza mezzi termini così si esprime il giovane funzionario riguardo all'appaltatore dei lavori gratificato con terreni statali:

> [...] ma che si deve attendere da un conduttore di appalto di opere pubbliche, vero padrone di questi scavamenti da circa cinquanta anni, libero di qualunque soggezione di superiori, o stipendiati, o gratificati da lui; arricchitosi ogni giorno di più, e con le ricchezze acquistando maggiori mezzi di corruzione;

Fig.2 Pianta dei nuovi scavi della Regio V con il posizionamento dei cippi confinari e l'indicazione dei punti in cui si sono rinvenute tracce delle eruzioni di età moderna in connessione con scavi clandestini (Elab. Poleis)

> ed avido, insaziabile di ancora più grandi profitti e guadagni nel governativo abbandono della cosa pubblica? Non si poteva altrimenti pascere la propria avidità e l'altrui, che accelerando il tempo, impiegando pochi operai per frutto di molti, usando materiali pessimi in luogo di ottimi, vecchi per nuovi [...]

Le ispezioni e i tentativi di ripristino della legalità sono numerosi: più volte ci sarà bisogno di fare il punto della situazione sulle proprietà prima appartenute allo Stato e poi passate in mano privata; si procede a più riprese a redigere un inventario dei vari terreni, con precisi rilievi catastali e relativa installazione dei «cippi di confine» per perimetrare la proprietà privata:

> [...] la porzione della corte è divisa da quella spettante al Dell'Aquila da segni lapidei, ma questi si fanno camminare secondo il bisogno. Infatti se ne vedono tuttora smossi ed abbattuti. Dippiù si è accordato al dell'Aquila de' spazi dati per infruttiferi, che in effetti non lo sono; una via, che non gli spetta. Per rimediare a tali sconcerti, è necessario che persona forte, e non soggetta ad impegni, faccia misurare al Dell'Aquila ciò, che sa gli è venduto, e che si ignora, facendo rimanere tutto in di più alla R. Casa, munendolo di termini di fabbrica[31] [...]

Di questa incresciosa storia (destinata a ripetersi più volte con molteplici varianti fino ai nostri giorni), sembrava a oggi restare traccia solo tra i documenti di archivio. Nel corso dei nuovi scavi della Regio V, che hanno portato a tante delle entusiasmanti scoperte fin qui discusse, un rinvenimento meno eclatante, che ha fatto meno notizia e nessuno scalpore, diventa per noi assai interessante al fine di ricostruire questa vicenda cruciale della seconda vita di Pompei. Una serie di cippi confinari, di una tipologia usuale per quegli anni, è stata rinvenuta sui fronti di scavo. Rinvenuti col proseguire del progetto di messa in sicurezza il 28 febbraio e il 3 aprile 2018, i cippi erano divelti ma lasciati in sito presso il limite occidentale dell'insula V, 7 (ossia a ridosso del vicolo delle Nozze d'Argento fino all'angolo con via di Vesuvio), dove si erano arrestati gli scavi nel tardo Ottocento. Le sigle incise sulle due facce dei cippi rimandano con ogni verosimiglianza al Dell'Aquila (D / DA / SDA). Pietre abbandonate sul pianoro, quando finalmente i terreni furono acquisiti dallo Stato, che serbano memoria di una secolare contesa tra pubblico e privato (Figg. 3a-b).

Alla fine del regno borbonico, con l'unità d'Italia comincia per Pompei una nuova era. Non sorprende che con tutte le questioni da affrontare nell'Italia unificata, tra le prime esigenze culturali del nuovo regno diviene prioritaria l'urgenza di dare un indirizzo più razionale agli scavi di Pompei e di riorganizzarli anche amministrativamente. L'attenzione della neonata Italia unita è viva già dagli albori della nuova esperienza, come mostra una fotografia che ritrae in visita agli scavi lo stesso Garibaldi, accompagnato da un folto gruppo di compagni

Fig. 3a-b Cippi confinari rinvenuti fuori posto nel corso degli scavi della Regio V, traccia degli originari confini delle proprietà private.

Fig. 4 Dagherrotipo del 1860 con Garibaldi e i garibaldini nel Macellum di Pompei.

(Fig. 4). Fu nominato allora soprintendente Giuseppe Fiorelli, figura geniale e punto di riferimento essenziale dell'archeologia italiana del secondo Ottocento. Il Fiorelli, che opera tra regno borbonico (era già stato ispettore a Pompei negli anni '40 dell'Ottocento) e Regno d'Italia (dapprima ispettore e poi dal 1863 soprintendente) è destinato a traghettare la città nella nuova Italia, innovando radicalmente la gestione dell'area archeologica (Fig. 5 FT). Ma questa è una storia diversa, e ne parleremo in maniera diffusa nella prossima sezione[32].

L'OGGI. DAL CROLLO DELLA SCHOLA ARMATURARUM AL GRANDE PROGETTO POMPEI

Appendice 2

Quanti si dedicano alla tutela e «valorizzazione» della città vesuviana, gli archeologi, gli architetti, i restauratori che oggi operano a e per Pompei non possono prescindere dal confrontarsi con la «doppia vita di Pompei», quella della città sepolta dalla catastrofica eruzione del 79 d.C. e quella che si apre con la scoperta fortuita del 1748 e continua ininterrottamente sino a oggi. O forse sarebbe meglio parlare della tripla vita della città vesuviana, perché tra quella che si chiude nel 79 d.C. con l'eruzione e quella che si apre nel Secolo dei Lumi, con l'inizio degli scavi ufficiali, c'è un'altra lunga esistenza, che potremmo dire sotterranea: nell'area che sarà chiamata Civita, serbando nel nome il ricordo della «città» sepolta, subito dopo la scomparsa sotto la cenere e i lapilli si continuerà non solo a frequentare e coltivare i terreni, ma proseguirà una vita sommersa, animata da chi ha rovistato incessantemente tra rovine e resti umani alla ricerca di oggetti, alla caccia di tesori[1].

Questa straordinaria vicenda ci chiede di ragionare su tutti i molteplici aspetti in cui si declina la storia di Pompei, un sito che ha segnato l'inizio della ricerca archeologica europea, dando altresì vita a varie sperimentazioni nel campo della tutela, estese poi al patrimonio italiano[2], e al contempo ha dato avvio – e continua a farlo – a forme plurime di arte e di pensiero[3].

Mille Pompei si spalancano davanti a noi, frequentatori oggi dei suoi spazi (reali o immaginati) e il nostro sguardo non riesce, osservando da vicino, che a coglierne in maniera sfocata qualche parziale aspetto. Ci vorrebbe una visione da lontano, da una distanza adeguata (di cono ottico e di emotività) per metterla davvero a fuoco, per comprenderla, per coglierne le innumerevoli intrecciate sembianze. C'è la Pompei dei giornali, delle notizie allarmanti e degli scandali; c'è la Pompei degli scrittori, tanti per generazione, e ognuno col proprio punto di vista, con il proprio giudizio, o con il proprio approccio che non vuole giudicare ma comprendere, emozionare. C'è la Pompei degli archeologi o dei curiosi appassionati, di chi la vorrebbe più «contemporanea», di chi la vorrebbe imbalsamata e fuori dal fluire del tempo (o meglio dei cambiamenti che l'età necessariamente porta, se concepiamo il tempo, insieme ad Aristotele, «come misura del cambiamento», movimento incessante di trasformazioni)[4]. E ancora, c'è la Pompei di chi concepisce questo luogo come un feticcio intoccabile, di chi invoca la tutela, la tutela!, di chi la vorrebbe chiusa e intangibile, e di chi la vorrebbe aperta e di tutti.

Pompei è questo e molto altro. Perché la città continuerà a restituire conoscenza ed emozioni, a ispirare sperimentazioni scientifiche, pensieri, mode, costumi, atteggiamenti, e ancora letteratura, musica, arte. E poiché l'umanità è variabilissima e ognuno ci vede quello che riesce e vuole vedere – nel bene e nel male –, la città continuerà a essere celebrata, usata, abusata, compresa e incompresa. Questa è la storia della sua ultima vita, quella più recente, una storia intricata e intrigante, fatta di momenti esaltanti e di accelerazioni nella conoscenza, ma anche di improvvisi passi indietro, di arretratezza e squallore[5]. Una storia che a rileggerla fa venire alla mente come il tempo, vichianamente, possa disegnare un cerchio di avvenimenti destinati a ripetersi senza sosta.

Ma per rispondere alla domanda: «Qual è la Pompei attuale, la nostra Pompei contemporanea? Quando ha avuto inizio la città che visitiamo oggi?», se nella nostra quotidianità contemporanea decidessimo di scegliere, anche arbitrariamente, un momento topico, uno di quegli accadimenti che hanno cambiato immagine e azioni nella città, dando inizio a un nuovo corso, questo nostro presente – inesistente come ci insegna la fisica, perché tutto è cambiamento, ma una categoria ancora utile da usare convenzionalmente – si può dire inaugurato dal crollo della *Schola Armaturarum*: 6 novembre 2010.

> Questa mattina, intorno alle sei, nel sito archeologico di Pompei è crollata l'intera *Schola Armaturarum* [...] dove secondo gli archeologi aveva sede un'associazione militare [...] Da tempo associazioni culturali e inchieste giornalistiche hanno messo in evidenza il profondo stato di degrado del Parco Archeologico di Pompei [...] Del degrado del sito archeologico di Pompei si era occupata la trasmissione di RaiTre di Riccardo Iacona «Presa Diretta» il 27 settembre dello scorso anno. L'inchiesta «Oro buttato» aveva mostrato lo stato di abbandono di alcune zone del Parco Archeologico, i danni non ancora sistemati dei bombardamenti della seconda guerra mondiale e gli edifici rimasti pericolanti dal terremoto dell'Ottanta[6].

Immediatamente, alle notizie italiane, quel giorno e nei giorni a seguire, ha fatto eco un coro di denunce internazionali, come sulle pagine di «The Daily Telegraph», la cui descrizione dei fatti gettava una luce inquietante sulla capacità italiana di proteggere il proprio immenso patrimonio:

> *The stone house, known as Schola Armaturarum Juventus Pompeiani, crumbled into a pile of rubble and dust in the early hours of Saturday morning before visitors were allowed in. [...] Pompeii, south of Naples is a unique historical site and is on the* UNESCO *World Heritage list but for decades it has been allowed to fall*

into ruin and disrepair. Today more than 250 years after it was discovered, 40% of the city – which if fully excavated would give a unique insight into ancient Roman life – is closed or yet to be examined. Italy's president Giorgio Napolitano called the collapse «a shame» and it came after an expose last month by newspaper Corriere della Sera that said Pompeii was an international embarrassment because of the mismanagement.[7]

Da parte francese, altre inchieste giornalistiche, altre pesanti denunce: un articolo di «Le Figaro» pubblicato l'11 dicembre 2010, titolava enfaticamente *La seconde mort de Pompéi*. Il giornalista così illustrava la situazione catastrofica:

La ville de Pompéi va-t-elle disparaître ? Les deux-tiers des édifices de la cité antique dévastée par l'éruption du Vésuve, en 79 après J.-C., sont aujourd'hui menacés d'écroulement. Un joyau de l'Antiquité se meurt lentement. Un chaos de pierres et de parpaings envahit la voie de l'Abondance. C'est ce qui reste de la Schola Armaturarum. La caserne des Gladiateurs, un grand édifice de deux étages datant du IIe siècle avant notre ère, s'est affaissée sur elle-même à l'aube du 6 novembre, minée par les infiltrations d'eau. [...] La voie de l'Abondance est l'une des deux artères principales de Pompéi [...]. Elle est bordée tout le long de domus imposantes. Celles de gauche sont adossées à un vaste terre-plein surélevé, l'une des deux grandes zones de Pompéi qui n'ont pas encore été explorées [...]. L'Etat a une lourde part de responsabilité: politique culturelle erratique, valse des dirigeants, trois surintendants nommés en dix-huit mois, des commissaires dotés de pleins pouvoirs sans avoir forcément les compétences nécessaires pour gérer un patrimoine archéologique. A peine nommés, certains «managers» gèlent tous les projets au profit d'une politique parfois déconcertante de promotion de l'image de Pompéi. Ce que déplorent le plus les archéologues, c'est l'absence de planification, de plan d'ensemble, de vision stratégique. Ce dont Pompéi aurait le plus besoin, c'est d'un effort global et coordonné de maintenance ordinaire.[8]

Uno scandalo internazionale, dunque, amplificato dallo stillicidio di crolli di muri e coperture che seguirono il fatidico evento del 2010, riempiendo cronache locali e pagine di quotidiani e riviste nazionali e internazionali. Ma più che un improvviso intensificarsi di crolli e disastri, quello che faceva emergere enfaticamente la criticità della situazione era la nuova attenzione mediatica verso Pompei, che rendeva evidente al mondo intero lo stato in cui versavano le rovine.

I crolli c'erano anche in passato, ma facevano meno eco, soprattutto perché gran parte dell'area archeologica era chiusa al pubblico e non monitorata e, dunque, spesso nessuno si accorgeva, in tempo reale, di quello che accadeva tra le case pericolanti. Nemmeno quei custodi, altre volte invece così solerti nel comunicare la notizia. Pompei diventa così un caso emblematico, simbolo inquietante e metafora di un'Italia incapace di difendere il proprio straordinario patrimonio. Non solo incapace di difenderlo, ma anche incapace di valorizzarlo: eppure quando Pompei era stata a più riprese «commissariata» dal governo, proprio negli anni precedenti il crollo della *Schola Armaturarum*, era proprio la valorizzazione a essere passata in primo piano nelle azioni di chi gestiva finanziamenti speciali, messi a disposizione per «salvare» Pompei! Dall'ologramma posto ad accogliere i visitatori nella casa di Giulio Polibio, allestita con un percorso virtuale e sensoriale per emozionare il pubblico, alle passerelle e ai video posti pervasivamente nell'insula dei Casti Amanti, per consentire ai visitatori di godersi lo spettacolo di archeologi e restauratori a lavoro, al Teatro Grande confezionato, a fine restauri, con gradinate quasi completamente ricostruite e un impianto luci e audio, gigantesco quanto inutile, per mettere in scena grandi spettacoli[9]. Proprio queste opere enormi, messe in campo per modernizzare l'uso pubblico del sito, si sono rivelate inutili o dannose, perché non sono state preventivamente accompagnate da un pensiero coerente di tutela e conservazione e tanto meno da un piano coerente e sostenibile di fruizione (la Casa di Giulio Polibio è stata chiusa poco dopo la realizzazione dei costosi allestimenti perché non in sicurezza; l'insula dei Casti Amanti, anch'essa chiusa, si comincia a restaurare solo adesso, nel 2019; il Teatro Grande è stato sequestrato dalla magistratura fino al 2014, i suoi restauri e allestimenti sono al centro di un processo penale).

Per mettere in campo progetti fondamentali di archeologia pubblica e di comunicazione non si può non partire dalla quota 0 di ogni approccio al patrimonio culturale, ossia dalla messa in sicurezza e da un progetto coerente di tutela.

Proprio come enfaticamente espresso nel capoverso finale del citato articolo di «Le Figaro», «quello che deplorano gli archeologi è l'assenza di pianificazione, di un piano generale, di una visione strategica. Quello di cui Pompei avrebbe bisogno è uno sforzo globale e coordinato di manutenzione ordinaria». Tutto vero: è proprio questo ciò di cui Pompei aveva bisogno in quegli anni difficili di incuria e malgoverno, ma con qualche correzione. A Pompei non serviva infatti solo la «manutenzione ordinaria», un mantra che si è continuato a ripetere negli anni successivi da addetti e non addetti ai lavori. La mancanza pluridecennale di controlli sistematici e di manutenzione costante aveva determinato situazioni di degrado talmente avanzate da non poter essere gestite solo con interventi ordinari. Criticità pressanti derivavano in particolare da numerosissimi apparati decorativi pavimentali e parietali privi di copertura, lasciati esposti agli agenti atmosferici per molto tempo senza un pur minimo mantenimento.

Pompei aveva bisogno, dunque, di un Grande Progetto, che affrontasse in maniera pervasiva ed estensiva – a scala finalmente urbana – tutte le criticità nel complesso, nello stesso tempo e in fretta. L'assenza di manutenzione ordinaria era solo una faccia della medaglia, l'altra mostrava inquietantemente le grandi opere mai affrontate (o quelle mai finite, come il gigantesco edificio progettato subito all'esterno di Porta Nola e rimasto incompiuto): la messa in sicurezza di tutta l'area scavata e l'eliminazione di puntelli e opere di presidio ormai ubiqui (che bloccavano assi stradali precludendoli alla visita);

la stabilizzazione dei fronti di scavo e della rupe vulcanica su cui sorge Pompei, pericolosa soprattutto sul suo versante meridionale (quello che si affaccia sul viale delle Ginestre, il percorso di accesso al sito da piazza Esedra).

In quei fatidici anni di crolli e denunce i nodi erano giunti al pettine, bisognava operare bene e subito, altrimenti si sarebbe persa una parte significativa del patrimonio, della nostra storia, della nostra identità europea. Innanzitutto con la messa in sicurezza di tutta l'area scavata, circa 44 ettari. Nell'intervista pubblicata nel già citato articolo di «Le Figaro», il soprintendente Pier Giovanni Guzzo, in carica dal 1995 al 2009, affermava allora che i due terzi degli edifici della città antica erano esposti a seri rischi di crollo: «Al mio arrivo, nel gennaio del 1995, solamente il 14 per cento era messo in sicurezza. Quando sono andato via nell'agosto 2009, l'area sicura ammontava al 31 per cento». In quindici anni si era passati dal 14 al 31 per cento di Pompei messa in sicurezza e dunque protetta da degrado e crolli, ma evidentemente non bastava. E soprattutto non si poteva più procedere a quei ritmi, allora dettati dalle forze umane a disposizione, un organico del tutto carente e spesso inadeguato: in quella situazione non si poteva fare di più, ma la situazione ora richiedeva un impegno ben diverso, un intervento globale su tutti i fronti, per evitare altri crolli, altro disintegrarsi della materia archeologica. Ci si chiede solo come sia stato possibile che il Ministero, lo Stato abbiano consentito una tale situazione: un sito come Pompei, con pochi archeologi, pochissimi architetti e restauratori, nessun ingegnere, per non parlare di specialisti dei vari settori fondamentali per la gestione di una città complessa come la nostra, dagli informatici agli impiantisti, per citare alcuni casi, o ancora dagli antropologi fisici ai geologi, ai vulcanologi. E ancora più assurda l'assenza di un direttore amministrativo con ruolo dirigenziale che si occupasse con competenza di gestire un bilancio significativo come quello di Pompei, e poi ancora il personale in un territorio complesso da tutti i punti di vista come quello vesuviano.

Eppure, esperienze significative c'erano state in tal senso, con risultati ottimi, come negli anni in cui alla figura del soprintendente (in quel caso Pier Giovanni Guzzo) fu affiancata dal 1998 al 2001 una persona di competenza come Giuseppe Gherpelli, con il compito di avviare, in base all'articolo 9 della legge 8 ottobre 1997, n. 352, la prima sperimentazione di autonomia di un istituto del Ministero dei Beni e delle Attività Culturali[10]. La legge prevedeva di mettere a regime «l'autonomia scientifica, organizzativa, amministrativa e finanziaria per quanto concerne l'attività istituzionale, con esclusione delle spese per il personale». La sperimentazione nazionale di riforma del sistema amministrativo del nostro patrimonio, che cominciava significativamente da un sito dell'importanza e complessità di Pompei, metteva alla base della nuova politica di gestione la coesistenza ai vertici della Soprintendenza di due figure professionali con competenze e ruoli diversi, il «soprintendente archeologo» e il «direttore amministrativo manager». Le azioni di ammodernamento di tutta la struttura burocratica e gestionale messe in campo grazie a quella riforma non possono essere misconosciute, soprattutto da chi, come me, ha operato spesso sulla scia delle novità elaborate da quella rinnovata *governance*[11]. Ma l'esperienza era destinata a fallire con le dimissioni di Gherpelli, anche se continuata dopo il 2002, con alterne vicende (e diversi *city manager* e commissari), fino al 2010. Nonostante l'autonomia, l'impossibilità di cooptare personale in base alle esigenze (l'autonomia si fermava, come ancora oggi, al personale, assunto sempre direttamente a livello centrale) ha reso in parte inefficace la benemerita sperimentazione cominciata da Pompei[12].

Nel clima concitato e nella – ormai avvertita come impellente – necessità di intervenire, maturava, tra alterne vicende e impegni di diversi Ministeri (e connesse società *in house*, come Invitalia e Ales) e realtà istituzionali, il Grande Progetto Pompei, intrapreso nel 2012 ma entrato nel vivo delle attività soprattutto tra il 2014 e il 2018, grazie a una nuova legge, il decreto «Valore cultura»[13], e all'impegno di due ministri, Massimo Bray e Dario Franceschini.

Un significativo cambio di *governance*, intervenuto con l'applicazione della legge, ha portato il generale dei Carabinieri Giovanni

Nistri a operare nella città vesuviana, in qualità di direttore generale del GPP, affiancato da chi scrive, come «soprintendente speciale». Osteggiato e criticato da più parti nei primi anni (un po' per pregiudizio, un po' perché assimilato, ingiustificatamente, ai precedenti commissariamenti, realtà diversissime sotto ogni profilo)[14], il Grande Progetto ha messo in campo forze e competenze qualificate, animate da un obiettivo comune, quello di far bene e fare presto: i finanziamenti europei hanno una scadenza e non si possono perdere[15]!

Il nuovo processo messo in atto dal legislatore nel 2013 richiama per larghezza di vedute e approccio complessivo quel momento felice di gestione autonoma sperimentato nel 1997, ma con una serie di cambiamenti, necessari, se si considera il tempo passato da quella prima sperimentazione. E soprattutto, se si considera la situazione speciale che si era venuta a creare con lo stanziamento di un grosso finanziamento europeo di 105 milioni di euro che, si era compreso ben presto, si rischiava di perdere, senza un radicale intervento legislativo che permettesse, in tempi rapidi, l'arrivo di una nuova task force da affiancare alla soprintendenza[16]. Nonostante l'arrivo nel 2012 di venti giovani nuovi funzionari, archeologi e architetti, l'organico pompeiano era ancora incapace di prendere sulle proprie spalle l'intera sfida di una così ambiziosa missione. In quegli anni la situazione era critica anche per lo scarso convincimento dei pochi funzionari in organico nel voler affrontare il percorso tumultuoso che prevedeva la spesa di ben 105 milioni di euro (con tutto quello che significa, dal completamento dei progetti alla preparazione di bandi, alle gare, alle verifiche e infine alla realizzazione dei lavori!). I nuovi funzionari, preparati e motivati, allora non avevano ancora ruoli di responsabilità, andavano coordinati e soprattutto ben utilizzati nelle loro specifiche competenze, in modo da sopperire al vuoto di capacità organizzative determinato da una soprintendenza per troppi anni depauperata di personale e priva ancora di tutte quelle competenze necessarie ad affrontare la sfida di «salvare Pompei»[17].

La legge «Valore cultura» si poneva dunque come scopo, più che una riforma complessiva delle capacità gestionali della soprintendenza, un obiettivo a breve scadenza: utilizzare bene e presto l'occasione del finanziamento europeo, che rischiava di trasformarsi in un altro boomerang, per Pompei e per l'immagine dell'Italia, rimandando invece a un secondo tempo le modalità del ritorno all'ordinario, e dunque la messa a punto della sostenibilità di tutto il processo. Infatti il rafforzamento di personale esterno e la nuova struttura di supporto erano destinati a chiudersi con la fine del Progetto, o meglio a confluire in via teorica (già, ma come?), nei quadri della soprintendenza. Nonostante non fosse un programma di riforma complessivo della soprintendenza autonoma, era chiaro fin dal principio (soprattutto a chi come noi ci lavorava dall'interno) che poteva innescare un meccanismo virtuoso di cambiamento e ripensamento di tutta la struttura[18].

Certo, anche in questo caso si poteva fare meglio: molti aspetti della legge non sono mai andati a regime, gran parte del personale più brillante, poi, a cominciare dall'ottima squadra di carabinieri arrivata col generale Nistri, è andata via dopo il primo triennio, per riprendere la propria carriera nell'Arma, lasciando un significativo vuoto in seguito non colmato da figure altrettanto competenti. Si poteva, ad esempio, a conclusione del progetto, pensare di trasformare la struttura di supporto e la doppia dirigenza (interna, il soprintendente, ed esterna, il direttore generale di progetto) in un organismo permanente della soprintendenza (ora Parco Archeologico). Tornare quindi a quella gestione sperimentata nel 1997, con due figure di comando al vertice dell'istituzione, che operassero entrambe dall'interno, una con competenze tecnico-scientifiche, l'altra gestionali-amministrative. Non è andata così.

Penso tuttavia che oggi si possa affermare con vigore che con il Grande Progetto si sono intrapresi interventi e attività di grande respiro, fondamentali per la conservazione e la salvaguardia di Pompei, risolvendo molti dei problemi mai affrontati in passato, mettendo in sicurezza tutta l'area archeologica, restaurando e riaprendo intere zone, edifici e strade negati al pubblico da troppo tempo. E infine – *last but not least* – intraprendendo un progetto sperimentale di manutenzione programmata, la grande assente dallo scenario pompeiano.

Tale attività era ormai non più procrastinabile, una volta che con il Grande Progetto si era raggiunto un livello accettabile di sicurezza diffusa e diminuito sensibilmente il rischio di perdita della materialità pompeiana[19]. La manutenzione, soprattutto quella preventiva, permette ora di tenere sotto controllo le inevitabili azioni degenerative imposte dall'ambiente non solo sulle rovine, ma anche sui nuovi materiali utilizzati nel restauro (tra le strutture più pericolose in assoluto ci sono proprio le moderne coperture in calcestruzzo armato, messe in opera a partire dal dopoguerra e un tempo immaginate «eterne», ma invece ampiamente soggette al degrado).

Il degrado è una realtà fisiologica in una città di rovine, e in particolare a Pompei presenta livelli elevati di criticità: le tecniche costruttive delle architetture antiche presentano già in sé una strutturale fragilità (si pensi ai danni causati non solo dall'eruzione, ma già dal precedente terremoto del 62 d.C.), acuita qui dalla sopravvivenza straordinaria di superfici decorate pavimentali e parietali. Un connubio di fragilità non reversibile, che non trova confronti in nessun'altra realtà archeologica, tanto più se si considera l'estensione dell'area scavata (44 ettari) e l'entità della pressione antropica (che ha raggiunto quasi quattro milioni di presenze annue).

Il raggiungimento di uno stato di conservazione ideale o di un risanamento definitivo è una prospettiva credo non realizzabile, nella piena consapevolezza dell'impossibilità di arrestare completamente il degrado. La sola strada percorribile è quella di gestire le condizioni di fragilità e di cronicità del sito. L'obiettivo è contenere l'avanzamento del degrado, minimizzando le inevitabili perdite, attraverso azioni manutentive la cui efficacia dipende in gran parte dalla qualità dei controlli e delle cure che si riusciranno a garantire con continuità[20].

Dunque, possiamo sostenere senza falsa modestia che il Grande Progetto è stato un successo. Questa non è certo una mia opinione, una visione parziale «dall'interno», la quale da sola potrebbe apparire interessata: tale risultato è stato sottolineato diffusamente dalla stampa e dai media a più riprese negli ultimi anni; e poi dalla stessa Comunità Europea, nella persona del commissario europeo per le politiche regionali, Corina Cretu, che in visita a Pompei il 9 febbraio 2017 ha affermato, senza mezzi termini: «Pompei è un esempio per l'Europa. Siatene fieri»[21]. Una frase che riempie di orgoglio chi ha lavorato con passione al Progetto e che fa eco, enfatizzandolo, all'esito largamente positivo dell'ultimo report della commissione di ispettori Unesco che in un punto dichiarano: «Finalmente a Pompei, non più parole, ma fatti!».

Progetti di largo respiro, estesi in maniera sistematica all'intera città, hanno del resto trasformato radicalmente Pompei, la sua immagine e la sua materialità, mettendo in sicurezza l'intero comprensorio ed eliminando al contempo quel degrado diffuso (e la conseguente immagine di precarietà), denunciato da più parti già nel primo decennio del nuovo millennio e poi con sempre più forza dopo il 2010.

Ma quanto messo in campo con il Grande Progetto non è stato solo messa in sicurezza e avvio della manutenzione. Un ambizioso programma generale, articolato in sei piani (sicurezza, opere, conoscenza, *capacity building*, comunicazione, fruizione), ha interessato tutti gli aspetti cruciali che un sito come Pompei presenta[22]. Da un lato, dunque, messa in sicurezza totale dell'area archeologica, restauri complessivi di trenta *domus* e edifici, con le loro architetture, mosaici, affreschi e stucchi, scelte tra quelle più rilevanti e in peggiore stato di conservazione; ma anche la gestione dell'assetto idrogeologico del sito e la stabilizzazione dei pendii dell'area non scavata. Dall'altro un'attenzione particolare alla sua fruizione, all'archeologia pubblica, con l'elaborazione di nuovi percorsi, tra cui uno per persone diversabili, e la definizione di sistemi di comunicazione e divulgazione. In particolare un ambizioso Piano della Conoscenza, un enorme archivio informatico che è diventato lo strumento fondamentale – tecnologicamente molto avanzato – per la documentazione e il monitoraggio sistematico e continuo del sito. Il progetto ha previsto puntuali visite ispettive da parte di squadre interdisciplinari di archeologi, architetti, restauratori, ingegneri strutturisti. È stata così realizzata una precisa e completa schedatura del degrado su tutta la città antica, e ogni elemento del costruito è stato documentato con una fotografia ortorettificata (sulla quale si mappano, in formato vettoriale, i vari elementi relativi allo stato di conservazione quantificabile in termini di referenziazione geografica ed estensione metrica), nonché con droni e con rilievi al laser scanner. Sono stati così rilevati mq 707.021,8206 = 70 ettari; schedate e fotografate 31.931 superfici; fatte visite ispettive su 1457 unità catastali (case, edifici pubblici, botteghe).

Tale Progetto è strettamente legato a un nuovo sistema informativo, un Web GIS appositamente creato nel quale confluiscono tutti i dati (relativi a monitoraggio e conservazione, ma anche dati scientifici e di archivio, nonché quelli che saranno prodotti in futuro). Finora i monumenti di Pompei disponevano di un rilievo complessivo in una scala 1:500, troppo alta per registrare ogni dettaglio. Si è così realizzato un rilievo 1:50, che consente di mappare con una precisione dieci volte più alta tutti gli elementi di degrado (lacune, lesioni, fuori piombo dei muri) e di rilevare la presenza o meno d'intonaco sulle pareti, le tecniche murarie in sezione, le pareti, i pavimenti, le coperture, gli arredi fissi (banconi, *impluvia*, vasche, scale). Inoltre si sta perseguendo una politica di Open Data, che riguarda l'accessibilità ai dati che dovranno essere messi a disposizione del pubblico, in concordanza con la normativa di settore. Pompei finalmente aperta a tutti!

Questo intervento così ambizioso e carico di responsabilità, che mi ha occupato intensamente nell'ultimo lustro, insieme a un team di validi collaboratori, è stato portato avanti mettendo a fuoco le strategie d'intervento, grazie alla valorizzazione delle molte competenze professionali, a cominciare da quella di chi scrive, acquisita nella lunga carriera di archeologo al servizio dello Stato, tra università e uffici periferici del Mibact. Nelle dinamiche organizzative il mio operato è stato declinato, nel bene e nel male, attraverso un'ineludibile dimensione emotiva, come è inevitabile che sia. Una dimensione, questa, da comprendere e apprezzare al meglio, ché non può essere trascurata in un lavoro che richiede innanzitutto passione, con cui dar fuoco all'esplosione di competenze. Senza passione, nel senso di emotività immaginifica, creatività, capacità di operare su più piani e con più prospettive, anche le più comprovate competenze e conoscenze possono inaridire o comunque non centrare l'obiettivo più importante. Come accade nei sistemi di relazione, che s'intrecciano nel fluire degli accadimenti; come accade in tutti gli eventi che portano le relazioni interpersonali a scandire la nostra vita quotidiana e il nostro lavoro, spesso le sfide più difficili riguardano i rapporti umani con i vari protagonisti delle azioni intraprese. Così è stato per Pompei, in ognuna delle opere messe in campo. Ogni progetto, il restauro di una *domus*, la creazione di un percorso per diversamente abili, la messa in sicurezza di un settore della città antica, il riallestimento di un deposito di materiali archeologici: tutto è fatto di uomini e donne che si rapportano con la missione posta dalla realizzazione del progetto stesso, con la maggiore o minore consapevolezza delle proprie capacità professionali o di come farle emergere e utilizzarle nella risoluzione dei problemi. Donne e uomini che si rapportano tra loro, che pensano, discutono, condividono, con i propri caratteri, con la loro non sempre omogenea formazione e preparazione, con la propria capacità più o meno sviluppata di lavorare in una squadra interdisciplinare.

Il Grande Progetto è stato una palestra straordinaria per valorizzare – al fine di chiudere al meglio ogni capitolo, con tutte le difficoltà che l'intervento sul patrimonio fa emergere – il lavoro in team, l'approccio interdisciplinare. Con Giovanni Nistri, sin dall'inizio dell'opera, si era consapevoli della necessità di definire gruppi di lavoro efficaci che comprendessero al loro interno tutte le competenze disciplinari, operando in modo che la squadra lavorasse incrociando le competenze e non per compartimenti stagni. Come invece spesso accadeva in passato, con gli archeologi impegnati in progetti di scavi e ricerche, gli architetti in attività di conservazione delle strutture, i restauratori in attività di restauro degli apparati decorativi, senza un vero e proprio dialogo. Ogni progetto di questi anni ha invece inglobato, oltre al responsabile del procedimento e al direttore dei lavori (architetti, archeologi, restauratori a seconda dei progetti), un team di esperti come direttori operativi, che annoveravano tutte le figure necessarie: oltre a quelle già menzionate, ingegneri, geometri, ragionieri, e ancora geologi, informatici, comunicatori. E questa è stata una rivoluzione, se si considerano i risultati, ma ha comportato anche una maggiore complessità nella gestione di ogni progetto e dei rapporti interpersonali e con le ditte vincitrici di appalto. Complessità che non ha spaventato e non deve spaventare, trattandosi della cifra di ogni progetto seriamente condotto[23].

Con qualcuno dei collaboratori si è, a un certo punto del percorso, instaurato un senso di maggiore condivisione umana e professionale, e di consonanza di obiettivi. Con altri il rapporto è stato più difficile, altalenante, per una diversità di fondo o forse per diffidenze congenite. Credo sia naturale, ma ho la presunzione – mi sia concessa – di pensare di non essermi lasciato influenzare da aspetti caratteriali o da simpatie umane nel distribuire compiti, ruoli, responsabilità. Nel cercare di valorizzare le competenze di ognuno. Nello spronare i responsabili dei progetti, a volte ruvidamente, con l'obiettivo di risolvere intoppi e sbloccare percorsi in difficoltà. Certo, se si considera che il Grande Progetto ha significato anche coordinare contemporaneamente 50 progetti e appalti diversi, e dunque entrare in relazione, per ogni contesto, con decine e decine di persone, con ruoli e responsabilità diverse, sono convinto di aver commesso errori, di valutazione e comportamentali, forse di tatto. Richiamo innanzitutto su me stesso l'insegnamento terenziano, così radicato nella nostra cultura occidentale: «*Homo sum, humani nihil a me alienum puto*». Eppure alla fine posso dire di essere contento di come sia andato tutto il progetto a Pompei, e sono lieto che con molti del team si sia creato un clima di reciproco apprezzamento e fiducia. E, perché no, qualche amicizia! A cominciare da Giovanni Nistri, a cui attribuisco, con stima e affetto, i veri meriti del successo di tutta l'impresa. Senza di lui, senza le sue capacità organizzative, il suo rigore morale, il suo senso elevato dello Stato, non ci sarebbe stato un epilogo positivo. Lo dico con solida sicurezza.

Dopo la digressione personale, che spero mi si perdonerà – necessaria soprattutto per sottolineare i meriti che non sono certo ascrivibili solo al sottoscritto –, torniamo al Grande Progetto e alle connesse strategie. Per ribadire che un piano così ambizioso di lavori non poteva che essere definito con il confronto sistematico con tutto il personale impegnato, e al contempo per sottolineare che non poteva essere portato avanti senza un rapporto puntuale e costante con i personaggi del passato, con quanto già fatto da coloro che avevano operato prima. In particolare alcune figure di soprintendenti, veri giganti, sulle cui spalle sediamo!

La straordinaria vicenda della «seconda vita» della città c'impone – ragionando della gestione di un sito che ha segnato l'avvio della ricerca archeologica europea e di conseguenza della conservazione di un parco archeologico[24] – di confrontarci con la visione e le strategie dei soprintendenti precedenti, in modo da poter elaborare una sintesi nuova, ricca di tutti gli insegnamenti che la storia degli scavi ci offre. Ed è veramente straordinario poter confrontare i problemi del presente con quelli del passato, far luce su situazioni attuali, grazie alla conoscenza approfondita di quanto è stato fatto. Ed è anche per questo che uno dei progetti importanti del nuovo impegno su Pompei ha previsto la digitalizzazione degli archivi, realizzata al momento per quanto concerne l'archivio fotografico (decine di migliaia di lastre, negativi, diapositive, ecc. datate fra tardo Ottocento e oggi) e quello cartaceo dei diari di scavo[25].

Rispetto a questo necessario percorso di confronto con le figure del passato, riportato in questa sede in maniera del tutto selettiva, non si può prescindere dalla già citata figura che s'insedia al vertice dell'istituzione al momento dell'Unità d'Italia, Giuseppe Fiorelli. Un grande innovatore cui si deve il primo sistematico riordino dell'area scavata e della sua documentazione[26]. Tra le vicende legate alla riscoperta e alla gestione del patrimonio pompeiano, l'esperienza di Fiorelli (soprintendente tra il 1863 e il 1875) riveste un ruolo chiave per la straordinaria attività di modernizzazione in tutti gli aspetti connessi al sito archeologico, dalla ricerca alla tutela, alla fruizione. Non è un caso che con lui la città vesuviana diventi un parco archeologico, recintato e accessibile liberamente tramite un biglietto[27]; gli scavi vengano razionalizzati grazie alla messa a punto di un metodo scientifico d'indagine, ben più rigoroso e consapevole che in passato; quanto scoperto sia oggetto per la prima volta di una sistematizzazione, a cominciare dal nuovo «accatastamento» che individua e numera *regiones*, *insulae* e singoli edifici (Fig. 1). Giuseppe Fiorelli imprime una nuova immagine alle rovine di Pompei, destinata a condizionarne la sua seconda vita sino a oggi[28].

> Non solo non si scopriva più niente a Pompei, ma non si conservavano nemmeno i monumenti scoperti. Il re Ferdinando ritenne ben presto che i venticinquemila franchi destinati agli scavi erano male impiegati; li ridusse a diecimila, soldi questi che si sgranavano strada facendo, passando per più mani. Pompei s'inabissava poco a poco, non offrendo più che rovine delle rovine. Appena insediato, il governo italiano, in seguito alle vicende del 1860, nominò ispettore degli scavi Monsieur Fiorelli, che è l'intelligenza e l'operosità fatta persona (senza niente aggiungere della sua erudizione, comprovata da numerosi scritti). Sotto la sua amministrazione, i lavori vigorosamente ripresi hanno impiegato fino a settecento lavoranti per volta che hanno dissotterrato, in tre anni, più tesori di quanti se ne erano trovati nei trenta anni precedenti. Tutto è stato riformato, moralizzato nella città morta[29].

Così scrive lo scrittore svizzero Marc Monnier nella sua guida *Pompei e i pompeiani*, edita nel 1864, dipingendo con tratti quasi eroici le opere del soprintendente Fiorelli, segnalandone tutti gli aspetti di novità introdotti: scavi sistematici, conservazione delle rovine, gestione del sito e delle risorse umane; riforme e «moralizzazione». S'intravedono in queste poche parole, scritte per celebrare l'opera di un uomo, tutti i problemi e le vicende salienti che hanno caratterizzato e caratterizzano ancora oggi la storia della seconda vita di Pompei, o almeno di certi momenti topici.

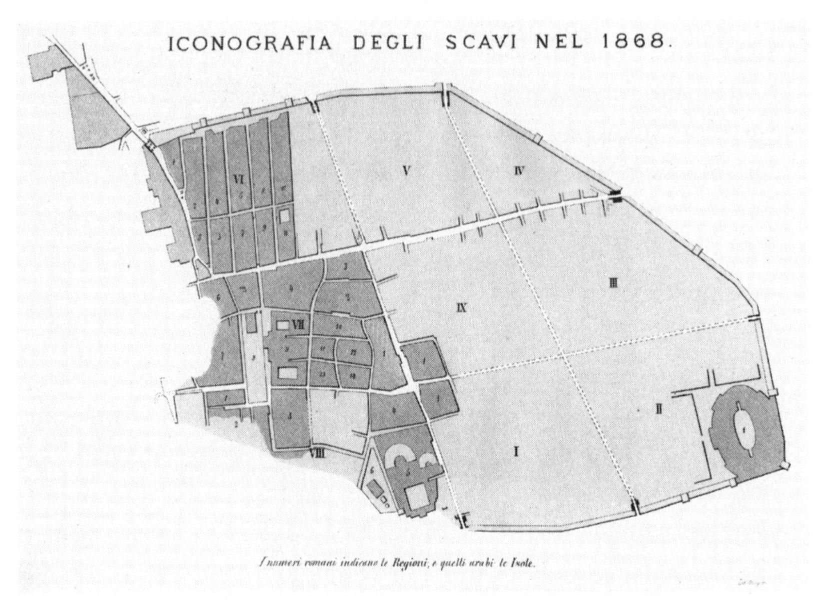

Fig. 1 Pianta delle aree scavate di Pompei all'epoca di Giuseppe Fiorelli (Archivio PAP)

Non ci sorprende una descrizione così celebrativa: gli aspetti segnalati dallo svizzero emergono del resto da numerose testimonianze dell'epoca, oltre che dagli scritti stessi del soprintendente. Heinrich Brunn, dell'Instituto di Corrispondenza Archeologica, la prestigiosa istituzione tedesca di Roma, dopo una visita a Pompei scrive:

> Gli scavi di Pompei, non mai interrotti, negli ultimi due anni sono stati promossi con zelo ravvivato e con forze e mezzi notabilmente accresciuti; né di conseguenza mancarono risultati felicissimi [...] arrivati a Pompei riceviamo già all'ingresso un'impressione favorevole dallo stretto e severo ordine introdotto per cura dell'attuale ispettore degli scavi, il sig. Giuseppe Fiorelli [...] Quattro o cinquecento tra uomini e donne stanno occupati a levar quel velo, col quale le ceneri del Vesuvio hanno coperto l'infelice città. Una strada ferrata serve non solamente per agevolare e affrettar il trasporto delle terre fuori dal recinto

delle mura, ma porta l'utile, che l'interno di Pompei non vien più in nessun modo ingombrato dai lavori dell'escavazione. Ma non basta, che siano accresciute le forze: si è di più cambiato ed essenzialmente migliorato il metodo di scavi. Il sistema antico si era, di scavar prima le strade e di penetrar dal piano di esse nelle case, progredendo da camera a camera; onde conseguiva che le parti superiori delle mura, che più avevano sofferto, facilmente crollavano. Ora tutto all'opposto gli scavi procedono verticalmente, e mentre si leva la terra dal di sopra, vien dato agio di assicurar quelle parti delle mura, che si riconoscono danneggiate[30].

La biografia di Fiorelli presenta del resto tratti di un inconsueto attivismo, anche politico, che gli hanno conferito nel tempo uno statuto di gigante dell'archeologia pompeiana, e non solo (a lui fu affidata la neoistituita direzione generale alle Antichità del Regno d'Italia nel 1875). Come quando, ispettore degli scavi pompeiani, fu addirittura imprigionato, a seguito della sua partecipazione ai Moti del 1848. In quell'occasione aveva trasformato il manipolo di venti custodi pompeiani in una piccola armata, come ricorda lui stesso nei suoi scritti:

I custodi delle rovine di Pompei, usati a vivere taciturni tra gli squallidi avanzi di un popolo che da 18 secoli è scomparso dalla terra, hanno ivi giurato fedeltà al Re e alla costituzione con un grido che rimbombando fra queste solitudini troverà un'eco nel cuore di tutti gli italiani, della cui antica gloria, potere e indipendenza qui gelosamente conserviamo molte sacre reliquie[31] [...].

L'inestricabile intreccio tra scoperta dell'antico e attivismo del presente! Pompei sempre sospesa tra ricerca archeologica e politica.

La tempra culturale e politica del Fiorelli, la sua visione della tutela, emergono già negli anni giovanili, come da quella straordinaria proposta di «Legge organica del Real Museo e degli Scavi di antichità» da lui redatta con Raffaele D'Ambra, in qualità di membro della commissione «di dotti e di artisti egregi», istituita con regio decreto l'8 maggio 1848 con il compito di avviare «riordinamento e riforme nel Real Museo Borbonico e negli scavamenti di antichità del Regno». Nel testo, purtroppo mai entrato in vigore a causa del mutato clima politico (nel quale naufragheranno per un altro quindicennio i sogni di riforma e trasformazione degli scavi di Pompei), si ribadisce la necessità di dare avvio a una nuova gestione coordinata dell'area archeologica, ponendo l'accento sui molteplici aspetti che contraddistinguono la vita di un sito tanto complesso, dal ruolo e dalla funzione dei custodi, dai depositi alla custodia dei reperti, dallo scavo alla manutenzione e al restauro.

Si ribadisce inoltre l'importanza di unire formazione, insegnamento e gestione degli scavi, superando lo stallo determinato dal potere dell'Accademia Ercolanese, un circolo di eruditi non sempre adeguati al ruolo: le pubblicazioni varate dal consiglio di soprintendenza, come le antichità tutte, andavano liberalizzate, rese accessibili e riproducibili. Il ruolo dell'architetto direttore – una figura incarnata spesso da personalità discutibili, se non corrotte – era drasticamente ridimensionato a favore dell'ispettore archeologo; si riformava il ruolo dei soprastanti, da nominare a turno, per evitare corruzione, e da assumere tramite concorso; s'istituiva un archivio dei disegni presso la soprintendenza. Ma soprattutto si dava ordine e metodo agli scavi: gli articoli 163 e 164 sono un vero e proprio documento programmatico con cui indirizzare le indagini: «I nuovi scavi dovranno essere fatti in prosieguo degli antichi, né questi saranno intralasciati se prima non verrà tutto discoperto quello che erasi già cominciato a scavare». «Al primo vestigio di edifizio si farà opera di scoprire le strade da cui può essere cinto; onde le città antiche dovranno essere dissotterrate per isole». E ancora si porta l'attenzione ai restauri: in base all'articolo 194 «sarà cura speciale dell'architetto perché il motivo dei ruderi non sia deturpato con improprio aggiustamento dei ruderi».

Dal disegno di legge mai attuato, come da tutto l'operato del soprintendente, emerge evidente la modernità del suo pensiero, l'attenzione ai temi della fruizione e della valorizzazione: mentre si preconizzava l'apertura liberale degli scavi, allora visitabili solo su autorizzazione, e si pensava già a un «museo pompeiano» (entrambi i progetti saranno realizzati, una volta che Fiorelli sarà divenuto soprintendente), negli articoli 205-206 si leggono idee all'avanguardia relative al piano della fruizione:

> In Pompei sarà compiutamente restaurata una casa, le cui dipinture saranno fatte dai disegnatori del luogo. Si rimetteranno al loro posto gli oggetti rinvenuti e se vi si trovarono ossa ne ricomporranno gli scheletri. Questa casa sarà mostrata come modello di un edificio pompeiano [...]. Quando la Sopraintendenza stimerà di poter fare tale restauro, perché l'opera riesca di maggior perfezione inviterà gli artisti ad un concorso per la presentazione dei disegni [...].

Linee strategiche e programmatiche all'alba di una nuova era per l'Italia e per gli scavi vesuviani: una volta rinominato ispettore degli scavi di Pompei, mutato il clima politico nel 1860, e poi soprattutto nel 1863, con la morte del principe di San Giorgio, soprintendente agli scavi e direttore del Museo Nazionale, Fiorelli riprenderà quel percorso interrotto nel 1848. Nel quindicennio pompeiano, metterà in campo con grande fervore una straordinaria serie di attività, di scavi, ricerche, pubblicazioni, dando attuazione alla sua politica culturale, già presente in nuce nella mai attuata legge organica del 1848 (Fig. 2).

Ma Giuseppe Fiorelli viene ricordato ancora oggi soprattutto come l'inventore – ne abbiamo discusso nel capitolo che precede questa appendice – di quel metodo originale per ottenere calchi in gesso delle vittime. L'archeologo tedesco Brunn così presenta la straordinaria realizzazione:

> alla stessa accortezza nella direzione degli scavi è dovuta un'altra scoperta, che importante già adesso promette de' risultati anche maggiori in avvenire. È noto, che il terreno, sotto al quale è sepolta Pompei, si compone in parte di ceneri, che lanciate dal

> Vesuvio frammischiate con acqua sono poi giunte alla durezza d'un tufo dolce, ond'è accaduto che corpi vegetali ed animali soggetti a putrefazione, dopo essere caduti in polvere, hanno lasciato l'impronta della loro forma in quelle ceneri stesse. Fatta quest'osservazione già alcuni anni indietro si fece l'esperimento ben riuscito di formare in gesso sopra tali impronte alcune porte di legno e chiusure di botteghe [...] Nell'inverno passato però si è fatto il grande progresso di formar collo stesso metodo i corpi di uomini sepolti sotto le ceneri nel momento della fatale catastrofe [...] chiaramente comparisce tutta la giacitura de' corpi, ed è commovente il veder p.e. una donna morta nella medesima posizione, nella quale giusta la relazione del suo nipote morì Plinio il seniore, chiaramente poi sono espresse le forme compatte, il petto, le cosce, le gambe, le braccia; meno pure sogliono mostrarsi le forme più tenere della faccia[32] [...]

Una poliedrica attività, quella di Fiorelli, che ha concepito scavo, restauro, gestione e formazione come un tutt'uno, mettendo a frutto la secolare esperienza pompeiana, con i suoi errori di percorso e i suoi aspetti positivi che certo non erano mancati alla gestione borbonica né a quella del decennio francese. Un pensiero, come dicevamo, assai attuale, soprattutto se letto alla luce delle esperienze di questi anni più recenti che hanno visto attuarsi lo straordinario sforzo del Grande Progetto Pompei. Oggi più che mai si avverte la necessità di focalizzare di nuovo l'attenzione, tanto degli addetti ai lavori quanto del più vasto pubblico, sulla prospettiva di una Pompei non già solo cantiere di restauri e opere pubbliche, ma straordinario laboratorio, fabbrica di conoscenze attraverso la ricerca, la conservazione e la valorizzazione di un sito archeologico su scala urbana. L'attenzione internazionale, già viva ai tempi di Fiorelli, come del resto l'interesse del grande pubblico, le sfide che un sito complesso come Pompei lancia nel campo del recupero, della conservazione, della fruizione e della valorizzazione, fanno di questo luogo il contesto ideale per sperimentare e concepire nuove forme di gestione e formazione.

Fig. 2 Il fronte meridionale di Pompei viene liberato dai cumuli degli sterri borbonici negli scavi di A. Maiuri (Archivio PAP).

Dopo Giuseppe Fiorelli toccherà in particolare ad Amedeo Maiuri (1924-1961) il compito di rivoluzionare immagine e gestione del sito: si apre con lui una nuova era, una nuova Pompei si fa strada[33]. Grazie a scavi estensivi e simultanee attività di restauro, ricostruzione e valorizzazione, il soprintendente ha trasmesso al nostro contemporaneo un'area archeologica rinnovata, molto diversa da quella che aveva ereditato da Vittorio Spinazzola, un altro personaggio di rilievo della vicenda pompeiana (che si era concentrato soprattutto nello scavo e restauro di via dell'Abbondanza)[34]. L'approccio del Maiuri alla conservazione e al restauro, maturato sul campo nel decennale impegno nel Dodecaneso come responsabile della missione italiana, si segnala per il senso etico nella concezione della tutela quale premessa ineludibile per la fruizione e l'uso pubblico del sito.

L'impegno sul campo, retto da grande competenza e professionalità, significa anche per lui un percorso unitario e interrelato, dallo scavo alla fruizione. Rispetto a Fiorelli e al suo programma (tra l'altro non realizzato) di valorizzazione di una *domus* da restaurare completamente e riallestire di tutte le sue suppellettili, con Maiuri si passa all'attuazione sistematica del parziale o totale restauro ricostruttivo. Un senso etico e del dovere di conservare ma allo stesso tempo aprire alla fruizione pubblica lo spinge verso pervasivi interventi di ricostruzione e di messa in opera di coperture, finalizzati anche al riallestimento di ambienti con arredi e manufatti lasciati *in situ*: si restituisce così agli oggetti una biografia, alle architetture volumi, forme e luci della loro antica apparenza. Nell'applicare tale approccio, per la prima volta in maniera sistematica e pervasiva, a un'area di scavo notevolmente ingrandita, il suo operato prosegue e amplia quanto già fatto dal suo predecessore, Vittorio Spinazzola, trattando in maniera interdipendente scavo «stratigrafico»/restauro simultaneo/allestimento per il pubblico uso, ingredienti interrelati di una coerente politica di «accessibilità» al sito[35] (Fig. 3).

In Maiuri, la capacità professionale – declinata, lo ripetiamo, in un infaticabile impegno sul campo – è costantemente accompagnata da un profondo senso di *humanitas*. Le cose, i rapporti umani, la passione per le attività quotidiane, la valorizzazione dell'umanità – tanto della Pompei antica, quanto nella nuova Pompei da lui rivoluzionata –, ecco il centro della sua visione strategica:

> Ma la rinascita di Pompei [...] è fatta anche dalla nuova umanità che è tornata a viverla tutti i giorni; gli artigiani delle officine di conservazione e di restauro e le squadre di nettezza: muratori e carpentieri, assistenti e custodi che riprendono il loro posto di consegna e di custodia [...] Si sono abituati anch'essi a distinguere le differenze delle strutture, a riconoscere nei muri di un'abitazione gli ampliamenti e le amputazioni [...], a fare l'esatta diagnosi della salute malferma di un dipinto, a non considerare la scoperta di un oggetto come fine a se stessa [...] a non dimenticare mai nello scavo il fattore umano e dinanzi agli occhi freschi e all'intelligenza viva dell'artigiano napoletano ho avuto spesso più da apprendere che da insegnare [...] Ho visto

così ricomporre e risorgere dallo sbriciolamento di migliaia di frammenti pareti intere dipinte, volte sfracellate, quadretti figurati di rara finezza [...] e fare le operazioni più spericolate, il raddrizzamento di un muro strapiombante, il sollevamento di una volta sprofondata e fessurata [...] con gli stessi mezzi elementari che avrebbe suggerito Vitruvio: murali, tavole e cunei di buona stagionatura[36].

Questa'ammirazione per l'umile operato degli artigiani attivi nella «sua» Pompei va di pari passo con l'interesse per le donne e gli uomini che ci hanno preceduti, per quei pompeiani vittime della furia distruttrice del Vesuvio. Se conoscenza e tutela, restauro e fruizio-

Fig. 3 Scavi della Regio I promossi da A. Maiuri (Archivio PAP).

ne sono per Maiuri un intreccio inestricabile, maturato nella pratica sul campo, questo intreccio è tenuto insieme, dunque, da una grande passione per l'antico e per l'*humanitas*. Un coinvolgimento che scaturisce da una passione rivolta non solo al passato, ma più in generale diretta verso l'uomo e le sue vicende, verso l'umanità degli antichi e verso l'umanità che ancora resta imprigionata negli oggetti che i pompeiani hanno posseduto, usato, perduto. Un'attenzione *ante litteram* verso la biografia degli oggetti, un ulteriore tratto della sua vicenda professionale per tanti aspetti assai moderna e avanti per i suoi tempi[37].

Nei «nuovi scavi» della Regio I, la ricerca archeologica, il dissep-pellimento di case e strade, si accompagnano immediatamente al restauro e alla ricostruzione filologica, per approdare a una presentazione capace di entrare nell'intimità delle persone travolte dall'eruzione. E ciò accade sia lasciando una selezione di oggetti *in situ*, sia musealizzando calchi e scheletri, di umani e di animali (Fig. 4). Lo scavo porta alla luce agli occhi del Maiuri un contesto ancora palpitante di vita: eliminando i lapilli, a emergere è il racconto di vite perdute, di gesti, azioni, momenti. Il soprintendente una volta compreso o interpretato il contesto (qualche volta, va detto, anche sovrainterpretato), àncora le informazioni da veicolare agli stratagemmi di visita e agli allestimenti museali. Non è raro poi che gli spazi ripristinati e ri-arredati diventino l'oggetto di pagine destinate al grande pubblico nei suoi volumi di alta divulgazione come *Pompei e Ercolano, fra case e abitanti*, o *Vita d'archeologo*[38].

Nella prefazione alla pubblicazione di uno dei contesti di cui andava più fiero, la Casa del Menandro con le sue argenterie, scrive:

> È la prima volta che Pompei ci restituisce in un unico insieme armonico di ricchezza, di gusto e di signorilità un prezioso corredo di argenterie che mirabilmente si inquadrano nell'ambiente, nel colore e nel carattere di una ricca dimora gentilizia; non si poteva dissociarle dalla vita della casa di cui formavano il più prezioso ornamento, senza far perdere loro quello che rappre-

senta spesso nella scoperta di un'opera d'arte e sempre a Pompei, l'elemento cioè vivo ed integratore della visione dell'antico, la percezione e l'intuizione o la semplice immaginazione della personalità umana che è vissuta accanto a quegli oggetti e ne ha goduto come noi, più di noi. Troppe volte noi studiosi e riesumatori della vita antica, o, come non sempre benevolmente ci si chiama, noi archeologi, dimentichiamo o, meglio, riteniamo di dover dimenticare, l'umanità delle cose che siamo chiamati a far rivivere [...] è la rivelazione di un mondo che sopravvive nelle impronte materiali della casa e, spesso, è la rievocazione di un dramma. Con questo spirito e con questa commozione sempre desta a cogliere le minime voci delle cose, bisogna non solo scavare Pompei, ma comprenderla e farla comprendere[39].

Fig. 4 Dopo gli scavi nella casa del Fabbro (Regio I) all'inizio degli anni '30 A. Maiuri conserva in situ gli scheletri rinvenuti (Archivio PAP).

La comprensione di Pompei passa dunque dalla percezione dell'«umanità delle cose» e dalla «commozione» che ci coglie ascoltando «le minime voci delle cose», e dunque dalla «personalità umana che è vissuta accanto agli oggetti», la quale ancora aleggia nel contesto dissepolto (Fig. 5). Di tale approccio, particolarmente vivo in lui tra gli anni '20 e '30, fanno fede proprio le attività intraprese nella Regio I in quegli anni e in particolare nell'insula X. I nuovi scavi erano stati concepiti in continuità con quelli di Vittorio Spinazzola, bruscamente interrotti nel 1923 per le tristi vicende legate al trasferimento di quest'ultimo, che risultava poco gradito dalle forze al potere[40]. Ma come per molti aspetti del rapporto tra i due soprintendenti, continuità significa anche, e da subito, continuità nel cambiamento. Se le indagini sono intese – e comunicate al superiore Ministero, che non gradiva ulteriori scavi dopo l'epopea dello Spinazzola – come completamento del disseppellimento delle parti di case scavate solo in parte, a partire dalla casa dell'efebo, il metodo e l'approccio alla scelta delle aree da scavare si rivela da subito differente:

> Dalla grande arteria della «Via dell'Abbondanza»[...] lo scavo dell'ultimo decennio si è spostato verso le *insulae* del lato meridionale, con il proposito di mettere in luce *insula* per *insula*, metodicamente, tutto il quartiere della *Regione* I [...] Anziché inoltrarsi maggiormente nello scavo dell'arteria stradale [...] *parve più sano criterio quello di riprendere lo scavo sistematico da uno dei lati, isola per isola*, in modo da assicurare non solo la stabilità dei prospetti, ma da conservare altresì la necessaria organicità delle scoperte, e da rendere possibile la visione d'assieme di uno dei più interessanti quartieri della città antica, che le sole facciate degli edifici e lo scavo saltuario delle principali case signorili, non poteva che presentare, di per sé, mutila ed incompleta[41].

Si ritorna dunque in qualche modo all'approccio inaugurato da Giuseppe Fiorelli nel 1860, che in controtendenza con le ricerche di epoca borbonica aveva intrapreso uno scavo sistematico, insula per insula, partendo da quelle della Regio VII e della Regio I, che erano rimaste solo in parte sondate e apparivano come una caotica giustapposizione di aree scavate e accumuli di terra e lapilli provenienti dalle aree adiacenti disseppellite[42]. Sembra quasi che il Maiuri si sia voluto riagganciare al periodo d'oro dell'archeologia pompeiana, richiamando il suo celebre predecessore, che aveva rinnovato e riformato complessivamente il sito archeologico[43]. Ma le conquiste dello Spinazzola non potevano essere ignorate: il nostro si era formato anche con lui, quando era stato ispettore nel 1912 a Napoli[44]. Il metodo dello scavo «stratigrafico» dall'alto verso il basso, che porta attenzione a tutti i frustuli in crollo degli edifici intercettati tra le ceneri del flusso piroclastico e tra i lapilli, in modo da restituirne, con un attento restauro, originaria posizione e solidità statica, è un aspetto che il Maiuri mutua dal suo predecessore[45]. Altrettanto può dirsi per l'interesse verso la musealizzazione *in situ* dei reperti, intesa come

Fig. 5 Scavi in corso nella casa del Fabbro. Tra i lapilli affiorano oggetti conservati in una teca (Archivio PAP).

ricerca della vita quotidiana degli antichi, un aspetto sviluppato dal Maiuri a partire dai contesti e percorsi già elaborati nel secondo decennio del Novecento (sulla scia di qualche intervento pionieristico tardo ottocentesco)[46]. Nella Casa del Menandro il Maiuri va oltre, decidendo di musealizzare non solo parte dell'arredo domestico, ma anche gli scheletri di alcune delle vittime rinvenute: una maniera di concepire la «messa in scena» delle rovine che va ben oltre la semplice rievocazione della vita quotidiana degli antichi[47]:

> Ogni grande casa a Pompei conserva, fra le sue stesse rovine, una parte delle sue vittime; sono a volte quelle dei signori della casa a cui mancò l'animo in quell'estremo frangente di separarsi dall'abitazione prediletta, dalle proprie ricchezze e di lasciarsi trascinare dall'orda cieca dei fuggiaschi verso il mare e i monti di *Stabiae*; a volte sono scheletri e impronte di servi che restarono fedeli ed umili custodi dell'ultima consegna che fu data dal signore fuggitivo; più spesso signori e servi, accomunati dal tragico destino della morte, si confondono insieme e non si distinguono se non per qualche oggetto di ornamento che recavano con sé al momento della catastrofe, e per la particolare ubicazione degli ambienti in cui si rinvennero. *È il dramma umano che sopravvive e sovrasta per un momento ad ogni altra visione d'interesse artistico o antiquario*: il visitatore e lo studioso arrestano l'esame e l'indagine, innanzi alla tragica documentazione di quella che fu una delle più memorabili catastrofi del mondo antico[48].

Le motivazioni che spingono il Maiuri a musealizzare, oltre agli oggetti, i resti umani delle stesse vittime stanno proprio in queste sue parole, dove si concentra il senso ultimo dato da lui alla visita a Pompei. Qui visitatore e studioso si trovano confrontati non solo con un passato ben conservato, che permette di «rievocare» la vita quotidiana degli antichi, ma allo stesso tempo con il «dramma umano, di quella che fu una delle più memorabili catastrofi del mondo antico»[49]. Lo aveva già fatto Vittorio Spinazzola con le vittime recuperate nella Casa del Criptoportico, ma con il Maiuri si va ben oltre, lasciando dove possibile i corpi – scheletri o calchi –, nel posto stesso dove la morte li aveva sorpresi.

Tornando alla sua strategia di fruizione, gli oggetti, dunque, laddove possibile restano *in situ*; non più ammassati nei depositi, rioccupano stanze e ambienti dove possono riprendersi brandelli della propria biografia. E quando i contesti non sono più recuperabili, come spesso per gli scavi più antichi, l'interesse per gli oggetti della vita quotidiana suggerisce al soprintendente nuovi allestimenti, sempre nell'ottica di coinvolgere in maniera diretta i visitatori. In un articolo apparso nel 1933 su un quotidiano, lo stesso Maiuri rievoca il suo approccio:

> Dov'era adunque tutta la pompeiana *supellex*, il vasellame fittile di centinaia di case, scavate prima che con i nuovi criteri dello scavo integrativo, si lasciasse nell'abitazione a cui apparteneva? Era un immenso cumulo, [...] accatastato alla rinfusa nei cosiddetti granai del Foro, in una specie di cortile circondato da pilastri di antiche tettoie. Si è pensato di ricostituire quelle tettoie e di farne quel che anticamente dovevano essere; ma invece di depositi di mercanzie e di erbaggi di un piccolo *forum holitorium*, farne gli *horrea* di tutto il vasellame fittile non più riferibile a case e edifici particolari. Dalla classifica, dall'ordinamento, dalla selezione in tipi e gruppi, n'è venuto un insieme assai più grandioso di quel che la natura stessa del materiale potesse far supporre [...][50].

Concentrarsi sull'uomo e sulle sue vicende significa per lui anche un'inusitata attenzione verso il pubblico al quale si rivolge con guide, volumi di divulgazione, articoli di giornale; tutti testi che rivelano una straordinaria capacità di narrare divulgando, di ricomporre l'antico con un linguaggio adatto a risvegliare l'interesse del grande pubblico e non solo degli addetti ai lavori[51].

Tale approccio alla città si mantiene vivo in Maiuri dai primi anni del suo mandato sino all'immediato dopoguerra, direi fino all'inizio degli anni '50. Dopo il disastroso bombardamento del 1943 e le urgenze degli anni immediatamente successivi, che imponevano restauri e ripristini, l'ultimo decennio del suo impegno pompeiano viene assorbito dai grandi sbancamenti effettuati a ridosso delle mura per liberare dai cumuli dei vecchi scavi i fronti delle belle case del fronte meridionale e dell'*Insula Occidentalis*[52]. Le indagini – stimolate dalle grandi opere pubbliche della Cassa del Mezzogiorno, che necessitavano di terra e lapilli – furono senza dubbio troppo estese, interessando anche la necropoli di Porta Nocera e buona parte della Regio I. Nella foga della ricerca e delle nuove scoperte si andò diluendo quella maniera meditata e integrata di concepire scavo, ricerca, restauro, pubblicazione e valorizzazione[53].

Nelle politiche sviluppatesi nei decenni successivi e in tempi più recenti, all'affievolirsi dell'attività di scavo è corrisposta anche una mancanza d'interesse nel ridefinire spazi e contesti della fruizione. Ciò ha portato all'assenza di un piano complessivamente attuato, volto alla valorizzazione e fruizione del sito: le attività si sono concentrate su altri aspetti della gestione[54], facendo sì che gli allestimenti originari di Maiuri in alcuni casi si fossilizzassero in un eterno presente, divenuto anno dopo anno sempre più polveroso, in altri si trasformassero – per sottrazione o aggiunta – fino a rendere irriconoscibile l'impianto originario. Nel progressivo venir meno dell'interesse per la vita degli oggetti a Pompei, poco alla volta estrapolati dai contesti ricomposti dal Maiuri e ammassati nuovamente nei depositi, spesso con grave perdita dei dati di rinvenimento, le rovine sono tornate vuote e private di quell'«afflato» vitale che il geniale soprintendente aveva voluto restituire. Del resto ben più impellenti problemi si affacciavano nella gestione del sito, a causa del disastroso terremoto del 1980, che aveva inferto un colpo durissimo allo stato di conservazione della città[55].

Lasciamo la Pompei di Amedeo Maiuri e compiamo un balzo in avanti, a concludere questa riflessione sul passato, così utile per capire il presente: è tempo di tornare al nostro oggi, per ribadire la necessità di ripartire dai maestri del passato, per rinnovarne le conquiste adeguandole ai temi e alle necessità del presente.

Il Grande Progetto, che ha interessato, come negli approcci di Fiorelli e Maiuri, in maniera sistematica e diversificata tutta la città, ha trasformato in maniera evidente l'immagine di Pompei. *The quiet riot* ha restituito sicurezza diffusa, eliminando quell'effigie pervasiva di degrado e precarietà che aveva caratterizzato soprattutto l'ultimo decennio. La piccola rivoluzione è merito come dicevamo di un'équipe interdisciplinare di funzionari e professionisti che hanno lavorato fianco a fianco per «salvare» Pompei. Grazie a questo team motivato e preparato, l'impegno sul campo è stato accompagnato da una riflessione metodologica, dalla quale è scaturito un concetto nuovo e sperimentale per quanto concerne la pratica negli interventi di messa in sicurezza e di manutenzione[56].

La necessità di superare l'emergenza nella quale versava il parco archeologico e di fornire una risposta concreta sia ai problemi legati alla conservazione che a quelli relativi alla fruizione e «valorizzazione» hanno ispirato, dunque, la filosofia del Grande Progetto Pompei: un piano generale di misure in grado di migliorare decisamente il livello generale di sicurezza strutturale, nonché i servizi e il piano di fruizione nel complesso.

Il Grande Progetto Pompei è intervenuto «strategicamente», per la prima volta in maniera consapevole, rapida ed efficace sull'intero sito. L'approccio base è stato indirizzato alla risoluzione sistematica e generalizzata delle criticità più evidenti e dei problemi più impellenti: con la messa in sicurezza di tutte le *regiones* è stato possibile restituire alla fruizione 32 ettari dei 44 scavati; mentre si è intervenuti anche nelle aree non scavate, con opere volte a mitigare il rischio idrogeologico dei pianori e la messa in sicurezza dei fronti di scavo; oltre al miglioramento sostanziale dei livelli di accessibilità. Accanto ai progetti di messa in sicurezza di tutto il patrimonio emerso o ancora sepolto, sono stati portati avanti restauri complessivi di singole *domus* o interi complessi edilizi che richiedevano un approccio capillare, e questo anche nell'ottica di una generale valorizzazione dei percorsi di visita all'interno del sito, da ampliare progressivamente, in modo da restituire la sua carica semantica alla dimensione urbana dell'intera città antica.

Il Grande Progetto Pompei ha rappresentato così un laboratorio fondamentale anche per quanto riguarda la conoscenza e la comunicazione della città antica, restituendo informazioni e dati impensabili in una logica d'interventi a carattere puntuale. Grazie all'architettura del Piano della Conoscenza, tutti i dati recuperati, nonché la documentazione sistematica di ogni elemento del palinsesto architettonico della città, entrano progressivamente a far parte di un sistema che consentirà non solo agli addetti ai lavori ma altresì a tutta la comunità scientifica di accedere in maniera semplice e rapida a un patrimonio straordinario di informazioni.

Il Grande Progetto è diventato così lo strumento per trasportare Pompei, uno dei luoghi più celebri del pianeta, nel mondo contemporaneo. Mettendo in campo energie, risorse e tecnologie; trasformando in questo modo – grazie a un impegno corale che ha visto all'opera un team numeroso e multidisciplinare – un luogo tristemente noto, simbolo di degrado e inerzia gestionale, in un esempio di eccellenza e di sperimentazione[57]. La fine del 2019, con la chiusura del Grande Progetto, è anche l'inizio di una nuova era per Pompei.

TAVOLE
FUORI TESTO

Cap. 1 Fig. 6 Vista da Sud-Est del Santuario di Apollo con copia di una statua ellenistica del dio. Apollo aveva un ruolo centrale nelle attività cultuali delle comunità magnogreche, in primis nella città di Cuma, con cui Pompei aveva importanti relazioni in età arcaica.

Cap. 1 Fig. 7 Vista dall'alto del tempio di Atena nell'area del Foro Triangolare, zona sud-ovest della città. Dell'antico tempio (VI secolo a.C.), probabilmente già in rovina al momento dell'eruzione, si conserva la gradinata di accesso e il basamento con resti della cella e delle colonne della peristasi.

Cap. 1 Fig. 8 Dettaglio di una delle terrecotte architettoniche con gronde leonine che decoravano il tempio di Atena in età tardo arcaica (foto L. Spina).

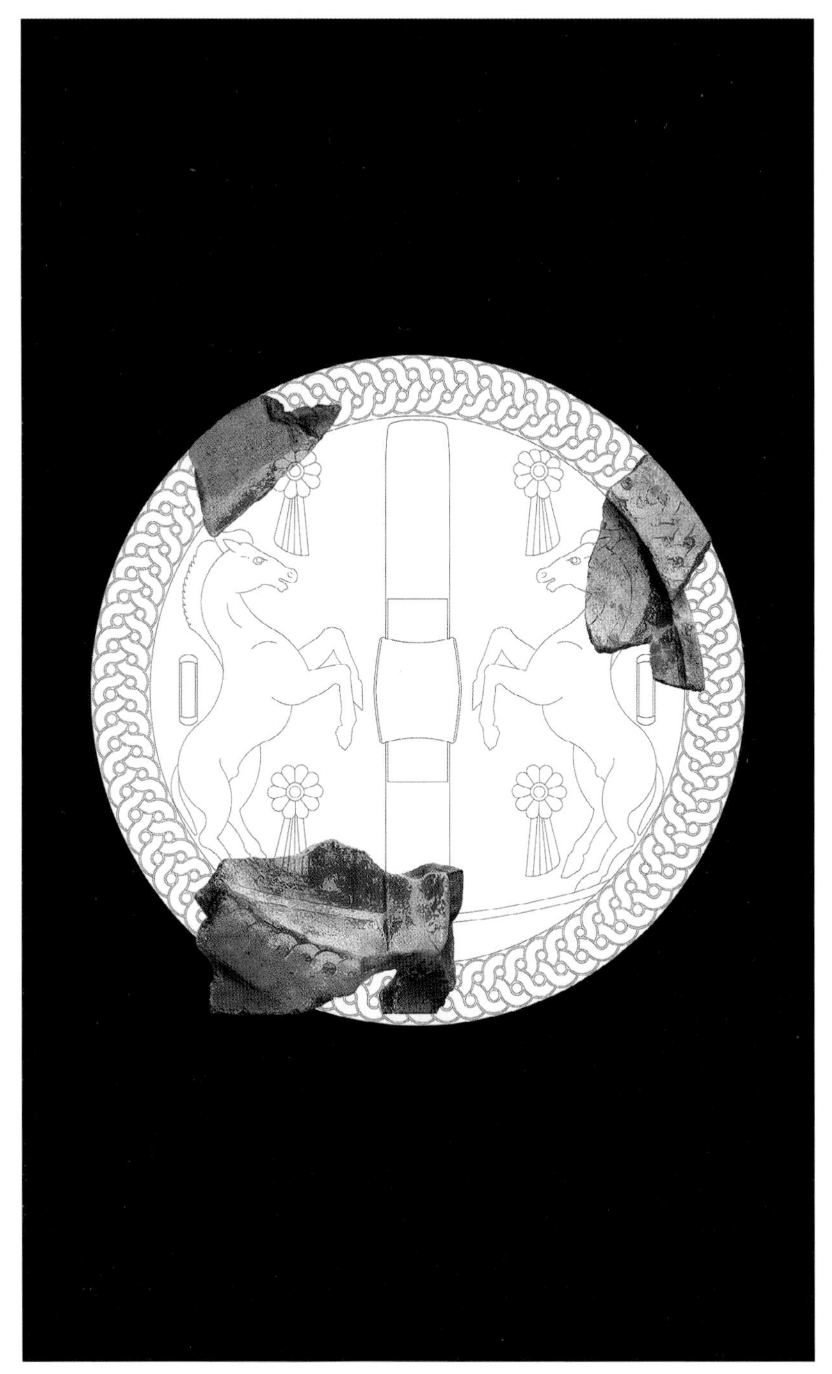

Cap. 1 Fig. 9 Frammenti in terracotta permettono di ricostruire l'immagine di un grande scudo dipinto con due cavalli rampanti, forse attributo di una grande scultura fittile posta a decorare la sommità del tempio di Atena alla fine del VI secolo a.C. (o posta nella cella del tempio come statua di culto?). Atena è spesso, nelle terrecotte votive della fase successiva, rappresentata con lancia e scudo poggiato a terra.

Cap. 1 Fig. 10 Dettaglio di una delle teste di serpente in terracotta dipinta che decoravano le sime rampanti del Tempio di Atena. L'originale creazione delle maestranze all'opera in questo santuario presenta un motivo decorativo, allusione forse al serpente a più teste, l'Idra sconfitta da Eracle, grazie all'appoggio della sua divinità protettrice, Atena (foto L. Spina).

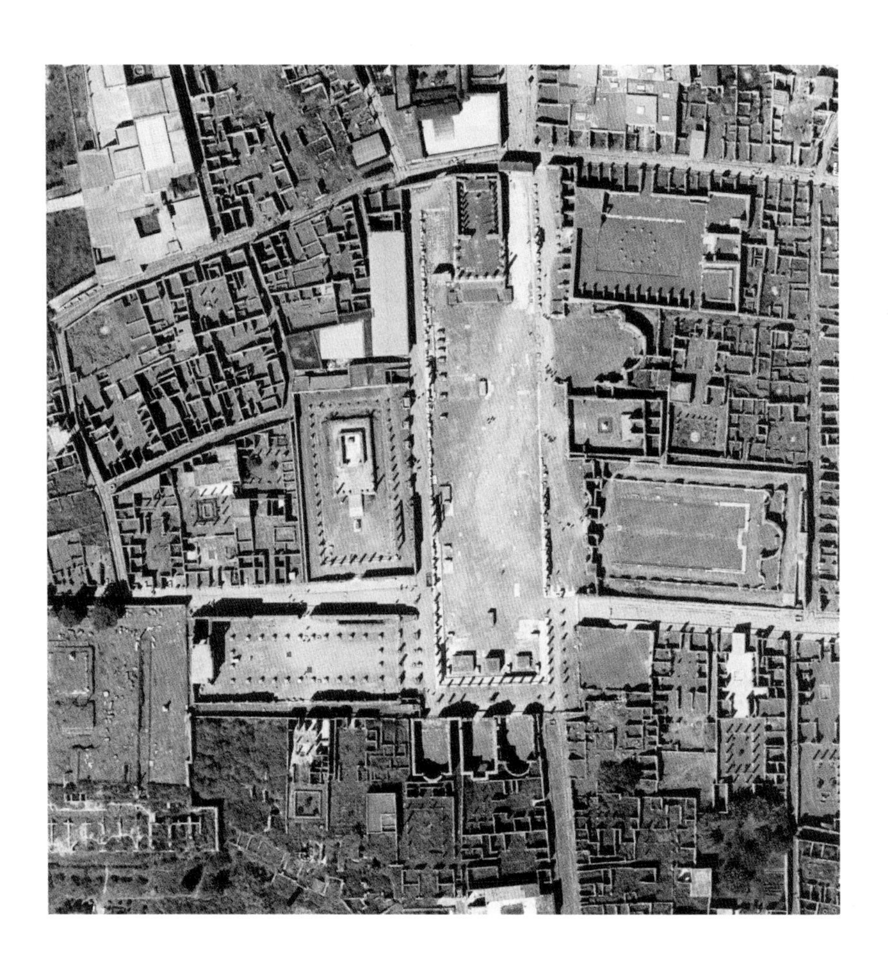

Cap. 1 Fig. 21 Il nuovo assetto urbano del Foro ridefinisce il rapporto tra la piazza pubblica e la città, inserendo il tempio nel nuovo recinto porticato, nonostante le difficoltà create dal diverso orientamento dell'edificio sacro.

Cap. 2 Fig. 15 Vaso da profumo (Lekythos) in frammenti importato da Atene, con rappresentazione di un gruppo di opliti.

Cap. 2 Fig. 16 Tra i votivi di maggior pregio va sicuramente posto lo splendido anello in argento con sigillo in pietra dura, su cui è rappresentato il mito del suicidio di Aiace, uno degli eroi dell'epica omerica. Un dono di tale fattura qualifica l'offerente come un importante membro della comunità, capace di privarsi di un oggetto carico di significato per farne dono alla divinità.

Cap. 3 Fig. 7 Particolare della facciata della Casa di Orione. La decorazione era ottenuta realizzando, sulla parete, un'incorniciatura rettangolare in sottosquadro, che consentiva di creare un effetto a rilievo. Nella parte inferiore della parete si vede ancora la sinopia, le tracce preparatorie disegnate prima dell'applicazione della decorazione.

Cap. 3 tavole fuori testo

Cap. 3 Fig. 11 Vista delle fauces dall'atrio. L'ingresso è caratterizzato da una preziosa decorazione in primo stile con cornice di stucco e pannelli policromi imitanti di lastre marmoree.

Cap. 3 Fig. 16 Un gruppo di ritrovamenti provenienti dall'ambiente 13. Nelle case di Pompei accade spesso di ritrovare materiale ceramico, vitreo, bronzeo, accumulato a terra, in settori della casa temporaneamente adibiti ad aree di deposito. Questa condizione di cantiere aperto, in cui molte delle case si trovano al momento dell'eruzione, è dovuta ai restauri in corso, resisi necessari a seguito delle frequenti scosse di terremoto che precedettero l'eruzione.

Cap. 3 Fig. 19 Atrio della Casa delle Nozze d'Argento, dimora degli Albucii. La ricchezza decorativa degli ambienti e la vastità degli spazi denotano la ricchezza della famiglia.

Cap. 3 Fig. 24 Vista del Cubiculum (11), con decorazione in I stile. Lo schema decorativo si mantiene omogeneo ma cambia la scelta dei colori da utilizzare per la decorazione dei singoli pannelli. I grandi squarci nella parete testimoniano scavi clandestini che hanno preceduto l'inizio degli scavi ufficiali.

Cap. 3 Fig. 32 Il vaso ritrovato nell'ambiente 6 della casa è una pisside, caratterizzata da un coperchio in bronzo e da un corpo ligneo incredibilmente conservatosi. La sua funzione nella stanza era quella di contenitore di essenze profumate.

Cap. 4 Fig. 2a Un dettaglio della corte colonnata della Villa Regina di Boscoreale. In questa realtà extraurbana la vita quotidiana della civiltà contadina di duemila anni fa pare non discostarsi poi così tanto da quelli che furono i modi di produzione e di vita, in uso fino al secolo scorso.

Cap. 4 Fig. 2 b Villa Regina, Boscoreale. Nella corte centrale si dispongono diciotto giare destinate a ospitare il vino appena pressato nel vicino turcularium. I modi di produzione e di conservazione hanno mantenuto, fino a pochi decenni fa, la stessa manualità e familiarità con il ritmo di produzione dell'età antica.

Cap. 4 Fig. 9a Parete est del triclinio (3) della Casa del Giardino. Anche in questo caso, la parte inferiore della parete in IV stile, è articolata da festoni e motivi cosiddetti «a bordi di tappetto»; mentre i pannelli laterali presentano, come elemento riempitivo dello sfondo neutro, un amorino fluttuante. Il diverso impegno profuso in questa stanza è però riconoscibile nel grande pannello centrale, con rappresentazione di un amorino fra Venere e Adone.

Cap. 4 Fig. 9b Parete nord del triclino (3) della Casa del Giardino. Un'altra tipica scelta decorativa del IV stile è quella di apporre, nei grandi pannelli monocromi laterali, dei medaglioni con ritratti; spesso rappresentanti il dominus o la domina oppure i figli della coppia.

Cap. 5 Fig. 7 Sullo sfondo bianco si stagliano le figure di due gladiatori, inseriti nello spazio bidimensionale della parete, attraverso la realizzazione pittorica delle ombre portate. A sinistra il combattente in vantaggio è un mirmillone, a destra invece un trace soccombente.

Cap. 5 Fig. 10 Il thermopolium di Vetutius Placidus su via dell'Abbondanza è uno degli esempi canonici e meglio conservati di tale tipologia di strutture commerciali. Il bancone, rivestito con frammenti di marmo policromo, presenta all'interno i grandi dolia atti a contenere i cibi e le bevande.

Cap. 5 Fig. 11 Il thermopolium presenta un tradizionale bancone a L, decorato da semplice cocciopesto nella parte superiore ma vivacemente dipinto sul fronte che affacciava sulla strada. Nel lato lungo è perfettamente conservata una scena mitologica con tiaso marino; su quello breve, una popolare raffigurazione del thermopolium stesso, quasi una fotografia di quanto si sarebbe potuto osservare varcando la soglia nel 79 d.C.

Cap. 6 Fig. 2 Emblema del cubiculum (6) della Casa di Orione. Anche questo pavimento è in cementizio con punteggiato di tessere. All'estremità del pannello figurato si vedono file irregolari di tessere di cotto, che facevano parte della pavimentazione originale da cui proviene il mosaico.

Cap. 6 Fig. 3 La complessa rappresentazione mitica presenta varie figure. In alto un Eros cosmico recante una corona; un Demone alato che con una torcia dà fuoco ai capelli di Orione rappresentato post mortem, come anima (ali di farfalla). Dal manto che avvolge la vita dell'eroe, fuoriesce la parte inferiore del corpo dello scorpione che lo ha ucciso. Il cobra su fondo verde allude alla terra da cui è emerso il ferale animale.

Cap. 7 Fig. 5 La parete Nord del cubiculum della Casa di Leda, in corso di scavo. Dai lapilli affiora il quadretto raffigurante Leda sedotta dal cigno.

Cap. 7 Fig. 6 La raffinata decorazione in quarto stile delle pareti del cubiculum, dall'alto zoccolo in rosso pompeiano, presenta la zona mediana a fondo bianco decorato da pannelli inquadrati da eleganti architetture architetture e racemi vegetali, che inquadrano tabulae figurate.

Cap. 7 Fig. 7 L'ingresso della Casa di Leda è decorato con un affresco raffigurante il dio Priapo intento a pesare il suo fallo su una bilancia. Tutta la scena propone, a chi entrava in casa, beneauguranti allusioni alla fertilità e ricchezza.

Cap. 7 Fig. 8 Nell'ingresso della Casa dei Vettii ritorna un affresco del dio Priapo che ripropone lo stesso schema della Casa di Leda. L'affresco ha riscosso sin dalla scoperta un enorme successo, e ha avuto molta parte nella costruzione della mitografia pompeiana.

Cap. 7 Fig. 10 La decorazione dell'atrio della Casa di Leda propone una classica tripartizione della parete in IV stile dai bei colori vivaci: un pinakes centrale, finti scorci architettonici e figure sospese a mezz'aria nei pannelli laterali.

Cap. 7 Fig. 13 Il quadretto con il mito di Leda e il cigno è emerso dai lapilli con i suoi splendidi colori ancora intatti, una volta completato lo scavo.

Cap. 8 Fig. 6 Il monumento funebre purtroppo è stato parzialmente distrutto nel lato superiore, che ci mostra oggi il nudo strato di cementizio, spoliato dai suoi preziosi calcari e marmi. La parte inferiore invece ha miracolosamente conservato l'epigrafe funeraria e l'articolata struttura quadrata a lati concavi.

Cap. 8 Fig. 8 Particolare dell'iscrizione, lunga più di quattro metri e disposta su ben sette registri narrativi. Si tratta di un particolareggiato racconto delle vicende della vita pubblica di un personaggio dell'élite pompeiana.

Cap. 8 Fig. 10 Rilievo conservato al Museo Archeologico Nazionale di Napoli, rinvenuto a Porta Stabia nel 1843. La famosa rappresentazione di ludi gladiatori venne probabilmente recuperata in seguito ad attività di scavo clandestina, e non fu quindi possibile rintracciare il luogo di ritrovamento.

Cap. 8 Fig. 11 Particolare del rilievo rappresentante i ludi gladiatori.

Cap. 9 Fig. 2 Il Vesuvio visto da Porta Nocera. La forma del vulcano come la conosciamo oggi, caratterizzata dalle due alture del Monte Somma a destra e dal cono del vulcano a sinistra, nacque proprio in seguito ai disastrosi eventi del 79 d.C.

Cap. 9 Fig. 16 L'immagine della tragica fine di uno degli abitanti di Pompei. La parte superiore del corpo sembrava infatti tranciata di netto dal grosso blocco caduto da uno degli edifici circostanti. Il resto dello scheletro è stato però individuato nei livelli sottostanti.

Cap. 9 Fig. 17 Il gruzzolo di monete che il fuggitivo aveva con sé sarebbe stato sufficiente al mantenimento di una famiglia di tre persone per un paio di settimane. Oltre alle monete, però, l'uomo aveva avuto premura di portar via anche la chiave di casa propria. Un oggetto che, nella sua semplicità, ci restituisce tutta la tragedia di chi, ingenuamente, pensava di poter far presto ritorno a casa.

Cap. 10 Fig. 6 L'immagine di un uomo, trovato rannicchiato a terra nella Palestra. Copie di questo e di altri celebri corpi sono state realizzate nel corso del tempo per essere utilizzate nelle numerose attività espositive promosse dal Parco Archeologico.

Cap. 10 Fig. 9 Una delle foto dei calchi realizzate da Giorgio Sommer. Avulsi dal loro contesto di rinvenimento, i corpi erano strategicamente posizionati di fronte al Vesuvio.

Cap. 10 Fig. 11 Una preziosa testimonianza fotografica dall'intero del Museo Pompeiano progettato da Fiorelli e destinato ad accogliere gli oggetti considerati meno preziosi, non valevoli di essere trasportati al Museo di Napoli. Nelle stanze, i calchi si susseguono all'interno di teche vitree, come accade spesso ancora adesso, per permettere la fruizione da parte del visitatore e al contempo proteggere il manufatto.

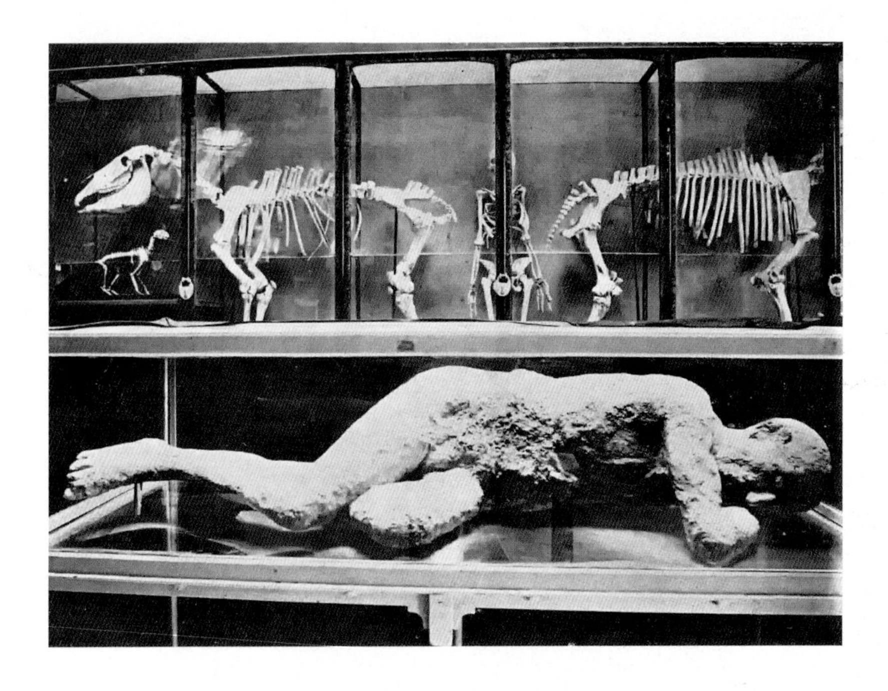

Cap. 10 Fig. 12 La foto documenta come, all'interno del Museo, fossero esposti anche reperti scheletrici umani e animali: testimonianze preziose, ma meno eclatanti, dello scorrere della vita quotidiana nella città vesuviana.

Cap. 10 Fig. 17 La mostra "Pompei e l'Europa" del 2015 aveva previsto l'esposizione temporanea di un gruppo cospicuo di vittime dell'eruzione, in una struttura che evocava la forma del Vesuvio. I calchi, collocati in uno spazio circolare, nero e vuoto, pronti per essere inghiottiti dal vulcano, sono però sospesi a mezz'aria, bloccati per l'eternità nell'istante della morte.

Cap. 10 Fig. 18 Nella Casa di Sirico sono attualmente visibili tre dei quattro calchi del vicolo degli Scheletri, ritrovati nei depositi e posizionati in un luogo sicuro e fruibile, in prossimità del reale luogo di ritrovamento.

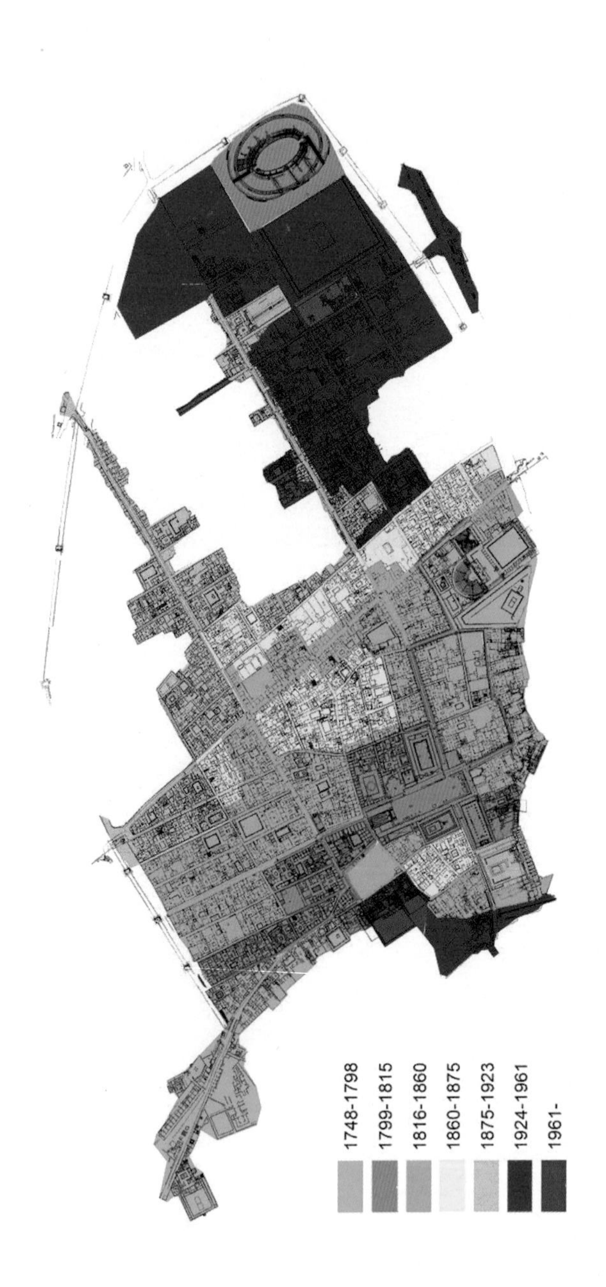

App. 1 Fig. 5 Pianta con indicazione della cronologia degli scavi di Pompei (Elab. G. Zuchtriegel).

NOTE

Introduzione

1. Moormann 2015, pp. 285-286.

2. Marcel Proust, *Alla ricerca del tempo perduto. 7. Il tempo ritrovato*, tr. it. di G. Caproni, Torino 1958, pp. 131-132, 160-161.

3. P.L. Randazzo, *Così lontana, così vicina. Napoli negli occhi e nella mente degli scrittori*, Napoli 2016, p. 150.

4. J. Cocteau, *Lettres à sa mère. I 1898-1918*, Gallimard-Collection Blanche, Parigi, 1989.

5. F. de Sade, *Juliette, ovvero la prosperità del vizio*, in *Opere scelte*, tr.it., Feltrinelli, Milano 1962.

6. G. de Staël, *Corinna o l'Italia*, tr. it., Casini, Firenze, 1967 pp. 285, 287.

7. *Winter in Italy in a Series of Letters to a Friend*, London 1844. Cfr. G. Bruno, cit. 2015, pp. 442-470.

8. L. Gallo, «Des réalités d'autrefois et un cratère plein de mystère par-dessus». Architetti francesi a Pompei, in M. Osanna, M.T. Caracciolo, L. Gallo (a cura di), *Pompei e l'Europa. 1748-1943*, Museo Archeologico Nazionale di Napoli, 27 maggio-2 novembre 2015 (catalogo Electa, Milano 2015), pp. 345-346, 350-351.

9. U. Fabietti, *Materia sacra. Corpi, oggetti, immagini, feticci nella pratica religiosa*, Raffaello Cortina editore, Milano 2015.

10. A. D'Ambrosio, P.G. Guzzo, M. Mastroroberto (a cura di), *Storie da un'eruzione. Pompei, Ercolano, Oplontis*, Museo Archeologico Nazionale di Napoli, 20 marzo-31 agosto 2003 (Catalogo Electa Milano 2004).

11. W.G. Sebald, *Austerlitz*, tr. it., Adelphi, Milano 2006, p. 213.

12. Una scelta dei più recenti approcci alla seconda vita di Pompei: Robert-Boissier 2001; Gardner Coates, Lapatin, Seydl 2012; Osanna, Caracciolo, Gallo 2015; Rowland 2015; Moormann 20016; Osanna, Viliani 2017.

Capitolo 1. La lunga vita di Pompei: i santuari e la città

1. Fabbri 2016; Giglio 2016; Avagliano 2018. Superate ormai le posizioni di Eschebach 1970 ma anche di chi pensava a un impianto urbano non compiuto, caratterizzato da strutture effimere e rade: Carafa 1997; Carafa 2008, p. 65. Sull'impianto urbano del settore nord-occidentale di Pompei nella diacronia: Coarelli, Pesando 2011.

2. Per una ricognizione complessiva dei dati disponibili fino al 2015 ved. Avagliano 2018. Da ultimi Osanna, Rescigno 2018. Ved. inoltre Bonghi Iovino 2011.

3. de Polignac 1996; Lippolis, Parisi 2012; Govi 2017.

4. Sintesi in Guzzo 2007. Sulla Valle del Sarno prima della fondazione di Pompei: Cerchiai 2010b; 2013. Sulle mura arcaiche di Pompei, da ultimo con bibliografia: Fabbri 2018.

5. In generale sull'Italia antica: Bispham, Smith 2000. Sui luoghi di culto pompeiani si rimanda alle sintesi più recenti: Barnabei 2007; Van Andringa 2009; D'Alessio 2009. Più di recente: Buranelli, Osanna, Toniolo 2016; Lippolis, Osanna 2016. Per uno sguardo più ampio ai contesti sacri della Campania antica: Cerchiai 2011. Sulla Campania arcaica in generale: Cerchiai 2010a.

6. Stavrianopoulou 2006. Sul mondo italico: de Cazanove 2000. Riflessioni al riguardo in Osanna 2004.

7. Carandini 2008.

8. Osanna 2004.

9 Lippolis, Osanna 2016.

10. Osanna, Rescigno 2018. In generale sui santuari come elemento fondante degli spazi urbani: de Polignac 1996. Per una prospettiva metodologica sugli intrecci culturali in Campania in epoca antica: Malkin 2002 (e ancora Malkin 2011 sul concetto di *network*); sulla costruzione di un patrimonio sacrale specifico alle singole comunità si veda per Pompei: Van Andringa 2012 con bibliografia.

11. Sulla materialità del sacro, per uno sguardo antropologico ved. Fabietti 2014.

12. Sulla memoria culturale, imprescindibile il saggio di Assmann 1997.

13. Sulla rinnovata attenzione nel dibattito internazionale al concetto di materialità: Van Dommelen, Knapp 2010.

14. Ad es. sul caso di Apollo: D'Agostino, Cerchiai 1998; Colonna 2007; Rescigno 2016b. Sui fenomeni di etnicità: Cerchiai 2017.

15. Rüpke 2018, pp. 14-15.

16. Per la mobilità degli artigiani come parte del patrimonio comportamentale delle fabbriche antiche: Adornato 2010, passim; Rescigno 2016a.

17. Sul dibattito riguardante le origini di Pompei, che diventa già acceso nella prima metà del XIX secolo, si rimanda almeno a Sogliano 1927; Maiuri 1943; Cristofani 1992; sintesi aggiornata in D'Agostino, Cerchiai 2004.

18. Zevi 1998.

19. Giampaola, D'Agostino 2005.

20. Rescigno 1998, pp. 283-294.

21. Rescigno 2014b; Rescigno 2016a.

22. D'Agostino, Cerchiai 1998, in particolare p. 124.

23. Così già Cristofani 1992, pp. 15-16.

24. D'Agostino, Cerchiai 1998.

25. Per questo santuario fondamentale de Waele 2001. Sullo spazio sacro nella diacronia: Carafa 2011. Da ultimo Osanna 2015a; Osanna 2016a; Osanna 2016c.

26. D'Agostino 2001.

27. Crawford 2011, II, pp. 624-625

28. Lulof 2001; Danner 2011.

29. Danner 2011, p. 344.

30. Rescigno 1998, pp. 295-299.

31. Holappa, Viitanen 2011; Giglio 2016, p. 24.

32. Zanker 1993; Pesando 2006.

33. De Caro 1991; Cerchiai 2014.

34. Osanna 2016c.

35. In parte questo vuoto documentario è da considerare un effetto di lunga durata della fondazione di Neapolis, documento di punta di un fenomeno di cambiamento che giunge a definire nuovi equilibri, nuovi apporti etnici e linguaggi culturali: Osanna, Rescigno 2017.

36. Scatozza 2002; Cerchiai 2002.

37. Scatozza 2002.

38. De Waele 2001, p. 110, fig. 118 con bibliografia precedente.

39. Osanna 2015a; Osanna 2016c.

40. D'Alessio 2001, Tipo B 5 I; D'Alessio 2009, pp. 33-34; Lippolis 2016b, pp. 207-208.

41. Marcattili 2006.

42. Rescigno 2016b.

43. Lippolis 2016a.

44. Il sistema di approvvigionamento idrico di quest'area, all'interno di uno studio complessivo sulle riserve d'acqua a Pompei, è in corso di studio per una tesi di dottorato da parte di Federico Giletti (Università degli studi di Napoli, Federico II).

45. D. Alessi, Tesi di Laurea magistrale, discussa presso l'Università degli studi di Napoli, Federico II. Il tempio era in rovina almeno a partire dall'età augustea, secondo Pesando 2016a, pp. 21-22. Ma almeno il tetto sannitico era ormai smantellato già nel tardo II sec.a.C. a giudicare dalle nuove scoperte.

46 Coarelli 2001.

47. Non si concorda con la posizione espressa da Avagliano 2017 riguardo l'assenza di Eracle tra i culti del santuario. Sui culti in grotta: Ustinova 2009; Sporn 2013.

48. Rescigno 1998, p. 284, nota 9; D'Alessio 2009, p. 15, nota 90.

49. Lippolis 2016a.

50. Per questi temi rimandiamo a Osanna 2004; Parisi 2010; Lippolis, Parisi 2012; Osanna 2015a; Lippolis, Parisi, Sassu 2016; Osanna 2016c.

51. Lippolis 2001.

52. Döhl, Zanker 1979. In particolare sulle statue di Ermafrodito: Oehmke 2004.

53. Come dimostra la presenza della famosa coppia di statue bronzee di Apollo e Artemide, sulle quali da ultimo: Rescigno 2014a.

54. CIL X, 1074.

55. Livio 25, 12; 27, 23.

56. Rescigno 2010.

57. Lippolis 2001; Lippolis 2005; Lippolis, Parisi, Sassu 2016.

58. Per il mondo greco ad es. Huysecom-Haxhi, Muller 2007.

59. Bérard 1974.

60. Borriello, De Simone 1985; cfr. E. Greco, in Treccani.it, s.v. Napoli: «La diversità tra Caponapoli e il resto della città è di natura funzionale, perché Caponapoli è l'acropoli della città, in cui ha sede il culto della divinità principale, Demetra, la Ceres Actaea di Stazio (Silv., IV, 8,50) riconoscibile dalla stipe rinvenuta da oltre sessanta anni (ma ancora sostanzialmente inedita) sotto il convento di S. Gaudioso».

61. Portale 2012.

62. Andò 1996; Larson 2001.

63. Sulle terrecotte rinvenute negli strati al di sotto del portico occidentale: D'Alessio 2001.

64. Brelich 1969. Importanti riflessioni in Torelli 2009.

65. Larson 2001, pp. 11-13. La divinazione non è estranea a Eracle comunque: Bouche-Leclercq 1879-1882, pp. 308-313. Per il mondo romano, Becatti 1939. Sul legame tra acqua e divinazione: Scarpi 2005. Come sempre stimolante la lettura di Torelli 2009, per tutti questi aspetti legati ai riti di passaggio, all'acqua e alle funzioni oracolari.

66. Sulla accesa discussione che ha interessato il portico e la sua cronologia cfr. almeno Carafa 2011; Pesando 2016a con bibliografia raccolta nella nota 1 a p.23.

67. Le azioni rituali sono finalizzare a ripristinare un ordine infranto dalla cancellazione di un

luogo sacro, a ristabilire un contesto di purezza nello spazio sacro. La trasgressione deve essere oggetto di rituali di purificazione: sul concetto di puro e impuro nel mondo classico, oltre al lavoro fondamentale di Parker 1983, ved. ora Carbon, Peels-Matthey 2018.

Capitolo 2. Vasi parlanti, alle origini di Pompei e dei pompeiani

1. Sui vasi parlanti, di recente per il mondo greco Stähli 2014. Per il mondo italico: Agostiniani 1982; sull'area etrusca: Colonna 1983. Di recente: Riva 2010, pp. 173-174.

2. Osanna 2016c; Osanna, Pellegrino 2017; Osanna, Pellegrino 2018.

3. Su questa produzione tipica dell'area etrusca: Albore Livadie 1979; Bonghi Jovino 1993; Minoja 2000. Più di recente, con importanti osservazioni sull'uso di tali prodotti: Riva 2010, pp. 159-176.

4. Pellegrino 2010. Sull'onomastica estrusca in Campania: Marchesini 1994.

5. Sulla lingua etrusca: Bellelli, Benelli 2018. Sul gentilizio: Benelli 2009, pp. 385-386. Sul fenomeno dei prenomi che danno origine a gentilizi: Benelli 2011.

6. Maras 2017.

7. Importanti al riguardo le osservazioni di Stähli 2014, che richiama l'analisi di Svembro 1993, pp. 44-63. Di recente Catoni 2017.

8. Rüpke 2018, pp. 14-15.

9. Cfr. Marchesini 1997, p. 145, con bibliografia; Benelli 2011, pp. 194-197, ha ribadito la natura di normale antroponimo di *Leθe*, con una trafila che riconduce, passando per *Leθa*e, alla forma arcaica *Leθaie*, ma il nostro calice documenta che la forma Lethe era già attiva alla metà del VI sec. a.C.

10. Tarquinia: *Studi Etruschi* LXV-LXIII, 1997, n. 15, pp. 384-385 (M. Morandi); Veio: CIE 6436; Perugia e Chiusi: Morandi Tarabella 2004, p. 188. Cfr. inoltre la forma *Velχasna(s)* documentata su un kantharos in bucchero a New York, che rimonta alla fine del VII sec. a.C. (CIE 6713).

11. Maras 2009, p. 99. Simili divieti sono frequenti in santuari anche di altre culture, come nel caso della greca Cuma, non lontana da Pompei, dove un vaso per unguenti del VII secolo a.C., oltre a evocare il suo proprietario, augura alla persona che neghi il suo diritto di proprietà una dura punizione: «io sono la *lekhythos* di Tataie; chi mi ruba possa diventare cieco» (*aryballos* protocorinzio a Londra, British Museum, Inv. A 1054: Arena 1989, p. 17, n. 7): Catoni 2017, p. 247.

12. Su tali contrassegni: Bagnasco Gianni, Gobbi, Scoccimarro 2015.

13. Su questi fenomeni di mobilità e contatti culturali nella baia di Napoli: Malkin 2002; Malkin 2017.

14. Cfr. almeno Maiuri 1943 (orientato però piuttosto verso il riconoscimento di una grecità pompeiana). Sintesi in Avagliano 2018, pp. 8-14 con discussione della bibliografia.

15. Maras 2017, pp. 74-78, con bibliografia. Cfr. Smith 2006 sulla nascita della *gens* nel mondo latino.

16. Sull'etrusco e le altre lingue attestate nelle realtà urbane multilingue e multiculturali della Campania antica: Poccetti 2004; Poccetti 2017; Poccetti 2018.

17. Per le manifestazioni architettoniche si rimanda al quadro di sintesi, con relativa bibliografia, in Cerchiai 2010a, pp. 71-75. Da ultimi Osanna, Rescigno 2018. Per la tradizione mitostorica, relativa alla fondazione da parte di Eracle, si veda D'Agostino, Cerchiai 1998.

18. Morandi Tarabella 2004, pp. 476-487.

19. Rüpke 2018, pp. 81-105.

20. Sul vino nell'antichità, in generale McGovern 2006. Sull'uso del vino in ambito sacro: Kircher 1910; sul rituale libatorio: Fritze 1893; Hanell, in RE VI A, cc. 2131-2137, s.v. *Trankopfer*; Graf 1980, pp. 209-221. Per una storia del vino etrusco, fondamentale Torelli 2011a, pp. 115-127.

21. Rüpke 2018, pp. 81-105.

22. N. Garnier, *Analyse chimique du contenu organique de céramique votives dépôt votif de Fondo Iozzino*, Pompei (Juillet-sept. 2016), Archivio Parco Archeologico di Pompei. Sulla produzione di vino in Italia Meridionale, in generale: Brun 2011.

23. Plinio, *Naturalis Historia*, V, 16, 6; XXV, 143, 1; 145, 7; XXVI, 118, 3; XXVII, 2, 5.

24. Sul consumo del vino in Etruria: Ciacci, Rendini, Zifferero 2007, Riva 2010; per l'Italia meridionale: *La vigna di Dioniso. Vite, vino e culti in Magna Grecia* (Atti del XLIX Convegno di Studi sulla Magna Grecia, Taranto, 24-28 settembre 2009), Taranto 2011.

25. Krauskopf 2009.

26. Sui recipienti utilizzati per bere in vino in Etruria: Torelli 2011a, pp. 119-125.

27. L'uso di profumo scandiva momenti molteplici della vita umana, tanto delle cerimonie religiose e funebri quanto della quotidianità, dai banchetti allo sport: non meraviglia, dunque, il ritrovare tra le offerte doni di profumi, che si dovevano ritenere particolarmente graditi agli dèi: Faure 1987. Per quanto riguarda la dedica di profumi in contesti sacri, emblematica risulta la grandiosa donazione fatta nel 288 a.C. dal re Seleuco al santuario di Apollo Didimeo presso Mileto, comprendente, oltre una gran quantità di oreficeria, ben 360 kg di incenso, 36 kg di mirra, 1200 kg di cannella, nonché cinnamono e incenso indiano (J. Pouilloux, *Choix d'inscriptions grecque*s, Paris 1960, n. 37).

28. Sulle dediche di armi a Fondo Iozzino, ved. Menniti, Osanna, Toniolo 2018.

29. Una scelta di oggetti è stata esposta nella mostra *Pompei e gli Etruschi*, allestita nella Palestra Grande di Pompei: Osanna, Verger 2018, pp. 148-150.

30. Sul fenomeno, il dibattito soprattutto negli ultimi decenni si è fatto molto intenso: per il mondo greco ved. Morris 1997, pp. 9-43; per il mondo etrusco, Torelli 2011a, pp. 115-119. Sulla cultura simposiale: Catoni 2017, con bibliografia.

31. Sulla dedica di armi nei santuari: Baitinger 2006; Graells i Fabregat, Longo 2018.

32. Maras 2009, pp. 150-152, con bibliografia; Maras 2013.

33. Su diffusione e funzione del culto di Vei: Bellelli 2012, con bibliografia.

34. Lippolis 2016b, pp. 2009-2014; Avagliano 2017, p. 71. Sulla rinnovata frequentazione di età ellenistica quando il santuario conosce un nuovo boom: Osanna 2016c.

35. Per l'iscrizione vedi Crawford 2011, pp. 637-639 (Pompei 13); inoltre Poccetti 2017; per l'identificazione con l'ara sacra di Fondo Iozzino cfr. De Caro 1991, pp. 39, 41-42.

36. Sulla questione si rimanda alla rassegna di sintesi in Bonghi Jovino 2011, pp. 11-12. Di recente il dibattito sulle forme di mobilità e di migrazione, nonché sui fenomeni di contatto e ibridazione di culture nel Mediterraneo antico, si è fatto particolarmente intenso, cfr. ad esempio, tra i contributi più recenti, van Dommelen, Knapp 2010. Per Pompei si rimanda all'ampia raccolta di documenti presentati in Osanna, Rescigno 2017.

Capitolo 3. Strade, case, botteghe negli scavi della Regio V

1. Le nuove ricerche si presentano per la prima volta in questa sede, dopo aver avuto un grande risalto mediatico: ad es. G. Caillet, «Le Figaro Histoire»: *Les nouveaux jours de Pompéi*, juin-juillet 2019, n. 44, pp. 42-51; M. Padovani, *L'incroyable deuxième vie de Pompéi*, «L'OBS», 19 janvier 2019; R. Montoya, *Pompeya. Los ultimos descubrimientos*, «Historia National Geographic», Septembre 2019. Un primo resoconto sulle prime fasi dello scavo in D'Esposito, Muscolino 2019.

2. Per un recente sguardo d'insieme su Pompei e i suoi impianti urbani: Fabbri 2016; Giglio 2016.

3. In generale: Avagliano 2018. Sugli scavi: Esposito 2008; Esposito, Kastenmeier, Imperatore 2011. Le nuove ricerche stratigrafiche nel peristilio della casa di Obellio Firmo sono portate avanti dal Parco Archeologico di Pompei in collaborazione con l'Università degli studi di Bologna (coordinamento E. Giorgi, che ringrazio per i dati).

4. L'opera a telaio (o *opus africanum*) prevede catene verticali in blocchi squadrati, realizzati con pietre poste in senso verticale e orizzontale, riempite di pietrame di piccole dimensioni. In generale sulle tecniche edilizie del mondo romano: Adam 1989. Sull'*opus africanum* a Pompei: Peterse 1999; più di recente Camporeale 2013.

5. Sull'edilizia domestica tra III e I sec. a.C. a Pompei, fondamentale Pesando 1997; inoltre, sulle case di III-II sec. a.C.: Pesando, Guidobaldi 2006, pp. 25-39; Pesando 2008. In generale sull'architettura domestica del mondo romano: Gros 2001. Più di recente: Adam 2012.

6. Pesando, Guidobaldi 2018, pp. 152-153.

7. Per una testimonianza vicina all'epoca degli scavi di questa casa che prese il nome dalla visita della coppia reale nel 1893: Mau 1899, p. 295 ss. Edizione recente in Ehrhardt 2004.

8. Sulla famiglia: Castrén 1983, p. 132.

9. Sogliano 1896, con planimetria delle aree scavate a p. 418.

10. Cfr. Sogliano 1896, p. 439: «[...] si entra in un secondo peristilio q, il cui lato orientale non è ancora disterrato. Differendone la descrizione a quando sarà completato lo scavo, noto solamente che sul muro nord affatto nudo del giardino è una riquadratura di intonaco bianco, su cui è dipinta una edicoletta contenente la immagine di Giove seduto in trono, con scettro nella sinistra poggiata sul bracciolo del trono, il fulmine nella dritta protesa e l'aquila ai piedi. Addossata alla parete è un'aretta pulvinata di fabbrica, rivestita di intonaco bianco [...]».

11. Nei primi anni del Novecento si era già passati a scavare più a est nella Regio V, ossia nella caserma dei Gladiatori, creando così quella penisola di non scavato la cui indagine è stata ripresa solo nel 2017: Sogliano 1906, p. 6.

12. Si tratta di fusti di colonnine scanalate, basi, capitelli cubici e compositi ed elementi architettonici verticali: Chapelin, Covolan, Vincent 2016. Sui cenacula pompeiani: Mau 1899, pp. 267-270; McSpanned Sutherland 1993.

13. Scatozza 1987.

14. E. De Carolis, in Osanna, Caracciolo, Gallo 2015, pp. 276, 283, 299-300.

15. *Ibidem*, p. 283.

16. Ehrhardt 2004.

17. Sulla fase post-terremoto a Pompei, oltre al lavoro ormai classico di Maiuri 1942, ved. Zevi 1992, pp. 39-58; Anderson 2011. Sui cambiamenti di proprietà: Giglio 2013.

18. Sull'origine della tecnica: Westgate 2000; Torelli 2011b. Sul significato di questa introduzione: Marcattili 2011.

19. Sulla Casa dei Cei: Michel 1990. Sulle decorazioni delle facciate pompeiane: Adam 2012, pp. 55-63; Helg, Malgieri 2017.

20. Sul fervore di attività a Pompei nella fase post-terremoto e al momento dell'eruzione: Zevi 1992; Varone 2005. Sui terremoti che hanno preceduto l'eruzione: De Simone 1995.

21. Sulle strade di Pompei da ultimo, con raccolta della bibliografia: Poehler, Crowther 2018, pp. 579-609.

22. Lippolis 2017.

23. Sulle case pompeiane e la loro dimensione sociale: Wallace-Hadrill 1994. Uno sguardo sintetico: Dickmann 1999b. In generale: Hales 2003.

24. Per un lavoro recente sul mondo delle botteghe e del commercio: Wilson, Flohr 2016. Ved. anche Pirson 1999.

25. Solin 2017 con bibliografia.

26. Sulle campagne elettorali a Pompei: Franklin 1980. Di recente su Pompei: Beard 2011, pp. 222-230.

27. Sull'origine e lo sviluppo delle case ad atrio il dibattito è ancora aperto: si veda ad es. con posizioni diverse, Hallier 1987; Dwyer 1991; Mar 1995; Zaccaria Ruggiu 1995; Wallace-Hadrill 1997; Carafa 2000; Jolivet 2011. Sintesi recente: Adam 2012, pp. 33-41.

28. Coarelli 1989; Gros 1997.

29. Pesando 1997; Dickmann 1999a; Gros 2001; Pesando 2008. Per una recente sintesi: Adam 2012, pp. 81-94.

30. Sull'atrio testudinato: Pesando 2008.

31. Zaccaria Ruggiu 1995.

32. Sulla possibilità di riconoscere la funzione degli spazi delle case pompeiane, si veda ad es. Allison 1993; Allison 1997.

33. Su Goehte a Pompei: Moormann 2015, *passim*, in part. pp. 144-156.

34. Sul *cubiculum* nella casa pompeiana: Riggsby 1997. Un'ampia raccolta di dati con puntuale discussione in Anguissola 2010.

35. Anche la decorazione parietale nel cosiddetto «stile a zone» rimanda ad un vano di servizio. Partendo dallo zoccolo, qui si registra una fascia monocroma gialla, risarcita in modo grossolano in un secondo tempo con un intervento di grassello di calce, mentre la parte superiore della parete è monocroma bianca. La zoccolatura della parete occidentale mostra alcuni punti di viraggio del colore da giallo a rosso, sintomatici di un'esposizione a una fonte di calore. Numerosi fori sono in particolare nella parete orientale e rimandano alla presenza di mensole e scaffali. Per l'identificazione degli spazi attraverso la ricontestualizzazione dei manufatti rinvenuti fondamentale Allison 2006, basato sull'insula della Casa del Menandro.

36. Allison 2004, pp. 77-78; Cova 2015, pp. 69-102.

37. Cova 2013. Sui mobili delle case pompeiane: De Carolis 2007. Per una recente sintesi: Adam 2012, pp. 124-133.

38. Sul *tablinum* nella casa romana: Mau 1899, pp. 49-52; Clarke 1991; Hales 2003, pp. 107-108. Sintesi in Adam 2012, pp. 104-111.

39. Pesando, Guidobaldi 2006, pp. 202-203.

40. Anguissola 2010, *passim*, in part. pp. 43-52, 240-250.

41. Cfr. la cosiddetta protocasa del Centauro: Pesando, Guidobaldi 2006, pp. 31-39, in part. fig. 15.

42. Sull'evoluzione del tablino e dell'atrio tra età repubblicana e la prima epoca imperiale e sulla trasformazione delle sue funzioni: Anguissola 2010, pp. 182-184. Ovviamente la distinzione tra parte «pubblica» e «privata» non può che essere considerata labile e sfumata: Wallace-Hadrill 1994, pp. 82-87.

43. Sul peristilio e l'introduzione nella casa italica di spazi monumentali mutuati dall'architettura greca, all'interno di un impressionante fenomeno di ibridazione culturale: Dickmann 1997; Wallace-Hadrill 1994, pp. 20-21, 82-92. Da ultimo: Lippolis 2017.

44. Sull'*hortus* delle case italiche più antiche: Pesando 1997, pp. 167-211.

45. Pesando 1997, pp. 95-100; Pesando 2017.

46. Jongman 2007.

47. Pesando, Guidobaldi 2006, pp. 90-95; Adam 2012; pp. 151-153; Pesando 1997.

48. De Carolis 2007, pp. 80-93, 157-163.

49. Sul triclinio nelle case pompeiane: Mau 1899, pp. 256-260; Adam 2012, pp. 137-147.

50. Sulla disposizione dei partecipanti al banchetto nel triclinio: Dunbabin 2003.

51. Sul cosiddetto I stile a Pompei: Laidlaw 1985. Inoltre: Westgate 2000a. Sui quattro stili pompeiani di decorazione parietali, una classificazione elaborata da A. Mau e ancora in uso: Barbet 1985; Strocka 1996.

52. Zevi 1996, pp. 38-47; Zevi 1998b.

53. Pensabene 1998.

54. Adriani 1963-1966, pp. 140-143 nr. 89 tav. 61-63; Bonacasa, di Vita 1984.

55. Cavari, Donati 2010, pp. 63-73.

56. *Ibidem*, pp. 68-69.

57. *Ibidem*, p. 69.

58. Sui pavimenti in cocciopesto da ultima con bibliografia: Tang 2018.

59. Sulle porte delle case pompeiane: Lauritsen 2011. Un esempio di chiusura analogo al nostro perfettamente conservato grazie alla realizzazione di un calco in gesso di tutti gli elementi lignei: Pesando, Guidobaldi 2018, pp. 114-116. Sugli infissi e sistemi di chiusura: De Carolis 2007, pp. 25-40.

60. Ringrazio Maria Stella Pisapia, grande conoscitrice di pavimenti in cocciopesto per le proficue discussioni. Per gli esempi di Ercolano dove sono stati rinvenuti pavimenti simili: Guidobaldi, Grandi, Pisapia, Balzanetti, Bigliati 2014.

61. Sulla presenza di cantieri in corso nelle case pompeiane nonché di un paesaggio di edifici in rovina: Pesando 2016a.

62. Il più antico pavimento era posto in opera su uno strato di terra giallastra disteso su un livello sottile di calce che copre un paleosuolo nero molto omogeneo, spesso rinvenuto dei saggi in profondità effettuati in vari punti della città: si tratta di un suolo destinato allo sfruttamento agrario dell'area, prima della sua urbanizzazione, avvenuta nel IV sec. a.C.: cfr. Giglio 2016.

63. L'intuizione si deve al matematico Giulio Magli del Politecnico di Milano, che ringrazio. Il contesto e le sue decorazioni sono in corso di pubblicazione da parte di chi scrive, G. Magli e L. Ferro. Sulla groma: Della Corte 1922. Informazioni preliminari sulla scoperta in https://arxiv.org/abs/1910.13145

64. Sui testi gromatici ved. Blume, Lachmann, Rudorff 1848. Sul rinvenimento di una tomba di agrimensore a Pompei: Castren 1975, p. 208, n. 328/16, 318/24. Ved. inoltre Panerai 1983. Sugli agrimensori nel mondo romano: Dilke 1988.

65. Uno dei grandi risultati dell'epico scavo di Vittorio Spinazzola, intrapreso tra il 1911 e il 1923, destinato a portare in luce tutta via dell'Abbondanza, è stato quello di riconoscere in crollo elementi architettonici e strutture dei piani superiori e riproporne immediatamente l'aspetto attraverso un attento restauro contestuale alle indagini: Spinazzola 1953. Sul metodo applicato è illuminante quanto scrive lo stesso soprintendente: «[...] disposi un esame attentissimo di ogni frammento che si rinvenisse negli alti strati di cenere, in ispecie della strada, cercando e conservando tutti quelli che avevano apparenza e indicassero una costruzione diversa da quelli dei muri delle facciate, però conducendo lo scavo a piccoli strati. Apparvero a questo attento esame i primi frammenti che indicavano la presenza di parapetti di balconi, lungo le facciate, frammenti precipitati e adagiatisi sugli alti strati della via [...] Indicai il metodo che volevo si seguisse, dettai le norme pel Giornale del Soprastante od assistente allo scavo e ciò bastò perché da quel giorno venissero fuori, frammenti anche minuscoli o trovamenti cospicui che permisero, con metodi giorno per giorno escogitai, le ricostruzioni ora visibili nei nuovi scavi in via dell'Abbondanza» (da Atti dell'inchiesta sul Museo Nazionale di Napoli 1923-1924. Verbale della seduta del 19 novembre 1923, pp. 1-4, dattiloscritto parzialmente edito in Scotto di Freca 2012, p. 126).

66. Casa sannitica di Ercolano: Pesando, Guidobaldi 2010, pp. 360-361.

67. Per il caso emblematico della *domus* del Menandro: Allison 2006. Ved. anche Allison 1997; Allison 2004.

68. Riflessioni al riguardo in Osanna 2017.

69. Sulla presenza di sgabellli tra gli arredi pompeiani: De Carolis 2007, pp. 183-184.

70. Sul mondo femminile pompeiano e i suoi oggetti: Berg 2017.

71. Sui candelabri pompeiani e i sistemi di illuminazione degli ambienti della casa: Conticello De' Spagnolis, De Carolis 1988.

72. Edito in D'Esposito, Muscolino 2019, pp. 128-129.

73. Sul culto all'interno degli spazi domestici delle case pompeiane: Giacobello 2008.

Capitolo 4. Epigrafi «senza gloria», ma non «senza storia»

1. Il titolo è citazione di una frase di Gigante 1979, p. 16.

2. Riflessioni al riguardo in Osanna 2017.

3. M. Proust, *Il tempo ritrovato*, trad. it. Torino 1978, p. 131. Su Proust e Pompei: Spiegel 2011.

4. J. Cocteau, *Lettres à sa mère*, I 1898-1918 (Gallimard-Collection Blanche), Paris 1989, p. 306.

5. Sull'interesse della psicanalisi verso Pompei, si pensi alla Gradiva di Wilhelm Jensen e alla rilettura di Sigmund Freud: Jensen, Freud 1992.

6. Osanna 2017.

7. De Caro 1994.

8. Solin 1975; Solin 2013.

9. Solin 1975, p. 249. Gigante 1979; García y García 2004.

10. Della Corte 1913, p. 147 (= 9131). Traduzione e commento in Gigante 1979, pp. 170-171. Sui *fullones*: Poehler, Flohr, Cole 2011.

11. Belli 1978, p. 136.

12. Gigante 1979, p. 203.

13. Testo, traduzione e commento in Gigante 1979, pp. 211-212.

14. CIL IV 8408a-b.

15. CIL IV 10150.

16. Wallace-Hadrill 1994, pp. 82-87; Pesando 1997, *passim*.

17. Anguissola 2010, pp. 43-52, 197-214.

18. Sulla cosiddetta bottega di via di Castricio: De Vos 1981.

19. Sull'iconografia di Venere a Pompei: Dierichs 1998. Molto frequenti i quadri con Venere pescatrice, metafora erotica, e i miti relativi a Venere: Brain 2018 con bibliografia.

20. Sugli spazi verdi a Pompei e la tradizione di studi paleobotanici presto radicatasi a Pompei: Yashemsky 1979-1993; Ciarallo 2012.

21. Sugli apprestamenti legati all'acqua nei giardini e nelle case private di Pompei: Dessales 2013.

22. Guzzo, Scarano Ussani 2009.

23. Il nome Leporis potrebbe rimandare alla Sicilia, ed esssere tradotto come «leprotta» (un nome adatto per una schiava, tra le cui attività potrebbe esserci anche la prostituzione!). A Pompei non è altrimenti noto al femminile, mentre è attestato la forma maschile Leporus/ Leporius: ringrazio Antonio Varone per l'informazione.

24. Sulla dimensione erotica della socialità pompeiana, quale emerge soprattutto dai graffiti parietali: Varone 1994. In generale sull'erotismo a Pompei: Varone 2000.

25. Clarke 2007, pp. 45-49.

26. Come segnalato da Giulia Ammannati *Proma olearia* è la «dispensa olearia». Il termine *proma* può interpretarsi o come aggettivo, sottintendendo «cella» (cfr. ThLl X.2, col. 1909, l. 38); o come femminile sostantivato (cfr. *Ibidem*, l. 47); o ancora come neutro plurale, da un eventuale «promum», soluzione meno probabile.

27. Si tratterebbe dunque di un semplice appunto con indicazione di attività legate all'economia domestica, come largamente testimoniato in altre case pompeiane, o in botteghe: Beard 2011, pp. 203, 217-218 (con osservazioni sul livello di alfabetizzazione dei pompeiani)

28. Comunicazione via mail all'autore del 20 ottobre 2018.

29. Carandini 2017, pp. 5-7; 27-35.

30. Sulla presenza di operai in numerose case di operai al momento dell'eruzione, ved. il caso della Casa dei Pittori al Lavoro: Beard 2011, pp. 144-150. Ovviamente non si può trattare solo della conseguenza del grande terremoto del 62 d.C., una serie di scosse devono aver preceduto l'eruzione: De Simone 2015.

31. Sull'iscrizione ha portato l'attenzione Pesando 2016b. Sulla villa: Pagano 1991.

32. Sulle indicazioni di valore: Pesando 2016b.

33. Stefani, Borgongino 2003.

34. Sulla tradizione manoscritta di Plinio: Reynolds 1983, pp. 316-322.

35. Il nome ricorre spesso a Pompei, ad esempio nella nota famiglia degli Epidii: Castrén 1983, pp. 164-165. Per i graffiti che menzionano il nome una scelta significativa in Hunink 2013, p. 307.

36. ICIL 4, 4150: si tratta di una delle numerose iscrizioni rinvenute nell'area del giardino «sulla parete anteriore del peristilio» durante gli scavi tardo ottocenteschi. Tra i vari nomi che ricorrono un graffito riporta due nomi femminili, tra cui quello di Athenais, associati a una indicazione di prezzo: ATENAIS AERIS II: Sogliano 1986, p. 440.

37. Solin 1977; Solin 2012.

38. Su Nonio Balbo: P. Zanker, in EAA I, 1994, p. 967 (www.treccani.it/enciclopedia/nonio-balbo_(Enciclopedia-dell'-Arte-Antica)/).

39. Guzzo, Scarano Ussani 2001, p. 981 ss.; Scarano Ussani 2003, p. 473 ss.

40. Si veda al riguardo, con diverse posizioni, il dibattino tra Felice Costabile e Vincenzo Scarano Ussani, in Scarano Ussani 2005, pp. 43-50, 77-105.

41. Poccetti 2004; Poccetti 2017.

42. Sul multilinguismo dell'area vesuviana già in età arcaica: Poccetti 2018.

Capitolo 5. Gladiatori e taverne: intrattenimento e tempo libero

1. Su questi snodi fondamentali della viabilità e dell'urbanistica pompeiana: Dickmann 2007, pp. 24-25.

2. Ellis 2018. Sull'uso di dipingere manifesti elettorali sulle facciate di case e edifici: Beard 2011, pp. 222-230.

3. Giglio 2016.

4. Sui vari aspetti della vita di strada, gli apprestamenti legati all'approvvigionamento idrico e i locali che gravitavano lungo gli assi di traffico: Beard 2011, pp. 77-80; 267-277. Sui luoghi di

culto posti presso gli incroci stradali, caratterizzati da pitture e piccoli altari, destinato ai Lari che proteggevano le strade e i crocicchi: Anniboletti 2010, pp. 77-138; Flower 2017.

5. Sull'acquedotto che raggiunge pompei con una apposita deviazione, ved. Matsui, Sorrentino, Sakai, Shimizu, Iorio 2009, con interessanti osservazioni derivate dalle analisi dei residui calcarei condotte sul contesto pompeiano.

6. In generale sull'approvvigionamento idrico di Pompei e il sistema di distribuzione urbano ved. de Haan, Jansen 1996; Ling 2005 (in particolare sulle fontane); inoltre di recente: Poehler 2017, pp. 174-182.

7. Dickmann 2007, p. 29.

8. Sui gladiatori e gli spettacoli a Roma: Meijer 2006; a Pompei: Pesando 2001, Jacobelli 2003.

9. Mann 2014, pp. 27-33.

10. Beard 2011, pp. 319-327; Mann 2014, pp. 26-32.

11. Sui film di soggetto pompeiano: Robert-Boissier 2011, pp. 257-261.

12. Ovviamente difficile decodificare gli intenti con cui le scene vengono raffigurate, se oltre alla volontà di rappresentazione realistica ci fosse una intenzione umoristica: le modalità del riso, le situazioni che presiedono a una trasfigurazione comica della realtà cambiano a seconda della cultura e della società: ved. Clark 2007; riserve in Beard 2019.

13. Ville 1981 è uno studio esaustivo sugli spettacoli gladiatori nel settore occidentale dell'Impero fino alla fine del I sec. d.C.

14. Sulla Caserma dei Gladiatori: Pesando 2001. Sulle bettole frequentate da gladiatori: Beard 2011.

15. Sull'armamento dell'«oplomaco» che richiamava gli opliti greci: Mann 2014, p. 26-27.

16. Osservazioni al riguardo in Ellis 2017, pp. 48-51.

17. Cfr. Ellis 2017, pp. 40-48.

18. Tchernia 1986.

19. Su questo tipo di anfore rinvenute a Pompei: Panella, Fano 1977, pp. 133-177; Iavarone 2016.

20. Sull'importante famiglia pompeiana si rimanda a Zevi 1995, pp. 1-12.

21. Sui traffici transmarini documentati a Pompei dalla cultura materiale si rimanda al contributo recente di Toniolo 2017.

22. Sulle Ninfe marine, figure mitologiche note come Nereidi, ved. Larson 2001, pp. 60-90.

23. Sulla caupona di M. Fabius Memor e Fabius Celer (IX 7, 24-25): Pesando, Giglio 2017, pp. 161-190.

24. Sull'iscrizione CIL IV 5380: Solin 2013, pp. 342-344; da ultimo M. Stefanile, in Pesando, Giglio 2017, pp. 211-212. Discussione in Beard 2011, pp. 265-267.

25. Ellis 2018, pp. 228-231. Sulla dieta e sul cibo a Pompei sono state dedicate diverse mostre che hanno prodotto interessanti cataloghi: Stefani 2005; Campanelli, Mandolesi 2015; Roberts 2019.

26. Ellis 2018, pp. 230-235. Discussione sull'impiego di ghiri nella dieta romana anche in Beard 2011, pp. 256-257 (erroneamente indicati come moscardini nella traduzione italiana).

27. L'iscrizione, in corso di studio da parte di F. Muscolino, cui si deve la trascrizione, è tra gli esempi più estesi di una categoria ben attestata a Pompei: CIL IV, 3782: *Cacator | cave malum* (IX, 8, «*inter angulum sept. et primum ostium*»); 3832: *Cacator | cave malu(m)* (IX, 7, 21; Varone, Stefani 2009, pp. 415-416, tav. 23 b; Pesando, Giglio, 2017, pp. 151-152; 210; CIL IV, 4586: *Cave m[alum] cacator* (VI, 15, «*in insulae latere meridionali*»); CIL IV, 5438: *Cacator ca|ve malum* (fuori porta Vesuvio, in località Civita); CIL IV, 6641: *Cacator si<c> valeas*

| *ut tu hoc locum tra(n)sea(s)* (V, 6, edificio non scavato sul lato Nord dell'insula; Varone, Stefani 2009, p. 308); CIL IV, 7714: *Cacator cave malum* (III, 4, sulla parete Est dell'insula, nel vicolo; Varone, Stefani 2009, p. 274); CIL IV, 7715: *Cacator cave malum* (III, 4, vicolo ad Est dell'insula; Varone, Stefani 2009, p. 276); CIL IV, 7716: *Cacator cave malum* | *aut si contempseris habeas* | *Iove iratum* (III, 5, sulla parete Ovest dell'insula; Varone, Stefani 2009, p. 273); CIL IV, 8899: *Hospes adhuc tumuli n<e> meias ossa prec[antur]* | *nam si vis (h)uic gratior esse caca* | *urticae monumenta vides discede cacator* | *non est hic tutum culu(m) aperire tibi* (III, 5, 4; Varone, Stefani 2009, p. 278).

28. Il contesto è ancora in corso di studio per la pubblicazione. Gli organici dell'immondezzaio sono in corso di edizione da parte di C. Corbino e C. Comegna, che ringrazio per i dati preliminari che qui presento. Documentazione di Archivio del PAP.

29. In generale sui prodotti e le specie arboree presenti nel territorio: Ciaraldi 2007; Ciarallo 2010.

30. Cfr. il cap. 4.

31. Cerchiai Monodori Sagredo, Di Renzo 2019.

32. Discussione sulla pulizia delle strade in Beard 2011, pp. 67-70.

33. Sulla sporcizia e mancanza di igiene nel mondo romano: Scobie 1986. Per un quadro più rassicurante: Esposito 2018. Nulla esclude a proposito del nostro contesto che i rifiuti fossero stati depositati sul marciapiede in un sacco che una volta decomposto abbia lasciato depositarsi l'immondizia sul bordo stradale. Un servizio di smaltimento a cura degli *aediles* doveva essere attivo in città, come si ritiene ora: cfr. da ultimo Esposito 2018, pp. 213-214, che richiama l'importante lavoro di Panciera 2000.

Capitolo 6. I mosaici di Orione: capire l'iconografia dalle stelle

1. Per la descrizione della casa si rimanda al capitolo 3.

2. Sul fenomeno: Zevi 1966; Zevi 1998a. Sul «secolo d'oro»: Pesando 2006.

3. Su questo tipo di pavimenti: Grandi Carletti 2001; da ultima Tang 2018 con bibliografia. Confronti dall'area vesuviana: Guidobaldi, Grandi, Pisapia, Balzanetti, Bigliati 2014, pp. 260-269. Sui pavimenti ellenistici con *emblemata*: Westgate 2000b.

4. Per un possibile confronto dal tablino della Casa del Sacello di legno di Ercolano: Guidobaldi, Grandi, Pisapia, Balzanetti, Bigliati 2014, p. 522, Tav. II, n. 309B; Tang 2018, fig. 125. A Pompei lo schema è attestato ad esempio nella Casa dei Mosaici Geometrici in un *cubiculum* dal cocciopesto molto simile al nostro: PPP VIII, p. 81, n. 15.

5. Sugli aspetti teorici del fenomeno, da ultimo con bibl. Malkin 2017. Pompei e il mondo ellenistico: Lippolis 2017. Ved. inoltre Zanker 1993. Sulla Casa del Fauno e i suoi mosaici, un contesto unico per comprendere il network ellenistico in cui sono inserite le città italiche, e ovviamente Pompei: Zevi 1998a; Zevi 1998c.

6. Sulla scoperta della stanza, ved. le notizie preliminari in D'Esposito, Muscolino 2019. Sui *cubicula* diurni, caratterizzati da ampie aperture che assicuravano luce naturale e vista sulla natura: Anguissola 2010, pp. 43-52. Da Cicerone (*Epist.* 7,1,1) sappiamo che il suo amico Mario aveva fatto realizzate un'ampia apertura in un cubiculum della sua villa pompeiana, per poter godere della vista sulla baia di Stabia e al contempo dedicarsi a piacevoli letture mattutine.

7. Ved. nota 3. Cfr. anche, Pompei VIII, 5, 15-16: Tang 2018, fig. 137.

8. Un recente caso di studio pompeiano fra i tanti: Catoni, Osanna 2019.

9. Si pensi ad esempio al patrimonio mitico straordinario confluito nel IX Libro della Periegesi di Pausania, dedicato alla Beozia, grande terra di miti: Moggi, Osanna 2010. Sul mito nel mondo romano: Rüpke 2018, pp. 163-180.

10. In generale, si rimanda alla sempre fondamentale sintesi di Burkert 1984. Sempre godibilissimo Calasso 1988.

11. Ad es. Masseria, Torelli 1999.

12. Ved. ad es. Pirenne Delforge 1998.

13. Cfr. Cattabiani 1998; Chiarini, Guidorizzi 2009.

14. Martin 2002. Sulle statue dedicate al *divus* corredate di una stella sul capo: Valeri 2005, pp. 135-140.

15. Chaniotis 2019, pp. 84-85.

16. Sull'ambiente culturale alessandrino, Chaniotis 2019, pp. 99-100; 305-309 e bibliografia a p. 419.

17. Jourdain-Annequin 1984.

18. Sugli eroi, le loro biografie, loro ruoli e funzioni: Brelich 1958.

19. Grill 2019, pp. 142-143.

20. Ivi, pp. 122-131.

21. Su Eros e la sua iconografia: Fasce 1977; sulla Vittoria: Hölscher 1967.

22. Sull'Altare pergameno e la sua straordinaria decorazione: Queyrel 2005.

23. Massa-Peirrault, Pouzadoux 2017.

24. Sul dipinto pompeiano: L. Rocco, in Bragantini, Sanpaolo 2009, pp. 332-333.

25. Plinio, *Naturalis Historia*, XXXV, 73.

26. Rohde 1982; da ultimo: Bettini 2019, pp. 205-215.

27. Nella *Theogonia* di Esiodo (vv. 116-22) Eros è un'entità primigenia, un essere cosmico e nello stesso tempo divino, nato nella fase che ha visto la nascita di Caos, Gaia e Tartaro. Per Simonide (fr. 70 Page), invece, è generato dalla sola Afrodite: Rudhardt 1986.

28. Cattabiani 1998, pp. 75-81; Santoni 2009, pp. 230-231.

29. Discussione generale su Orione e i suoi miti in Fontenrose 1981; Renaud 2004. Ved. più di recente Frontisi 2017; Santoni 2013.

30. Brelich 1958, pp. 74-7.

31. Cfr. Cattabiani 1998, pp. 75-81; Santoni 2009, pp. 230-231.

32. Pausania, IX, 20, 3: il periegeta vede il monumento sepolcrale di Orione a Tanagra. La tomba era originariamente connessa, in quanto figlio dell'eponimo Irieo, con Iria, località vicina ad Aulide, dove secondo Pindaro (fr. 73 Maehler) sarebbe nato (Strabone, IX 404; *Schol.* Nicandro, *Theriaka*, 15): l'incorporazione del centro nel territorio di Tanagra avrebbe portato la tomba eroica nell'area di pertinenza di questa città: Moggi, Osanna 2010, pp. 329-330; Fontenrose 1981, p. 20.

33. Renaud 2004, pp. 197-240, 330-63.

34. *Iliade* V 4-6; X 25-32; XXII 483-9; *Odissea* V 121-4, 271-5; XI 309-10, 572-5.

35. Cfr. Ferecide, FGrHist3 F 52.

36. Ollà 2016.

37. Renaud 2004, pp. 165-7.

38. Apollodoro, Bibliotheca III 10,1.

39. Brelich 1958.

40. Eratostene, *Epitome dei Catasterismi*, v. 32. Cfr. Santoni 2009, pp. 128-129.

41. Arato, *Fenomeni*, vv. 905-909. Cfr. Mutti, Zoli 1984, pp. 70-73.

42. Citazione in De Marinis 1963. Cfr. Massa-Peirrault 2013. Sul globo dell'Atlante Farnese: Stevenson 1921.

43. Cattabiani 1998, pp. 170-179; Santoni 2009, pp. 175-176.

44. Ghedini 2018.

45. Ovidio, *Metamorfosi*.

46. Carandini, Papi 2018.

47. Sulle vicende legate all'Arco di Portogallo e la sua decorazione: Carandini, Papi 2019, pp. 121-125, Tavv. 8-9.

48. Per Euripide (*Heracl.*, V. 900: χρόνου παις) sarebbe il «Tempo trascendente e assoluto», eternità immobile e una per Platone (Tint., 37d), contrapposto a Chronos, il Tempo empirico in movimento continuo, che ne è l'immagine; «principio cosmico immobile e immutabile», ἀθάνατος καὶ θειος, «qualità stessa del Cielo» per Aristotele (Cael., I, 9, 279a, 22 ss.; II, I, 283b, 26 ss.), in opposizione al tempo come principio del movimento e della mutazione.

49. Pseudo-Callistene (I, 33, 2).

Capitolo 7. Nella stanza di Leda. Mito ed erotismo

1. PPP III, pp. 1099-1101.

2. Notizie preliminari in D'Esposito, Muscolino 2019; Catoni, Osanna 2019.

3. Sul rapporto tra pittori e committenti: Colpo 2006, pp. 57-60, 76-83; per una discussione relativa alle élites pompeiane dell'ultima fase di vita della città: Chiavia 2002, pp. 169-187.

4. La notizia della scoperta lanciata dall'Ansa il 19 novembre 2018 ha avuto un immediato riscontro mediatico, occupando le prime pagine di testate nazionali e internazionali: www.ansa.it/sito/notizie/cultura/arte/2018/11/19/leda-e-il-cigno-pompei-a-luci-rosse_0abb29ee-fba6-4545-9abb-d2455503e220.html

5. In generale: Wallace-Hadrill 1994. Inoltre, più di recente, importanti riflessioni in Anguissola 2010, pp. 39-49.

6. Sulle *fauces*, spazio importante della casa: Lafon 1995.

7. Romizzi 2006, pp.118-120, con ricca discussione dei programmi decorativi della casa.

8. Sulla Casa dei Vettii, Reg. VI, 15, 1-26: Peters 1977; Flamini, G. Prisco 2013. Sul Priapo dipinto nel vestibolo: Kastenmeier 2001.

9. Sul dio Priapo: Herter 1932.

10. Sui messaggi plurimi che la rappresentazione del Priapo doveva veicolare: Clarke 2007, pp. 184-189.

11. CIL IV 1454: Hunink 2013, p. 124, n. 370.

12. Zaccaria Ruggiu 1995, pp. 383-393; Wallace Hadrill 1997, pp. 82-87. Sintesi recente in Adam 2012, pp. 33-41.

13. Sul mito di Narciso si rimanda all'ampia trattazione di Bettini, Pellizer 2003.

14. Sugli stili pompeiani una sintesi in Strocka 1996, pp. 414-425. Ved. inoltre Barbet 1985. Un quadro aggiornato con ricca raccolta di immagini in Bragantini, Sanpaolo 2009.

15. Pesando 1997, p. 274; Romizzi 2006, p. 120.

16. Sulla vita religiosa nella Pompei romana, una ampia disamina è offerta da Van Andringa 2009.

17. D'Angelo 2012.

18. Richiamano una *influenza* delle Metamorfosi di Ovidio, poema che ebbe un grande successo già a partire dal proprio tempo: Colpo, Grassigli, Minotti 2007. Il mito è narrato estesamente in Ovidio, Met. III, vv. 407-510, dove si narra tutta la vicenda biografica dell'eroe, dall'infanzia fino alla morte e alla trasformazione in fiore.

19. *Metamorfosi*, III, vv. 339-510.

20. Bettini 1991.

21. Il fiore è legato agli Inferi. La connessione tra Core e il narciso è già attestato dall'Inno omerico a Demetra (Inni Omerici, 8,16) e ribadito a più riprese nelle fonti antiche (p. es. Sofocle, *Edipo a Colono*, vv. 681-4). L'aspetto infero del fiore sembra emergere per gli antichi dal suo profumo forte e narcotizzante, dalle proprietà calmanti ma anche nocive, per cui si attribuiva al termine *narkissos* un legame etimologico con *navrkh* («torpore», «paralisi»): cfr. Plinio, *Naturalis Historia*, XXI 75.

22. B. Rafn, in LIMC VI 1, 1992, pp. 703-11; sulla sua vitalità anche ai nostri giorni, cfr. Bettini, Pellizer 2004, pp. 35-222 e, in particolare, per il ruolo giocato nella psicanalisi: Most 2007, pp. 201-221.

23. Igino, *Fabulae*, 77.

24. Romizzi 2006, pp. 131-138.

25. D'Angelo 2012, pp. 231-232.

26. Elsner 2007.

27. Al rapporto tra il mondo greco e Pompei, declinato nella diacronia, attraverso plurimi fenomeni di ibridazione e contatti tra culture è stata dedicata nel 2017 una mostra allestita nella Palestra grande di Pompei: Osanna, Rescigno 2017.

28. T. Kington, *'Sensual' Pompeii fresco of Leda and the swan unearthed* https://www.thetimes.co.uk/article/sensual-pompeii-fresco-of-leda-and-the-swan-unearthed-rsdnqtn02

Capitolo 8. Il più amato dai pompeiani

1. In generale sulla topografia di questo settore della città: Stefani 1998, pp. 33-35; Guzzo 2007, pp. 109-110, 181, 201; Emmerson 2010. Sulle necropoli di Pompei, in generale Campbell 2015. Per quanto riguarda l'inizio delle ricerche nell'area, con scoperta di tombe già a partire dal 1754: Fiorelli 1860-1864, I, pp. 11-14, 46, 51.

2. Stefani 1998, p. 33 con bibliografia.

3. Gli scavi sono rimasti purtroppo inediti: cfr. Emmerson 2010, pp. 80-81.

4. L'iscrizione è stata già edita scientificamente, mentre la tomba era ancora in corso di scavo: Osanna 2017d; Osanna 2018b. Le ricerche si sono chiuse a settembre del 2019, quando la tomba è stata completamente liberata dai lapilli, portando alla luce basamento e basolato antistante.

5. Sulla ricorrenza delle scene di banchetto nell'iconografia funeraria: Compostella 1992. Sul banchetto come atto fondamentale dell'evergetismo della prima epoca imperiale, e sulle forme di consumo di cibo e bevande in occasione delle manifestazioni organizzate dai munifici benefattori nelle città romane: Bäumler 2014.

6. Nicolet 1989, pp. 9-14.

7. Sul calcolo degli abitanti fatto in maniera pionieristica da G. Fiorelli, cfr. da ultimo con bibliografia: Flohr 2016.

8. Si ringrazia E. Lo Cascio per la discussione avuta su questo aspetto importante per la ricostruzione della demografia pompeiana.

9. Raccolta della documentazione in Sabbatini Tumolesi 1980, pp.137-140.

10. Sugli spettacoli una sintesi recente è offerta da Meijer 2006 e Mann 2014. Sull'anfiteatro pompeiano Osanna, Iadanza, Masino, Mauro, Mighetto 2016, con bibliografia.

11. Sabbatini Tumolesi 1980, pp. 102-104, n. 74.

12. Garnsey, Saller 1989, pp. 189-191.

13. Lo Cascio 2012.

14. Clarke 2003, pp. 259-260.

15. Maiuri 1958; Moeller 1973; Castrén 1983, pp. 111-112; Meijer 2006, pp. 90-92.

16. Meijer 2006, pp. 112-148.

17. *Ibidem*, pp. 114-123.

18. Svetonio, *Vita di Claudio*, XXI, 8

19. Tacito, *Annali*, XIV, 17.

20. Sui personaggi in carica in quel fatidico anno: Moeller 1973, p. 518; Castrén 1983, pp. 170-171; 205; Franklin 2001, p. 131 ss.

21. CIL IV Suppl. I, 144. Sabbatini Tumolesi 1980, pp. 32-33; Chiavia 2002, p. 160. Cfr. Moeller 1973, p. 94, che aveva già ipotizzato che i due Grosphi fossero stati espulsi insieme a Livineio e – cosa assai improbabile, come vedremo – a Nigidius Alleius Maius, che in un editto è affiancato a un Grosphus, mentre dalla casa dei Dioscuri attribuita alla sua famiglia viene un graffito che allude all'episodio. Cfr. anche Della Corte 1965.

22. Sul matrimonio nel mondo romano e le frequenti casi di contrazione di nuove unioni: Humbert 1972.

23. Garnsey, Saller 1989, pp. 159-160.

24. Della Corte 1965, p. 72; Mouritsen-Gradel 1991, pp. 152-152.

25. La *lex coloniae Genetivae Iuliae* contenente lo statuto della colonia di Urso in Baetica ci informa dettagliatamente sui doveri dei magistrati relativi al necessario allestimento di giochi al momento della entrata in carica: CIL II Suppl. 5439; Gabba 1998.

26. Rilievo con *munus* gladiatorio (MANN inv. 6704. Marmo bianco, Lu. m. 4,20, alt. 1,45): Maiuri B. 1947.

27. Si ringrazia per la disponibilità e la collaborazione fattiva per la realizzazione del rilievo il direttore Paolo Giulierini e la dott.ssa Melillo, responsabile del laboratorio di restauro del MANN. Il rilievo è stato realizzato dall'arch. Raffaele Martinelli.

28. A. Degrassi, in Inscr.It. XIII, 2.

29. Sulla schiavitù nel mondo romano, una categoria cui appartenevano più delle volte i gladiatori: Joshel, Petersen 2014.

30. Ringrazio Tonio Hölscher per la proficua discussione al riguardo.

31. CIL X 1074. Cfr. Adamo Muscettola 1992, pp.111-112. Ved. anche Stefani 1998.

32. Sul rapporto tra rappresentazioni dei rilievi e realtà: Torelli 1982.

33. Van Buren 1947; Moeller 1973; Franklin 1997.

34. Della tomba, scoperta nel tardo Ottocento, si da notizia in «Notizie degli Scavi di Antichità» 1889, p. 280. Cfr. Emerson 2010 con bibliografia.

35. D'Ambrosio, De Caro 1983, sepolcro 11 OS.; Chiavia 2002, p. 155.

36. Castrén 1983, pp. 109, 133 n. 23, 206 n. 206. È stata segnalata l'omissione del gentilizio originario, Nigidius, come accade anche in tituli riferibili al figlio: Franklin 1997, p. 436, nota 14.

37. Castrén 1983, p. 195 n. 268.

38. Iscrizione rinvenuta in quattro frammenti nell'area meridionale di Pompei, presso il complesso delle terme del Sarno: «Notizie degli Scavi di Antichità» 1890, p. 333: *[A]llei[a Ma] i f(ilia) /[s]acerd[os] V[eneris]s / et Cerer[is si]bi /ex dec(urionum) decr(eto) pe(cunia [publica])*. Sulla figlia di Nigidius: Adamo Muscettola 1992.

39. Sul culto di Venere a Pompei, da ultima Lepone 2016.

40. CIL IV 504, 512 (edilità); 499 (duovirato): Chiavia 2002, p. 277. Cfr. Franklin 1997, p. 437, nota 18.

41. CIL IV, Suppl. I tabula cerata 148.

42. Moeller 1973, pp. 515-516. Lo studioso si spinge anche a avanzare che – in considerazione del background familiare – avesse assunto precocemente il ruolo di edile, già all'età di 22 anni, per divenire duoviro a 26 e quinquennale a 32. Van Buren 1947, p. 388, pensava piuttosto a quaranta anni per il duovirato quinquennale. Difficile spingersi così a fondo nella ricostruzione della biografia del nostro.

43. CIL IV 3453, 7989; cfr. Castrén 1983, p. 110; Sabbatini Tumolesi 1980, p. 33; Chiavia 2002, p.162. Sulla scansione cronologica della carriera: Sabbatini Tumolesi 1980, pp. 33-34; per l'ipotizzata iterazione delle cariche Moeller 1973, p. 519, propende per un secondo duovirato quinquennale nel 70/71 d.C.

44. CIL IV 1180; Sabbatini Tumolesi 1980, pp. 42-43, n. 15.

45. Van Buren 1947, pp. 389-390; Sabbatini Tumolesi 1980, p. 42. A differenza di quanto inizialmente ricostruito: CIL IV, p. 462; Castrén 1983, p. 108.

46. Per le varie proposte si rimanda ad Adamo Muscettola 1992, pp. 217-218, che propone di indentificarla nel grande basamento posto nella piazza forense di fronte al Capitolium (per le proposte precedenti che volevano riconoscervi l'ara del cosiddetto tempio di Vespasiano o un rifacimento dello stesso post-terremoto, cfr. *Ibidem* p. 217, nota 71). Cfr. anche Chiavia 2002, pp. 158-159.

47. CIL IV 138. Sull'Insula cfr. Pirson 1999.

48. In tal senso anche Sabbatini Tumolesi 1980, p. 32.

49. Franklin 1997.

50. *Princeps coloniae*: CIL IV 1177, 7989b, 7990; *princeps munerariorum*: CIL IV, 7990. Cfr. Moeller 1973, p. 519-520.

51. Cfr. CIL IV 7991 e 1179: cfr. Sabbatini Tumolesi 1980, pp. 34-37, nn. 9-10.

52. Così anche Sabbatini Tumolesi 1980, pp. 34-35.

53. CIL IV 7993.

54. Sabbatini Tumolesi 1980, p. 38 con bibl. Già della stessa idea Van Buren 1947, p. 388 ss. Per l'interpretazione come *tabularium* e.g.: Della Corte 1965, p. 113. Per la proposta di localizzare nel *Macellum* le tavole dipinte: Adamo Muscettola 1992. Iscrizione beneventana in CIL IX 1666.

55. CIL IV 1178. Sabbatini Tumolesi 1980, p. 41: giustamente dissentendo dal commento del CIL che segnalava l'omissione del testo di un punto che permettesse di leggere *Grospho. S[alutem]*, la studiosa ha proposto di mantenere *Grosphos*, come attestato, e interpretare il nome come una allusione ai due *Grosphi*, padre e figlio adottivo, nel 59 d.C.in carica come duoviri.

56. Sabbatini Tumolesi 1980, pp. 32-33.

Capitolo 9. Ceneri e lapilli: stratigrafia di un disastro

1. Sigurdsson, Cashdollar, Sparkes 1985. Da ultimo sul Vulcano e le dinamiche eruttive: Scarpati, Perrotta 2019. All'eruzione del 79 d.C. e a quella molto più antica (1613 a.C.) che ha distrutto Akrotiri nell'isola di Santorini, dando vita a forme analoghe di conservazione sulla materia è dedicata la mostra *Pompei e Santorini. L'eternità in un giorno*, allestita alle Scuderie del Quirinale (ottobre 2019 – gennaio 2020). L'esposizione comprende anche una sezione sulla «fortuna» moderna e contemporanea della catastrofe: Osanna, Athanasoulis 2019.

2. Cioni, Santacroce, Sbrana 1999.

3. Formalmente il Vesuvio, come oggi lo conosciamo, si costruisce e prende la configurazione attuale dopo il 79 d. C. ci si riferisce dunque all'intero edificio vulcanico col nome Vesuvio: cfr. sugli effetti dell'eruzione Mastrolorenzo 2002

4. Sul nostro paesaggio e i suoi disastri si rimanda alle fondamentali riflessioni di Settis 2010; Settis 2017.

5. Gallo 2016.

6. Si rimanda alle belle pagine di Bruno 2016 pp. pp. 447-449, riflessioni che prendono spunto dalle struggenti sequenze del film di Roberto Rossellini, *Viaggio in Italia*, quando ancora sopravviveva il «pittoresco» viaggio in Italia, in cui «nutrire l'intelletto di intenso sentimento estetico... in una geografia segnata dalla profondità della storia».

7. Barbanera, Capodiferro 2015.

8. Spinazzola 1953.

9. Sulla storia della fotografia a Pompei: Miraglia, Osanna 2015.

10. Sull'area non scavata dove sono stati oggi intraprese nuove ricerche, nell'ambito del Grande Progetto Pompei: D'Esposito, Muscolino 2015.

11. Pesando, Guidobaldi 2018.

12. Luongo, Perrotta, Scarpati 2003a; Luongo, Perrotta, Scarpati, De Carolis, Patricelli, Ciarallo 2003, pp. 169-200; Scarpati, Perrotta 2019.

13. S. Carey, H. Sigurdsson, *Temporal variations in column height and magma discharge rate during the 79 A.D. eruption of Vesuvius*, in «Geological Society of American Bulletin», 99, 1987, pp. 303-314.

14. Scarpati, Perrotta, Montanaro, Sparice 2019.

15. L'esame preliminare è stato effettuato da Giacomo Pardini che ringrazio.

16. Grande Progetto Pompei: «Lavori di messa in sicurezza dei fronti di scavo interni alla città antica, messa in sicurezza del fronte Sud della Regio VIII e mitigazione del rischio idrogeologico delle Regiones I-III-IV-V-IX»: D'Esposito, Muscolino 2019.

Capitolo 10. «Rapiti alla morte»

1. Dati preliminari sul progetto in Osanna 2016b, pp. 155-161. Un volume è in corso di preparazione a cura di chi scrive con A. Capurso e S. Masseroli.

2. «Giornale di Napoli» del 13 febbraio: riedita in Dwyer 2010, pp. 125-126.

3. Su Giuseppe Fiorelli: Scatozza-Höricht 1987, pp. 865-880; De Caro, P.G. Guzzo 1999; Robert-Boissier 2011, pp. 112-142 con bibliografia; da ultimi Osanna 2015, pp. 228-238; Moormann 2015, pp. 74-83.

4. Il lavoro più completo e documentato sui calchi pompeiani, in particolare su quelli realizzati nel XIX secolo, è Dwyer 2010. Più in generale, con molti dati, il catalogo della mostra napoletana *Storie da un'eruzione*: D'Ambrosio, Mastroroberto, Guzzo, 2003 e il piccolo catalogo di Stefani 2010; sulla documentazione osteologica: Lazer 2009, pp. 247-264. Da ultimo De Carolis, Patricelli 2018.

5. Fiorelli 1877, pp. 92-93.

6. Dwyer 2010, pp. 87-89, 91-93, 121.

7. La mancanza di un numero di inventario che ha singolarmente caratterizzato la storia di questi calchi, dalla scoperta fino a oggi, ha fatto sì che rimanesse sempre vago il numero dei calchi tuttora esistenti. Per la prima volta, nell'ambito del Grande Progetto Pompei, è stato portato avanti un lavoro complessivo di censimento, catalogazione e restauro. I calchi censiti

sono 90 (comprensivi di un cane e un maialino). Sono grato alle funzionarie archeologhe dott.sse Capurso e Masseroli che hanno portato avanti il complesso incarico di censimento e schedatura.

8. *Giornale degli scavi di Pompei*, n.s. I, Napoli 1968 (Archivio Storico Museo Archeologico di Napoli VIII A2, fasc. 4).

9. Settembrini 1879, pp. 253-257. Riedita in De Carolis, Patricelli 2018, pp. 120-127.

10. La nota ministeriale del 23 febbraio 1863 con la quale il Rezasco, per il ministro scrive al principe di San Giorgio con «Oggetto: Trovato del Cav. Fiorelli» è edita in Poli Capri 2002, p. 129.

11. *Ibidem* pp. 134-135.

12. Cfr. il Cap. 4.

13. Sulla nota vicenda dell'impronta di un seno femminile recuperato nel 1772 nella Villa di Diomede, che trasportato nel Museo di Portici fu ampiamente celebrato da viaggiatori e letterati fino a ispirare il nudo femminile del famoso quadro di Théodore Chassériau datato 1853: Maiuri 1983, pp. 34-38; da ultimo Pucci 2015, pp. 239-240.

14. Probabilmente quella della bottega VIII, 4, 1: Fiorelli 1860-1864, vol. 2, p. 688. Cfr. Pagano 1992, p. 189; Dwyer 2010, pp. 30-31.

15. Fiorelli 1860-1864, vol. 2, p. 678. Cfr. E. Dwyer 2010, p. 30.

16. Brunn 1863, p. 88. L'articolo cui fa riferimento il Brunn era stato pubblicato da Serge Ivanoff negli *Annali dell'Instituto di Corrispondenza Archeologica* nel dicembre 1859: *Varie specie di soglie in Pompei ed indagine sul vero sito della fauce*, pp. 82-108, in part. 105: «[...] fig. D. Sono impronte in gesso delle due partite di una porta, le quali impronte si conservano nel piccolo Museo di Pompei. Sono state modellate, nel discoprire, sopra l'impronta rimasta sulle ceneri indurite da tanti secoli. Nel memorabile disastro trovossi la detta porta socchiusa e così appunto le sue partite di legno stamparono sulle ceneri il loro architettonico disegno. fig. E. Altra impronta in gesso di una partita, ottenuta nella maniera medesima».

17. «Il Giornale degli scavi di Pompei», dopo una prima esperienza avviata dal Fiorelli nei mesi di detenzione in carcere, vede la luce con il primo volume nel 1861 e prosegue fino al 1865: García y García 1998, pp. 497-500.

18. Sui tentativi precedenti: Dwyer 2007; Dwyer 2010, pp. 32-34.

19. Robert-Boissier 2011, pp. 113-130.

20. Poli Capri 2002, pp. 293-301.

21. Si tratta evidentemente di novantanove denarii d'argento, un sesterzio e otto assi di bronzo, ossia 399 sesterzi: così interpreta T. Giove, in D'Ambrosio, Mastroroberto, Guzzo 2003, p. 255, che segnala come si tratti di una somma un po' più alta della media stimata per un patrimonio liquido di un pompeiano medio, citando Breglia 1950, pp. 44-59.

22. La quota della coltre di lapilli depositatasi nelle strade varia a seconda del luogo. Considerata aggirarsi mediamente intorno ai 2,60-2,80 metri (De Carolis, Patricelli, Ciarallo 1998, p. 112), in vari settori della città doveva aver raggiunto anche i 5 m., come mostrano i nuovi scavi della Regio V.

23. Sulle cause di morte dei pompeiani: De Carolis, Patricelli, Ciarallo 1998, pp. 112-113. Oltre alla morte per soffocamento, richiamata come causa principale soprattutto da Sigurdsson, Cashdollar, Sparkes 1982, pp. 39-51 (cfr. anche Sigurdsson, Carey, Cornell, Pescatore 1985, pp. 332-387), in numerosi casi, come attesta oltre alla cosiddetto posizione del pugile di molti calchi, il confronto con dati provenienti da eruzioni più recenti, la morte deve essere avvenuta per l'alta temperatura della nube di gas e cenere, che a Ercolano, dove era giunta ancora più elevata, aveva praticamente consumato in un attimo tutto il materiale organico: discussione con bibliografia in Lazer 2009, pp. 84-91.

24. Settembrini 1879, pp. 253-256. Cfr. Fiorelli 1939, pp. 96-99.

25. Il costume di prelevare le ossa dalla cavità prima di versare il gesso liquido era indirizzato ad assicurare una migliore riuscita del calco (evidentemente memore degli insuccessi precedenti), ma anche la «sgradevole» fuoriuscita dall'involucro di parti dello scheletro a cominciare dal cranio. Tale aspetto caratterizza essenzialmente i calchi del XIX secolo e la pratica dev'essere stata abbandonata già con i primi calchi realizzati da Vittorio Spinazzola. La tecnica è stata di recente documentata anche dalle analisi condotte nel progetto di restauro portato a termine nel 2015: la tac effettuata su una selezione di calchi tra cui quello della famosa fanciulla del 1875, del resto tra i meglio riusciti del gruppo realizzato dal Fiorelli, ha dimostrato che all'interno dell'involucro di gesso non restavano che tracce minutissime di ossa, in particolare presso l'avambraccio, laddove evidentemente «le lunghe mollette» con le quali il Fiorelli «cava alcune ossa dal foro» non erano riuscite ad arrivare. Si ringrazia per le informazioni E. Lazer che sta elaborando i dati delle nuove analisi effettuate. In generale sul modus operandi del Fiorelli: Dwyer 2010, pp. 42-44.

26. Miraglia, Osanna 2015, in part. pp. 37-38.

27. Magaldi 1930 che riporta un episodio descritto da Delaunay 1877, p. 23 ss. Sulla fortuna letteraria dell'esperimento nel XIX secolo: Villani 2018.

28. Monnier 1864, pp. 116-118.

29. Delaunay 1877, pp. 101-102, ripreso in traduzione da A. Palumbo, soprastante agli Scavi di Pompei, nel suo *Catalogo ragionato delle pubblicazioni archeologiche e politiche* di G. Fiorelli, Città di Castello 1913, p. 52 ss.

30. Il «tesoro» alquanto modesto, in verità annoverava dunque due coppe decorate all'interno da globetti convessi a sbalzo e sei cucchiai, inoltre uno specchio rotondo cesellato e un medaglione circolare decorato al centro dalla rappresentazione della Fortuna, forse originariamente emblema di un piatto: T. Giove, in D'Ambrosio, Mastroroberto, Guzzo 2003, pp. 255-258.

31. Raccolta dei dati in Dwyer 2010, pp. 55-60 che in base all'anello in ferro, che alluderebbe a uno status servile, ai marcati tratti somatici del volto baffuto e alla notevole statura propende nel vedervi una persona di origini nord-europee.

32. Dwyer 2010, pp. 65-68.

33. Da ultima T. Giove, cit., pp. 255-256, che così interpreta anche per la distribuzione dei beni di famiglia.

34. Sembra difficile crederlo ma Pompei fu ripetutamente bombardata a partire dal 24 agosto 1943. Le circa 150 bombe sganciate hanno inferto danni enormi al patrimonio, distruggendo l'antiquario e numerosi edifici: García y García 2006.

35. Miraglia, Osanna 2015, p. 38: alla creatività di Giorgio Sommer, e dunque a una sua scelta personale non indirizzata da probabili influenze del Fiorelli, attribuisce a Marina Miraglia la sezione fotografica dedicata al Monte Vesuvio che «costituiva infatti per il fotografo il principale protagonista iconografico di Pompei; un gemellaggio visivo ribadito... dalla fotografia del famoso dipinto di Édouard Saïn, *Fouille a Pompei* (1865), che Sommer ribattezza *Donne lavorando negli scavi*».

36. Interessanti osservazioni al riguardo in Seydl 2012, pp. 27-29.

37. Sagù 1999, pp. 173-194.

38. Miraglia, Osanna 2015, pp. 36-38, figg. 66-67.

39. Dwyer 2010, pp. 53-68 che cita, tra gli altri, come fonte autoptica Goldsmidt, 1863, pp. 286-288 e Overbeck 1863, pp. 32-34.

40. Monnier 1864, pp. 116-118.

41. Dwyer 2010, figg. 6-10.

42. Gardner Coats 2012, pp. 48-49, figg. 29-30.

43. Garcia y Garcia 2006, pp. 173-200.

44. Fiorelli 1875, p. 316.

45. Sogliano 1922, pp. 2-3.

46. Fiorelli 1877, p. 90 ss.

47. Garcia y Garcia 2006, pp. 188-190.

48. *Ibidem*, p. 176, fig. 421.

49. *Ibidem*, pp. 176-179, fig. 422.

50. «Pratiche estinte 759 A.S.A.P.», pubblicato da Garcìa y Garcìa 2006, pp. 203-205.

51. *Ibidem*, pp. 201-205.

52. T. Giove, in D'Ambrosio, Mastroroberto, Guzzo 2003, pp. 255-258. Non si fa cenno alla loro esistenza o al loro destino nemmeno in Stefani 2010.

53. Dwyer 2010, p. 69.

54. Maiuri 1998, pp. 195-203. Prima pubblicazione dello scritto in «Rassegna d'Italia» (gennaio 1946); ripubblicato in Taccuino napoletano, Napoli 1956.

55. «Pratiche Estinte 706 dell'A.S.A.P. Pompei: Accertamenti inventariali oggetti distrutti per causa di guerra»: Garcìa y Garcìa 2003, p. 201.

56. Dal Co 2015; Osanna, Iadanza, Masino, Mauro, Mighetto 2016.

1. Fiorelli 1860-1864, I, pp. 1-3. «Cava de la Civita, 1748. 23 marzo – In occasione di un sopralluogo effettuato nei giorni scorsi per conoscere il fiume che conduce l'acqua al polverificio di Torre Annunziata, e avendo precedentemente ricevuto notizie dall'intendente D. Juan Bernardo Boschi, che in località Civita distante circa 2 chilometri da Torre erano state rinvenute alcune statue e altri resti dell'antica città di Stabia sono stati trovati, mi sembrò opportuno identificare e reperire alcuni informazioni; e sono arrivato a credere che in quel luogo possono ritrovarsi alcuni monumenti e resti antichi con minor lavoro rispetto a questo luogo: e per la ragione che già da qualche tempo in questi scavi non si rinvengono cose particolari, nonostante continuino a esser condotti tra edifici in rovina: vorrei altamente sospendere qui per un po' il lavoro e andare a fare una verifica con le stesse persone nel luogo chiamato Civita [...] in modo da decidere poi se continuare lo scavo qui o lì a seconda del giacimento più cospicuo [...] E se S.M. dovesse approvare che si faccia questo tentativo in quei paraggi. Ciò che desidero vivamente, sarebbe necessario un ordine di V.E. per il Governatore di Torre Annunziata in modo che faciliti l'avvio del cantiere, e che le persone incaricate possano dormire lì in alcune case o taverne che sono nei paraggi».

Appendice 1. La doppia vita di Pompei

2. Zevi 1987.

3. L'opera, realizzata da Muzio Tuttavilla, Conte di Sarno, è ricordata a Pompei da una lapide posta presso un tratto del canale visibile di Via di Nocera: «Negli anni 1594-1600 l'architetto Domenico Fontana scavò questo canale per portare le acque del fiume Sarno alle fabbriche d'armi di Torre Annunziata. Durante la sua costruzione apparvero, per la prima volta, le rovine di Pompei»: Rispoli, Paone 2011, pp. 126-133.

4. Dopo di lui sarà l'Holstenius a ribadire l'identificazione nel 1666: «certissimus est Pompeios fuisse [...] loco qui Civita vulgo dicitur».

5. Sulle lettere di Plinio, resoconto dettagliato e fededegno dell'eruzione.

6. Sulle dinamiche dell'eruzione nel caso di Ercolano.

7.«2 aprile – In conseguenza dell'ordine che ho ricevuto da V.E [...] il giorno 30 mi sono trasferito con una parte della gente da queste grotte: e ho intrapreso il lavoro del nuovo scavo di Torre Annunziata» [...] «mi sono imbattuto in aree di scavo già iniziate in due parti diverse [...] e sono questi i luoghi che ci sono sembrati più appropriati secondo le varie notizie che ho preso e continuo a prendere, in modo che io possa al meglio portare avanti questo lavoro, nel quale sono attive solo 12 persone [...]».

8. «6 Aprile – Nello scavo che è stato avviato a Torre Annunziata, la prima cosa che è stata scoperta è stato un dipinto [...] che presenta due grandi festoni di foglie, di frutta e di fiori [...] ed essendo passato con me questa mattina lo scultore a vederle, è stato disposto che fosse distaccata [...]».

9. Parslow 1998.

10. Sul tema si rimanda, tra la bibliografia più recente, a Osanna, Caracciolo, Gallo 2015; Osanna, Cioffi, Di Benedetto, Gallo 2016.

11. De Brosses 1750, pp. 1-2.

12. *Tre lettere del Signor Marchese Scipione Maffei la prima sopra il primo tomo di Dione novamente venuto in luce. La seconda sopra le nuove scoperte d'Ercolano. La terza sopra il principio della grand'iscrizione poco fa scavata nel Piacentino*, Verona 1948, pp. 33-35. Cfr. Zevi 1980, II, pp. 58-68; Allroggen-Bedel 1990, pp. 27-46.

13. *Tre lettere del Signor Marchese Scipione Maffei*... cit., p. 36.

14. J.J. Winckelmann, *Lettera sulle scoperte di Ercolano al Sig. Conte Enrico di Brühl*, 1762, in *Opere*, VII, tr. it. Prato 1831, §. 29. Diverso il giudizio sul Weber: «[...] l'ispezione in secondo e la direzione [...] venne commessa ad un ingegnere svizzero di nome Carlo Weber [...] ed a questo uomo intelligente sono dovuti tutti i savj ordinamenti fattisi in seguito», *ibid.*, §. 30. Cfr. Allroggen-Bedel 2014.

15. Fiorelli 1860-1864.

16. J.J. Winckelmann, *Lettera*... cit., §. 36.

17. Su Carlo III: D'Alconzo 2017; sulla cultura del periodo: A. Allroggen-Bedel 1986, pp. 521-536.

18. D'Alconzo 2014.

19. Sul reale museo di Portici ved. Represa Fernàndez 1988.

20. Morillas Alcàzar 2015, pp. 167-179.

21. Mattazzi, *Introduzione a Il diavolo innamorato* di Jacques Cazotte, trad. it. San Cesareo di Lecce, 2011, pp. 15-16.

22. Parslow 1998, pp. 13-49, 107-122.

23. De Caro 1992.

24. Zevi 1981, pp. 157-158.

25. Zevi 1987, pp. 20-21.

26. Taglialatela 1995; Irollo 2012.

27. Scognamiglio 2015, pp. 58-68; Gallo 2018, con bibliografia.

28. Citazione riportata in Zevi 1981, pp. 159-160.

29. Su Chateaubriand a Pompéi: Galletier 1934, p. 314.

30. Adamo Muscettola 2001.

31. Adamo Muscettola 2001.

32. De Caro, Guzzo 1999; da ultimo, con bibliografia Osanna 2016b, pp. 144-161.

Appendice 2. L'oggi

1. L'espressione si deve a Robert-Boissier 2001 che ha intitolato la sua monografia dedicata alla storia della città vesuviana a partire dalla sua riscoperta: *Pompéi. Les doubles vies de la cité du Vésuve*. Per una meditata riflessione sulla «seconda vita» di Pompei, da ultimo Torelli 2017.

2. Zevi 1981. Non è un caso che proprio il primo soprintendente dell'Unità d'Italia, Giuseppe Fiorelli, abbia ricoperto nel 1875 – dopo l'impegno pompeiano e per la prima volta in Italia – il ruolo ministeriale di direttore generale per le antichità: Robert-Boissier 2011, pp. 112-142, con bibliografia.

3. Osanna, Caracciolo, Gallo 2015; Osanna, Cioffi, Di Benedetto, Gallo 2016.

4. Rovelli 2017, pp. 59-64.

5. Quadri ampi con punti di vista diversi, da parte di addetti a lavori, giornalisti, studiosi, si sono moltiplicati negli ultimi anni: ved. almeno Guzzo 2011; Erbani 2015; Rowland 2015.

6. https://www.ilpost.it/tag/schola-armaturarum/

7. https://www.telegraph.co.uk/news/worldnews/europe/italy/8115830/Pompeii-ruin-collapses amid-claims-site-mismanaged.html. «Alle prime ore dell'alba di sabato mattina, prima che fosse consentito l'accesso ai visitatori, un'edificio conosciuto come la Schola Armaturarum Juventus Pompeiani è collassato in cumulo di polvere e macerie. [...] Pompei, a sud di Napoli, è un sito archeologico unico, inserito nella lista Unesco dei siti Patrimonio dell'Umanità, eppure da decenni ormai è stato lasciato in rovinose condizioni di incuria. Oggi, a più di 250 anni dalla sua scoperta, il 40 per cento della città – che, se interamente scavata, fornirebbe uno sguardo unico sulla vita nella Roma antica – è chiuso o ancora da indagare. Il presidente della Repubblica Giorgio Napolitano ha definito il crollo «una vergogna», facendo seguito alla denuncia espressa il mese scorso dal Corriere della Sera che parlava della malagestione di Pompei come di un motivo di imbarazzo internazionale per l'Italia».

8.http://www.lefigaro.fr/culture/2010/12/11/03004-20101211ARTFIG00096-la-seconde-mort-de-pompei.php: «La città di Pompei scomparirà? Due terzi degli edifici dell'antica città devastata dall'eruzione del Vesuvio nel 79 d.C. sono ora in pericolo di collasso. Un gioiello dell'antichità sta lentamente morendo. Un caos di pietre e cenere come una città invade Via dell'Abbondanza. È ciò che rimane della Schola Armaturarum. La Caserma dei Gladiatori, un grande edificio a due piani risalente al II secolo a.C., è crollata all'alba del 6 novembre, minata dall'infiltrazione dell'acqua. [...] La Via dell'Abbondanza è una delle due arterie principali di Pompei [...] È fiancheggiata per tutto il percorso da domus imponenti. Quelle a sinistra sono sormontate da un vasto terrapieno, una delle due grandi aree di Pompei che non sono ancora state esplorate [...] Lo Stato ha una pesante parte di responsabilità: una politica culturale estemporanea, valzer di leadership, tre sovrintendenti nominati in 18 mesi, commissari con pieni poteri senza avere le competenze necessarie per gestire un patrimonio archeologico. Appena insediati, alcuni «manager» congelano tutti i progetti a favore di una politica a volte sconcertante di promozione dell'immagine di Pompei. Ciò che gli archeologi deplorano di più è la mancanza di pianificazione, un piano generale, una visione strategica. Quello di cui Pompei avrebbe più bisogno è uno sforzo completo e coordinato di manutenzione ordinaria».

9. Erbani 2015.

10 Guzzo 2011.

11. Gherpelli 2013.

12. Gherpelli 2013: «Resta il fatto che le 770 unità in servizio a vario titolo presso la Soprintendenza in quegli anni, ripartite in 44 qualifiche funzionali diverse, parecchie delle quali non corrispondenti alle effettive esigenze di una adeguata ed aggiornata organizzazione del lavoro finalizzata alla conservazione e alla valorizzazione del patrimonio amministrato, rispondevano direttamente ed esclusivamente al Ministero che le remunerava (che elargiva

incentivi, determinava qualifiche, mansioni, livelli, trasferimenti, ecc), e per niente al consiglio di amministrazione, che aveva il compito di governare la struttura».

13. Articolo 1 del d.l. 8 agosto 2013, convertito dalla legge 7 ottobre 2013, n. 112.

14. E.g. Guzzo 2014.

15. Nistri, Osanna, 2014, pp. 99-116.

16. La norma prevede che al «direttore generale di progetto» sarebbe stata affiancata una «struttura di supporto» creata *ad hoc*, «contingente di personale, anche dirigenziale, in posizione di comando, non superiore a venti unità" proveniente dai ruoli delle amministrazioni statali».

17. Nistri, Osanna 2014; Osanna, Picone 2018.

18. Casini 2016, pp. 203-218.

19. Osanna, Rinaldi 2018a. Si è scelto di operare all'interno di una strategia di servizi, avvalendosi di una struttura organizzativa dotata di competenze specialistiche pluridisciplinari. Il servizio è stato affidato ad Ales SpA, società in house del Mibact, attraverso una convenzione con il Ministero dei beni e delle attività culturali e del turismo.

20. Osanna, Rinaldi 2018b.

21.https://napoli.repubblica.it/cronaca/2017/02/09/news/la_commissaria_cretu_e_a_pompei-157884987/

22. Osanna 2018.

23. Per citare solo alcuni progetti editi cfr. Sirano 2016; Cicirelli 2017. Cfr. inoltre per uno sguardo complessivo a tutte le attività Osanna, Picone 2018.

24. Zevi 1981.

25. Osanna 2018.

26. De Caro, Guzzo 1999. Inoltre Robert-Boissier 2011, pp. 112-142, con relativa bibliografia.

27. Fiorelli 1875, pp. 23-25.

28. Da ultimo Osanna 2015 con bibliografia.

29. Monnier 1864.

30. Brunn 1863, pp. 86-88.

31. Lettera di Giuseppe Fiorelli alla Guardia Nazionale del distretto di Castellammare di Stabia, «il Tempo», 10 marzo 1848. cfr. Pappalardo 2001, p. 14.

32. Brunn 1863, p. 88. Osanna 2016 b.

33. Per una raccolta degli scritti di A. Maiuri, da cui emerge il nuovo approccio e la nuova immagine data a Pompei: Belli 1978.

34. Scotto Di Freca 2012.

35. Osanna 2017, pp. 159-178. Cfr. anche Zevi 1981, p. 20.

36. Maiuri 1959.

37. Sulla biografia degli oggetti: van Dommelen, Bernard Knapp, 2010.

38. Maiuri 1958; Maiuri 1959. Ved. Inoltre Maiuri 1962; Maiuri 1978.

39. Maiuri 1932, p. IX.

40. Delpino 1998; Scotto Di Freca 2012.

41. Maiuri 1932, p. 5.

42. Su Fiorelli e il suo operato a Pompei, da ultimo con bibliografia: Osanna 2015.

43. Cfr. quanto scritto da U. von Wilamowitz-Moellendorff in una lettera del 23 settembre edita in *Pompei, Ercolano, Stabiae, Oplontis*, LXXIX-MCMLXXIX, pp. 265-266: Praesagimus olim te appellatum iri alterum Fiorelli mortuae urbis sospitatorem.

44. Spinazzola 1953, pp. 5-32.

45. Osanna 2017c, p. 120.

46. Celebri sono gli allestimenti dello Spinazzola lungo via dell'Abbondanza, dove si riarreda la caupona di Asellina, con tutte le stoviglie sul bancone e le anfore appoggiate al muro alle spalle, nonché la cucina della Fullonica di Stephanus con i suoi bronzi e ceramiche distribuite tra il piano della cucina e la parete di fondo: Osanna 2017b, pp. 160-162.

47. Osanna 2017a.

48. Maiuri 1932, p. 11.

49. Cfr. anche De Haan 2016, p. 257, 263, che mi vede in disaccordo con una ricostruzione secondo la quale «la parola chiave per valutare l'opera di Maiuri ad Ercolano e Pompei negli anni Venti e Trenta [...] sarebbe «rievocazione». I grandi progetti di scavo e la loro abile divulgazione miravano a rievocare le città antiche, offrendo quei panorami *incantevoli* di cui parlò Mussolini stesso». Un tale approccio mi sembra riduttivo e sovrappone acriticamente uomo e tempi.

50. Il «Giornale d'Italia» del 2 novembre 193, edito in Belli 1978, pp. 633-634.

51. Osanna 2017a, pp. 174-175.

52. Sul secondo conflitto mondiale a Pompei e i danni di guerra: García y García 2006; Picone 2011.

53. Zevi 1981, pp. 20-21.

54. Torelli 2017, pp. 342-344.

55. Zevi 1982.

56. Osanna Rinaldi 2018.

57. In generale sulle attività del Grande Progetto: Osanna, Picone 2018.

BIBLIOGRAFIA

Adam 1989
J.P. Adam 1989, *Roman Buildings: Materials and Techniques*, London 1989.

Adam 2012
J.P. Adam, *La maison romaine,* Arles 2012.

Adamo Muscettola 1992
S. Adamo Muscettola, *I Nigidi Mai di Pompei: far politica tra l'età neroniana e l'età flavia*, «Rivista dell'Istituto di Archeologia e Storia dell'Arte» 1991-1992, pp. 193-218.

Adornato 2010
G. Adornato (a cura di), *Scolpire il marmo. Importazioni, artisti itineranti, scuole artistiche nel Mediterraneo antico*, Milano 2010.

Adriani 1963-1966
A. Adriani, *Repertorio d'Arte dell'Egitto greco-romano*, Palermo 1963–1966.

Agostiniani 1982
L. Agostiniani, *Le «iscrizioni parlanti» dell'Italia antica. Lingue e iscrizioni dell'Italia antica 3*, Firenze 1982.

Albore Livadie 1979
C. Albore Livadie, *Le bucchero nero en Campanie. Notes de typologie et de chronologie*, in *Le bucchero nero étrusque et sa diffusion en Gaule Méridionale* (Atti della Tavola Rotonda, Aix-en-Provence, 21-23 maggio 1975), Bruxelles 1979, pp. 91-110.

Allison 1993
P.M. Allison, *How Do We Identify the Use of Space in Roman Housing*?, in E. Moormann (a cura di), *Functional and Spatial Analysis of Wall Painting (Proceedings of the Fifth International Congress on Ancient Wall Painting, Amsterdam, 8–2 September 1992),* «Bulletin Antieke Beschaving», Suppl. 3, Leiden 1993, pp. 1-8.

Allison 1997
P.M. Allison, *Artefact Distribution and Spatial Function in Pompeian Houses*, in B. Rawson, P. Weaver (a cura di), *The Roman Family in Italy: Status, Sentiment and Space*, Oxford 1997, pp. 321-354.

Allison 2004
P.M. Allison, *Pompeian Households: An Analysis of Material Culture,* Los Angeles 2004.

Allison 2006
P.M. Allison, *The Insula of the Menander at Pompeii,* vol. 3, *The Finds,* Oxford 2006.

Allroggen-Bedel 1986
A. Allroggen-Bedel, *Tanucci e la cultura antiquaria del suo tempo,* in *Bernardo Tanucci giurista, statista, letterato* (Atti del convegno internazionale di Napoli, 1983), Napoli 1986, pp. 521-536.

Allroggen-Bedel 1990
A. Allroggen-Bedel, *Winckelmann und die Archaeologie im Koenigreich Neapel,* in *Johann Joachim Winckelmann. Neue Forschungen*, Stendal 1990.

Allroggen-Bedel 2014
A. Allroggen-Bedel, *Sulle orme di Winckelmann: Pompei e l'archeologia tedesca dell'Ottocento*, in C. Capaldi, T. Fröhlich, C. Gasparri (a cura di), *Archeologia italiana e tedesca in Italia durante la costituzione dello stato unitario,* Napoli 2014, pp. 63-76.

Amoretti 2019
V. Amoretti, *Uno sguardo antropologico,* in Osanna, Athanasoulis 2019, pp. 81-88.

Anderson 2011
M. Anderson, *Disruption or Continuity? The Spatio-Visual Evidence of Post Earthquake Pompeii*, in Poehler, Flohr, Cole 2011, pp. 74-87.

Andò 1996
V. Andò, *Le Ninfe e la sposa*, «Quaderni urbinati di Cultura Classica» 52, 1, 1996, pp. 47-79.

Andreau 1993
J. Andreau, *Il liberto,* in A. Giardina, *L'uomo romano,* Roma-Bari 1993.

Anguissola 2010
A. Anguissola, *Intimità a Pompei: Riservatezza, condivisione e prestigio negli ambienti ad alcova di Pompei,* Berlin 2010.

Anniboletti 2010
L. Anniboletti, *Compita vicinalia a Pompei: testimonianze del culto*, «Vesuviana», 2, 2010, pp. 77-138.

Arena 1989
R. Arena, *La documentazione epigrafica antica delle colonie greche della Magna Grecia*, «Annali della Scuola Normale Superiore di Pisa, Classe di Lettere e Filosofia», 19, 1, 1989, pp. 15-48.

Assmann 1997
J. Assmann, *La memoria culturale. Scrittura, ricordo e identità politica nelle grandi civiltà antiche*, trad. it Torino 1997.

Avagliano 2017
A. Avagliano, *Eracle a Pompei? La documentazione archeologica dal santuario del Foro Triangolare*, «Rendiconti dell'Accademia dei Lincei», ser. 9, 28, 2017, pp. 165-207.

Avagliano 2018
A. Avagliano, *Le origini di Pompei. La città tra il VI e il V sec. a.C.*, Leuven 2018.

Aurigemma 1976
L.Aurigemma, *Il segno zodiacale dello scorpione nelle tradizioni occidentali*, Torino 1976.

Bagnasco Gianni, Gobbi, Scoccimarro 2015
G. Bagnasco Gianni, A. Gobbi, N. Scoccimarro, *Segni eloquenti in necropoli e abitato*, in M.-L. Haack (a cura di), *L'écriture et l'espace de la mort. Épigraphie et nécropoles à l'époque préromaine*, Rome 2015. <http://books.openedition.org/efr/2756>.

Baitinger 2016
H. Baitinger, *Weihungen von Waffen und Rüstungsstücken in griechischen Heiligtümern. Bemerkungen zu einer Votivsitte*, in S. Hansen, D. Neumann, T. Vachta (a cura di), *Raum, Gabe und Erinnerung. Weihgaben und Heiligtümer in prähistorischen und antiken Gesellschaften*, Berlin 2016, pp. 247-263.

Barbanera, Capodiferro 2015
M. Barbanera, A. Capodiferro, *La forza delle rovine,* Milano 2015.

Barbet 1985
A. Barbet, *La peinture murale romaine. Les styles décoratifs pompéiens*, Paris 1985.

Barnabei 2007
L. Barnabei, *I culti di Pompei. Raccolta critica della documentazione*, in *Contributi di Archeologia Vesuviana III*, Roma 2007, pp. 7-88.

Bäumler 2014
A. Bäumler, *Zwischen Euergetismus und Ostentation: Konsum und Vergesellschaftung bei Festen in der frühen römischen Kaiserzeit*, «Hermes» 142, 3, 2014, pp. 298-325.

Beard 2011
M. Beard, *Prima del fuoco*, trad. it. Roma-Bari 2011.

Beard 2019
M. Beard, *Ridere nell'antica Roma*, Roma 2019.

Becatti 1939
G. Becatti, *Il culto di Ercole ad Ostia ed un nuovo rilievo votivo*, «Bullettino Comunale» 67, 1939, pp. 37-60.

Bérard 1974
C. Bérard, *Anodoi: essai sur l'imagerie des passages chthoniens*, Roma 1974.

Bellelli 2017
V. Bellelli, *Northern Campania*, in Naso 2017, vol. 2, pp. 1395-1434.

Bellelli, Benelli 2018
V. Bellelli, E. Benelli, *Gli Etruschi. La scrittura, la lingua, la società*, Roma 2018.

Belli 1978
C. Belli (a cura di), *Amedeo Maiuri. Mestiere d'archeologo*, Milano 1978.

Benelli 2009
E. Benelli (a cura di), *Thesaurus Linguae Etruscae. I. Indice lessicale. Seconda edizione*, Pisa-Roma 2009.

Benelli 2011
E. Benelli, *"Vornamengentilizia". Anatomia di una chimera*, in D.F. Maras (a cura di), *Corollari. Scritti di antichità etrusche e italiche in omaggio all'opera di Giovanni Colonna,* Pisa 2011, pp. 193-198.

Benelli 2014
E. Benelli, *Etruria, terra di migranti. Mobilità e integrazione di elementi allogeni dalla documentazione epigrafica*, in S. Marchesini, N. Martinelli, M. Rossi, A.M. Paini (a cura di), *Seconda e terza generazione. Integrazione e identità nei figli di immigrati e coppie miste*, Verona 2014, pp. 25-32.

Berg 2017
R. Berg, *Attrarre.* Charis, kosmesis *e il mondo della bellezza*, in Osanna, Rescigno 2017, pp. 213-219.

Bettini 1991
M. Bettini, *Narciso e le immagini gemelle*, in M. Bettini (a cura di), *La maschera, il doppio e il ritratto,* Roma-Bari 1991, pp. 47-60.

Bettini 2019
M. Bettini, *Antropologia e cultura romana. Parentela, tempo, immagini dell'anima*, Roma 2019.

Bettini, Pellizer 2003
M. Bettini, E. Pellizer, *Il mito di Narciso. Immagini e racconti dalla Grecia ad oggi*, Torino 2003.

Bispham, Smith 2000
E. Bispham, C. Smith (a cura di), *Religion in Archaic and Repubblican Rome and Italy. Evidence and Experience*, Edinburg 2000.

Blume, Lachmann, Rudorff 1848
F. Blume, K. Lachmann, A. Rudorff, *Die Schriften der romischen Feldmesser*, Berlin 1848.

Bouche-Leclercq 1879-1882
A. Bouche-Leclercq, *Histoire de la Divinatione dans l'Antiquité*, I-IV, Paris 1879-1882.

Bonacasa, Di Vita 1984
N. Bonacasa, A. di Vita (a cura di), *Alessandria e il mondo ellenistico-romano*, Roma 1984.

Bonghi Jovino 1993
M. Bonghi Jovino (a cura di), *Il bucchero etrusco. Produzione artigianale ed esportazione nel mondo antico,* Milano 1993.

Bonghi Jovino 2011
M. Bonghi Jovino, *Ripensando Pompei arcaica*, in D.M. Maras (a cura di), *Corollari. Scritti di antichità etrusche e italiche in omaggio all'opera di Giovanni Colonna*, Pisa-Roma 2011, pp. 4-13.

Borgongino, Stefani 2002
M. Borgongino, G. Stefani, *Intorno alla data dell'eruzione del 79 d.C.*, «Rivista di Studi Pompeiani», 12-13, 2001-2002, pp.177-215.

Borriello, De Simone 1985
M. R. Borriello, A. De Simone, *La stipe di S. Aniello,* in *Napoli antica* (Catalogo della Mostra), Napoli 1985, pp. 159-170.

Bragantini, Sanpaolo 2009
I. Bragantini, V. Sampaolo (a cura di), *La pittura pompeiana*, Milano 2009.

Brain 2018
C. A. Brain, *Venus in Pompeii: Iconography and Context*, Thesis submitted for the degree of Doctor of Philosophy at the University of Leicester (School of Archaeology and Ancient History University of Leicester), 2018.

Breglia 1950
L. Breglia, *Circolazione monetale ed aspetti di vita economica a Pompei,* in *Pompeiana. Raccolta di studi per il secondo centenario degli scavi di Pompei*, Napoli 1950, pp. 44-59.

Brelich 1958
A. Brelich, *Gli eroi greci. Un problema storico-religioso*, Roma 1958.

Brun 2011
J.P. Brun, *La produzione del vino in Magna Grecia e in Sicilia*, in *La vigna di Dioniso: Vite, vino e culti in Magna Grecia* (Atti del XLIX Convegno di studio sulla Magna Grecia, Taranto 2009), Taranto 2011, pp. 95-142.

Brunn 1863
H. Brunn, *Scavi di Pompei, Cuma e Pesto*, in «Bullettino dell'Instituto», 1863, pp. 86-105.

Bruno 2006
G. Bruno, *Atlante delle emozioni. In viaggio tra arte, architettura e cinema*, Monza 2015.

Buranelli, Osanna, Toniolo 2016
F. Buranelli, M. Osanna, L. Toniolo (a cura di), *Per Grazia Ricevuta. La devozione religiosa a Pompei antica e moderna* (Catalogo della mostra, Pompei 2016), Roma 2016.

Burkert 1984
W. Burkert, *Storia delle religioni. I Greci I-II*, trad. it. Milano 1984.

Brelich 1969
A. Brelich, *Paides e parthenoi*, Roma 1969.

Chaniotis 2019
A. Chaniotis, *Età di conquiste. Il mondo greco da Alessandro ad Adriano*, trad. it. Milano 2019.

Calasso 1988
R. Calasso, *Le nozze di Cadmo e Armonia*, Milano 1998.

Campanelli, Mandolesi 2015
A. Campanelli, A. Mandolesi (a cura di), *Alle origini del gusto. Il cibo a pompei e nell'Italia antica*, Venezia 2015.

Campbell 2015
L.V. Campbell, *The Tombs of Pompeii: Organization, Space, and Society*, London-New York 2015.

Camporeale 2013
S. Camporeale, Opus africanum *e tecniche a telaio litico in Etruria e Campania (VII a.C.-VI d.C.)*, in Atti del seminario «Tecniche costruttive e cicli edilizi tra VI e IX secolo, fra Oriente e Occidente», «Archeologia dell'Architettura» 18, 2013, pp. 192-209.

Carafa 1997
P. Carafa, *What was Pompeii before 200 bc ? Excavations in the House of Joseph II, in the Triangular Forum and in the House of the Wedding of Hercules*, in S. E. Bon, R. Jones, *Sequence and Space in Pompeii*, Exeter 1997, pp. 13-31.

Carafa 1998
P. Carafa, M. T. D'Alessio, *Lo scavo nella Casa di Giuseppe II (VIII 2, 38-39) e nel portico occidentale del Foro Triangolare a Pompei. Rapporto preliminare*, «Rivista di Studi Pompeiani», 7, 1998, pp. 137-153.

Carafa 2000
P. Carafa, *Le* domus *della* Sacra Via *e l'origine della casa italica ad atrio*, in A. Carandini, P. Carafa (a cura di), *Palatium e Sacra Via 1, Prima delle mura: L'età delle mura e l'età delle case arcaiche*, «*Bollettino di Archeologia*» 31-33, 2000, pp. 266-274.

Carafa 2008
P. Carafa, *Recent Work on Early Pompeii*, in Dobbins, Foss 2008, pp. 63-71.

Carafa 2011
P. Carafa, *Minervae et Marti et Herculi aedes doricae fient (Vitr. 1.2.5). The Monumental History of the Sanctuary in the Triangular Forum*, in Ellis 2011, pp. 89-111.

Carandini 2008
A. Carandini, *Archeologia classica. Vedere il tempo antico con gli occhi del 2000*, Torino 2008.

Carandini 2017
A. Carandini, *La forza del contesto*, Roma-Bari 2017.

Carbon, Peels-Matthey 2018.
J.-M. Carbon, S. Peels-Matthey (a cura di), *Purity and Purification in the Ancient Greek World. Texts, Rituals, and Norms* «Kernos» Suppl. 32, 2018.

Casini 2016
L. Casini, *Editare il futuro. Dilemmi sul patrimonio culturale*, Bologna 2016.

Castrén 1975
P. Castrén, *Ordo populusque Pompeianus: Polity and Society in Roman Pompeii*, «*Acta Instituti Romani Finlandiae*», 8, Roma 1975.

Catoni 2017
M.L. Catoni, *Consumare vino. La costruzione dell'ethos simposiale tra immagini e parole,* in Osanna, Rescigno 2017, pp. 246-253.

Catoni, Osanna 2019
M.L. Catoni, M. Osanna, *Arianna a Nasso. Un nuovo affresco dalla Regio V di Pompei*, «Bollettino d'Arte», 39-40, 2019, pp. 1-42.

Cattabiani 1998
A. Cattabiani, *Planetario. Simboli, miti e misteri di astri, pianeti e costellazioni*, Milano 1998.

Cavari, Donati 2010
F. Cavari, F. Donati, *Rappresentazioni e composizione delle imitazioni marmoree nella pittura di I Stile dall'Etruria romana*, in *Antike Malerei zwischen Lokalstil und Zeitstil* (Akten des XI. Internationalen Kolloquiums der AIPMA, 13.-17. September 2010), Wien 2010, pp. 63-73.

Cazanove 2000
O. de Cazanove, *Lieux de culte italique. Approches romaines, désignations indigènes*, in *Lieux sacrés, lieux de culte, sanctuaires*, Napoli 2000, pp. 31-41.

Cerchiai 2002
L. Cerchiai (a cura di), *L'Atena con elmo frigio in Italia meridionale*, «Quaderni di Ostraka» 5, 2002.

Cerchiai 2010a
L. Cerchiai, *Gli antichi popoli della Campania. Archeologia e storia*, Roma 2010.

Cerchiai 2010b
L. Cerchiai, *Sui Pelasgi della Valle del Sarno*, in F. Senatore, M. Russo (a cura di), *Sorrento e la Penisola Sorrentina tra Italici, Etruschi e Greci nel contest della Campania antica*, Roma 2010, pp. 247-253.

Cerchiai 2010c
L. Cerchiai, Μετὰ τῶν ἐγχωρίων μὲν ἐναυμάχησαν. *Neapolis e la seconda battaglia di Cuma*, «Incididenza dell'Antico», 8, 2010, pp. 213-219.

Cerchiai 2011
L. Cerchiai, *I santuari*, in *Gli Etruschi e la Campania settentrionale* (Atti del 26° Convegno di studi etruschi e italici, Capua, Teano, 11-15 novembre 2007), Pisa-Roma 2011, pp. 477-488.

Cerchiai 2012
L. Cerchiai, *L'identità etnica come processo di relazione: alcune riflessioni a proposito del mondo italico*, in V. Bellelli (a cura di), *Le origini degli Etruschi. Storia, Archeologia, Antropologia*, Roma 2012, pp. 345-357.

Cerchiai 2013
L. Cerchiai, *Tra Capua e Pontecagnano. La valle del Sarno e la Campania interna tra il Ferro e l'Orientalizzante*, in S. Rafanelli (a cura di), *Vetulonia, Pontecagnano, Capua. Vite parallele di tre città etrusche* (Catalogo mostra, Vetulonia 2013), Monteriggioni 2013, pp. 30-33.

Cerchiai 2014
L. Cerchiai, *La "sannitizzazione" di Pompei*, in *Miti e popoli del Mediterraneo antico. Scritti in onore di Gabriella d'Henry*, Salerno 2014, pp. 79-83.

Cerchiai 2017
L. Cerchiai, *Integrazione e ibridismi campani. Etruschi, Opici, Euboici tra VIII e VII sec. a.C.*, in

Ibridazione e integrazione in Magna Grecia. Forme, modelli, dinamiche (Atti del LIV Convegno di Studi sulla Magna Grecia, Taranto, 25-28 settembre 2014), Taranto 2017, pp. 219-243.

Cerchiai Monodori Sagredo, Di Renzo 2019
C. Cerchiai Monodori Sagredo, L. Di Renzo, *Quanto erano nutrienti i banchetti dei romani antichi?* Roma 2019.

Chapelin, Covolan, Vincent 2016
G. Chapelin, M. Covolan, G. Vincent, *Artisanat antique dans l'aire vésuvienne: le cas de la pierre* «Chronique des activités archéologiques de l'Ecole française de Rome» 2016, pp. 1-12. http://cefr.revues.org/1701.

Chiarini, Guidorizzi 2009
G. Chiarini, G. Guidorizzi, *Igino, Mitologia astrale*, Milano 2009.

Chiavia 2002
C. Chiavia, *Programmata. Manifesti elettorali nella colonia romana di Pompei*, Torino 2002.

Ciacci, Rendini, Zifferero 2007
A. Ciacci, P. Rendini, A. Zifferero (a cura di), *Archeologia della vite e del vino in Etruria*, (Atti del Convegno Internazionale di Studi, Scansano, 9-10 settembre 2005), Siena 2007.

Ciaraldi 2007
M. Ciaraldi, *People and Plants in Ancient Pompeii, a New Approach to Urbanism from the Microscope Room. The Use of Plant Resources at Pompeii and in the Pompeian Area from the 6th century BC to AD 79*, London 2007.

Ciarallo 2010
A. Ciarallo, *I mangiafoglie. La biodiversità campana nelle fonti letterarie ed iconografiche*, Roma 2010.

Ciarallo 2012
A. Ciarallo, *Gli spazi verdi nell'antica Pompei*, Roma 2012.

Cicirelli 2017
C. Cicirelli (a cura di), *Restauri a Pompei. Dalle case di Championnet alla domus dei mosaici geometrici*, Napoli 2017.

Cioni, Santacroce, Sbrana 1999
R. Cioni, R. Santacroce, A. Sbrana, *Pyroclastic Deposits as a Guide for Reconstructing the Multistage Evolution of the Somma Vesuvius Caldera*, «Bulletin of Volcanology», 60, 1999, pp. 207-222.

CIE
Corpus Incriptionum Etruscarum, Lipsiae 1893.

CIL
Corpus Inscriptionum Latinarum, 17 voll., Berolini 1863-2012.

Cinquantaquattro, Pellegrino 2017
T.E. Cinquantaquattro, C. Pellegrino, *Southern Campania*, in Naso 2017, 2, pp. 1359-1394.
Clarke 1991

J. Clarke, *The Houses of Roman Italy, 100 B.C.–A.D. 250: Ritual, Space, and Decoration*, Berkeley 1991.

Clarke 2003
J. Clarke, *Art in the Lives of Ordinary Romans: Visual Representation and Non-Elite Viewers in Italy, 100 BC-AD 315*, Berkeley-Los Angeles 2003.

Clarke 2007
J. Clarke, *Looking at Laughter. Humor, Power and Trangression in Roman Visual Culture*, Berkeley-Los Angeles 2007.

Coarelli 1989
F. Coarelli, *Le case dell'aristocrazia romana secondo Vitruvio*, in H. Geertmann, J.J. De Jong, *Munus non ingratum* (Proceedingd of the ionternational Symposium on Vitruvius' De Architectura and the Hellenistic and Republican Architecture), Leiden 1989, pp. 178-187.

Coarelli 2001
F. Coarelli, *Il Foro Triangolare. Decorazione e funzione*, in P. G. Guzzo (a cura di), *Pompei. Scienza e Società. 250° anniversario degli scavi di Pompei* (Convegno internazionale, Napoli 25-27 novembre 1998), Milano, pp. 97-107.

Coarelli, Pesando 2011
F. Coarelli, F. Pesando, *The Urban Development of NW Pompeii: the Archaic Period to the 3rd c. B.C.*, in Ellis 2011, pp. 37-58.

Colonna 1983
G. Colonna, *Identità come appartenenza nelle iscrizioni di possesso dell'Italia preromana*, «Epigraphica» 45, 1983, p. 49-64.

Colonna 2007
G. Colonna, *L'Apollo di Pyrgi, Śur/Śuri (il "Nero") e l'Apollo* Sourios, «Studi Etruschi» 73, 2007, pp. 101-134.

Colpo 2006
I. Colpo, Quod non alter et alter eras. *Dinamiche figurative nel repertorio di Narciso in area Vesuviana,* «Antenor. Miscellanea di studi di archeologia», Padova 2006, pp. 51-85.

Colpo, Grassigli, Minotti 2007
I. Colpo, G. Grassigli, F. Minotti, *Le ragioni di una scelta. Discutendo attorno alle immagini di Narciso a Pompei*, «Eidola» 4, 2007, pp. 73-118.

Compostella 1992
C. Compostella, *Banchetti pubblici e banchetti privati nell'iconografia funeraria romana del I secolo d.C.*, «MEFRA» 104, 1992, pp. 659-689.

Conticello De' Spagnolis, De Carolis 1988
M. Conticello De' Spagnolis, E. De Carolis, *Le lucerne di bronzo di Ercolano e Pompei*, Roma 1988.

Cova 2013
E. Cova, *Closets, Cupboards, and Shelves: Storage in the Roman House*, «*Phoenix*» 67 (3–4), 2013, pp. 373-91.

Cova 2015
E. Cova, *Stasis and Change in Roman Domestic Space: the Alae of Pompeii's Regio VI*, «American Journal of Archaeology», 119, 1, 2015, pp. 69-102.

Cristofani 1992
M. Cristofani, *La fase etrusca di Pompei*, in Zevi 1992, pp. 7-20.

Crawford 2011
M.H. Crawford (a cura di), *Imagines Italicae. A Corpus of Italic Inscriptions*, «Bulletin of the Institute of Classical Studies», Supplement 110, 3 voll., London 2011.

Cusset, Prioux, Richer 2013
C. Cusset, E. Prioux, H. Richer (a cura di), *Euphorion et les mythes. Images et fragments*, Napoli 2013.

D'Agostino 1994
B. D'Agostino, *La Campania e gli Etruschi,* in *Magna Grecia, Etruschi, Fenici* (Atti del XXXIII Convegno di Studi sulla Magna Grecia, Taranto, 8-13 ottobre 1993), Taranto 1994, pp. 431-448.

D'Agostino 2001
B. D'Agostino, *Gli Etruschi in Campania*, in G. Camporeale (a cura di), *Gli Etruschi fuori d'Etruria*, San Giovanni Lupatoto (Vr) 2001, pp. 236-251.

D'Agostino 2006
B. D'Agostino, *The First Greeks in Italy*, in G.R. Tsetskhladze (a cura di), *Greek Colonisation. An Account of Greek Colonies and other Settlements Overseas*, «Mnemosyne» Suppl., 193, Leiden-Boston 2006, pp. 201-237.

D'Agostino 2011
B. d'Agostino, *Pithecusae e Cuma nel quadro della Campania di età arcaica*, «Mitteilungen des Deutsches Archäologischen Instituts Rom» 117, 2011, pp. 35-53.

D'Agostino, Cerchiai 1998
B. D'Agostino, L. Cerchiai, *Aspetti della funzione politica di Apollo in area tirrenica*, in G. Greco, S. Adamo Muscettola (a cura di), *I culti della Campania* antica (Atti del Convegno Internazionale di Studi in ricordo di Nazarena Valenza Mele, Napoli, 15-17 maggio 1995), Roma 1998, pp. 119-128.

D'Agostino, Cerchiai 2004
B. D'Agostino, L. Cerchiai, *I Greci nell'Etruria campana*, in G. Della Fina (a cura di), *I greci in Etruria* (Atti dell'XI Convegno Internazione di Studi sulla Storia e l'Archeologia dell'Etruria), «Annali della Fondazione per il Museo Claudio Faina», XI 2004, pp. 271-289.

Dal Co 2015
F. Dal Co, *Francesco Venezia e Pompei*, Siracusa 2015.

D'Alconzo 2014
P. D'Alconzo, *"En Roma y mas en Inglaterra se aprecian muchissimo estas pinturas, las quales se quitan de semejantes parajes". I dipinti murali staccati da Ercolano e Pompei nel XVIII secolo,* in *L'incanto dell'affresco* (catalogo mostra, Ravenna, 2014), Milano 2014, pp. 29-38.

D'Alconzo 2017
P. D'Alconzo, *Carlo di Borbone a Napoli: passioni archeologiche e immagine della monarchia*, in A. Antonelli (a cura di), *Cerimoniale dei Borbone di Napoli 1734-1801*, Napoli 2017, pp. 127-145.

D'Alessio 2001
M.T. D'Alessio, *Materiali votivi dal Foro triangolare di Pompei*, Roma 2001.

D'Alessio 2009
M.T. D'Alessio, *I culti a Pompei. Divinità, luoghi e frequentatori (VI secolo a.C. – 79 d.C.)*, Roma 2009.

D'Ambrosio, De Caro 1983
A. D'Ambrosio, S. De Caro, *Un impegno per Pompei. Fotopiano e documentazione della Necropoli di Porta Nocera*, Milano 1983.

D'Angelo 2012
T. D'Angelo, *Mirroring Eyes: Narcissus and the Others in Pompeian Wall Paintings*, in I. Colpo, F. Ghedini (a cura di), *Il gran poema delle passioni e delle meraviglie. Ovidio e il repertorio letterario e figurativo fra antico e riscoperta dell'antico*, Padova 2012, pp. 223-234.

Danner 2011
P. Danner, *Schildfragmente aus Pompeji*, in P. Lulof, C. Rescigno (a cura di), *Deliciae fictiles*

IV. Architectural Terracottas in Ancient Italy: Images of Gods, Monsters and Heroes, Oxford 2011, pp. 338-346.

D'Ambrosio, Mastroroberto, Guzzo 2003.
A. D'Ambrosio, M. Mastroroberto, P.G. Guzzo (a cura di), *Storie da un'eruzione*, Milano 2003.

De Haan, Jansen 1996
N. De Haan, G. C. M. Jansen (a cura di), *Cura aquarum in Campania* (Proceedings of the Ninth International Congress on the History of Water Management and Hydraulic Engineering in the Mediterranean Region, Pompeii 1-8 october 1994), «Bulletin Antieke Beschaving» suppl. 4, Leiden 1996.

D'Esposito, Muscolino 2019
L. D'Esposito, F. Muscolino, *Pompei tra vecchi e nuovi scavi*, in F. Spatafora (a cura di), *Palermo capitale del Regno. I Borbone e l'archeologia a Palermo*, Palermo 2019, pp. 29-36.

De Brosses 1750
C. De Brosses, *Lettres sur l'état actuel de la ville souterraine d'Herculée,* Dijon 1750.

De Caro 1991
S. De Caro, *La città sannitica. Urbanistica e architettura*, in Zevi 1991, pp. 23-46.

De Caro 1992
S. De Caro (a cura di), *Alla scoperta di Iside. Analisi, studi e restauri dell'Iseo Pompeiano nel Museo di Napoli,* Roma 1992.

De Caro 1994
S. De Caro, *La villa rustica in località Villa Regina a Boscoreale*, Roma 1994.

De Caro, Guzzo 1999
S. De Caro, P.G. Guzzo (a cura di), *A Giuseppe Fiorelli nel primo centenario della morte, a cura di atti del convegno (Napoli 19-20 marzo 1997),* Napoli 1999.

De Carolis 2007
E. De Carolis, *Il mobile a Pompei ed Ercolano: Letti, tavoli, sedie e armadi. Contributo alla tipologia dei mobili della prima età imperiale*, Roma 2007.

De Carolis, Patricelli 2018
E. De Carolis, G. Patricelli, *Impronte pompeiane ed Ercolano*, Roma 2018.

De Carolis, Patricelli, Ciarallo 1998
E. De Carolis, G. Patricelli, A. Ciarallo, *Rinvenimenti di corpi umani nell'area urbana di Pompei*, «Rivista di studi pompeiani» 9, 1998, pp. 75-123.

Della Corte 1913
M. Della Corte, *Pompei. Continuazione dello scavo di via dell'Abbondanza*, «Notizie degli scavi di Antichità» 1913, pp. 28-48.

Della Corte 1922
M. Della Corte, *Groma*, «Monumenti Antichi» 28, 1922, pp. 5-100.

Della Corte 1965
M. Della Corte, *Case ed abitanti di Pompei*, Napoli 1965.

Della Fina 2008
G.M. Della Fina, *La colonizzazione etrusca in Italia* (Atti del XV Convegno Internazionale di Studi sulla Storia e l'Archeologia dell'Etruria), «Annali della Fondazione per il Museo Claudio Faina», 15, 2008.

Della Fina 2009
G.M. Della Fina, *Gli etruschi e Roma fasi monarchica e alto-repubblicana* (Atti del XVI Convegno Internazionale di Studi sulla Storia e l'Archeologia dell'Etruria), «Annali della Fondazione per il Museo Claudio Faina», 16, 2009.

Della Fina 2013
G.M. Della Fina, *Mobilità geografica e mercenariato nell'Italia preromana* (Atti del XX Convegno Internazionale di Studi sulla Storia e l'Archeologia dell'Etruria), «Annali della Fondazione per il Museo Claudio Faina», 20, 2013.

Delaunay 1877
E. Delaunay, *Une promenade à Pompei*, Scafati 1877.

Delpino 2001
F. Delpino, *Vittorio Spinazzola: tra Napoli e Pompei, fra scandali e scavi*, in Guzzo 2001, pp. 51-62.

De Marinis 1963
S. De Marinis, *Orione*, in EAA 1963: http://www.treccani.it/enciclopedia/orione_(Enciclopedia-dell'-Arte-Antica)/

De Simone 1995
A. De Simone, *I terremoti precedenti l'eruzione. Nuove attestazioni da recenti scavi*, in *Archäologie und Seismologie. La regione vesuviana dal 62 al 79 d.C. Problemi archeologici e sismologici* (Atti del convegno, Boscoreale 26-27 November 1993), München 1995, pp. 37-43.

Dessales 2013
H. Dessales, *Le partage de l'eau. Fontaines et distribution hydraulique dans l'habitat urbain de l'Italie romaine*, Roma 2013.

De Vos 1981
M. De Vos, *La bottega di pittori di via di Castricio, in Pompei 1748-1980,* Napoli 1981, pp. 119-130.

Dickmann 1997
J.-A. Dickmann, *The Peristyle and the Transformation of Domestic Space in Hellenistic Pompeii*, in R. Laurence, A. Wallace-Hadrill (a cura di), *Domestic Space in the Roman World: Pompeii and Beyond*, «Journal of Roman Archaeology» Suppl. 22, Portsmouth 1997, pp. 121-136.

Dickmann 1999a
J.-A. Dickmann, *Domus frequentata. Anspruchsvolles Wohnen im pompejanischen Stadthaus*, München 1999.

Dickmann 1999b
J.-A. Dickmann, *Der Fall Pompeji: Wohnen in einer Kleinstadt*, in *Geschichte des Wohnen*, Stuttgart 1999.

Dickmann 2007
J.-A. Dickmann, *Pompei*, trad. it. Bologna 2007.

Dierichs 1998
A. Dierichs, *Auf den Spuren der Venus: Bilder der Liebesgöttin aus Pompeji*, «Antike Welt», 29, 4, 1998, pp. 281-296.

Dilke 1988
O. A. W. Dilke, *Gli agrimensori di Roma antica*, Bologna 1988.

Dobbins, Foss 2008
J. J. Dobbins, P. W. Foss (a cura di), *The world of Pompeii*, London-New York 2008.

Donnellan, Nizzo, Burgers 2016
L. Donnellan, V. Nizzo, G.-J. Burgers (a cura di), *Contexts of Early Colonization* (Atti del Convegno «Contextualizing Early Colonization. Archaeology, Sources, Chronology and Interpretative Models between Italy and the Mediterranean», Roma 21-23 giugno 2012), Roma 2016.

Döhl, Zanker 1979
H. Döhl, P. Zanker, *La scultura*, in F. Zevi (a cura di), *Pompei 79, Raccolta di studi per il decimonono centenario dell'eruzione vesuviana*, Napoli 1979, pp. 177-210.

Dunbabin 2003
K.M.D. Dunbabin, *The Roman Banquet: Images of conviviality*, Cambridge 2003.

Dupont 2000
F. Dupont, *Gli spettacoli*, in Giardina 2000, pp. 281-306.

Dwyer 1991
E. Dwyer, *The Pompeian Atrium House in Theory and Practice*, in E.K. Gazda (a cura di), *Roman Art in the Private Sphere: New Perspectives on the Architecture and Decor of the Domus, Villa, and Insula*, Ann Arbor 1991, pp. 25-48.

Dwyer 2007
E. Dwyer, *From Fragments to Icons: Stages in the Making and Exhibiting of the Casts of Pompeii Victims, 1863-1888,* in *Interpreting Ceramics*, in «Conference Papers and Presentations from the Fragmented Figure Conference 2007» *(http://www.uwic.ac.uk/ICRC/issue008/articles/06.htm)*

Dwyer 2010
E. Dwyer, *Pompeii's living statues*, Ann Arbor 2010.

EAA
Enciclopedia dell'Arte Antica, Classica e Orientale, a cura di R. Bianchi Bandinelli, G. Becatti, 7 voll., Roma 1958-1966 (suppl. 1971-1996).

Ellis 2011
S.J.R. Ellis (a cura di), *The Making of Pompei: Studies in the History and Urban Development of an Ancient Town*, Portsmouth, 2011.

Ellis 2018
S.J.R. Ellis, *The Roman Retail Revolution. The Socio-Economic World of the Taberna*, Oxford 2018.

Elsner 2007,
J. Elsner, *Roman Eyes. Visuality and Subjectivity in Art and Text*, Cambridge 2007.

Ehrhardt 2004
W. Ehrhardt, *Casa delle Nozze d'Argento,* München 2004.

Emmerson 2010
A.L.C. Emmerson, *Reconstructuring the Funerary Landscape at Pompeii's Porta Stabia*, «Rivista di Studi Pompeiani» 21, 2010, pp. 77-86.

Erbani 2015
F. Erbani, *Pompei, Italia,* Milano 2015.

Eschebach 1970
H. Eschebach, *Die städtebauliche Entwicklung des antiken Pompeji* («Mitteilungen des Deutschen Archaeologischen Instituts, Rom» Ergänzungsheft, 17), Heidelberg 1970.

Esposito 2008
D. Esposito, *Un contributo allo studio della Pompei arcaica nella Regio V, Ins. 5 (Casa dei Gladiatori)*, in Guzzo, Guidobaldi 2008, pp. 71-80.

Esposito 2009
D. Esposito, *Le officine pittoriche di IV stile a Pompei. Dinamiche produttive ed economico-sociali*, Roma 2009.

Esposito 2018
D. Esposito, "La polvere sotto il tappeto". *Considerazioni sul problema dello smaltimento dei rifiuti a Pompei*, in R. Bosso, E. Nuzzo (a cura di), *SYMPLEGMATA Studi di archeologia dedicati a Simona Minichino*, Napoli 2018, pp. 191-234.

Esposito, Kastenmeier, Imperatore 2011
D. Esposito, P. Kastenmeier, C. Imperatore, *Excavation in the Caserma dei Gladiatori: a Contribution to Our Understanding of Archaic Pompeii*, in Ellis 2011, pp. 112-137.

Fabbri 2016
M. Fabbri, *Note sulla forma urbis di Pompei*, in Lippolis, Osanna 2016, pp. 11-29.

Fabbri 2018
M. Fabbri, *Le mura in "pappamonte" di Pompei e la questione della fondazione etrusca della città*, in Osanna, Verger 2018, pp. 175-180.

Fabietti 2014
U. Fabietti, *Materia sacra. Corpi, oggetti, immagini, feticci nella pratica religiosa*, Milano 2014.

Fasce 1977
S. Fasce, *Eros. La figura e il culto*, Genova 1977.

Faure 1987
P. Faure, *Parfums et aromates de l'antiquité*, Mesnil-sur-l'Estée 1987.

Fiorelli 1860-1864
G. Fiorelli, *Pompeianarum Antiquitatum Historia: quam ex cod. mss. et a schedis diurnisque R. Alcubierre, C. Weber, M. Cixia, I. Corcoles, I. Perez-Conde, F. et P. La Vega, R. Amicone, A. Ribau, M. Arditi, N. D'Apuzzo ceteror, quae in publicis aut privatis bibliothecis servantur nunc primum collegit indicibusque instruxit Ios. Fiorelli ordini Academ. Herculanens. adiectus*, 3 voll., Napoli 1860-1864.

Fiorelli 1875
G. Fiorelli, *Descrizione di Pompei*, Napoli 1875.

Fiorelli 1898
G. Fiorelli, *Guida di Pompei*, Napoli 1898.

Fiorelli 1939
G. Fiorelli, *Appunti autobiografici,* Roma 1939, pp. 96-99.

Flamini, Prisco 2013
M. G. Flamini, G. Prisco, *La casa dei Vettii ai tempi della scoperta: Luigi Bazzani, un testimone d'eccezione*, in *Davvero! La Pompei di fine '800 nella pittura di Luigi Bazzani,* Bologna 2013, pp. 41-48.

Flohr 2016
M. Flohr, *Quantifying Pompeii: Population, Inequality, and the Urban Economy*, in M. Flohr, A. Wilson (a cura di), *The economy of Pompeii,* London 2016, pp. 53-85.

Flower 2017
H.I. Flower, *The Dancing Lares and the Serpent in the Garden. Religion at the Roman Street Corner*, Princeton 2017.

Fontenrose 1981
J. Fontenrose, *Orion: the Myth of the Hunter and the Huntress*, Berkeley-Los Angeles-London 1981.

Franklin 1980
J.L. Franklin jr., *Pompeii: the Electoral Programmata, Campaigns and Politics A.D. 71-79*, Roma 1980.

Franklin 1997
J.L. Franklin jr., *Cn. Alleius Nigidius Maius and the Amphitheatre: "Munera" and a Distinguished Career at Ancient Pompeii,* «Historia» 46, 4, 1997, pp. 434-447.

Fritze 1893
J. v. Fritze, *De libatione veterum Graecorum*, Berlin 1893.

Frontisi 2017
C. Frontisi, *Métamorpfoses du mythe. Orion et ses avatars*, in Massa-Peirrault, Pouzadoux 2017, pp. 245-262.

Gabba 1998
E. Gabba, *Del buon uso della ricchezza*, Milano 1998.

Galletier 1934
E. Galletier, *Chateaubriand a Pompéi (Janvier 1804),* «Annales de bretagne et des pays de l'Ouvest», 41, 3-4, 1934, pp. 307-315.

Gallo, Maglio 2018
L. Gallo, A. Maglio, *Pompei nella cultura europea contemporanea,* Napoli 2018.

Gallo 2016
L. Gallo, *Per una storia del paesaggio culturale: Pompei*, in Osanna, Cioffi, Di Benedetto, Gallo 2016, pp. 108-118.

Gallo 2018
L. Gallo, *Metodo e Scienza. François Mazois (1783-1826), ingegnere, architetto e restauratore,* Napoli 2018, pp. 103-116.

García y García 1998
L. García y García, *Nuova Bibliotheca Pompeiana,* Roma 1998.

García y García 2004
L. García y García, *Alunni, maestri e scuole a Pompei. L'infanzia, la giovinezza e la cultura in epoca romana*, Roma 2004.

García y García 2006
L. García y García, *Danni di guerra a Pompei. Una dolorosa vicenda dimenticata*, Roma 2006.

Gardner Coats 2012
V.C. Gardner Coats, *On the Cutting Edge. Pompeii and new Technology,* in Gardner Coates, Lapatin, Seydl 2012, pp. 48-49.

Garnsey, R. Saller 1989
P. Garnsey, R. Saller, *Storia sociale dell'impero romano*, trad. it. Roma-Bari 1989.

Ghedini 2018
F. Ghedini, *Il poeta del mito*, Roma 2018.

Gherpelli 2013
G. Gherpelli, *Il decreto "Valore cultura". Nuovi mutamenti di rotta nella gestione di Pompei*, «Aedon. Rivista di arti e diritto on line», n. 3, 2013. (http://www.aedon.mulino.it/archivio/2013/3/gherpelli.htm).

Giacobello 2008
F. Giacobello, *Larari pompeiani. Iconografia e culto dei Lari in ambito domestico*, Milano 2008.

Giampaola, D'Agostino 2005
D. Giampaola, B. D'Agostino, *Osservazioni storiche e archeologiche sulla fondazione di Neapolis*, in W. V. Harris, E. Lo Cascio (a cura di), *Noctes Campanae. Studi di storia antica ed archeologia dell'Italia preromana e romana in memoria di M. W. Frederiksen*, Napoli 2005, pp. 49-80.

Giangiulio 1992
M. Giangiulio, *La philotes tra Sibariti e Serdaioi (Meiggs-Lewis, 10)*, «Zeitschrift für Papyrologie und Epigraphik» 93, 1992, pp. 31-44.

Giardina 2000
A. Giardina (a cura di), *Roma antica*, Roma-Bari 2000.

Giglio 2013
M. Giglio, *Cambi di proprietà nelle case pompeiane, l'evidenza archeologica*, A N.S. 19-20, 2012-2013, pp. 211-226.

Giglio 2016
M. Giglio, *Considerazioni sull'impianto urbanistico di Pompei*, «Vesuviana» 8, 2016, pp. 11-48.

Goldsmidt 1863
A. Goldsmidt, *Account of the Discovery of Some Skeletons at Pompeii*, «Proceeding of the Society of Antiquaries of London», ser. 2, 2, London 1863, pp. 286-288.

Govi 2017
E. Govi (a cura di), *Santuari e istituzioni politiche* (Atti del Convegno, Bologna 21-23 gennaio 2016), Bologna 2017.

Graells i Fabregat, Longo 2018
R. Graells i Fabregat, F. Longo (a cura di), *Armi votive in Magna Graecia*, Mainz 2018.

Graf 1980
F. Graf, *Milch, Honig und Wein. Zum Verständnis der Libation im griechischen Ritual,* in *Perennitas. Studi Angelo Brelich*, Roma 1980, pp. 209-221.

Grandi Carletti 2001
M. Grandi Carletti, *Riflessioni sulla cronologia dei pavimenti cementizi con decorazione in tessere*, in G. Guidobaldi, A. Paribeni (a cura di), *Atti dell'VIIII Colloquio dell'AISCOM VIII, 2001*, pp. 71-86.

Grill 2019
A. Grill, *La farfalla*, trad. it. Venezia 2019.

Gros, 1997
P. Gros (a cura di), *De Architectura*, Torino 1997.

Gros 2001
P. Gros, *L'architecture romaine: Du début du IIIe siècle av. J.-C. à la fin du Haut-Empire.* Vol. 2, *Maisons, palais, villas et tombeaux*, Paris 2001.

Guidobaldi, Grandi, Pisapia, Balzanetti, Bigliati 2014
F. Guidobaldi, M. Grandi, M.S. Pisapia, R. Balzanetti, A. Bigliati, *Mosaici antichi in Italia. Regione I. Ercolano*, Pisa-Roma 2014.

Guzzo 2001
P.G. Guzzo (a cura di), *Pompei: scienza e società* (Atti Convegno 250° anniversario scavi Pompei, Napoli 1998), Milano 2001.

Guzzo 2007
P.G. Guzzo, *Pompei. Storia e paesaggi della città antica*, Milano 2007.

Guzzo 2011
P.G. Guzzo, *Pompei, tra la polvere degli scavi. Essere soprintendente a Pompei: memorie umane e professionali*, Napoli 2011.

Guzzo, Guidobaldi 2008
P. G. Guzzo, M. P. Guidobaldi (a cura di), *Nuove ricerche nell'area vesuviana* (Atti del Convegno internazionale, Roma 1-3 febbraio 2007), Roma 2008.

Guzzo, Scarano Ussani 2001
P.G. Guzzo, V. Scarano Ussani, *La schiava di Moregine*, «Mélanges de l'École française de Rome - Antiquité» 113, 2001, pp. 981-997.

Guzzo, Scarano Ussani 2009
P.G. Guzzo, V. Scarano Ussani, *Ex corpore lucrum facere. La prostituzione nell'antica Pompei*, Roma 2009.

Hales 2003
S. Hales, *The Roman House and Social Identity,* Cambridge 2003.

Hales, Paul 2011
S. Hales, J. Paul (a cura di), *Pompeii in the Public Imagination from its Rediscovery to Today*, Oxford, New York 2011.

Hallier 1987
G. Hallier, *Entre les régles de Vitruve et la realité archéologique: L'atrium toscan quelques autre exemples*, in H. Geertman, J.J. De Jong, *Munus non ingratum (Proceedings of the International Symposium on Vitruvius' De Architectura and the Hellenistic and Republican Architecture, Leiden, 20-23 January 1987)*, «Bulletin Antieke Beschaving» Suppl. 2, Leiden 1987, pp.194-211.

Helg, Malgieri 2017
R. Helg, A. Malgieri, *Colours of the Street: Form and Meaning of Facade Paintings at Pompeii and Herculaneum*, in Mols, Moormann 2017, pp. 271-276.

Herter 1932
H. Herter, *De Priapo*, «Religionsgeschichtliche Versuche und Vorarbeiten» XXIII, 1, Giessen 1932.

Holappa, Viitanen 2011
M. Holappa, E.-M. Viitanen, *Topographic Conditions in the Urban Plan of Pompeii: the Urban Landscape in 3D*, in Ellis 2011, pp. 169-189.

Hölscher 1967
T. Hölscher, *Victoria romana*, Mainz am Rhein 1967.

Humbert 1972
M. Humbert, *Le remariage à Rome: Etude d'histoire juridique et sociale*, Milano 1972.

Huysecom-Haxhi, Muller 2007
S. Huysecom-Haxhi, A. Muller, *Déesses et/ou mortelles dans la plastique de terre cuite. Réponses actuelles à une question ancienne*, «Pallas», 75, 2007, pp. 231-247.

Iavarone 2016
S. Iavarone, *La prima generazione delle Dressel 2-4. Produttori, contesti, mercati*, «Annali dell'Istituto Orientale di Napoli. Archeologia e Storia antica», 19-20, 2016, pp. 227-241.

Irollo 2012
A. Irollo, *Carolina Murat, François Mazois e l'antico,* in *Il Mezzogiorno e il decennio. Architettura, città, territorio* (Atti del quarto seminario di studi sul Decennio francese, Napoli-Caserta, 16-17 maggio 2008), Napoli 2012, pp. 253-274.

Jensen, Freud 1992
W. Jensen, S. Freud, *Gradiva,* Pordenone 1992.

Jolivet 2011
V. Jolivet, *Tristes portiques: Sur le plan canonique de la maison étrusque et romaine des origines au principat d'Auguste (VIe–Ier siècles av. J.-C.),* Roma 2011.

Jongman 2008
J.W. Jongman, *The Loss of Innocence: Pompeian Economy and Society Between Past and Present*, in Dobbins, Foss 2008, pp. 499-517.

Jourdain-Annequin 1984
B. Jourdain-Annequin, «Héraclès parastates», in *Les grandes figures religieuses. Fonctionnement pratique et symbolique dans l'antiquité* (Rencontre internationale, Besançon 1984), Paris 1986, pp. 283-331.

Kastenmeier 2007
P. Kastenmeier, *Priap zum Gruße*, «Roemische Mitteilungen» 108, 2001, pp. 301-311.

Kircher 1910
K. Kircher, *Die sakrale Bedeutung des Weins im Altertum*, Giessen 1910.

Krauskopf 2009
I. Krauskopf, *Etruskische Kultgeräte zwischen Griechenland und Rom: Einige Überlegungen,* in S. Bruni (a cura di), *Etruria e Italia preromana: Studi in onore di Giovannangelo Camporeale*, Pisa 2009, pp. 501-506.

Lafon 1995
X. Lafon, *Dehors ou dedans? Le vestibulum dans le domus aristocratiques à la fin de la République et au début de l'Empire*, in *L'espace du pouvoir dans le mond romain et byzantin*, «Klio» 77, 1995, pp. 405-423.

Laidlaw 1985
A. Laidlaw, *The First Style in Pompeii: Painting and Architecture*, Roma 1985.

Laurence, Wallace-Hadrill 2011
R. Laurence, A. Wallace-Hadrill (a cura di), *Domestic Space in the Roman World: Pompeii and Beyond*, «*Journal of Roman Archaeology*» Suppl. 22, Portsmouth 1997.

Lauritsen 2011
M.T. Lauritsen, *Doors in Domestic Space at Pompeii and Herculaneum: A Preliminary Study,* in D. Mladenović and B. Russell (a cura di), *Proceedings of the Twentieth Annual Theoretical Roman Archaeology Conference Which Took Place at the University of Oxford, 25–28 March, 2010*, Oxford 2011, pp. 59–75.

Larson 2001
J. Larson, *Greek Nymphs. Myth, Cult, Lore*, Oxford 2001.

La Torre, Torelli 2011
F. G. La Torre, M. Torelli (a cura di), *Pittura ellenistica in Italia e in Sicilia*, Roma 2011.

Lazer 2009
E. Lazer, *Resurrecting Pompeii*, London 2009.

Lepone 2016
A. Lepone, in Lippolis, Osanna 2016.

Ling 2005
R. Ling, *Street fountains and house fronts at Pompeii*, in Mols, Moormann 2005, pp. 271-276.

Linant de Bellefonds
P. Linant de Bellefonds, *Le Géant aijlé, entre Occident et Orient*, in Massa-Peirrault, Pouzadoux 2017, pp. 245-262.

Lippolis 2001
E. Lippolis, *Culto e iconografie della coroplastica votiva. Problemi interpretativi a Taranto e nel mondo greco*, «Mélanges de l'École française de Rome - Antiquité» 113, 2001, pp. 225-255.

Lippolis 2005
E. Lippolis, *Pratica rituale e coroplastica votiva a Taranto*, in Nava, Osanna 2005, pp. 91-101.

Lippolis 2016a
E. Lippolis, *Il Capitolium*, in Lippolis, Osanna 2016, pp. 111-148.

Lippolis 2016b
E. Lippolis, *Le immagini di culto*, in Lippolis, Osanna 2016, pp. 207-222.

Lippolis 2017
E. Lippolis, *Rappresentarsi: i nuovi linguaggi del potere e lo sviluppo delle città ellenistiche,* in Osanna, Rescigno 2017, pp. 235-247.

Lippolis, Osanna 2016
E. Lippolis, M. Osanna (a cura di), *I Pompeiani e i loro dei. Culti, rituali e funzioni sociali a Pompei*, «Scienze dell'Antichità» 22, 3, 2016, Roma 2017.

Lippolis, Parisi 2012
E. Lippolis, V. Parisi, *La ricerca archeologica e le manifestazioni rituali tra metropoli e apokiai*, in *Alle origini della Magna Grecia. Mobilità, migrazioni, fondazioni* (Atti del LI Convegno di Studi sulla Magna Grecia, Taranto, 1-4 ottobre 2010), Taranto 2012, pp. 421-470.

Lippolis, Parisi, Sassu 2016
E. Lippolis, V. Parisi, R. Sassu, *Spazio sacro e culti civici*, in *Poleis e politeiai nella Magna Grecia arcaica e classica* (Atti del LIII Convegno di Studi sulla Magna Grecia, Taranto, 26-29 settembre 2013), Taranto 2016, pp. 313-358.

Lo Cascio 2012
E. Lo Cascio, *Una moneta per tutti*, in A. Giardina, F. Pesando, *Roma Caput Mundi*, Milano 2012, pp. 125-132.

Lulof 2001
P. Lulof, *La coroplastica acroteriale della fase tardo-arcaica*, in de Waele 2001, pp. 197-221.

Luongo, Perrotta, Scarpati 2003a
G. Luongo, A. Perrotta, C. Scarpati, *Impact of the AD 79 Explosive Eruption on Pompeii, I. Relations amongst the Depositional Mechanisms of the Pyroclastic Products, the Framework of Buildings and the Associated Destructive Events*, «Journal of Volcanology and Geothermal Research», 126, 2003, pp. 201-223.

Luongo, Perrotta, Scarpati 2003b
G. Luongo, A. Perrotta, C. Scarpati, E. De Carolis, G. Patricelli, A. Ciarallo, *Impact of the AD 79 Explosive Eruption on Pompeii, II. Causes of Death of the Inhabitants Inferred by*

Stratigraphic Analysis and Areal Distribution of the Human Casualties, «Journal of Volcanology and Geothermal Research», 126, 2003, pp. 169-200.

Magaldi 1930
E. Magaldi, *Pompei e il suo dolore*, Napoli 1930.

Maiuri 1932
A. Maiuri, *La casa del Menandro e il suo tesoro di argenteria*, Rome 1932.

Maiuri 1942
A. Maiuri, *L'ultima fase edilizia di Pompei*, Roma 1942.

Maiuri 1943
A. Maiuri, *Greci ed Etruschi a Pompei*, «Memorie Reale Accademia d'Italia» s.VII, IV, 1943, pp. 121-149 (rist. *Saggi di varia antichità*, Venezia 1954, pp. 241-274).

Maiuri 1959
A. Maiuri, *Vita d'archeologo*, Milano 1992.

Maiuri 1983
A. Maiuri, *Pompei ed Ercolano fra case e abitanti*, Firenze 1983.

Maiuri B. 1947
B. Maiuri, *Rilievo gladiatorio di Pompei*, «Rendiconti dell'Accademia dei Lincei» 344, 1947, pp. 491-510.

Malkin 2002
I. Malkin, *A Colonial Middle Ground: Greek, Etruscan and Local Elites in the Bay of Naples*, in C.L. Lyons, J.K. Papadopoulos (a cura di), *The Archaeology of Colonialism*, Los Angeles 2002, pp. 151-181.

Malkin 2011
I. Malkin, *A Small Greek World. Networks in the Ancient Mediterranean*, Oxford 2011.

Malkin 2017
I. Malkin, *Pompei e il Mediterraneo*, in Osanna, Rescigno 2017, pp. 70-78.

Mann 2014
Ch. Mann, *I Gladiatori*, trad. it. Bologna 2014.

Mar 1995
V.R. Mar, *Las casas de atrio en Pompeya. Cuestiones de tipologia*, «Archeologia classica» XLVII, 1995, pp. 103-137.

Maras 2009
D.F. Maras, *Il dono votivo. Gli dei e il sacro nelle iscrizioni etrusche di culto*, Roma 2009.

Maras 2017
D.F. Maras, *Epigraphy & Nomenclature*, in G. Bradley, G. Farney (a cura di), *The Peoples of Ancient Italy*, Berlin-Boston 2017, pp. 59-84.

Marcattili 2006
F. Marcattili, *Un tempio di Esculapio a Pompei: strutture, divinità e culti del cosiddetto tempio di Giove Meilichio*, in *Contributi di archeologia vesuviana* II, Roma 2006, pp. 11-76.

Marcattili 2011
F. Marcattili, *Primo stile e cultura della* luxuria, in La Torre, Torelli 2011, pp. 415-424.

Marchesini 1994
S. Marchesini, *L'onomastica etrusca in Campania. Rapporti tra lingue*, in *Magna Grecia, Etruschi e Fenici (*Atti del XXXIII Convegno di Studi sulla Magna Grecia, Taranto, 8-13 ottobre 1993*)*, Taranto 1994, pp. 123-163.

Marchesini 1997
S. Marchesini, *Studi onomastici e sociolinguistici sull'Etruria arcaica*, Firenze 1997.

Martin 2002
J. Martin, *Sur le sens réel des mots catastérisme et catastériser*, «Pallas» 59, 2002, pp. 17-26.

Masseria, Torelli 1999
C. Masseria, M. Torelli, *Il mito all'alba di una colonia greca. Il programma figurativo delle metope dell'Heraion alla foce del Sele*, in Actes du colloque international organisé par l'École française de Rome, l'Istituto italiano per gli studi filosofici (Naples) et l'UMR 126 du CNRS (Rome, 14-16 novembre 1996), Roma 1999, pp. 205-262.

Matsui, Sorrentino, Sakai, Shimizu, Iorio 2009S.
L. Matsui, L. Sorrentino, S. Sakai, Y. Shimizu, V. Iorio, *La provenienza dell'acqua potabile nell'antica Pompei: un'ipotesi basata sull'analisi chimica dei residui calcarei degli impianti idrici,* «The Journal of Fasti Online», www.fastionlline.org/does/FOLDER-it-2009-162.pdf.

Massa-Pairault 2013
F.-H. Massa Pairault, *Orion*, in Cusset, Prioux, Richer 2013, pp. 41-62.

Massa-Pairault, Pouzadoux 2017
F.-H. Massa Pairault, C. Pouzadoux (a cura di), *Géants et gigantomachies entre Orient et Occident* (Actes du colloque, Naples 14-15 novembre 2013), Napoli 2017.

Mastrolorenzo 2002
G. Mastrolorenzo, *Eventi vulcanici e conseguenze sull'ambiente,* in *Vesuvio 79 A.D. Vita e morte a Ercolano*, Napoli 2002, pp. 29-34.

Mau 1899
A. Mau *Pompeii: Its Life and Art*, New York 1899.

McGovern 2006
P. McGovern, *L'archeologo e l'uva – vite e vino dal Neolitico alla Grecia arcaica,* trad. it. Roma 2006.

McSpanned Sutherland 1993
I. McSpanned Sutherland, *Colonnaded Cenacula in Pompeian Domestic Architecture*, Diss. Duke University 1993.

Meijer 2006
F. Meijer, *Un giorno al Colosseo. Il mondo dei gladiatori,* trad. it. Roma-Bari 2006.

Mennitti, Osanna, Toniolo 2018,
A.Mennitti, M. Osanna, L. Toniolo, *Armi votive nel santuario di Fondo Iozzino a Pompei*, in Graells i Fabregat, Longo 2018, pp. 289-300.

Mertens 1993
D. Mertens, Der alte Heratempel in Paestum und die archaische Baukunst in Unteritalien, Mainz 1993.

Michel 1990
D. Michel, *La casa dei Cei (I 6, 15)*, München 1990.

Minoja 2000
M. Minoja, *Il bucchero del Museo Provinciale Campano. Ricezione, produzione e commercio del bucchero a Capua*, Pisa-Roma 2000.

Miraglia, Osanna 2015
M. Miraglia, M. Osanna, *Pompei. La fotografia,* Milano 2015.

Moeller 1970
W. O. Moeller, *The Riot of AD 59 at Pompeii*, «Historia» 19, 1970, pp. 84–95.

Moeller 1973
W. O. Moeller, *Gnaeus Alleius Maius, Princeps Coloniae*, «Latomus» 32, 3, 1973, pp. 515-520.

Moggi, Osanna 2010
M. Moggi, M. Osanna, *Pausania, Guida della Grecia IX. La Beozia*, Milano 2010.

Mols, Moormann 2005
St. Mols, E.M. Moormann (a cura di), *Omni pede stare. Saggi architettonici e circumvesuviani in memoriam di Jos de Waele*, Napoli 2005.

Mols, Moormann 2017
St. Mols, E.M. Moormann (a cura di), *Context and Meaning* (Proceedings of the Twelfth International Conference of the Association Internationale pour la Peinture Murale Antique, Athens, Septemper 16-20, 2013), Leuven, Paris, Bristol 2017.

Monnier 1864
M. Monnier, *Pompei e i Pompeiani,* (a cura di L. Gallo), trad. it. Venosa 2014.

Moormann 2015
E.M. Moormann, *Pompeii's Ashes. The Reception of the Cities Buried by Vesuvius in Literature, Music and Drama*, Boston-Berlin-Münich 2015.

Morandi Tarabella 2004
M. Morandi Tarabella, *Prosopographia etrusca. I. Corpus 1. Etruria Meridionale*, Roma 2004.

Morillas Alcàzar 2015
J.M. Morillas Alcàzar, *La fortuna dello stile neopompeiano nella decorazione e nell'architettura di interni e nei siti reali spagnoli sotto Carlo III e Carlo IV*, in Osanna, Caracciolo, Gallo 2015, pp. 167-179.

Morris 1997
I. Morris, *The Art of Citizenship*, in S. Langdon (a cura di), *New Light on a Dark Age,* Columbia, Missouri 1997.

Most 2007
G. W. Most, *Il Narciso di Freud: riflessioni su un caso di autoriflessività*, «Studi italiani di filologia classica» s. IV, V 2007, pp. 201-221.

Mouritsen 2011
H. Mouritsen, *The Freedman in the Roman World*, Cambridge 2011.

Mouritsen, Gradel 1991
H. Mouritsen, I. Gradel, *Nero in Pompeian Politics. Edicta Munera and the Imperial Flaminateurs in Late Pompeii*, «Zeitschrift für Papyrologie und Epigraphik» 87, 1991, pp.145-155.

Mutti, Zoli 1984
C. Mutti, M. Zoli (a cura di), *I Fenomeni ed i Pronostici*, Torino 1984.

Naso 2017
A. Naso (a cura di), *Etruscology*, Berlin 2017.

Nava, Osanna 2005
M.L. Nava, M. Osanna (a cura di), *Lo spazio del rito. Santuari e culti in Italia meridionale tra indigeni e greci*, Bari 2005.

Nicolet 1989
C. Nicolet, *Il cittadino, il politico*, in A. Giardina, *L'uomo romano,* Roma-Bari 1993, pp. 9-14.

Nistri, Osanna 2014
G. Nistri, M. Osanna, *Valorizzare e proteggere i parchi archeologici: il caso Pompei*, in C.A. Brioschi (a cura di), *Un Capolavoro chiamato Italia. Racconto a più voci di un patrimonio da tutelare, proteggere, valorizzare*, Milano 2014, pp. 99-116.

Oehmke 2004
S. Oehmke, *Das Weib im Manne. Hermaphroditos in der griechisch-römischen Antike*, Berlin 2004.

Ollà 2016
A. Ollà, *Orione, "Signore di Zancle dal bel porto e del Capo Peloro"? Prime osservazioni su un'epigrafe da via Geraci,* in G. Tigano (a cura di), *Da Zancle a Messina. Nuovi dati di archeologia urbana,* Messina 2017, pp. 173-176.

Osanna 2004
M. Osanna, *Rituali sacrificali e offerte votive nel santuario lucano di Torre di Satriano*, «Archiv für Religionsgeschichte» 6, 2004, pp. 44-61.

Osanna 2015a
M. Osanna, *Sanctuaries and Cults in Pre-roman Pompeii*, in P. Adam-Veleni, D. Tsangari (a cura di), *Greek Colonisation: New Data, Current Approaches* (Procedings of the Scientific Meeting held in Thessaloniki, 6 February 2015), Athens, 2015, pp. 71-89.

Osanna 2015b
M. Osanna, *"Tutto è stato riformato e moralizzato nella città morta". Giuseppe Fiorelli a Pompei,* in M. Osanna, M.T. Caracciolo, L. Gallo, *Pompei e l'Europa,* Milano 2015, pp. 228-238.

Osanna 2016a
M. Osanna, *Gesto rituale e spazio sacro nella Pompei di età sannitica*, in F. Fontana (a cura di), *Sacrum Facere* (III Seminario di Archeologia del sacro. Lo spazio del sacro: ambienti e gesti del rito, Trieste, 3-4 ottobre 2014), Trieste 2016, pp. 179-201.

Osanna 2016b
M. Osanna *"Rapiti alla morte": i primi calchi delle vittime di Pompei realizzati da Giuseppe Fiorelli*, in Osanna, Cioffi, Di Benedetto, Gallo 2016, pp. 144-161.

Osanna 2016c
M. Osanna, *Nuove ricerche nei santuari pompeiani,* in Lippolis, Osanna 2016, pp. 71-88.

Osanna 2017a
M. Osanna, *Pompei: la prossimità del passato*, in M. Osanna, A. Viliani, *Pompei@Madre. Materia archeologica* (Catalogo della Mostra), Milano 2017, pp. 90-101.

Osanna 2017b
M. Osanna *Amedeo Maiuri a Pompei, tra scavi, restauri e musealizzazione,* in D. Camardo, M. Notomista (a cura di), *Ercolano 1927-1961. L'impresa archeologica di Amedeo Maiuri e l'esperimento della città museo* (Studi e Ricerche del Parco Archeologico di Pompei), Roma 2017, pp. 159-178.

Osanna 2017c
M. Osanna, *Amedeo Maiuri, un protagonista dell'archeologia del "secolo breve"*, in C. Capaldi, O. Dally, C. Gasparri, *Archeologia e politica nella prima metà del XX secolo*, Napoli 2017, pp. 119-142.

Osanna 2017d
M. Osanna, *Una nuova tomba monumentale da Porta Stabia a Pompei,* «Rendiconti dell'Accademia dei Lincei», 2017, pp. 1-36.

Osanna 2018a
M. Osanna, *Pompei al tempo del Grande Progetto. 2012-2018,* in Osanna, Picone 2018, pp. 99-130.

Osanna 2018b
M. Osanna, *Games, Banquets, Handputs, and the Population of Pompeii as Deduced from a New Tomb Inscription*, «Journal of Roman Archaeology» 31, 2018, pp. 310-322.

Osanna, Athanasoulis 2019
M. Osanna, D. Athanasoulis, *Pompei e Santorini. L'eternità in un giorno*, Napoli 2019.

Osanna, Caracciolo, Gallo 2015
M. Osanna, M.T. Caracciolo, L. Gallo (a cura di), *Pompei e l'Europa. 1748-1943*, Milano 2015.

Osanna, Cioffi, Di Benedetto, Gallo 2016
M. Osanna, R. Cioffi, A. Di Benedetto, L. Gallo, *Pompei e l'Europa* (Atti del convegno *Pompei nell'archeologia e nell'arte dal neoclassico al post-classico),* Milano 2016.

Osanna, Iadanza, Masino, Mauro, Mighetto 2016
M. Osanna, M. Iadanza, F. Masino, A. Mauro, P. Mighetto, *L'Anfiteatro di Pompei: Archeologia, restauro e utilizzo contemporaneo*, «Confronti. Quaderni di restauro architettonico», 6-7, 2016, pp. 56-71.

Osanna, Pellegrino 2017
M. Osanna, C. Pellegrino, *Nuove ricerche nel santuario extra-urbano di Fondo Iozzino a Pompei*, in Govi 2017, pp. 373-394.

Osanna, Pellegrino 2018
M. Osanna, C. Pellegrino, *Luoghi di culto nel suburbio di Pompei: il santuario di Fondo Iozzino*, in Osanna, Verger 2018, pp. 202-207.

Osanna, Picone 2018
M. Osanna, R. Picone (a cura di), *Restaurando Pompei. Riflessioni a margine del Grande Progetto*, Roma 2018.

Osanna, Rescigno 2017
M. Osanna, C. Rescigno (a cura di), *Pompei e i Greci* (Catalogo della mostra Pompei), Milano 2017.

Osanna, Rescigno 2018
M. Osanna, C. Rescigno, *La fase etrusca di Pompei,* in Osanna, Verger 2018, pp. 178-191.

Osanna, Rinaldi 2018a
M. Osanna, E. Rinaldi, *La manutenzione programmata*, in Osanna, Picone 2018, pp. 135-156.

Osanna, Rinaldi 2018b
M. Osanna, E. Rinaldi, *Planned Conservation in Pompeii: Complexity and Methodological Choices*, «Journal of Cultural Heritage Management and Sustainable Development», https://doi.org/10.1108/JCHMSD-05-2017-0025.

Osanna, Verger 2018
M. Osanna, S. Verger (a cura di), *Pompei e gli Etruschi* (Catalogo della mostra Pompei), Milano 2018.

Overbeck 1863
J. Overbeck, *Pompeji*, Leipzig 1863.

Pagano 1991
M. Pagano, *La villa romana di contrada Sora a Torre del Greco*, «Cronache ercolanensi» 21, 1991, pp. 149-186.

Pagano 1992
M. Pagano, *Metodologia dei restauri borbonici a Pompei ed Ercolano*, «Rivista di Studi Pompeiani» 5, 1991-1992, pp. 169-191.

Panciera 2000
S. Panciera, *Nettezza urbana a Roma. Organizzazione e responsabili*, in X. Dupré Raventós, J. A. Remolà (a cura di), *Sordes urbis. La eliminación de residuos en la ciudad romana (Actas de la reunión, Roma, 15-16 de Noviembre de 1996)*, Roma 2000, pp. 94-105.

Panella, Fano 1977
C. Panella, M. Fano, *Le anfore con anse bifide conservate a Pompei: contributo ad una loro classificazione*, in *Méthodes classiques et méthodes formelles dans l'étude des amphores* (Actes du Colloque de Rome, 27-29 mai 1974), Roma 1977, pp. 133-177.

Panerai 1983
M.C. Panerai, *Le misure romane*, in *Misurare la terra: centuriazione e coloni nel mondo romano*, Modena 1983, pp. 122-123.

Paoletti, Bettini 2011
O. Paoletti, M. C. Bettini, *Gli Etruschi e la Campania settentrionale* (Atti del XXVI Convegno di Studi Etruschi e Italici, Caserta, Santa Maria Capua Vetere, Capua, Teano, 11-15 novembre 2007), Pisa-Roma 2011.

Pappalardo 2001
U. Pappalardo (a cura di), *La Descrizione di Pompei per Giuseppe Fiorelli (1875)*, Napoli 2001.

Parker 1983
R. Parker, *Miasma: Pollution and Purification in Early Greek Religion*, Oxford 1983.

Parisi 2010
V. Parisi, *Offerte votive nei santuari della Magna Grecia: dal contesto archeologico al sistema rituale*, «Bulletin de Correspondance Hellénique» 134, 2010, pp. 454-463.

Parslow 1998
C.C. Parslow, *Rediscovering Antiquity: Karl Weber and the Excavation of Herculaneum, Pompeii and Stabiae*, Cambridge 1998.

Pellegrino 2010
C. Pellegrino, *Pontecagnano: l'uso della scrittura tra Etruschi, Greci e Italici*, in *Meetings between Cultures in the Ancient Mediterranean* (Proceedings of the International Congress of Classical Archaeology, Rome, 22-26 September 2008), «Bollettino di Archeologia on line» - Numero Speciale, 2010, F/F3/2, pp. 12-13.

Pensabene 1998
P. Pensabene, *Il fenomeno del marmo nella Roma tardo-repubblicana e imperiale*, in: P. Pensabene (a cura di), *Marmi antichi II. Cave e tecnica di lavorazione, provenienze e distribuzione*, Roma 1998, pp. 333-373.

Pesando 1997
F. Pesando, Domus. *Edilizia privata e società pompeiana fra III e I secolo a.C.*, Roma 1997.

Pesando 2001
F. Pesando, *Gladiatori a Pompei*, in A. La Regina (a cura di), *Sangue e arena*, Milano 2001, pp. 191-195.

Pesando 2006
F. Pesando, *Il "secolo d'oro" di Pompei. Aspetti dell'architettura pubblica e privata nel II secolo a.C.*, in M. Osanna, M. Torelli, *Sicilia ellenistica, consuetudo italica. Alle origini dell'architettura ellenistica di Occidente,* Roma 2006, pp. 227-241.

Pesando 2008
F. Pesando, *Case di età medio-sannitica nella Regio VI: tipologia edilizia ed apparati decorativi*, in Guzzo, Guidobaldi 2008, pp. 159-172.

Pesando 2016a
F. Pesando, Ruinae et Parietinae Pompeianae. *Distruzioni e abbandoni a Pompei all'epoca dell'eruzione*, «Vesuviana» 3, 2011, pp. 9-30.

Pesando 2016b
F. Pesando, *Fichi, fiamme e lapilli. Una nuova data per la distruzione delle città vesuviane?*, in G. Sena Chiesa, F. Giacobello (a cura di), *Gli dei in giardino. Due convegni su mito, natura e paesaggio nel mondo antico*, Firenze 2016, pp. 49-54.

Pesando 2017
F. Pesando, *Peristile, esedre, saloni, basiliche private: Echi dell'architettura palaziale greca nelle case di Pompei e Ercolano*, in Osanna, Rescigno 2017, pp. 217-221.

Pesando, Giglio 2017
F. Pesando, M. Giglio, *Rileggere Pompei, V. L'insula VII della Regio IX*, Roma 2017.

Pesando, Guidobaldi 2006
F. Pesando, M. P. Guidobaldi, *"Gli ozi di Ercole". Residenze di lusso a Pompei ed Ercolano,* Roma 2006.

Pesando, Guidobaldi 2018
F. Pesando, M. P. Guidobaldi, *Pompei, Oplontis, Ercolano, Stabiae*, Roma-Bari 2018.

Peters 1977
W. J. Peters, *La composizione delle pareti dipinte nella Casa dei Vettii a Pompei*, «Mededelingen van het Nederlands Instituut te Rome, Antiquity» 39, 1977, pp. 95-128.

Peterse 1999
K. Peterse, *Steinfachwerk in Pompeji. Bautechnik und Archi-tektur*, Amsterdam 1999.

Picone 2011
R. Picone, *Pompei alla guerra. Danni bellici e restauri nel sito archeologico*, in S. Casiello (a cura di), *I ruderi e la guerra*, Firenze 2011, pp. 101-126.

Pirenne-Delforge 1998
V. Pirenne-Delforge (a cura di), *Les Panthéons des cités: des origines à la "Périégèse" de Pausanias*, Liège 1998.

Pirson 1999
F. Pirson, *Mietwohnungen in Pompeji und Herkulaneum*, München 1999.

Poccetti 2004
P. Poccetti, *Realtà urbane plurilingui dell'antichità a confronto: le città dell'area del golfo di Napoli e la* vexata quaestio *della* Graeca urbs *petroniana,* in *Città plurilingui. Lingue e culture a confronto in situazioni urbane*, Udine 2004, pp. 415-436.

Poccetti 2017
P. Poccetti, *Parlare. La grecità nel contesto multilingue e multiculturale di Pompei e della Campania antica,* in Osanna, Rescigno 2017, pp. 300-313.

Poccetti 2018
P. Poccetti, *Gli Etruschi e gli altri in Campania: il quadro linguistico*, in Osanna, Verger 2018, pp. 32-53.

Poehler, Crowther 2018
E. E. Poehler, B. M. Crowther, *Paving Pompeii: The Archaeology of Stone-Paved Streets*, «American Journal of Archaeology», 122, 4, 2018, pp. 579-609.

Poehler, Flohr, Cole 2011
E. Poehler, M. Flohr, K. Cole, *Pompeii: Art, Industry and Infrastructure*, Oxford 2011.

Poli Capri 2002
P. Poli Capri (a cura di), *Pompei, Ercolano, Napoli e dintorni (lettere e documenti)*, Ia Serie, Vol. II, (Genn. 1863-Dic. 1864), 2002.

Polignac 1996
F. de Polignac, *La naissance de la cité grecque. Cultes, espace et societé, VIIIe-VIIe siècles avant J.C.*, Paris 1996.

Portale 2012
E. C. Portale, *Busti fittili e ninfe. Sulla valenza e la polisemia delle rappresentazioni abbreviate in forma di busto nella coroplastica votiva siceliota*, in M. Albertocchi, A. Pautasso (a cura di), *Philotechnia. Studi sulla coroplastica della Sicilia greca*, Catania 2012, pp. 227-253.

Pucci 2015
G. Pucci, *Il gesso e la sua eco. Storia e storie dei calchi di Pompei*, in Osanna, Caracciolo, Gallo 2015, pp. 239-245.

Queyrel 2005
F. Queyrel, *L'Autel de Pergame: images et pouvoir en Grèce d'Asie,* Paris 2005.

Renaud 2004
J.-M. Renaud, *Le mythe d'Orion*, Liège 2004.

Represa Fernàndez 1988
M.F. Represa Fernàndez, *El Real Museo de Portici (Nàpoles): 1750-1825*, Valladolid 1988.

Rescigno 1998
C. Rescigno, *Tetti campani*, Roma 1998.

Rescigno 2010
C. Rescigno (a cura di), *Cuma, il tempio di Giove e la terrazza superiore dell'acropoli. Contributi e documenti*, Venosa 2012.

Rescigno 2014a
C. Rescigno, *Apollo e Diana saettanti*, in T. E. Cinquantaquattro, C. Capaldi, V. Sampaolo (a cura di), *Augusto e la Campania. Da Ottaviano a Divo Augusto. 14-2014 d.C.* (Catalogo mostra Napoli, Museo Archeologico Nazionale, 19 dicembre 2014-4 maggio 2015), Milano, pp. 58-60.
Rescigno 2014b

C. Rescigno, *Cuma arcaica e l'architettura campana*, in *Intra ed extra moenia. Sguardi sulla città fra antico e moderno*, Napoli 2014, pp. 149-156.

Rescigno 2016a
C. Rescigno, *Stili architettonici occidentali tra identità politica e distretti culturali*, in *Poleis e politeiai nella Magna Grecia arcaica e classica* (Atti del LIII Convegno di Studi sulla Magna Grecia, Taranto, 26-29 settembre 2013), Taranto 2016, pp. 459-474.

Rescigno 2016b
C. Rescigno, *Il santuario di Apollo tra vecchie acquisizioni e nuove prospettive di ricerca*, in Lippolis, Osanna 2016, pp. 37-69.

Reynolds 1983
TL.D. Reynolds, *The Younger Pliny*, in *Texts and Transmission: a Survey of the Latin Classics*, Oxford 1983, pp. 316-322.

Riggsby 1997
A.M. Riggsby, *Public and Private in Roman Culture: The Case of the Cubiculum*, «Journal of Roman Archaeology» 10, 1997, pp. 36-56.

Rispoli, Paone 2011
P. Rispoli, R. Paone, *Pompei Scavi, Canale Conte Sarno. Lavori di sistemazione e rifunzionalizzazione 2009-2011*, «Rivista di Studi Pompeiani» 22, 2011, pp. 126-133.

Riva 2010
C. Riva, *Trading Settlements and the Materiality of Wine Consumption in the North Tyrrhenian Sea Region*, in van Dommelen, Knapp 2010, pp. 209-232.

Robert-Boissier 2011
B. Robert-Boissier, *Pompéi. Les doubles vies de la cité du Vésuve,* Paris 2011.

Roberts 2019
P. Roberts, *Last Supper in Pompeii*, Oxford 2019.

Rohde 1982
E. Rohde, *Psiche*, trad. it. Roma-Bari, 1982.

Romizzi 2006
L. Romizzi, *Programmi decorativi di III e IV stile a Pompei. Un'analisi sociologica ed iconologica,* «Quaderni di Ostraka» 11, Napoli 2006.

Rovelli 2017
C. Rovelli, *L'ordine del tempo*, Milano 2017.

Rowland 2015
I. D. Rowland, *From Pompeii: the Afterlife of a Roman Town,* Boston 2015.

Rudhardt 1986
J. Rudhardt, *Le rôle d'Éros e d'Aphrodite dans les cosmogonies grecques*, Paris 1986.

Ruggiero 1891
M. Ruggiero, *I pochi avanzi,* Napoli 1891.

Rüpke 2018
J. Rüpke, *Pantheon. Una nuova storia della religione romana*, trad. it. Torino 2018.

Sabbatini Tumolesi 1980
P. Sabbatini Tumolesi, *Gladiatorum paria. Annunci di spettacoli gladiatorii a Pompei* (Tituli, I), Roma 1980.

Sagù 1999
M. L. Sagù, *La Scuola archeologica di Pompei nelle carte dell'archivio della direzione generale delle antichità e belle arti,* in De Caro, Guzzo 1999, pp. 173-194.

Santoni 2009
A. Santoni, *Eratostene. Epitome dei Catasterismi. Origine delle costellazioni e disposizione delle stelle,* Pisa 2009.

Santoni 2013
A. Santoni, *I Fenomeni di Arato e i Catasterismi di Eratostene nelle illustrazioni del manoscritto Vat. gr. 1087*, in F. Guidetti e A. Santoni (a cura di), *Antiche stelle a Bisanzio. Il codice Vaticano greco 1087* (Giornata di studio. Pisa, Scuola Normale Superiore 8 febbraio 2012), Pisa 2013, pp. 91-112.

Scarano Ussani 2003
V. Scarano Ussani, *Un'ancilla e il suo tesoro*, in D'Ambrosio, Guzzo, Mastroroberto 2003, pp. 473-478.

Scarano Ussani 2005
V. Scarano Ussani (a cura di), *Moregine. Suburbio "portuale" di Pompei,* Napoli 2005.

Scarpati 2019
C. Scarpati, *Il Vulcano,* in Osanna, Athanasoulis 2019, pp. 73-80.

Scarpati, Perrotta, Montanaro, Sparice 2019
C. Scarpati, A. Perrotta, A. Montanaro, D. Sparice, *Facies Variations Controlled by Urban Structures: the Example of the AD 79 Pyroclastic Deposits at Pompeii*, in *Linking volcano-sedimentary features with eruptive processes* (27th IUGG General Assembly, V06 -, Montreal, 8-18 July 2019).

Scarpi 2005
P. Scarpi, *Acqua divinazione e terapia tra Grecia e Roma*, «Thalassa. Genti e culture del Mediterraneo antico» II 2005, pp. 29-40.

Scatozza 1987
L.A. Scatozza, in *La cultura classica a Napoli nell'Ottocento*, I, 2, 1987, pp. 815-902.

Scognamiglio 2015
O. Scognamiglio, *Clarac e gli altri: disegnatori di Pompei alla corte di Carolina Murat*, in Osanna, Caracciolo, Gallo 2015, pp. 58-68.

Scotto di Freca 2012
F. Scotto di Freca, *Per aspera ad aspera. Vittorio Spinazzola tra archeologia e politica*, Napoli 2012.

Seydl 2012
J. L. Seydl, *Decadence, Apocalypse, Resurrection,* in V.C. Gardner Coates, K. Lapatin, J.L. Seydl, *The Last Days of Pompeii*, Los Angeles 2012, pp. 27-29.

Gardner Coates, Lapatin, Seydl 2012
V.C. Gardner Coates, K. Lapatin, J.L. Seydl, *The Last Days of Pompeii*, Los Angeles 2012.

Scobie 1986
A. Scobie, *Slums, Sanitation and Mortality in the Roman World*, «Klio» 68, 1986, pp. 399-433.

Settembrini 1879
L. Settembrini, *Scritti vari di letteratura, politica ed arte, I*, Napoli 1889.

Settis 2010
S. Settis, *Paesaggio Costituzione cemento. La battaglia per l'ambiente contro il degrado civile*, Torino 2010.

Settis 2017
S. Settis, *Architettura e democrazia. Paesaggio, città, diritti civili*, Torino 2017

Sigurdsson, Cashdollar, Sparkes 1982
H. Sigurdsson, S. Cashdollar, S. R. J. Sparkes, *The Eruption of Vesuvius in A.D. 79: Reconstruction from Historical and Volcanological Evidence,* «American Journal of Archaeology» 86, 1982, pp. 39-51.

Sigurdsson, Carey, Cornell, Pescatore 1985
H. Sigurdsson, S.N. Carey, W. Cornell, T, Pescatore, *The Eruption of Vesuvius in A.D. 79,* «National Geographic Research» 1, 1985, n.3, pp. 332-387.

Sirano 2016
F. Sirano (a cura di), *Pompei per tutti*, Napoli 2016.

Smith 2006
C. J. Smith, *The Roman Clan. The Gens from Ancient Ideology to Modern Anthropology*, Cambridge 2006.

Sogliano 1896
A. Sogliano, *VI. Pompei, edifici scoperti nell'isola 2 della Regione V*, «Notizie degli Scavi di Antichità» 1893, pp. 418-441.

Sogliano 1906
A. Sogliano, *Dei lavori eseguiti a Pompei dal 1 aprile 1905 a tutto marzo 1906. Relazione a S.E. il Ministro della Istruzione Pubblica*, Napoli 1906.

Sogliano 1922
A. Sogliano, *Guida di Pompei*, Milano 1922.

Sogliano 1927
A. Sogliano, *La fase etrusca di Pompei*, in «Studi Etruschi», 1, 1927, pp. 173-185.

Solin 1975
H. Solin, *Die Wandinschriften im sog. Haus des M.Fabius Rufus*, in B.Andreae, H.Kyrieleis (a cura di), *Neue Forschungen in Pompeji*, Recklinghausen 1975, pp. 243-272.

Solin 1977
H. Solin, *Zu den griechischen Namen in Rom*, in *L'onomastique latine*, Paris 1977, pp. 161-175.

Solin 2012
H. Solin, *On the Use of Greek in Campania*, in M. Leiwo, H. Halla-aho, M. Vjerros (a cura di), *Variation and Change in Greek and Latin*, «Papers and Monographs of the Finnish Institute at Athens XVII», Helsinki 2012, pp. 97-114.

Solin 2013
H. Solin, *Zum pompejanischen Wandinschriften*, in W. Eck, B. Fehér, P. Kovàcs (a cura di), *Studia epigraphica in memoriam Géza Alfòldy*, Bonn 2013, pp. 327-350.

Solin 2017
H. Solin, *Iscrizioni parietali di Pompei,* in C. Capaldi, F. Zevi, *La collezione epigrafica Mann*, Milano 2017, pp. 246-277.

Spiegel 2011
Francesca Spiegel, *In Search of Lost Time and Pompeii*, in Hales, Paul 2011, pp. 232-245.

Spinazzola 1953
V. Spinazzola, *Pompei alla luce degli scavi nuovi di Via dell'Abbondanza (1910-1923),* Roma 1953.

Sporn 2013
K. Sporn, *Mapping Greek Sacred Caves: Sources, Features, Cults*, in *Stable Places and Changing Perceptions: Cave Archaeology in Greece,* in F. Mavridis, J. T. Jensen (a cura di), «BAR» 2558, Oxford 2013, pp. 202-216.

Stavrianopoulou 2006
E. Stavrianopoulou (a cura di), *Ritual and Communication in the Graeco-Roman World,* «Kernos», suppl. 26, 2006.

Stähli 2014
A. Stähli, *Sprechende Gegenstände*, in R. Bielfeldt (a cura di), *Ding und Mensch in der Antike Gegenwart und Vergegenwärtigung*, Heidelberg 2014, pp.113-141.

Stefani 1998
G. Stefani, *Pompei oltre la vita. Nuove testimonianze dale necropoli,* Pompei 1998.

Stefani 2005
G. Stefani (a cura di), *Cibi e sapori a Pompei e dintorni,* Pompei 2005.

Stefani 2010
G. Stefani, *Uno alla volta. I calchi,* Milano 2010.

Stefani, Borgongino 2003
G. Stefani, M. Borgongino, *Intorno alla data dell'eruzione del 79 d.C.,* «Rivista di studi pompeiani» 12-13, 2002-2003, pp. 177-226.

Stevenson 1921
E. L. Stevenson, *Terrestrial and Celestial Globes, their History and Construc-tion Including a Consideration of their Value as Aids in the Study of Geography and Astronomy*, New Haven 1921.

Strocka 1996
V. M. Strocka, *Stili Pompeiani*, in EAA, 2° Suppl., 1971-1994, IV 1996, pp. 414-425.

Svembro 1988
J. Svembro, *Phrasikleia. An Anthropology of Reading in Ancient Greece*, Paris 1988.

Taglialatela 1995
E. Taglialatela, *Michele Arditi (1746-1838) tra scavo e Museo*, in *Musei, tutela e legislazione dei beni culturali a Napoli tra '700 e '800*, I, Napoli 1995, pp. 107-141.

Tang 2018
B. Tang, *Decorating floors. The Tesserae-in-Mortar Technique in the Ancient Worlds*, Roma 2018.

Tchernia 1986
A. Tchernia, *Le vin de l'Italie romaine. Essai d'histoire économique d'après les amphores* (BEFAR 261), Roma 1986.

Torelli 1982
M. Torelli, *Typology and Structure of Roman Historical Reliefs*, Ann Arbor 1982.

Torelli 1989
M. Torelli, *Banchetto e simposio nell'Italia arcaica: qualche nota*, in O. Longo, P. Scarpi (a cura di), *Homo edens. Regimi, miti e pratiche dell'alimentazione nella civiltà del Mediterraneo* (Atti del Congresso Verona, 13-15 aprile 1987), Milano 1989, pp. 301-310.

Torelli 2009
M. Torelli, *Religione e rituali dal mondo latino a quello etrusco: un capitolo della protostoria*, in Della Fina 2009, pp. 119-154.

Torelli 2011a
M. Torelli, *La forza della tradizione. Etruria e Roma: continuità e discontinuità agli albori della storia*, Milano 2011.

Torelli 2011b
M. Torelli, *Dalla tradizione "nazionale" al primo stile*, in La Torre, Torelli 2011, pp. 401-413.

Torelli 2017
M. Torelli, *Pompeii, Death and Rebirth: a Chapter in European Cultural History*, in Florence 1966-2016. Resilience of Art Cities to Natural Catastrophes: The Role of Academies (International Conference, Roma, 11-13 october 2016), Roma 2017, pp. 326-345.

Torelli 2018
M. Torelli, *Gli Etruschi in Campania. Il quadro storico*, in Osanna, Verger 2017, pp. 28-31.

Ustinova 2009
Y. Ustinova, *Caves and the Ancient Greek Mind*, Oxford 2009.

Van Andringa 2009
W. Van Andringa, *Quotidien des dieux et des hommes: la vie religieuse dans les cités du Vésuve à l'époque romaine* (BEFAR 337), Roma 2009.

Valeri 2005
C. Valeri, Marmora Phlegraea. *Sculture dal Rione Terra di Pozzuoli,* Roma 2005.

Van Buren 1947
A. W. Van Buren, *Gnaeus Alleius Nigidius Maius of Pompeii*, «American Journal of Philology» 68, 1947, pp. 383-393.

Van Dommelen, Knapp 2010
P. Van Dommelen, A.B. Knapp (a cura di), *Material Connections in the Ancient Mediterranean. Mobility, Materiality and Mediterranean Identities*, London 2010.

Varone 1994
A. Varone, *Erotica pompeiana: iscrizioni d'amore sui muri di Pompei*, Roma 1994.

Varone 2000
A.Varone, *L'erotismo a Pompei,* Roma 2000.

Varone 2005
A. Varone, *Convivere con i terremoti. La travagliata ricostruzione di Pompei dopo il terremoto del 62 d.C. alla luce delle nuove scoperte,* in Mols, Moormann 2005, pp. 315-323.

Varone, Stefani 2009
A. Varone, G. Stefani, *Titulorum Pictorum Pompeianorum qui in CIL vol. IV collecti sunt Imagines*, Roma 2009.

Villani 2018
P. Villani, *Impronte, calchi, cadaveri: l'esperimento di Fiorelli nell'immaginario letterario pompeiano di secondo ottocento*, in Gallo, Maglio 2018, pp. 89-102.

Ville 1981
G. Ville, *La gladiature en Occident des origines à la mort de Domitien*, Roma 1981.

Waele 2001
J.A.K.E. de Waele (a cura di), *Il tempio dorico del Foro Triangolare di Pompei*, Roma 2001.

Wallace-Hadrill 1994
A. Wallace-Hadrill, *Houses and Society in Pompeii and Herculaneum*, Princeton 1994.

Wallace-Hadrill 1997
A. Wallace-Hadrill, *Rethinking the Roman Atrium House*, In *Domestic Space in the Roman World: Pompeii and Beyond*, in Laurence, Wallace-Hadrill 1997, pp. 219-40.

Westgate 2000a
R. C. Westgate, *Space and Decoration in Hellenistic Houses*, «The Annual of the British School at Athens», 95, 2000, pp. 391-42.

Westgate 2000b
R. C. Westgate, *Pavimenta atque emblemata vermiculata: Regional Styles in Hellenistic Mosaic and the First Mosaics at Pompeii*, «American Journal of Archaeology» 104, 2, 2000, pp. 255-275.

Wilson, Flohr 2016
A. Wilson, M. Flohr (a cura di), *Craftsmen and Traders in the Roman World*, Oxford 2016.

Yashemski 1979-1993
W. Yashemski, *The garden of Pompeii, Herculaneum, and the Villas Destroyed by Vesuvius*, vol. 1, New Rochelle 1979; vol. 2, New Rochelle 1993.

Zaccaria Ruggiu 1995
A. Zaccaria Ruggiu, *Spazio privato e spazio pubblico nella città romana*, Paris 1995.

Zanker 1993
P. Zanker, *Pompei*, trad. it. Torino 1993.

Zanker 2000
P. Zanker, *Il mondo delle immagini e la comunicazione,* in Giardina 2000, pp. 281-306.

Zanella 2019
S. Zanella, La caccia fu buona. *Pour une histoire des fouilles à Pompei de Titus à l'Europe,* Napoli 2019.

Zevi 1980
F. Zevi, *Gli scavi di Ercolano*, in *Civiltà del Settecento a Napoli*, Catalogo della Mostra, Firenze 1980, II, pp. 58-68.

Zevi 1991
F. Zevi (a cura di), *Pompei I*, Napoli 1991.

Zevi 1992
F. Zevi (a cura di), *Pompei II*, Napoli 1992.

Zevi 1995
F. Zevi, *Personaggi della Pompei sillana*, «Papers of the British School at Rome» 63, 1995, pp. 1-12.

Zevi 1996
F. Zevi, *La Casa del Fauno*, in M. R. Borriello, A. D'Ambrosio, S. De Caro, P. G. Guzzo (a cura di), *Pompei. Abitare sotto il Vesuvio*, Catalogo della Mostra, Ferrara, Palazzo dei Diamanti, 29 settembre 1996 – 19. gennaio 1997, Ferrara 1996, pp. 38-47.

Zevi 1998a
F. Zevi, *Die Casa del Fauno in Pompeji*, «Roemische Mitteilungen», 105, 1998, pp. 21-65.

Zevi 1998b
F. Zevi, *I Greci, gli Etruschi, il Sele (note sui culti arcaici di Pompei)*, in G. Greco, S. Adamo Muscettola (a cura di), *I Culti della Campania Antica. Atti del convegno di studi in ricordo di Nazarena Valenza Mele*, Roma 1998, pp. 4-25.

Zevi 1998c
F. Zevi, *I mosaici della Casa del Fauno*, Napoli 1998.

RINGRAZIAMENTI

Questo libro non sarebbe stato possibile senza l'apporto e il conforto di amici, colleghi, funzionari e collaboratori del Parco Archeologico di Pompei. Non posso citare singolarmente tutti coloro che in un modo o nell'altro hanno incrociato la mia vita e la mia professione, dai custodi e il personale pompeiano ai colleghi del mondo universitario e ai compagni di vita. A ognuno rivolgo però un pensiero di riconoscenza.

In particolare le mie parole di ringraziamento giungano a Giulia Ammannati, Valeria Amoretti, Demetrios Athanasoulis, Angela Barbanente, Silvia Martina Bertesago, Irene Bragantini, Massimo Bray, Mattia Buondonno, Marella Brunetto, Alberto Bruni, Carmela Capaldi, Vincenzo Calvanese, Annalisa Capurso, Lorenzo Casini, Serafino Ciaravola, Caterina Cicirelli, Mauro Cipolletta, Antonella Codagnone, Chiara Comegna, Chiara Corbino, Pappi Corsicato, Luigi Curatoli, Stefano De Caro, Luca De Fusco, Mattia De Luca, Bruno De Nigris, Laura D'Esposito, Gennaro Di Gennaro, Diego Elia, Michela Fabbri, Alexandre Farnoux, Antonio Ferrara, Pierpaolo Filippelli, Vincenza Filippi, Pierpaolo Forte, Luigi Gallo, Fernando Giannella, Federico Giletti, Raffaele Giovinazzo, Valeria Golino, Christian Greco, Fernande Hölscher, Tonio Hölscher, Maria Laura Iadanza, Silvia Lambertucci, Nicolas Laubry, Pascale Linant de Bellefonds, Duilio Giammaria, Giulio Magli, Gaetano Manfredi, Alberta Martellone, Concetta Masseria, Sara Masseroli, Clelia Mazza, Stéphane Millière, Mattia Morandi, Francesco Muscolino, Anna Onesti, Antonio Osanna, Rocco Aldo Osanna, Fabio Palombi, Andrea Pane, Cristiano Peddis, Carmine Pellegrino, Renata Picone, Maria Stella Pisapia, Enrico Rinaldi, Ernesta Rizzo, Alessandro Russo, Alfonsina Russo, Vincenzo Sabini, Francesco Sirano, Claudio Scarpati, Giuseppe Scarpati, Salvatore Settis, Francesca Spatafora,

Arianna Spinosa, Grete Stefani, Gian Antonio Stella, Pierre Stine, Nicoletta Summa, Luana Toniolo, Lia Trapani, Antonio Vaccaro, Antonio Varone, Stéphane Verger, Andrea Viliani, Catherine Virlouvet, Teresa Virtuoso, Gianluca Vitagliano, Eliana Vollaro, Federica Zabotti, Fausto Zevi, Gabriel Zuchtriegel.

Un grazie particolare a Carmen D'Anna, che ha curato le didascalie, a Luisa Ferro per le belle planimetrie e ricostruzioni della Casa di Orione, a Maria Luisa Catoni, Marco Fabbri, Marco Giglio e Carlo Rescigno, che hanno letto parti del manoscritto e sono stati prodighi di consigli, a Claude Pouzadoux per le belle discussioni a cena, ad Annamaria Mauro per l'incredibile impegno profuso accanto a me a Pompei in questi anni, al mio maestro Mario Torelli, per il costante confronto e la generosità nel dispensare la sua sapienza.

A Giovanni Nistri con il quale l'impegno «in trincea» è diventato la consuetudine di un'amicizia, e senza il quale il Grande Progetto non sarebbe mai decollato.

A Gianluca De Marchi, per la pazienza, il sostegno che non ha fatto mancare nel difficile lavoro di scrittura (portato avanti nei tempi sottratti alla mia vita personale), e per tutti i viaggi e le discussioni che hanno enormemente allargato orizzonti e prospettive.

Il mio ricordo commosso va a Enzo Lippolis, con il quale avrei voluto discutere ogni pagina di questo libro e tanti altri progetti avrei voluto portare avanti.

Il libro è dedicato a mia madre, Rosa Antonia Maglione, lei sa perché.

INDICE

Introduzione 5

Capitolo 1. La lunga vita di Pompei: i santuari e la città 13

Capitolo 2. Vasi parlanti, alle origini di Pompei e dei Pompeiani 57

Capitolo 3. Strade, case, botteghe negli scavi delle Regio V 79

Capitolo 4. Epigrafi «senza gloria», ma non «senza storia» 131

Capitolo 5. Gladiatori e taverne: intrattenimento e tempo libero 157

Capitolo 6. I mosaici di Orione: capire l'iconografia dalle stelle 179

Capitolo 7. Nella stanza di Leda. Mito ed erotismo 213

Capitolo 8. Il più amato dai pompeiani.
Una tomba speciale appena fuori città 233

Capitolo 9. Ceneri e lapilli: stratigrafia di un disastro 273

Capitolo 10. «Rapiti alla morte»:
i primi calchi delle vittime di Pompei 301

Appendice 1. La doppia vita di Pompei:
1748, cominciano gli scavi ufficiali 333

Appendice 2. L'oggi.
Dal crollo della Schola armaturarum al Grande Progetto Pompei 351

Note 385

Bibliografia 411

Ringraziamenti 443